KB126151

신역

주역전의

신역
新譯

주역전의

성백효 역

한국인문고전연구소

차례

• 周易傳義 (上) •

발 간 사

《주역》은 《시경》·《서경》과 함께 삼경(三經)으로 알려져 유가 경전(儒家經典)의 대표로 꼽혀왔다. 천지 자연의 생성원리와 무궁무진한 변화에 따른 인간의 생로병사와 길흉화복에 잘 내처하게 한 책이 바로 이 《주역》이다.

그러나 《주역》은 저작 과정에서부터 이설이 많고 해석 또한 제가(諸家)의 설이 분분하여 한학에 조예가 깊은 분이라도 쉽게 접할 수 없는 것이 사실이다. 하지만 이 《주역전의(周易傳義)》는 문자 그대로 정이천(程伊川)의 《주역(易傳)》과 주자(朱子)의 《본의(本義)》를 합본한 것이어서 의리학(義理學)과 상수학(象數學)이 겸비된 최고의 주석서라 할 것이다. 명나라 때 만들어진 이 《주역전의》가 영락대전본(永樂大全本)으로 채택됨으로써 우리나라에 그대로 교습(教習)되어 우리 선현들의 문집이나 사상을 제대로 이해하려면 이 《주역전의》가 없이는 거의 불가능하다해도 지나친 말이 되지 않을 것이다.

본인은 뒤늦게 선조들의 사상과 문화에 관심을 갖고 20여 년 전 《논어》를 독학하기로 결심하였다. 그리하여 근 10여 종의 《논어》 번역서와 《논어집주》를 구입하여 읽어보았으나, 한문(漢文)의 기본 소양이 부족한 본인으로서는 몇 번을 읽어봐도 도무지 이해가 되지 않았다. 게다가 각 본마다 해석이 달라 오히려 혼란을 가중시켰다. 그러다가 전통문화연구회에서 간행한 성백효(成百曉) 선생의 현토완역본 《논어집주》를 접하게 되었다. 그때의 솔직한 심정은 어두운 밤거리를 헤매다가 촛불을 얻은 느낌이라고나 할까. 마치 꿈 속에서 깨어난 듯한 기분이었다.

이 《논어집주》가 인연이 되어 성백효 선생을 알게 되었고 경전 강독을 시작하였으며 동지들과 사단법인 해동경사연구소를 설립하였다. 그리하여 연구소에서 《주역전의(周易傳義)》와 《고문진보후집(古文眞寶後集)》 등을 강독하였고 지금은 《예기(禮記)》를 공부하고 있다.

해동경사연구소의 설립 목적은 선생의 사유(思惟)가 담긴 사서집주와 삼경집전을 재번역하기 위함에 있다. 그리하여 성백효 선생은 2013년에 《부안설(附按說) 논어집주》, 2014년에 《부안설 맹자집주》, 2016년에 《부안설 대학 · 중용집주》를 차례로 출간하고 이것을 근간으로 학생들의 교재용인 최신판 《사서집주》를 간행하였다. 또한 수정본 《고문진보후집(古文眞寶後集)》을 출간하였으며, 《삼경집전》을 보완 수정하여 그 결과물로 신역(新譯) 《주역전의(周易傳義)》가 첫 번째로 출간되게 된 것이다. 옛 본에 비하여 편집내용과 역주, 그리고 자훈(字訓)과 음(音)이 대폭 보완되었는바, 문자 그대로 최신판이라 하겠다. 《시경집전》과 《서경집전》이 곧 뒤이어 출간될 예정이니 동학(同學)들의 많은 이용이 있기를 바라마지 않는다.

우리 해동경사연구소에서는 성백효 선생이 더 노쇠하기 전에 삼경집전을 육성으로 녹음하여 초학자들이 이용할 수 있도록 준비하고 있다. 이로써 동양학에 뜻을 둔 젊은이들이 더욱 열심히 공부하여 우리 선조들의 훌륭한 사상과 정신을 계속해 이어가기를 간절히 바라는 바이다.

2023년 1월

權 五 春

해동경사연구소 고문

신역(新譯)《주역전의(周易傳義)》의 출간을 축하하며

신역(新譯)《주역전의(周易傳義)》가 나온다 하니, 참으로 반갑고 또한 감개가 무량하다.

법학을 연구하고 법조계에 종사하는 동학들과 과우회(寡尤會)를 결성하여 성백효 선생을 모시고《주역전의》를 완독한 지가 어언 20년이란 세월이 흘렀다.

본인은 처음《주역전의》를 접하면서 천지자연의 생성(生成)과 변천(變遷), 인간의 영고성쇠(榮枯盛衰)와 길흉화복(吉凶禍福)에 대해 깊은 감명을 받았다. 강독 초기에 주역이란 책은 그저 신비한 점술서로 한갓 샤머니즘에 가까울 것이라고 미리 짐작하여 크게 관심을 두지 않았었다. 그러다 점점 강독을 계속하면서 재미를 갖게 되었으며, 지천(地天) 태괘(泰卦 ䷊)의〈단전(彖傳)〉에 "이것은 하늘과 땅이 사귀어 만물이 통하는 것이요, 윗사람과 아랫사람이 사귀어 그 뜻이 같아지는 것이다.〔是天地交而萬物通也; 上下交而其志同也.〕"라고 한 것을 읽고서 그야말로 큰 깨우침을 얻었다. 높은 하늘(☰)이 아래로 내려오고 낮은 땅(☷)이 위로 올라가 있는 것이 태괘의 상(象)이며, 높은 사람이 몸을 낮추고 마음을 겸허히 하여 낮은 사람의 뜻을 존중하고 의견을 받아들이는 것이 태괘의 뜻이다. 이것이 진정한 민주주의요 인간사회의 원칙이라고 생각되었다.

그리고 바로 뒤에 이어지는 비괘(否卦 ䷋)는 태괘와 정반대로 높은 하늘(☰)이 위에 있고 낮은 땅(☷)이 아래에 있으므로,〈단전〉역시 "이는 하늘과 땅이 사귀지 못하여 만물이 통하지 못하고, 윗사람과 아랫사람이 사귀지 못하여 천하에 제대로 된 나라가 없는 것이다.〔是天地不交而萬物不通也; 上下不交而天下无邦也.〕" 하였다. 그리고 비괘에 대한〈서괘전(序卦傳)〉에는 "태는 통함이니, 사물은 끝내 통할 수만은 없으므로 비괘로 받았다.〔泰者, 通也, 物不可以終通, 故受之以否.〕" 하였으며, 비괘 다음의 동인괘(同人卦)에는 "사물은 끝내 비색할 수만은 없다. 그러므로 동인괘로 받았다.〔物不可以終否, 故受之以同人.〕" 하였다. 동인은 남과 어울려서 함께 비색함(어려움)을 구제함을 이른다. 정이천(程伊川)은《역전(易傳)》에서 이에 대해 "하늘과 땅이 사귀지 못하면 비색함이 되고 윗사람과 아랫사람이 서로 함께 하면 동인이 되니, 동인은 비(否)의 뜻과 정반대가 된다.〔夫天地不交則爲否, 上下相同則爲同人, 與否義相反.〕" 하였다. 천지 자연의 이치는 성쇠(盛衰)와 소장(消長)이 서로 순환하여 한번 성하면 한번 쇠하고, 한번 사라지면 다시 자라나게 마련이다.

복선화음(福善禍淫)의 천도(天道)는 변치 않으며 시간과 장소에 따라 사물은 수시로 변화하지만 원리원칙은 바뀌지 않는다. 이것이 태극(太極)의 진리요 자연의 법칙이다. 인생을 긴 안목으로 보아야 한다. 짧은 안목으로 당장의 성공과 실패에 일희일비해서는 안된다. 우리 인간은 이 변역(變易)의 이치를 알지 못하여 길흉화복에 제대로 대처하지 못한다. 이는 본인을 위시하여 모든 분들의 공통된 것이라 할 것이다.

법무법인의 사무가 많아져 강독을 다년간 계속하지 못하였다. 그러나 때로는 《주역》 책을 펼쳐놓고 옛날 감상에 무젖곤 하였다. 이제는 세속의 일을 접어두고 다시 예전의 공부를 계속하려 한다. 이번에 출간된 개정본은 내용에서나 편집에 있어 괄목할 정도의 진전이 발견된다. 성백효 선생의 《시경(詩經)》과 《서경(書經)》의 개정본이 계속 출간될 것을 기대하고 두서없이 20년 전의 감회를 적으며, 《주역전의》가 더욱 많이 읽혀져 올바른 사회가 이루어지기를 고대해 마지않는다.

2023년 1월

金成珍

해동경사연구소 이사장

법무법인 태평양 변호사

신역(新譯) 《주역전의(周易傳義)》를 출간하며

본서(本書)는 《주역전의》 24권과 총목(總目), 곧 역본의도(易本義圖), 역설강령(易說綱領), 상하편의(上下篇義), 오찬(五贊), 서의(筮儀)를 현토(懸吐)하고 역주(譯註)한 것이다.

《주역전의》란 명칭은 명(明)나라 성조(成祖)의 영락(永樂) 년간에 《대전본(大全本)》을 만들면서 금역(今易)의 체제를 따른 정이천(程伊川)의 《역전(易傳)》과 고역(古易)의 체제를 따른 주자(朱子)의 《본의(本義)》를 합본(合本)하면서 붙여진 이름이다. 이를 자세히 알기 위해 《주역전의대전》의 범례(凡例) 첫 번째 조항을 뒤에 붙이니, 참고하기 바란다.

《역전》과 《본의》를 합본함으로써 정자와 주자의 이설(異說)을 살필 수 있어 좋으나, 체제가 다른 금역과 고역을 합치면서 《정전》을 위주로 편집하다보니, 서로 맞지 않는 부분도 없지 않다. 특히 〈단전(彖傳)〉·〈상전(象傳)〉·〈계사전(繫辭傳)〉 등의 해석에서 확연히 드러난다.

《주역》은 역경(易經), 또는 역(易)이라 약칭하는바, 동양철학의 오묘한 진리를 풀이한 책으로 경전(經典)의 으뜸이라 할 것이다. 팔괘(八卦)를 근본으로 하여 이루어진 64괘(卦)를 다시 상경(上經)과 하경(下經)으로 나누고, 여기에 십익(十翼) 즉 〈단전〉 상·하, 〈상전〉 상·하, 〈계사전〉 상·하, 〈문언전(文言傳)〉, 〈설괘전(說卦傳)〉, 〈서괘전(序卦傳)〉, 〈잡괘전(雜卦傳)〉의 10편을 합하여 하나의 책으로 만든 것이다.

역(易)의 작자(作者)에 대해서는 여러 이설이 있지만 일반적으로 복희씨(伏羲氏)가 처음 팔괘와 64괘를 그렸으며, 주(周)나라 문왕(文王)이 이것을 연역하여 괘사(卦辭)를 짓고 주공(周公)이 효사(爻辭)를 짓고 공자(孔子)가 십익을 만들었다고 한다. 이처럼 주나라 때에 만들어졌다 하여 《주역》이라 칭한다.

복희씨는 황하(黃河)에서 나온 용마(龍馬)의 등에 그려진 그림을 보고 이것을 근거하여 팔괘를 그렸다 하는바, 이것을 하도(河圖)라 한다. 하도는 1에서부터 10까지의 둥근 권점(圈點)이 그려져 있는데, 권점은 백권(白圈)과 흑권(黑圈)으로 나뉘어 음(陰)·양(陽)을 나타낸다. 이 하도는 우왕(禹王) 때에 나왔다는 낙서(洛書)와 함께 천지(天地) 오행(五行)의 생성원리(生成原理)를 밝힌 것으로 동양철학의 근간이라 할 것이다.

역은 본래 복서(卜筮)에 이용하던 책이었다. 복서란 점치는 방법으로 복(卜)은 거북점을, 서(筮)는 《주역》점을 이르는데, 옛날 사람들이 마음에 의심스러워 결정할 수 없을 경우 이를 신(神)에게 묻는 수단으로 사용하였다. 후대에는 복과 서를 둘로 나누지 않고 거북점과 《주역》점을 혼칭하기도 하였다. 이 《주역》이 주나라 초기에 이르러 인간의 길흉·화복을 도덕적인 측면과 연관시켜 괘사(卦辭)와 효사(爻辭)를 붙이고 십익에 이르러서는 더욱 권선징악(勸善懲惡)을 강조하여 비로소 중요한 경전(經典)으로 인식되었던 것이다.

○ 역(易)의 원리(原理)

역의 원리는 하나의 진리인 태극(太極)에서 음양(陰陽)의 양의(兩儀)가 나오고 양의에서 사상(四象)이, 사상에서 팔괘(八卦)가 나왔으며, 이 팔괘를 거듭하여 64괘가 이루어진 것이다. 그러므로 〈계사전(繫辭傳)〉에 "역(易)에는 태극이 있으니, 이것이 양의를 낳고 양의가 사상을 낳고 사상이 팔괘를 낳았다." 한 것이다.

태극은 철학적으로 매우 깊은 뜻을 지니고 있는 용어이다. 우주(宇宙) 만물(萬物)의 생성(生成)의 근원이 되는 본체(本體:진리)이며, 만물이 생겨난 뒤에는 모든 물건의 본성(本性)이 되고 인간이 행하여야 할 도리(道理)가 되는바, 한 마디로 표현하면 불역(不易)의 진리(眞理)라 할 것이다.

이 태극에서 분화된 것이 양의인데, 양의를 단적으로 말한다면 음(陰)과 양(陽)이라고 할 수 있다. 그리하여 양을 표시하는 양효(陽爻)와 음을 표시하는 음효(陰爻)가 생기게 되었다. 양을 대표하는 것은 하늘이요, 음을 대표하는 것은 땅이다.

천지창조(天地創造)의 과정은 하늘로부터 비롯되었기 때문에 양효(陽爻)는 하나를 의미하는 ━로 표시하고, 땅은 하늘에 이어 두 번째로 형성되었기 때문에 음효(陰爻)는 둘을 의미하는 ╍로 표시한 것이다. 그리고 양의에서 다시 분화된 것이 사상으로 소양(少陽)과 태양(太陽), 소음(少陰)과 태음(太陰)을 가리킨다. 즉 양의의 위에 각각 양효와 음효를 가하여 이루어진 것으로, 양중(陽中)의 양을 태양(太陽), 양중의 음을 소음(少陰), 음중(陰中)의 양을 소양(少陽), 음중의 음을 태음(太陰)이라 하며, 태양을 노양(老陽), 태음을 노음(老陰)이라고도 한다.

팔괘는 사상의 위에 또다시 양효와 음효를 가하여 이루어진 것으로 모두 여덟 괘이기 때문에 명칭한 것인데, 역의 기본이 된다.

※ 역의 원리에 대한 자세한 내용은 신상후(申相厚 한국학중앙연구원) 교수의《주역》이론편을 바로 뒤에 붙이니, 참고하기 바란다.

○ 역의 응용(應用)

태극(太極)과 음양(陰陽)의 원리를 밝힌《주역》은 우선 신비함을 느끼게 한다. 우리의 국기(國旗)가 태극이란 점에서 더욱 그러하다. 〈계사전〉에 "형이상(形而上)을 도(道)라 하고 형이하(形而下)를 기(器)라 한다." 하였다. 도(道)는 태극으로 리(理)를 의미하고, 기(器)는 음양으로 기(氣)를 의미한다. 퇴계(退溪)와 율곡(栗谷)의 리기설(理氣說) 역시《주역》이 근본이라 할 수 있다.

역(易)은 천도(天道)를 미루어 인사(人事)에 미치되 매우 광범위하여 구비하지 않은 것이 없다. 인간의 길흉화복(吉凶禍福)을 선악(善惡)에 연관시킴으로써 사람이 처한 위치에 따라 행하여야 할 참다운 도리를 명확히 제시하였다. 그러므로《주역》은 수양(修養)의 책이고 경륜(經綸)의 책이고 입명(立命)의 책인 것이다. 이로써 몸을 닦고 이로써 사업을 일으키고 이로써 부귀(富貴)와 빈천(貧賤)에 대처할 수 있다. 복서(卜筮)의 책이면서 동시에 윤리도덕을 밝힌 우주의 진리서(眞理書)이다.

〈계사전〉에 "군자는 일이 없을 때에는 괘효(卦爻)의 상(象)을 보고 괘사(卦辭)와 효사(爻辭)를 살펴보며, 동(動)할 때에는 점괘(占卦)를 보고 그 변함을 살펴본다." 하였다. 이 때문에 선현(先賢)들은 특별한 일이 없으면 새벽에 일어나 무릎 꿇고

앉아 분향(焚香)하고 경건한 마음으로 괘를 뽑아보곤 하였다. 괘 하나를 뽑으려면 거의 1시간이 소요된다. 신명(神明)을 대하듯이 경건한 자세로 괘를 뽑고 그에 따른 해석을 음미해 보는 일은 심신(心神)을 수양함에 있어 최고의 방법이었다고 여겨진다.

주자(朱子)는《주역》이 모든 일에 응용됨을 강조하면서 다음과 같이 말씀하였다.

"준괘(屯卦 ䷂) 육삼 효사(六三爻辭)에 '卽鹿无虞 惟入于林中 君子幾 不如舍 往吝'이라 하였는데, 이 뜻은 '장차 사슴을 사냥하려 하면서 길을 인도하는 우인(虞人)이 없으면 오직 숲 속으로 빠져 들어갈 뿐이니, 군자는 기미를 알아 그만두는 것만 못하다. 만약 그만두지 않고 계속하여 간다면 부끄러움을 취하는 방법이다'라는 것이다. 이는 후인(後人)들이 일을 할 때 만약 관작(官爵)을 구하는 자가 그치지 않고 계속하여 구한다면 곧 부끄러움을 취하게 되고, 재리(財利)를 구하는 자가 그치지 않고 계속하여 구한다면 곧 부끄러움을 취하게 됨을 계시하는 것이다."

64괘 중에 오직 겸괘(謙卦 ䷎)만은 여섯 효 모두 나쁜 것이 없다. 겸손은 언제 어디서나 좋은 것이다. 하늘이 위에 있고 땅이 아래에 있으면 비괘(否卦 ䷋)가 되고 이와 반대로 땅이 위에 있고 하늘이 아래에 있으면 태괘(泰卦 ䷊)가 된다. 태(泰)는 상하의 뜻이 소통하여 편안함을 이르고, 비(否)는 상하의 뜻이 서로 막혀 나쁨을 이른다. 하늘은 본래 높고 땅은 본래 낮다. 지위가 높은 사람이 자신을 낮추어 아랫사람들의 의견을 받아들이면 상하간에 의사가 잘 소통되어 편안하고, 이와 반대로 높은 사람이 높은 체하여 아랫사람들을 무시하면 뜻이 서로 막혀 망함을 의미한다. 위를 덜어 아래를 보태면 익괘(益卦 ䷩)가 되고 아래를 덜어 위를 보태면 손괘(損卦 ䷨)가 된다. 익(益)은 문자 그대로 유익한 것이고 손(損)은 손해되는 것이다. 군주나 윗사람이 아랫사람들에게서 착취하여 향락에 빠지면 그 나라는 결국 망하고, 윗사람이 검소하게 생활하면서 아랫사람들을 돌봐주면 그 나라는 흥왕(興旺)한다. 오늘날 회사의 경우에도 마찬가지일 것이다.

물이 위에 있고 불이 아래에 있으면 기제(旣濟 ䷾)이고, 반대로 불이 위에 있고 물이 아래에 있으면 미제(未濟 ䷿)이다. 사람의 신체도 정욕(情慾)을 남용(濫用)하여 수기(水氣)가 하강(下降)하고 열(熱)이 치솟으면 오장육부가 병들고, 심신을 수양하여 화기(火氣)가 내려오고 수기가 올라가면 건강하다.《주역》의 이치는 이처럼 어떠한 사물이든 해당되지 않는 곳이 없다.

물론 복서서(卜筮書)란 말에 대해 고대 샤머니즘의 일종으로 생각하여 비과학적이고 비현실적인 것이라는 선입견을 가질 우려도 없지 않다. 그러나 절대로 그렇지 않다. 길거리에서 사주(四柱)나 관상(觀相)을 보는 명리학가(命理學家;역리학가(易理學家))의 그것과는 절대로 다름을 알아야 한다. 동양 최고의 경전(經典)으로 우리나라의 실학자(實學者)인 성호(星湖) 이익(李瀷)이나 다산(茶山) 정약용(丁若鏞)도 깊이 연구하였음을 재인식해야 할 것이다.

지금 우리는 사회와 경제가 모두 불안정하여 불확실한 현실에서 살고 있다. 어떻게 살아가는 것이 인간의 참다운 삶인지 판단하기가 쉽지 않다. 《주역》은 우리가 직면하고 있는 오늘의 난국(難局)을 타개하는 데에도 좋은 귀감이 될 것이다. 우주의 진리는 순환하여 반복함을 원칙으로 한다. 여름이 가면 겨울이 오고 밤이 지나면 낮이 되며, 행복이 극에 이르면 불행이 다가오고 어려움이 다하면 즐거움이 뒤따른다. 고진감래(苦盡甘來)요 낙극생애(樂極生哀)라 하겠으며, 쥐구멍에도 해뜰날이 있다는 우리 속담도 있다. 현재 자신이 처한 환경과 위치에 너무 연연하지 말고, 꿋꿋하고 겸손하게 중정(中正)을 지키며 살아가야 할 것이다.

본인은 일찍부터 한학(漢學)을 전수(專修)하였으나 사사(師事)한 선생님들이 《주역》 만은 선뜻 전수해주지 않으셨다. 그러다가 1977년 민족문화추진회(民族文化推進會)의 국역연수원(國譯硏修院)에서 연청(硏靑) 오호영(吳虎泳) 선생에게 처음으로 《주역》을 배울 수 있었다. 연청 선생은 화서(華西) 연원(淵源)의 가학(家學)이 있을 뿐만 아니라 《주역》에 밝으신 남산(南山) 정찬(鄭瓚) 선생을 사사하여 역학에 조예가 깊으셨다. 본인은 그 후 동학들과 몇 년간 《주역》을 강독하고 본서를 역해하여 어언 25년이 경과하였다. 삼경(三經)을 보완 출판하겠다고 작심한지 20년만에 신역본(新譯本)이 비로소 출간되게 되었다. 일부 주석을 추가하고 오류를 수정하였으며, 1권의 건(乾)·곤(坤)·준(屯)·몽(蒙)의 네 괘와 〈계사전〉, 〈설괘전〉 등은 신상후(申相厚) 교수가 직접 수정하고 주석을 추가해주었다. 다시 한 번 감사의 말씀을 드린다.

신역(新譯)《주역전의(周易傳義)》를 출간하며 특별한 것은 편집체계를 대폭 바꾸었다는 점이다. 그리하여 1권(상권)에는 정이천(程伊川)의 역전서(易傳序)와 역서(易序)를 싣고 곧바로 경문(經文) 24괘를, 2권(중권)에는 28괘를, 그리고 3권(하권)에는 나머지 12괘와 〈계사전〉·〈설괘전〉·〈서괘전〉·〈잡괘전〉을 싣고 뒤에 총목(總目) 곧 〈역본의도(易本義圖)〉와 〈역설강령(易說綱領)〉·〈상하편의(上下篇義)〉 등을 실었다. 총목은《주역》을 이해하는 데 필수불가결한 내용이지만 요즘 일반인들은 대부분 보지 않으므로 뒤로 돌린 것이다. 독자들의 양해를 바라며 이 책의 출판을 위해 물심양면으로 지원해주신 박희재(朴喜在) 이사님과 원고 정리를 도와준 신선명(申先明), 방회숙(方淮淑), 김예서(金芮書) 세 분께도 감사의 말씀 올린다.

西曆 2023년 歲在癸卯 泰月

成 百 曉

해동경사연구소장

*《주역전의대전(周易傳義大全)》 범례(凡例)

1. 周易은 上下經二篇과 孔子十翼十篇[1]이 各自爲卷이러니 漢費直이 初以彖、象釋經하여 附於其後하니 鄭玄、王弼이 宗之하고 又分附卦爻之下하고 增入乾坤文言하여 始加彖曰、象曰、文言曰하여 以別於經하고 而繫辭以後는 自如其舊라 歷代因之하니 是爲今易이니 程子所爲作傳者 是也라 自嵩山晁說之 始考訂古經하여 釐爲八卷이러니 東萊呂祖謙이 乃定爲經二卷、傳十卷하니 是爲古易이니 朱子本義從之라 然程傳、本義 旣已竝行이요 而諸家定本이 又各不同이라 故로 今定從程傳元本하고 而本義를 仍以類從호되 凡經文은 皆平行書之하고 傳、義則低一字書以別之하며 其繫辭以下는 程傳旣闕일새 則壹從本義所定章次하여 總釐爲二十四卷云이라

《주역》은 상경(上經)·하경(下經) 2편과 공자의 십익(十翼) 10편이 각각 따로 책이 되어 있었는데, 전한(前漢)의 비직(費直)이 처음으로 〈단전〉과 〈상전〉으로 경문(經文)을 해석하여 경문의 뒤에 붙였다. 정현(鄭玄)과 왕필(王弼)이 이를 높이고 또 괘사(卦辭)와 효사(爻辭)의 아래에 나누어 붙였으며, 건(乾)·곤(坤)의 〈문언전〉을 더 넣고서, 비로소 '단왈(彖曰)'·'상왈(象曰)'·'문언왈(文言曰)'을 덧붙여 경문과 구별하였으며, 〈계사전〉 이후는 예전과 똑같다. 역대로 이것을 따르니, 이것이 금역(今易)이니, 정자(程子)가 《역전(易傳)》을 지은 것이 이것이다.

숭산(嵩山) 조열지(晁說之)가 비로소 옛 경(經)을 고정(考訂)하여 바로잡아 8권으로 만들었는데, 동래(東萊) 여조겸(呂祖謙)이 마침내 경(經) 2권과 전(傳) 10권으로 정하여 만드니, 이것이 고역(古易)이니, 주자(朱子)의 《본의(本義)》가 이것을 따랐다.

그러나 《정전(程傳:정자의 역전)》과 《본의》가 이미 아울러 행해지고, 제가(諸家)

1 孔子十翼十篇 : 십익은 《주역》을 우익(羽翼)하여 부연 설명한 10권의 책으로 〈단전 상〉·〈단전 하〉, 〈상전 상〉·〈상전 하〉, 〈계사전 상〉·〈계사전 하〉, 〈문언전〉, 〈설괘전〉, 〈서괘전〉, 〈잡괘전〉을 이르는바, 공자가 지었다 하나 청대(淸代) 고증학자(考證學者)들은 후세에 공자의 이름을 가탁하여 지은 것으로 보았다.

… 彖 : 단사 단, 돼지달아날 단 嵩 : 높을 숭 晁 : 일찍 조 (鼂通) 釐 : 정리할 리

의 정본(定本)이 또 각기 다르므로 이제 《정전》을 원본으로 정하여 따르고, 《본의》를 류(類)로써 따랐는데, 경문(經文)은 모두 평행으로 쓰고, 《정전》과 《본의》는 한 글자를 낮추어 써서 경문과 구별하였으며, 〈계사전〉 이하는 《정전》에 빠졌으므로 한결같이 《본의》에 정한 장(章)의 차례를 따라 총 24권으로 정리하였다.

1. 程傳은 據王弼本하여 只有六十四卦하고 繫辭以後는 無傳[2]일새 今法天台董氏例하여 以東萊呂氏所集經說補之[3]하고 仍只稱程子日하여 分註書之하여 別於傳也하노라

《정전(程傳)》은 왕필의 본(本)에 의거하여 64괘만 있고, 〈계사전〉 이후는 전(傳; 주해)이 없으므로 이제 천태동씨(天台董氏)의 예(例)를 본받아, 동래 여씨(東萊呂氏)가 모아 엮은 경설(經說;정자의 해설)로 보충하고, 그대로 다만 '정자왈(程子日)'이라고 칭한 다음 분주(分註;소자쌍행(小字雙行))하여 써서 《정전》과 구별하였다.

※ 《대전본》에는 〈계사전 상〉 10장까지는 【程子日】이라는 표제어를 달고 주자(朱子)의 분장(分章)에 따라 처음을 '기(起;…로부터 시작함)', 끝을 '지(止;…에 까지)'의 형식을 취하였으나 기(起)는 빼고 지(止)만 썼다. 다만 【程子日】이 있는 부분만 발췌하다보니, 전문(全文)에 해당하지 않는 부분이 있어 5장은 '一陰一陽之謂道'에서 '君子之道鮮矣'까지는 앞부분이 빠져있고, 8장은 이와 반대로 앞부분만 있고 뒷부분은 없으며, 9장은 주자가 편차(篇次)를 바꾸는 바람에 【程子日】이 네 번 보이고 역시 '기~지'의 형식을 취하지 않았다. 그 외의 소자(小字)로 된 '程子日'은 《대전본》을 만들 때 추가로 뽑아 넣은 것인데 《본의》의 앞에 독립시킨 것이 특징이다. 그 이유는 정자의 말씀이 《본의》에 포함될 수 없기 때문이다.

2 繫辭以後 無傳 : 《대전본(大全本)》에는 이 아래에 "왕필은 다만 64괘에 주를 달았고, 〈계사전〉과 〈설괘전〉·〈서괘전〉·〈잡괘전〉은 왕필의 문인인 한백이 주했다.〔王弼只註六十四卦, 繫辭、說卦、序卦、雜卦門人韓伯註.〕"는 세주(細註)가 있다.

3 以東萊呂氏所集經說補之 : 《대전본》에는 이 아래에 "상계(上繫;〈계사전 상〉) 제1장부터 제10장까지는 모두 전문(全文;한 장의 전체 글)을 달고, 11장 이후는 여씨(여동래(呂東萊))의 〈정의(精義)〉와 두 동씨(董氏;천태동씨(天台董氏;동해(董楷)와 파양동씨(鄱陽董氏;동진경(董眞卿))의 부록을 참고하여 그 중요한 말씀을 뽑아 붙여서 일가(一家)의 설을 대비하였다.〔自上繫第一章, 至十章, 皆係全文, 十一章以後, 今參用呂氏精義, 二董附錄, 掇其要語, 附之, 以備一家言.〕"는 세주가 있다.

《周易》 이론편

1. 易의 의미와 원리

(1) 易의 명칭과 뜻

① 簡易 · 變易 · 不易

《周易》은 易經 혹은 易이라고도 한다. 易에는 간이(簡易) · 변역(變易) · 불역(不易)의 세 가지 뜻이 있는바, 이는 《乾鑿度》 등의 緯書와 鄭玄(127~200) · 孔穎達(574~648) 등의 경학가에 의해 천명되었다.

첫째, 簡易란 알기 쉽고 따르기 쉽다는 것이다. 〈繫辭傳〉에 "乾은 쉬움으로써 만물을 냄을 주관하고 坤은 간략함으로써 만물을 이룬다. 쉬우면 알기 쉽고 간략하면 따르기 쉽다." 하였다.[1] 易의 중심이 되는 乾 · 坤 두 卦는 자연으로 보면 하늘과 땅을 상징하고, 人事로 보면 아버지와 어머니를 상징하며, 추상적 성질로 보면 陽과 陰을 상징한다. 易은 이 두 축을 기본으로 하여 천지 만물을 설명하기 때문에 그 설명이 이해하기 쉽고 또 실천하기 쉽다. 복잡한 세계를 乾 · 坤 두 개의 범주로 풀어낸 易 철학은 그 簡易함이 특징이라 할 수 있는바, 鄭玄은 易의 세 가지 뜻 중에, 간이가 첫 번째가 된다고 하였다.[2]

둘째, 變易이란 잠시도 변화를 멈추지 않는 삼라만상의 세계를 말한다. 日月은 한순간도 쉬지 않고 운행하며 뭇 생명도 쉼 없이 생성과 소멸을 반복한다. 우주의 모든 것이 잠시도 멈추지 않고 流行함, 이것이 易이 담고 있는 우주의 象이다. 이를 〈繫辭傳〉에서는 "《周易》의 道는 자주 옮기니, 변동하여 머물지 않아 여섯 자리에 두루 흐른다. 그리하여 오르내림이 無常하고 剛 · 柔가 서로 交易하여

······

1 《周易》〈繫辭傳 上〉. "乾以易知, 坤以簡能. 易則易知, 簡則易從."

2 《周易正義》卷1〈第一 論易之三名〉참조.

典要(일정한 규칙)로 삼을 수 없고 오직 변화하여 나아가는 바대로 한다."라고 표현하였다.[3]

셋째, 不易이란 끊임없이 변역하는 현상 안에 바뀌지 않는 이치가 있다는 말이다. 日月이 운행하고 四時가 流行함에 만물이 끊임없이 변하지만, 만물이 변한다는 그 사실 자체는 변하지 않는다. 즉, 만상은 변화하지만 그 변화의 법칙은 변하지 않는다는 것이다. 不易은 자리로도 말할 수 있는데, 이를테면 하늘은 위에 있고 땅은 아래에 있으며, 日 · 月 · 星 · 辰은 위에 자리하고 동식물은 그보다 아래에 자리한다는 것 역시 바뀌지 않는 법칙이다. 이를 〈繫辭傳〉에서는 "하늘은 높고 땅은 낮으니 乾 · 坤이 정해지고, 낮은 것과 높은 것이 진열되니 貴 · 賤이 자리하고, 動과 靜이 떳떳함이 있으니 剛 · 柔가 결단된다."라고 표현하였다.[4]

② '易' 字의 뜻

'易' 자의 구성과 뜻에 대해서 여러 說이 있는데, 그중 가장 일반적인 것은 석역설(蜥蜴說)[5]과 日月說이다.

《說文解字》에 "易은 蜥蜴, 蝘蜓(언전), 守宮으로 상형글자이다. 秘書에 '해와 달을 합하여 이루어진 글자가 易이니 陰 · 陽을 형상한 것이다.' 했다."[6]하였다. 蜥蜴은 일명 蝘蜓, 守宮으로, 도마뱀이라 풀이하지만 정확히 말하면 카멜레온이다. 석척설은, '易' 자의 윗부분인 '日'은 카멜레온의 머리를, '口' 안의 점은 눈을 상징하며, 아랫부분의 '勿'은 카멜레온의 몸체와 발을 형상했다는 것이다. 카멜레온이 주위 환경에 따라 자신의 피부 색깔을 수시로 변화시키는 데에 착안한 것이다.

〈蜥蜴說〉

3 《周易》〈繫辭傳 下〉. "其爲道也屢遷, 變動不居, 周流六虛, 上下无常, 剛柔相易, 不可爲典要, 唯變所適."

4 《周易》〈繫辭傳 上〉. "天尊地卑, 乾坤定矣. 卑高以陳, 貴賤位矣. 動靜有常, 剛柔斷矣."

5 蜥蜴說 : 蜴은 음을 '척'으로 읽는데, 원음을 따라 '역'으로 표기하였다.

6 《說文解字》. "易, 蜥蜴, 蝘蜓, 守宮也. 象形. 秘書說日月爲易, 象陰陽也."

日月說은 易 자를 日과 月의 會意文字라고 본 데서 유래하였다. 易은 陽을 상징하는 日과 陰을 상징하는 月이 상하로 결합한 회의문자라는 것인데, 易을 變易, 交易, 博易의 뜻으로 볼 때 日月說은《周易》의 이념을 적실히 표명한 설명이라고 할 수 있다.

(2)《周易》의 명칭과 뜻

《周易》은《易經》또는《易》이라 약칭하는데, 작자에 대해서는 여러 異說이 있지만, 일반적으로 周나라 때 만들어진 것으로 보는 견해가 주를 이루며,《周易》의 '周' 역시 왕조의 이름을 가리키는 것으로 보는 견해가 많다.

고대 중국에는 몇 종류의 易이 있었던 것으로 알려져 있다.《周禮》〈春官 太卜〉에 "太卜의 직책은 三易의 법을 주관한다."라고 하였는데, 이 三易은 連山·歸藏·周易을 가리킨다. 일반적으로 連山은 夏나라의 易, 歸藏은 殷나라의 易이라 하는데, 모두 전하지 않아 그 내용을 알 수 없다. 다만 그 명칭에 의거해보면,《周易》이 乾卦를 첫 번째 괘로 나열한 것과 달리, 連山은 산을 의미하는 艮卦를, 歸藏은 坤卦를 맨앞에 놓았으리라 추측할 수 있을 뿐이다.

鄭玄은 "夏나라의 易을 連山이라 하고, 殷나라의 易을 歸藏이라 하고, 周나라의 易을 周易이라 한다."고 하고,[7] 이에 대하여 해설하기를 "연산은 山에서 구름이 나옴이 계속 이어져서 끊어지지 않음을 형상한 것이고, 귀장은 만물이 그(땅) 가운데로 돌아가 감추지 않음이 없는 것이고, 주역은 易의 道가 두루 넓어서 구비하지 않음이 없음을 말한 것이다."[8] 하여,《周易》을 주나라의 易이라고 하면서도 '周'를 왕조의 이름으로 보지 않고 周普(두루 함)의 의미로 보았다. 이에 대하여 孔穎達은 "정현의 이 해석은 다시 근거할 만한 글이 없다.……이제 취하지 않는다." 하고,《周易》의 '周'가 '주나라'라는 주장의 근거를 다음과 같이 서술하였다.

7 《周易正義》卷1〈第三 論三代易名〉. "夏曰連山, 殷曰歸藏, 周曰周易."

8 위의 책. "連山者, 象山之出雲, 連連不絕. 歸藏者, 萬物莫不歸藏於其中. 周易者, 言易道周普, 无所不備."

살펴보건대, 《世譜》 등의 여러 책에 神農을 한편으로는 連山氏라 하고 또한 列山氏라 하였으며 黃帝를 한편으로는 歸藏氏라 하였으니, 이미 連山과 歸藏이 모두 왕조의 칭호이면 周易에 周를 칭함은 周나라 岐陽(岐山의 남쪽)의 지명을 취한 것으로, 《毛詩》에 '周나라 언덕이 아름답다.'는 것이 이것이다.[9]

朱子(1130~1200) 역시 《周易本義》에서 "周는 왕조의 이름이고 易은 책의 이름이다.〔周, 代名也. 易, 書名也.〕" 하였다.

(3) 周易》의 구성 및 작자

① 經과 傳

《周易》은 卦·卦辭·爻辭 및 十翼으로 구성되어 있다. 그중 卦·卦辭·爻辭는 經에 해당하고, 十翼은 이것들을 부연 설명한 해석서로서 傳에 해당한다.

卦에 나타나는 卦象을 따라 각각의 卦에는 卦名이 있는데, 卦辭는 이러한 卦象과 卦名을 해석하여 한 卦의 吉凶·禍福을 단정한 말이다. 주로 陰陽의 消長과 剛柔의 德을 가지고 人事에 견주어 吉凶을 서술·결단하였다. 卦辭는 彖辭라고도 하는데, '彖' 자는 돼지가 돌진하는 형상을 나타낸 것으로 결정·결단의 의미가 있는바, 이 때문에 卦의 길흉을 결단하는 괘사를 단사라고 하는 것이다. 《春秋左氏傳》에서는 繇辭(주사)라고도 하였다.

卦를 구성하는 6개의 爻에는 각각 爻辭가 달려있는데 爻辭는 각 爻가 갖는 剛柔의 才質뿐만 아니라 점유하고 있는 위치 및 시간적 개념, 다른 爻와의 상관성 등과 관련하여, 한 爻의 吉凶을 서술하고 있다.

孔子의 저작으로 알려진 十翼은 《周易》의 經(卦·卦辭·爻辭)을 해설한 주석서이다. 漢代에는 《易傳》이라 칭하였는데, 다른 주석서와의 차이를 두기 위하여 十翼이라는 이름이 붙여졌다. 十翼의 명칭은 漢代의 緯書인 《乾鑿度》에서 비롯된

9 《周易正義》 卷1 〈第三 論三代易名〉. "案世譜等羣書 神農 一曰連山氏 亦曰列山氏 黃帝 一曰歸藏氏 旣連山歸藏 竝是代號 則周易稱周 取岐陽地名 毛詩云 周原膴膴 是也"

것으로 보인다. 翼은 羽翼·保翼한다는 뜻으로서 經의 내용을 부연 설명함을 의미한다. 이때 벌써 經文 上·下篇과 十翼을 합하여 12篇으로 구성된 《易經》이 통행되었으니, 十翼이 經의 지위를 차지한 역사가 상당히 오래된 것이다.

② 十翼

十翼은 〈彖傳〉 上·下, 〈象傳〉 上·下, 〈繫辭傳〉 上·下 및 〈文言傳〉, 〈說卦傳〉, 〈序卦傳〉, 〈雜卦傳〉의 7종 10편으로 이루어져 있다.

〈彖傳〉은 卦象을 통해 卦名·卦辭 및 한 卦의 전체적 의의를 해석한 것으로 64卦 모두에 있다. 經文에 따라 上·下篇으로 나뉘어 있다.

〈象傳〉은 卦 전체의 의의를 해설한 大象과 爻辭를 해설한 小象으로 이루어져 있다. 마찬가지로 64卦 모두에 있으며, 經文에 따라 上·下篇으로 나뉘어 있다. 大象은 먼저 그 卦를 이루고 있는 上體(上卦)와 下體(下卦)의 象을 설명하고, 이것으로부터 도덕·정치상의 의리를 서술하는 식이다. 예컨대, 履卦☰를 보면, "위는 하늘이고 아래는 못인 것이 履卦이니, 君子가 이것을 보고서 上下를 분별하여 백성의 마음을 안정시킨다.〔上天下澤, 履, 君子以, 辯上下, 定民志.〕" 하였다. 여기에서도 먼저 乾卦와 兌卦로 이루어진 卦象을 설명하고, 뒤에 이를 통해 도출할 수 있는 도덕적 실천에 대하여 서술하였는바, 大象의 글은 대부분 이러한 구조로 이루어져 있다. 小象은 爻辭에 대한 주석의 성격이 강한데, 대체로 효사가 성립하는 근거나 원인을 밝혀주었다.

〈文言傳〉은 오직 乾卦와 坤卦에만 있다. 文言이란 문식하여 해설한다는 뜻으로, 乾·坤 두 卦의 卦辭와 爻辭를 풀이하면서 도덕적 실천과 그 의의를 강조하였는데, 특히 乾卦에 그 내용이 자세하다.

十翼 가운데 철학성이 가장 돋보이는 〈繫辭傳〉은, 《易經》의 성립 근거와 그 기능, 經文의 해석법, 우주발생론 등을 담고 있는바, 그 성격이 총론서에 가깝다고 할 수 있다. 孔穎達은 上篇을 12장, 下篇을 9장으로 나누었는데, 朱子는 상·하편 모두를 12장으로 나누었다.

〈說卦傳〉은 내용상 두 부분으로 나눌 수 있는데, 전반부에서는 《周易》의 구성원리를 총론하였고, 후반부에서는 八卦의 象 131종을 서술하고 있다. 이러한 차이로 인해 전반부를 〈繫辭傳〉의 글로 보는 견해도 있다.

〈序卦傳〉은 64卦의 배열 순서를 설명한 글이다. 《周易》의 卦 배열은 일정한 법칙을 찾기가 어려운데, 〈序卦傳〉에서는 이를 만물의 생성과 인간의 삶에 연관시켜 해설하였다.

〈雜卦傳〉의 雜卦는 64卦의 순서를 잡다하게 뒤섞어 설명한다는 의미이다. 《周易》 64卦 배열순서와 상관없이, 의미상 상반되는 卦를 짝지어 그 의미를 논하였으며, 韻을 달아서 암송하기 편하게 되어있다. 〈彖傳〉과 〈象傳〉도 韻文이다.

③ 《周易》의 작자

모든 고전이 그렇듯, 《周易》의 작자에 대해서도 異說이 분분하다. 그러나 일반적으로 伏羲氏의 畫易, 文王·周公의 作易, 孔子의 贊易의 단계, 즉 네 聖人의 세 단계를 거쳐 《周易》이 이루어졌을 것으로 본다. 伏羲氏가 八卦와 64卦를 긋고, 文王이 卦辭를 짓고, 周公이 爻辭를 짓고, 孔子가 十翼을 지었다는 것이다. 孔穎達은 《周易正義》 卷1의 〈論重卦之人〉, 〈論卦辭爻辭誰作〉, 〈論夫子十翼〉에서 《周易》의 작자에 대한 위와 같은 견해를 표명하였는바, 이는 程伊川(1033~1107), 朱子와도 일치한다.

《周易》의 작자에 대한 논쟁은 특히 十翼과 孔子의 관계를 중심으로 전개되었는데, 그 관점은 대략 네 가지이다.

첫째는, 十翼을 모두 孔子의 저작으로 보는 견해이다. 그 대표자는 班固(32~92), 鄭玄, 孔穎達, 程伊川, 朱子 등이다. 孔穎達은 〈論夫子十翼〉에서 "〈彖傳〉과 〈象傳〉 등 十翼의 글은 孔子가 지은 것이라 하여 先儒들이 다시 異論이 없다."라고 하였는바,[10] 孔穎達 당시까지만 해도 十翼을 孔子의 저작으로 여기는 견해가 지배적이었던 것이다.

둘째는, 十翼 중 〈彖傳〉과 〈象傳〉만 孔子가 지었고 나머지는 제자나 후학들이 지었다고 보는 견해이다. 대표자로는 北宋의 歐陽脩(1007~1072)이다.

셋째는, 十翼은 결코 孔子의 저작이 아니며 戰國 중기나 말기 혹은 西漢 昭帝·宣帝 때, 심지어 그 뒤에 나왔다고 보는 견해이다.

10 《周易正義》 卷1 〈第六 論夫子十翼〉. "彖象等十翼之辭, 以爲孔子所作, 先儒更无異論."

넷째는, 十翼이 기본적으로 孔子의 저작이기는 하나 이 가운데는 문인들이 孔子의 강술을 기록한 부분도 있고 후대 사람이 함부로 끼워놓은 부분도 있다고 보는 견해이다. 근래의 학자들은 대체로 이 네 번째 說을 취한다.

④ 《周易》 연구의 略史

伏羲氏로부터 시작되었다고 하는 《周易》은 十三經 중에서 가장 오래된 經으로서, 宋代에 《十三經注疏》를 편찬할 때에도 《周易》을 가장 앞에 배치하였다. 또 秦나라가 焚書했을 때에 모든 經이 焚書의 대상이 되었으나, 《周易》은 占筮하는 책이라 하여 금지되지 않았기에 다른 經들과 달리 그 전승과 연구가 끊긴 적이 없었다.

이러한 까닭에 《周易》에 대한 연구는 그 양이 매우 방대하다. 비단 연구의 분량이 방대할 뿐만 아니라 연구의 방향과 관점도 다양하다. 연구의 양상에 따라 연구자들을 크게 두 가지로 분류할 수 있는데, 바로 象數派와 義理派이다. 象數派가 《周易》의 象과 數를 통해 그 뜻을 구명하려 하였다면, 義理派는 《周易》의 글을 통해 그 철학의 대의를 밝히려 노력했다 할 수 있을 것이다.

시대적으로는 크게 다섯 시기로 구분해볼 수 있다.

첫째는 先秦시기로 易學의 기초가 세워진 시기이다. 《春秋左氏傳》·《國語》 등에서는 《周易》이 占書로 이용되는 양상을 볼 수 있다. 이때 지어진 것으로 보이는 十翼은 곧 先秦 易學의 집대성이자 義理派 易學의 토대이다.

둘째는 前漢 시대로, 象數學으로서의 易學이 발전한 시기이다. 漢易의 대표 인물은 孟喜(?~?)와 京房(B.C.77~B.C.37)으로, 이들은 卦氣說을 중심으로 하는 象數學 체계를 형성하였다. 東漢 시기의 鄭玄, 荀爽(128~190), 虞翻(164~233) 또한 이러한 象數學에 영향을 받아 爻辰說, 五行說, 卦變說, 互體說 등의 다양한 象數學을 전개하였다.[11]

11 漢易의……전개하였다 : 朱子는 象數에 대해 "理가 있은 뒤에 象이 있고 상이 있은 뒤에 數가 있으니, 易은 상을 인해 수를 아는 것이니, 그 義를 알면 상과 수가 이 가운데 있을 것이다. 반드시 象의 은미함을 연구하고 數의 작은 것을 다하고자 할진댄, 바로 흐름을 찾고 末을 좇는 것이다. 이는 術家에서 숭상하는 바요, 儒者가 힘쓸 바가 아니니, 管輅와 郭璞의 易學이 이것이다.〔有理而後有象, 有象而後有數, 易, 因象以知數, 得其義, 則象數在其中矣. 必欲窮象之隱微, 盡數之毫忽, 乃

세 번째 시기는 魏 · 晉 · 隋 · 唐 시기이다. 이때의 易學은 象數學에서 義理學으로 그 방향을 전회했다고 할 수 있을 것이다. 이때의 대표 학자는 王弼(226~249)과 孔穎達이다. 魏나라 王弼은 漢代의 象數學을 계승하지 않고 자신만의 義理 易學을 제창하였는데, 특히 십익을 존숭하고 老莊의 사상을 차용함으로써 玄學의 길로 易學을 인도하였다. 이후 唐代의 孔穎達은 《五經正義》의 하나인 《周易正義》를 撰하면서 王弼의 注를 채용하여 王弼의 義理易을 계승하였고, 《周易正義》가 明經考試의 표준과 근거가 됨으로써 王弼의 義理學은 易學의 主流로 자리매김하게 되었다.

네 번째 시기는 宋 · 元 시기인바, 易學의 연구는 宋代로 오면서 새로운 양상을 띠게 된다. 이때는 易學과 理學의 융합이 이루어지고 理學易의 체계가 공고해진다. 易學이 理學的 관점으로 해석됨으로써 《周易》에 대한 윤리적 해석체계가 정립된 것이다. 이 철학의 대표자가 바로 程伊川이다.

그러나 易學과 理學의 융합이 단지 義理易의 발전만을 의미하는 것은 아니다. 한편으로는 象數學적 접근을 통해 易理를 설명하려는 시도가 있었다. 宋代 象數學의 대표자는 康節 邵雍(1011~1077)인데 특히 그는 數에 특기가 있어 수리학 방면을 더욱 심화시켰다. 宋代에는 다른 시기와 달리 易理를 설명하는 여러 象數圖式이 제출되었는데 이것을 圖書之學이라 한다.

南宋의 朱子에 이르러 理易學의 두 길은 비로소 만나게 된다. 朱子는 程伊川의 義理易學을 계승하면서도 象數派의 학문적 성과를 수용함으로써 易學의 체계를 더욱 풍부하고 방대한 것으로 만들었다. 사실, 《周易》 안에 象과 數와 文이 모두 담겨 있으므로, 《周易》을 해석할 적에 이 중 어느 하나도 소홀히 할 수 없다. 해석의 경향에 따라 《周易》 연구의 관점이 크게 象數와 義理로 구분되지만, 하나만을 강조하는 《周易》 연구는 반쪽짜리 연구가 될 수밖에 없다. 文은 象數를 통해 더욱 깊이 있게 이해되고, 象數는 文을 통해 더욱 구체화될 수 있기 때문이다. 《周易》 연구에 있어서 象數와 文은 相補的 관계이므로 어느 하나도 소홀히 할 수

······

尋流逐末. 術家之所尙, 非儒者之所務也, 管輅·郭璞之學, 是也.」" 하였다. 〈易說綱領〉 管輅는 삼국시대 魏나라 사람으로 자는 公明인데 風角과 占相術에 밝았으며, 郭璞은 晉나라의 역술가로 점을 잘 쳤다.

없다. 그렇기 때문에 이 두 가지를 모두 수용한 朱子의 易學이 《周易》 연구의 집대성으로 간주될 수 있었던 것이다.

마지막 시기는 明·淸 시기인데, 이 시기의 특징적 易學은 樸學易이다. 樸學易은 漢·魏 시대의 易學 문헌을 고증하고 정리하는 것이 특징으로, 淸初에 시작되어 淸末까지 계속되었다. 易哲學 연구 자체로서는 宋易을 뛰어넘을 수 없지만 옛사람들의 易學을 연구한 공적은 전에 없던 것이라 할 수 있을 것이다.

⑤ 《程傳》과 《本義》

明나라 永樂年間(1403~1424)에 찬술된 《周易大全》의 凡例에 따르면, 《周易》은 본래 경문 상·하편과 十翼 10편이 각각의 책으로 통용됐었는데, 西漢의 費直(?~?)이 〈彖傳〉과 〈象傳〉으로 경문을 해석하여 처음으로 두 傳을 경문 뒤에 붙였고, 이후 鄭玄과 王弼이 이를 따라서 아예 彖辭와 爻辭 아래에 〈彖傳〉과 〈象傳〉을 잘라 붙이고 乾·坤 의 〈文言傳〉도 각각의 괘 밑에 붙이고서 '彖曰', '象曰', '文言曰'을 덧붙여 經文과 傳文을 구별하였으며, 단 乾卦만은 비직의 방식을 그대로 보존하여 '卦辭-爻辭-彖傳-象傳-文言傳'의 차례로 편집하였다고 한다. 이러한 방식의 편집본을 今易이라 하는데, 《주역정의》를 비롯하여 많은 주석서들이 이 방식을 따랐으며, 정이천의 《程傳》도 이 체계를 따랐다.

그러다가 宋代의 晁說之(1059~1129)에 이르러 옛 經을 考訂하여 8권으로 만들었는데, 呂祖謙(1137~1181)이 다시 經 2권과 傳 10권으로 만듦으로써 비로소 본래 《周易》의 모습을 회복하였다. 이를 古易이라 하는데, 朱子는 이것을 따랐다.

今易과 古易의 차이는 편집 차이에 불과한 것이 아니다. 《周易》의 기본 성격을 어떻게 규정하는가에 따라 서로 다른 편집 체제를 선호하게 되는 것이다. 傳文을 經文과 함께 수록하는 今易의 편집방식은 經文 해석시 傳文을 적극적으로 이용하게 한다. 이러한 방식은 경문에 대한 도덕적 이해를 가능하게 하는 것으로, 《周易》의 義理書적 성격을 부각시키게 된다. 그러나 《周易》은 애당초 義理書가 아닌 占書였으므로 《周易》의 본래 성격을 나타내는 데에는 이러한 방식이 적절하지 않을 수 있다. 그러므로 占書로서의 《周易》의 면모를 드러내고자 할 적에는 經文과 傳文을 별개로 편집하는 방식을 선호하게 된다. 따라서 그 주석서가 어떤 편집방식을 따르고 있는지를 보면 그 주석가가 《周易》에 대하여 어떤 관점을 취하고 있는지 예상할 수 있다.

朱子는 卦辭 · 爻辭를 지은 文王 · 周公의 뜻과 十翼을 지은 孔子의 뜻을 분명히 구분해야 한다고 보았다. 經文을 해석할 때 十翼의 내용을 따르게 되면, 文王과 周公의 본뜻을 그르치게 된다고 생각한 것이다. 朱子에 따르면, 文王과 孔子의 말씀이 병립할 수는 있지만, 즉 둘 다 옳은 것이지만, 서로 다른 체계를 이루고 있는 것들이기 때문에 혼동하거나 호환해서는 안 된다는 것이다.

《周易》 이해에 있어 程 · 朱의 차이는 經文 해석상의 차이를 불러오기도 한다. 예를 들어, 乾卦 卦辭의 경우, 程子는 "元하고 亨하고 利하고 貞하다."라고 해석하여 元 · 亨 · 利 · 貞을 四德으로 보는 傳文(〈彖傳〉, 〈文言傳〉 등)의 해석을 따랐지만, 朱子는 "크게 형통하고 정함이 이롭다."라고 하여 傳文과 다르게 해석하였다. 元 · 亨 · 利 · 貞을 四德으로 해석하면, 이 말은 占辭로서의 기능을 할 수 없기 때문이다. 朱子가 傳文과의 모순을 감수하면서도 "元亨하고 利貞하다."고 해석한 것은, 이것이 바로 文王이 卦辭를 달 때의 본뜻이라고 생각했기 때문이다. 이 밖에도 〈程傳〉과 〈本義〉의 經文해석이 다른 부분들이 종종 보이는데, 특히 朱子는 爻辭를 象과 占으로 나누어 "~하니(象) ~하다(占)."는 식으로 본 경우가 많은 것에 비해, 程子는 도덕적 의리와 실천을 중시하여 "~하면 ~될 것이다."는 식의 해석이 많다. 예컨대, 蒙卦 九二 爻辭의 해석이 그러하다. 蒙卦 구이 효사의 "九二, 包蒙, 吉, 納婦, 吉, 子克家."를 程子는 "몽매함을 포용해주면 길하고 부인의 말을 받아들이면 길할 것이니, 자식이 집안일을 잘하도다."라고 해석하였고, 朱子는 "몽매함을 포용함이니 길하고, 부인의 말을 받아들임이니 길하고, 자식이 집안일을 잘하는 것이다."라고 해석하였다. 程子의 해석을 따르면 도덕적 실천을 권고하기에 좋고 朱子의 해석을 따르면 占辭로 활용하기에 좋다. 둘의 차이에 따른 각각의 長短이 있는 것이다.

우리나라 內閣本 《周易傳義大全》은 明나라 永樂 연간에 만들어진 永樂大全本을 따랐다. 《周易傳義大全》의 '傳義'는 '程傳'과 '本義'를 합한 말로, 《周易傳義大全》은 《정전》과 《본의》 두 개의 주석서를 한 책에 합쳐놓되, 그 편집체제는 今易의 방식을 택하였다. 즉, 《정전》을 기본으로 하고 《본의》를 그에 맞추어 붙인 방식인 것이다.

2.《周易》의 원리와 용어

(1) 卦의 생성과 太極

〈繫辭傳〉에 "易에 太極이 있으니, 이 태극이 兩儀를 낳고 兩儀가 四象을 낳고 四象이 八卦를 낳았다."[12] 하였다. 이는 우주 생성에 대한 설명이자 易의 원리에 대한 설명이다. 이 설명에 따르면, 태초의 우주는 太極을 근원으로 하여 발생해서, 兩儀·四象·八卦로 분화되고, 이러한 분화과정이 진행됨에 따라 만물이 생성된다. 太極 → 兩儀 → 四象 → 八卦로의 분화과정은 다음과 같다.

생성순서	1	2	3	4	5	6	7	8
八卦 八卦	乾 ☰	兌 ☱	離 ☲	震 ☳	巽 ☴	坎 ☵	艮 ☶	坤 ☷
四象 四象	太陽 ⚌		少陰 ⚍		少陽 ⚎		太陰 ⚏	
兩儀 兩儀	陽 ⚊				陰 ⚋			
太極	☯							

*太極의 이 文樣은 사실 太極이 아니고 陰·陽을 나타낸 것인데, 太極은 진리여서 그럴 수가 없으므로 일반적으로 陽과 陰을 그려 太極이라 한다. 우리의 國旗 역시 太極旗라 하지만 오직 陽과 陰이 있을 뿐이다. 易圖에는 원래 太極의 자리가 空으로 비어있다.

太極은 철학적으로 매우 깊은 뜻을 지닌 용어이다. 우주 발생의 측면에서 보면 太極은 우주의 始原이며, 개별 존재들의 측면에서 보면 太極은 제1의 원리이다. 太極은 性理學의 理에 해당하는 개념으로서 만물의 本性이자 인간이 행하여야 할 도덕적 원리이다. 위에서 언급한 易의 不易, 즉 변하지 않는 이치가 바로 이 太極이다.

12 《周易》〈繫辭傳 上〉. "易有太極, 是生兩儀, 兩儀生四象, 四象生八卦."

(2) 兩儀 · 四象 · 八卦 · 64卦

① 兩儀

이 太極에서 분화된 것이 兩儀인데, 양의는 陰과 陽이다. 미분화상태였던 하나의 太極, 즉 一理가 陰과 陽의 두 氣로 나뉜 것이다. 陽과 陰은 待對관계를 이루고 있는 두 개의 성질 범주로서, 대표적으로 動과 靜, 明과 暗, 淸과 濁 등이 陽과 陰의 범주에 각각 배속된다. 이 陰과 陽을 기호화하면, 陽은 '⚊', 陰은 '⚋'가 되는데, 우주의 생성 순서에 하늘이 땅보다 먼저 형성되므로 하늘을 상징하는 陽이 한 획이 되고 땅을 상징하는 陰이 두 획이 된 것이다. 이 陽爻와 陰爻가 易의 여러 기호를 구성하는 기본 요소이다.

② 四象

이 陽爻와 陰爻에 각각 陽爻와 陰爻를 더하면 총 네 개의 象이 이루어지는데 이것이 四象이다. 陽에 陽을 더한 것을 陽中之陽이라 하여 太陽(老陽), 陽에 陰을 더한 것을 陽中之陰이라 하여 少陰, 陰에 陽을 더한 것을 陰中之陽이라 하여 少陽, 陰에 陰을 더한 것을 陰中之陰이라 하여 太陰(老陰)이라 한다. 陰陽의 生成 순서에 따라 四象의 생성 순서도 太陽 → 少陰 → 少陽 → 太陰이 된다.

	太陽 ⚌	少陰 ⚍	少陽 ⚎	太陰 ⚏
생성순서	1	2	3	4
고유숫자	9	8	7	6

두 爻로 이루어진 四象은 下爻가 體가 되고 上爻가 用이 되는데, 體는 고정되어 있고 위의 用이 변해서 四象이 생긴다. 따라서 사상의 이름은 用을 주로 하여 上爻를 따라 붙여지는바, 易은 변화를 위주로 하기 때문이다. 그리하여 陽爻 위에 陰爻가 있는 것은 少陰이 되고 陰爻 위에 陽爻가 있는 것은 少陽이 된다.

四象에 부여되는 고유숫자는 參天兩地法과 下爻의 중첩성을 통해 산출된다. 參天兩地法이란 하늘에서 3을 가져오고 땅에서 2를 가져오는 계산법이다. 둥근 하늘은 지름을 세 배하여 둘레의 값을 얻고, 모난 땅은 가로와 세로에 각각 두 배를 하여 둘레의 값을 얻으므로, 하늘의 고유숫자를 3, 땅의 고유숫자를 2로 보는 것이다. 參天兩地法에 따라 陽爻의 고유숫자는 3이 되고 陰爻의 고유숫자는 2가 된다. 四象의 고유숫자는 이것을 구성하는 두 爻의 고유숫자를 더하여 얻어지는데, 단 體가 되는 下爻는 중첩의 의미를 가지고 있어서 下爻의 숫자에는 2를 곱한 후 계산한다. 太陽은 3×2+3을 하여 9가 되고, 少陰은 3×2+2=8, 少陽은 2×2+3=7, 太陰은 2×2+2=6이 되는 것이다. 四象의 고유숫자와 생성번호를 더하면 항상 10이 된다.

그중에서도 太陽의 숫자 9는 陽을 대표하는 숫자가 되고 太陰의 숫자 6은 陰을 대표하는 숫자가 되는데, 이 또한 易이 변화를 위주로 하는 데서 말미암은 것이다. 태양과 태음이 변한다는 것은 점치는 법에서도 확인할 수 있는데, 태양과 태음은 각각 양 · 음의 極까지 간 것이어서 태양은 음으로 변하고 태음은 양으로 변한다. 陽의 수가 9가 되고 陰의 수가 6이 되는 것에 관한 다른 설도 있는데, 바로 五行의 生數 1 · 2 · 3 · 4 · 5 중 陽數에 해당하는 1 · 3 · 5를 더한 수가 陽數 9를 만들고, 陰數에 해당하는 2 · 4을 더한 수가 陰數 6을 만든다는 설명이다.

③ 八卦

兩儀에서 四象을 만들어낸 것과 동일한 방법으로 四象에 각각 陽爻와 陰爻를 가하면 八卦가 만들어진다. 八卦는 세 개의 爻로 구성되는데, 이는 三才, 즉 天 · 地 · 人을 상징한다. 맨 아래 初爻는 地位, 두 번째 中爻는 人位, 세 번째 上爻는 天位가 되는 것이다. 八卦의 순서와 상징은 아래의 표와 같다.

	乾	兌	離	震	巽	坎	艮	坤
순서와 상징	一乾天	二兌澤	三離火	四震雷	五巽風	六坎水	七艮山	八坤地
卦	☰ 乾三連	☱ 兌上絕	☲ 離虛中	☳ 震下連	☴ 巽下絕	☵ 坎中連	☶ 艮上連	☷ 坤三絕
卦德	健 강건함	說 기쁨	麗 붙음	動 움직임	入 들어감	陷 빠짐	止 그침	順 순종함

人間	父	少女	中女	長男	長女	中男	少男	母
동물	馬 말	羊 양	雉 꿩	龍 용	鷄 닭	豕 돼지	狗 개	牛 소
신체	首 머리	口 입	目 눈	足 발	股 허벅지	耳 귀	手 손	腹 배
先天 방위	南	東南	東	東北	西南	西	西北	北
後天 방위	西北	西	南	東	東南	北	東北	西南

八卦의 생성에서 가장 기본이 되는 것은 乾卦와 坤卦이다. 이 두 卦는 자연물로는 하늘과 땅, 사람으로는 아버지와 어머니에 해당된다. 象數學에서 제시된 卦變說은 卦가 다른 卦로부터 변하여 이루어진 것이라고 설명하는데, 卦變說 중에는 모든 卦의 시작을 乾 · 坤 두 卦로 상정하는 이론이 있는바, 이 이론에 따르면 모든 卦는 乾卦와 坤卦가 변하여 이루어진 것이다. 예를 들어 兌卦☱는 乾卦☰가 坤卦☷의 上爻를 얻어서 이루어진 것이고, 震卦☳는 坤卦☷가 乾卦☰의 初爻를 얻어서 이루어진 것이다.

이러한 설명으로 볼 때, 乾卦 · 坤卦를 제외한 나머지 卦에서 중심이 되는 爻는 卦 안에서 홀로 陰이거나 홀로 陽인 爻이다. 홀로 陰 혹은 홀로 陽인 爻가 바로 乾卦 · 坤卦에서 변한 爻인데, 易은 변화를 위주로 하므로 변한 爻가 중심이 되는 것이다. 따라서 兌卦☱의 중심은 上爻, 離卦☲의 중심은 中爻, 巽卦☴의 중심은 初爻가 된다. 이 세 卦의 중심은 모두 陰爻이므로 인간으로 따지면 여성이 되고, 爻의 생성은 아래로부터 시작되므로 初爻가 陰爻인 巽卦☴가 長女, 中爻가 陰爻인 離卦☲가 中女, 上爻가 陰爻인 兌卦☱가 少女가 되는 것이다. 震卦☳가 長男, 坎卦☵가 中男, 艮卦☶가 少男이 되는 것도 마찬가지 원리이다.

④ 64卦

八卦에 각각 八卦를 가하면 총 64개의 卦가 만들어진다. 이 卦는 6개의 爻로 이루어진 것이므로 六畫卦라 하는데, 卦가 크게 이루어졌다 하여 大成卦라고도 한다. 三畫卦인 八卦는 小成卦라 한다.

┌ 八卦 – 三畫卦, 小成卦
└ 64卦 – 六畫卦, 大成卦

八卦의 순서에 따라 乾卦로부터 각각의 八卦 위에 八卦를 순서대로 가하여 64卦를 만드는 방법을 一貞八悔法이라 하는데, 이때 下卦가 貞이 되고 上卦가 悔가 된다. 一貞八悔法으로 64卦를 그릴 경우, 下卦는 고정해둔 채 上卦를 8번 바꾸어 그리기 때문에 下卦를 貞이라고 하는 것이다. 貞은 貞固不變의 뜻이 있고 悔는 후회한 후 잘못을 고치는 것이므로 變化의 뜻이 있다. 마찬가지 맥락으로 처음 점을 쳐서 얻은 本卦를 貞이라 하고, 爻가 변하여 바뀐 之卦를 悔라 하기도 한다. 또한 卦는 아래에서부터 긋기 때문에 下卦를 內卦, 上卦를 外卦라고도 한다.

【一貞八悔法으로 그린 64卦】

上卦 下卦	天(乾)	澤(兌)	火(離)	雷(震)	風(巽)	水(坎)	山(艮)	地(坤)
天	重天 乾	澤天 夬	火天 大有	雷天 大壯	風天 小畜	水天 需	山天 大畜	地天 泰
澤	天澤 履	重澤 兌	火澤 睽	雷澤 歸妹	風澤 中孚	水澤 節	山澤 損	地澤 臨
火	天火 同人	澤火 革	重火 離	雷火 豊	風火 家人	水火 旣濟	山火 賁	地火 明夷
雷	天雷 无妄	澤雷 隨	火雷 噬嗑	重雷 震	風雷 益	水雷 屯	山雷 頤	地雷 復
風	天風 姤	澤風 大過	火風 鼎	雷風 恒	重風 巽	水風 井	山風 蠱	地風 升
水	天水 訟	澤水 困	火水 未濟	雷水 解	風水 渙	重水 坎	山水 蒙	地水 師
山	天山 遯	澤山 咸	火山 旅	雷山 小過	風山 漸	水山 蹇	重山 艮	地山 謙
地	天地 否	澤地 萃	火地 晉	雷地 豫	風地 觀	水地 比	山地 剝	重地 坤

【《周易》의 괘 배열순서】

上經				下經			
1	重天乾 ䷀	2	重地坤 ䷁	31	澤山咸 ䷞	32	雷風恒 ䷟
3	水雷屯 ䷂	4	山水蒙 ䷃	33	天山遯 ䷠	34	雷天大壯 ䷡
5	水天需 ䷄	6	天水訟 ䷅	35	火地晉 ䷢	36	地火明夷 ䷣
7	地水師 ䷆	8	水地比 ䷇	37	風火家人 ䷤	38	火澤睽 ䷥
9	風天小畜 ䷈	10	天澤履 ䷉	39	水山蹇 ䷦	40	雷水解 ䷧
11	地天泰 ䷊	12	天地否 ䷋	41	山澤損 ䷨	42	風雷益 ䷩
13	天火同人 ䷌	14	火天大有 ䷍	43	澤天夬 ䷪	44	天風姤 ䷫
15	地山謙 ䷎	16	雷地豫 ䷏	45	澤地萃 ䷬	46	地風升 ䷭
17	澤雷隨 ䷐	18	山風蠱 ䷑	47	澤水困 ䷮	48	水風井 ䷯
19	地澤臨 ䷒	20	風地觀 ䷓	49	澤火革 ䷰	50	火風鼎 ䷱
21	火雷噬嗑 ䷔	22	山火賁 ䷕	51	重雷震 ䷲	52	重山艮 ䷳
23	山地剝 ䷖	24	地雷復 ䷗	53	風山漸 ䷴	54	雷澤歸妹 ䷵
25	天雷无妄 ䷘	26	山天大畜 ䷙	55	雷火豊 ䷶	56	火山旅 ䷷
27	山雷頤 ䷚	28	澤風大過 ䷛	57	重風巽 ䷸	58	重澤兌 ䷹
29	重水坎 ䷜	30	重火離 ䷝	59	風水渙 ䷺	60	水澤節 ䷻
				61	風澤中孚 ䷼	62	雷山小過 ䷽
				63	水火旣濟 ䷾	64	火水未濟 ䷿

* 〈序卦傳〉에 따르면, 上經은 자연을 위주로 하여 天地 萬物의 시초인 乾·坤을 맨 앞에 놓고, 下經은 인간을 위주로 하여 부부를 상징하는 咸·恒를 맨 앞에 놓았다고 한다.
* 《周易》의 卦는 錯卦관계인 乾·坤, 頤·大過, 坎·離, 中孚·小過 네 경우를 제외하고는 모두 綜卦끼리 짝을 지어 배열되어 있다. 錯卦는 卦를 뒤집어 놓아도 똑같은 괘를 이른다.

【64괘의 主爻】

한 괘의 중심이 되는 효를 主爻라고 하는데, 〈彖傳〉과 爻辭를 통해 따져본 64괘 각각의 主爻는 다음과 같다. 다만, 괘에 따라서는 主爻가 분명하게 드러나지 않아 단 하나로 정하기 어려운 것도 있음을 밝혀둔다.

上經				下經			
1	乾 九五	2	坤 六二	31	咸 九四	32	恒 九二
3	屯 初九	4	蒙 九二	33	遯 九五	34	大壯 九四
5	需 九五	6	訟 九五	35	晉 六五	36	明夷 六五
7	師 九二	8	比 九五	37	家人 九五	38	睽 六五
9	小畜 六四	10	履 九五	39	蹇 九五	40	解 九二
11	泰 九二	12	否 九五	41	損 六五	42	益 九五
13	同人 六二	14	大有 六五	43	夬 九五	44	姤 九五
15	謙 九三	16	豫 九四	45	萃 九五	46	升 初六
17	隨 初九	18	蠱 六五	47	困 九五	48	井 九五
19	臨 九二	20	觀 九五	49	革 九五	50	鼎 上九
21	噬嗑 六五	22	賁 六二	51	震 初九	52	艮 上九
23	剝 上九	24	復 初九	53	漸 九五	54	歸妹 六五
25	无妄 九五	26	大畜 六五	55	豐 六五	56	旅 六五
27	頤 上九	28	大過 九二	57	巽 初六	58	兌 上六
29	坎 六四	30	離 六二	59	渙 九五	60	節 九五
				61	中孚 六四	62	小過 六二
				63	旣濟 六二	64	未濟 六二

(3)《周易》의 용어

① 卦爻의 명칭

《周易》의 64卦에는 모두 卦名이 있는데, 卦를 읽을 때는 卦名 앞에 그 卦를 이루고 있는 두 小成卦의 卦象을 붙여 읽는다. 예를 들어, 師卦䷆는 地水師, 小畜卦䷈는 風天小畜이라고 읽는다. 주의할 점은 卦를 그릴 때는 아래부터 시작하지만, 卦를 읽을 때는 위부터 읽는다는 점이다. 乾卦나 坤卦 같은 重疊卦들은 重天乾䷀, 重地坤䷁, 重澤兌䷹, 重火離䷝ 등의 방식으로 읽는다.

爻의 명칭은 그것의 才質(음양)과 위치(자리)에 따라 붙여진다. 위치에 따른 명칭은 아래로부터 初, 二, 三, 四, 五, 上이 되고, 才質에 따라서는 陽爻가 九, 陰爻가 六이 된다. 陽爻와 陰爻의 이름이 이렇게 매겨지는 것은 이 두 숫자가 陽과 陰의 대표숫자이기 때문이다.

예를 들어, 噬嗑卦를 보자. 噬嗑卦의 爻는 다음과 같이 읽는다.

初爻와 上爻를 제외한 二 · 三 · 四 · 五爻는 재질→위치 순으로 읽고, 初爻와 上爻는 위치→재질 순으로 읽는다.

여섯 爻의 위치에는 여러 가지 의미가 있다. 크게는 먼저 陰의 자리와 陽의 자리로 나눌 수 있는데, 奇數(홀수)에 해당하는 初 · 三 · 五는 陽의 자리이고 偶數(짝수)에 해당하는 二 · 四 · 上은 陰의 자리이다. 다만 王弼의 경우, 初爻와 上爻는 陰과 陽의 정해진 자리가 없다고 하였으며, 이를 韓康伯과 孔穎達도 따랐다.

또 小成卦와 마찬가지로 六位를 三才로 나눌 수 있는데 初 · 二는 地, 三 · 四는 人, 五 · 上은 天에 해당한다. 三才의 분류가 공간적 분류라면 시간적 분류도 가능한데, 다음은 六位를 시간과 尊卑 · 貴賤 등의 관점으로 나누어 그 상징을 나타낸 표이다.

	사건	개인	지위
上爻	결말	60대	은퇴한 군주
五爻	절정	50대	帝王
四爻	위기	40대	卿
三爻	위기	30대	大夫
二爻	전개	20대	士
初爻	발단	10대	庶人

② 剛柔와 中正

易에 있어서 陰은 柔이고 陽은 剛이다. 따라서 陰爻와 陰位(二 · 四 · 上)는 柔에 해당하고 陽爻와 陽位(初 · 三 · 五)는 剛에 해당한다.

正은 陽爻가 陽位에, 陰爻가 陰位에 위치한 것을 의미하는바, 正位라고도 한다. 따라서 初九, 六二, 九三, 六四, 九五, 上六爻가 正이 된다. 이 正에 맞는 것을 當位, 맞지 않는 것을 不當位라고도 한다. 當位는 제자리에 맞는다(합당하다)는 뜻인데, 이 경우에 當의 音을 上聲으로 읽는다. 그러나 當位를 지위를 담당하다, 또는 그러한 자리에 해당하는 것으로 보기도 한다.

中은 卦의 가운데 자리를 의미하는데 六畫卦에는 二爻와 五爻, 두 개의 中이 있다. 二爻는 下卦의 中이고 五爻는 上卦의 中이기 때문이다. 六二爻와 九五爻는 中과 正을 겸하는 것으로 각각 柔順中正, 剛健中正이라 한다. 예컨대 旣濟卦䷾는 모든 爻가 正하고 그 가운데 六二와 九五는 中正을 겸하였으며, 未濟卦䷿는 모든 爻가 不正하다.

易에서 中과 正은 대체로 길함이 되지만 正보다는 中이 더 중시된다. 九三의 경우, 陽爻가 陽位에 있는 正이지만, 이는 重剛이므로 너무 지나친 강함이 된다. 初九와 九五도 重剛이지만 初爻와 上爻는 지위가 없는 자리이기 때문에 初九의 重剛은 그다지 문제가 되지 않고 九五는 中을 겸하기 때문에 지나침이 되지 않는다.

③ 應 · 比 · 承 · 乘

應은 上卦의 初爻와 下卦의 初爻, 上卦의 中爻와 下卦의 中爻, 上卦의 上爻와 下卦의 上爻가 서로 응하는 것으로, 陰陽이 서로 다르게 응하면 應 또는 正應 · 應與, 陰 · 陽이 서로 같게 응하면 敵應 또는 不應이라고 한다. 易은 陰陽의 호응을 중시하기 때문이다. 그중에서도 六二와 九五의 상응이 가장 좋은데, 二는 신하이고 五는 군주이며 모두 中正을 얻었기 때문이다. 益卦䷩와 泰卦䷊는 여섯 爻가 모두 正應이고, 巽卦䷸와 離卦䷝와 震卦䷲는 여섯 爻가 모두 不應이다. 그러나 係應은 應에 너무 매달려 있어 좋은 것이 되지 못한다. 同人卦䷌의 六二爻辭는 "六二同人于宗吝"이라 하였는데 《程傳》에 "二와 五는 正應이 된다. 그러므로 '同人于宗'이라 하였으니, 宗은 宗黨(宗族)을 이르니, 係應한 바에 함께 하면 편벽되어 친하는 바가 있는 것이니, 同人의 道에 있어 사사롭고 편협함이 된다. 그러므로 부끄러울 만한 것이다.〔二與五爲正應, 故曰 同人于宗, 宗, 謂宗黨也. 同於所係應, 是有所偏與, 在同人之道, 爲私狹矣. 故可吝.〕" 하였고, 《本義》도 이와 비슷하며 九五 역시 군주의 道가 아닌 것으로 보았으니, 이러한 경우가 종종 보인다. 易의 해석 역시 隨時變易이라 하겠다.

比는 상하로 이웃하는 두 爻를 말한다. 즉 初와 二, 二와 三, 三과 四, 四와 五, 五와 上이 그것이다.

承 · 履와 乘은 서로 접한 두 爻 사이의 관계를 나타낸 말인데, 서로 접한 爻의 陰과 陽이 다를 때만 성립한다. 承(받듦)과 履(밟음)는 陽爻가 陰爻 위에 있을 때, 乘(탐)은 陰爻가 陽爻 위에 있을 때를 말한다. 承이란 陰이 陽을 받들고 있다는 말이고 履는 陽이 陰을 밟고 있다는 말이며, 乘은 陰이 陽을 타고 있다는 말이다. 易에서 陰은 낮고 陽은 높은 것이어서, 陰 위에 陽이 있는 承과 履는 좋은 것이 되지만, 陰이 陽 위에 있는 乘은 불길한 것이 된다. 다음은 噬嗑卦를 통해 본 應 · 比 · 承(履) · 乘 의 예이다.

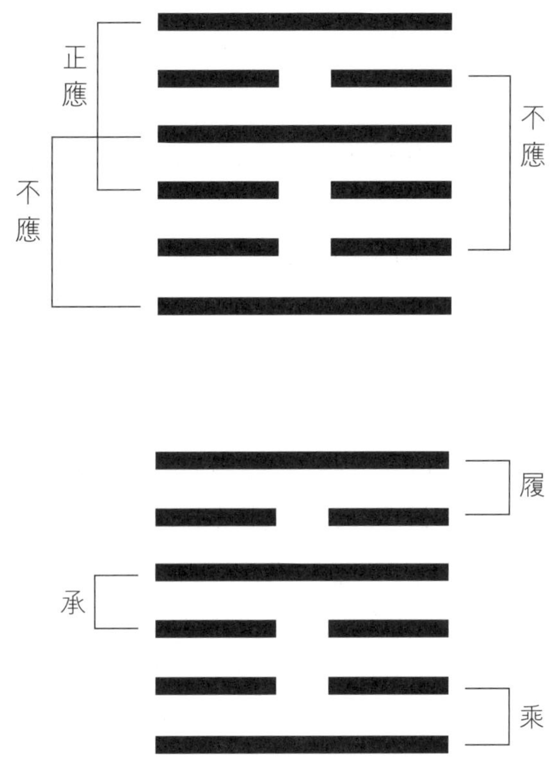

④ 錯卦

錯卦는 효의 음양을 반대로 했을 때 만들어지는 괘이다. 예를 들어, 乾卦䷀와 坤卦䷁, 蒙卦䷃와 革卦䷰, 復卦䷗와 姤卦䷫, 大過卦䷛와 頤卦䷚ 등이 錯卦 관계이다. 錯卦끼리는 그 뜻이 반대가 되는 경우가 많은데, 예컨대 蒙卦는 어린 사람이 윗사람에게 묻고 따름을 상징하고, 革卦는 옛 것을 변혁하여 버림을 상징한다.

⑤ 綜卦

綜卦는 괘를 뒤집어 놓았을 때 만들어지는 괘이다. 괘를 그린 종이를 180도 돌리면 그 綜卦를 볼 수 있다. 예를 들어, 屯卦䷂와 蒙卦䷃, 需卦䷄와 訟卦䷅, 泰卦䷊와 否卦䷋ 등이 綜卦 관계이다. 《周易》의 괘 순서는 乾 · 坤, 頤 · 大過, 坎 · 離, 中孚 · 小過 네 경우를 제외하고는 모두 綜卦끼리 짝지어 배열되어 있다.

既濟卦䷾와 未濟卦䷿는 綜卦이면서 동시에 錯卦이다. 錯卦와 마찬가지로 綜卦도 그 뜻이 대체로 반대가 되므로, 한 괘의 뜻을 이해함에 있어서 그 괘의 綜卦와 錯卦를 찾아보는 것이 도움이 된다.

⑥ 互卦

괘의 初爻와 上爻는 일에 있어서 처음과 끝에 속하며 지위가 없는 자리이므로 한 괘의 의미를 결정하는데 차지하는 비중이 미미하다고 할 수 있다. 그러므로 初爻와 上爻를 제외한 二·三·四·五爻를 가지고 새로운 괘를 만들어 해석을 보완하기도 하는데, 이를 互卦說, 혹은 互體說이라 한다. 그 방법은 다음과 같다.

먼저 二·三·四爻를 가지고 下卦(內卦)를 만들고, 다시 三·四·五爻를 가지고 上卦(外卦)를 만든다. 이 두 小成卦를 겹쳐 새로운 大成卦를 만드는데, 이를 互體라고 한다. 예를 들어 屯卦의 互體는 다음과 같이 만들어진다.

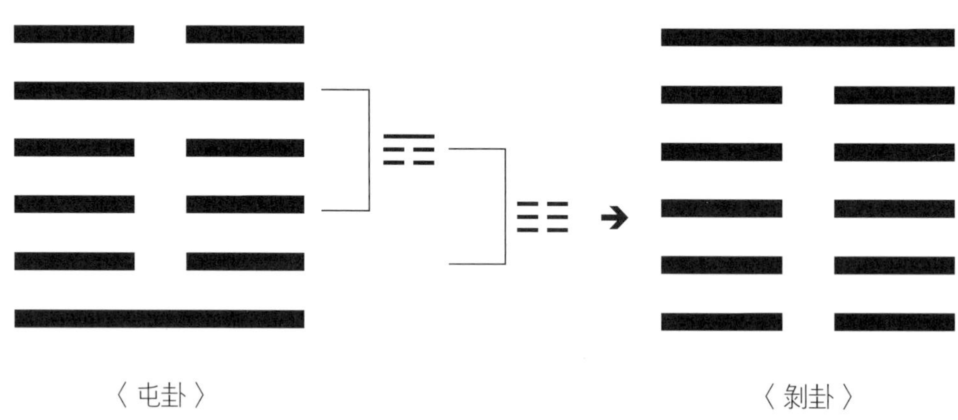

〈 屯卦 〉　〈 剝卦 〉

屯卦 六二 爻辭는 "六二는 어렵게 여기고 머뭇거리며 말을 탔다가 내려오니 적이 아니면 婚媾리니, 여자가 貞道를 지켜서 生育을 하지 않다가 10년이 되어서야 비로소 生育을 하도다.〔六二, 屯如邅如, 乘馬班如, 匪寇, 婚媾, 女子貞, 不字, 十年乃字.〕"이다. 六二가 陰爻이긴 하나, 屯卦의 下卦인 震卦☳는 長男, 上卦인 坎卦☵는 中男으로, 모두 陽卦이다. 陽卦만으로 이루어진 屯卦 爻辭에 여자의 象이 나타나는 것을 어떻게 설명할 수 있을까? 이때 互體說을 이용할 수 있다. 屯卦의 互體인 剝卦는 艮卦☶와 坤卦☷로 이루어져 있는데 坤卦가 바로 여

자의 象이므로 屯卦 六二 爻辭에 여자의 象이 있다고 설명하는 것이다.

3. 易 원리의 심화

(1) 12辟卦

卦에 나타나는 陰陽 消長의 변화에 따라 64卦를 1년, 四時, 12월, 24節氣, 72節侯에 배당할 수 있는데 이것이 卦氣說이다. 여기에서는 12卦를 12달에 배당한 12辟卦를 소개한다. 이 12辟卦는 漢代에 孟喜가 지은 것이라 한다.

1월	2월	3월	4월	5월	6월
䷊ 地天泰	䷡ 雷天大壯	䷪ 澤天夬	䷀ 重天乾	䷫ 天風姤	䷠ 天山遯
7월	8월	9월	10월	11월	12월
䷋ 天地否	䷓ 風地觀	䷖ 山地剝	䷁ 重地坤	䷗ 地雷復	䷒ 地澤臨

(2) 卦變說

* 이 卦變說은 뒤에 부록한 卦變圖를 참고하기 바란다.

卦變의 내용은 〈彖傳〉에 총 9번 나온다. 卦變이란 한 卦가 다른 卦로부터 변하여 왔다는 것이다. 卦變說은 西漢의 虞翻이 가장 먼저 체계화한 것으로 보인다. 虞翻 卦變說의 가장 큰 특징은 10辟卦로 卦變을 설명했다는 점이다. 虞翻의 卦變說을 표로 정리하면 다음과 같다.

一陽卦	復卦 ䷗ 에서 옴(5개)	師, 謙, 豫, 比, 剝
一陰卦	姤卦 ䷫ 에서 옴(5개)	同人, 履, 小畜, 大有, 夬

二陽卦	臨卦 ䷒ 에서 옴(8개)	升, 解, 坎, 蒙, 明夷, 震, 屯, 頤
二陰卦	遯卦 ䷠ 에서 옴(8개)	无妄, 家人, 離, 革, 訟, 巽, 鼎, 大過
三陰三陽卦	泰卦 ䷊ 에서 옴(9개)	恒, 井, 蠱, 豐, 旣濟, 賁, 歸妹, 節, 損
三陰三陽卦	否卦 ䷋ 에서 옴(9개)	益, 噬嗑, 隨, 渙, 未濟, 困, 漸, 旅, 咸
四陽卦	大壯卦 ䷡ 에서 옴(8개)	大過, 鼎, 革, 離, 兌, 睽, 需, 大畜
四陰卦	觀卦 ䷓ 에서 옴(8개)	頤, 屯, 蒙, 坎, 艮, 蹇, 晉, 萃, 中孚, 小過

虞翻의 卦變說은 나름의 체계를 이루고 있긴 하나 몇 가지 문제를 안고 있기도 하다. 이를테면, 二陰卦는 곧 四陽卦이고 二陽卦는 곧 四陰卦인데 어떤 것은 중복으로 적용되고 어떤 것은 중복으로 적용되지 않으며, 중복적용되지 않는 卦의 경우, 한쪽에만 배속시켜야 할 정당한 근거가 찾아지지 않는다는 점이다.

이러한 괘변설을 더 발전시킨 것이 北宋 李之才(?~1045)의 괘변설이다. 주자는 그의 〈64卦相生圖〉를 〈易本義圖〉에 싣고, 이를 '卦變圖'라 이름하였다. 괘변도는 총목의 〈易本義圖〉에서 확인할 수 있다.

이 괘변도에서는 乾 · 坤을 제외한 62卦가 모두 중복되어 총 124卦의 卦變이 나타난다. 주자는 이러한 방식으로 卦變을 설명해야 그 설명이 완비될 수 있다고 보았다.

이에 반하여 程子와 蘇軾(1036~1101)은 卦變은 다만 乾 · 坤 두 卦에서 변함만이 있다고 하였다. 乾과 坤은 易의 門[13]이고 父母卦이기 때문에 卦의 발생을 乾卦와 坤卦가 아닌 다른 괘로부터 설명할 수 없다고 본 것이다. 예를 들어 恒卦䷟ 〈彖傳〉의 말, "剛上而柔下"를 程子는 "'剛이 위에 있고 柔가 아래에 있다'는 것은 乾의 初爻가 올라가 四에 거하고 坤의 初爻가 아래로 내려와 初에 거하여 剛爻

13 《周易》〈繫辭傳 下〉. "子曰: '乾坤, 其易之門邪'."

가 올라가고 柔爻가 내려옴을 이른다."고 설명한다. 程子는 大成卦를 上卦와 下卦로 나누어 이들이 小成卦 乾卦와 坤卦에서 변해 온 것이라고 설명한 것이다. 朱子가 大成卦 끼리의 변화를 설명하는 것과는 분명히 다른 방식이다. 恒卦와 더불어 〈彖傳〉에 卦變의 내용이 나오는 경우는 총 9번(訟, 隨, 蠱, 賁, 无妄, 咸, 漸, 渙)인데 그때마다 程子는 일관되게 乾卦 · 坤卦의 변화를 통해 설명한다.

문제는 程子의 방식을 가지고는 內卦나 外卦 중 하나가 純陰卦이거나 純陽卦일 경우, 그 설명이 어려워진다는 데에 있다. 예를 들어 訟卦䷅ 같은 것은 程子의 방식으로 설명하기 어렵다. 원래 坤卦였던 下卦의 二爻가 上卦의 陽爻로부터 온 것이라면 上卦의 乾卦는 왜 변하지 않고 있단 말인가? 訟卦 〈彖傳〉의 "剛來而得中"을, 程子는 "九二가 剛으로서 밖으로부터 와서 訟을 이루었다."고 설명하였다. 상하 두 卦가 모두 변한 경우엔 그 변화를 한 卦안의 昇降으로 설명하고, 상하 한 卦만 변한 경우엔 밖으로부터 온 것으로 설명하는 이러한 방식은 일관성이 부족하다고 할 수 있을 것이다.

朱子는 程子식 설명의 미흡함을 지적하고 복잡한 卦變說을 수용하지만, 이것이 〈彖傳〉에 나타나는 뜻일 뿐, 卦를 긋고 易을 쓴 본의는 아님을 분명히 한다. 伏羲가 처음 卦를 그은 것은 다만 加一倍法을 통해 64괘를 이룬 것이지 卦變의 象을 따라 그은 것이 아니다. 다시 말해 一陰一陽卦가 復卦와 姤卦에서 온 것이라 할지라도 그것의 생성이 復卦와 姤卦로부터 비롯되었다고 할 수는 없다는 것이다. 八卦에 있어서도 그 생성순서는 乾-兌-離-震-巽-坎-艮-坤인데 坤卦가 어떻게 三子三女卦를 낳을 수 있겠는가. 다만 八卦를 가족의 象으로 설명한 것은 八卦가 이루어진 뒤에 이런 象이 있음을 발견하고서 말한 것일 뿐이다. 소위 '卦變'이라는 것도 孔子가 卦에 이러한 象이 있음을 보고 〈彖傳〉에서 그와 같은 말씀을 한 것일 뿐이다. 卦變說을 가지고 이것이 畫卦와 作易의 본의라고 생각하며 천착해서는 안 된다는 것이 주자의 생각이다. 주자는 여기에서도 伏羲와 文王과 孔子의 뜻을 모두 구분하여 읽어야 함을 강조하고 있는 것이다. 이러한 맥락에서 그는 邵雍이 伏羲의 八卦와 文王의 八卦를 先天과 後天으로 나누어 설명한 것에 큰 의미를 부여한다. 八卦의 순서와 관계를 '생성의 관점'과 '운행의 관점'으로 나누어 볼 수 있도록 기여했기 때문이다.

(3) 河圖 · 洛書와 五行

① 河圖

하도와 낙서에 대한 언급은 《繫辭傳》에 "河水에서 圖가 나오고, 洛水에서 書가 나오자 聖人이 이를 본받았다.〔河出圖, 洛出書, 聖人則之.〕"라고 보인다. 그중에 하도는, 복희씨 재위 당시 황하에서 나온 龍馬의 등에 있던 그림인데, 복희씨가 이 그림을 보고 八卦를 그었다고 한다.

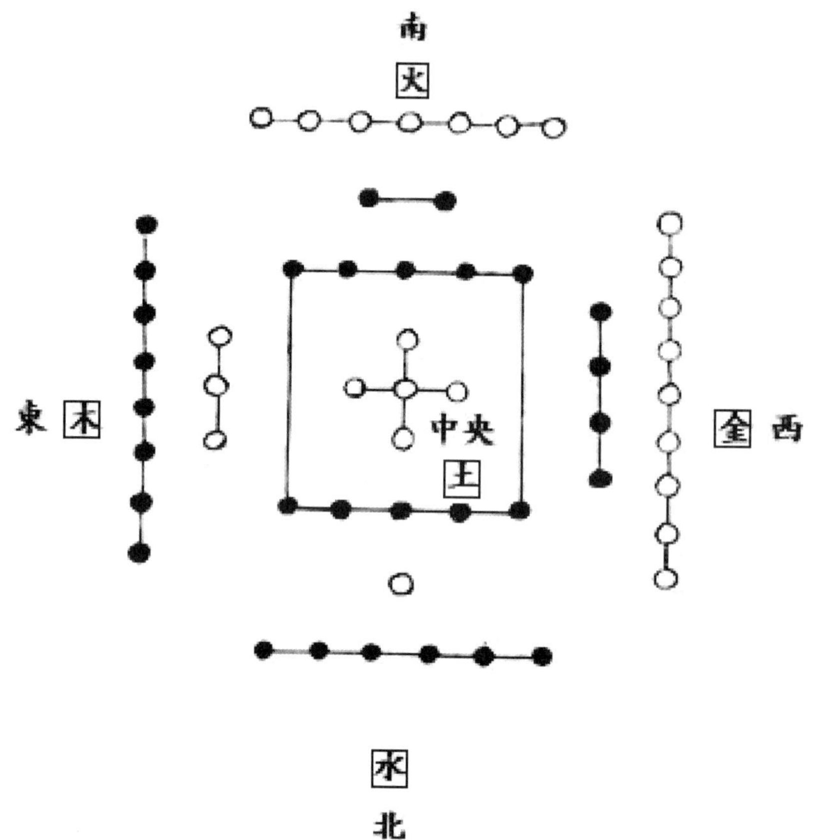

河圖를 보면, 동서남북과 중앙에 흑백의 점이 나열되어 있는데, 흑은 陰의 색으로 偶數를, 白은 陽의 색으로 奇數를 의미한다. 奇數인 1 · 3 · 5 · 7 · 9와 偶數

인 2 · 4 · 6 · 8 · 10을 모두 더하면 天地大衍數인 55가 되는데 이것이 河圖의 수이다. 또, 그림 안쪽으로는 生數인 1 · 2 · 3 · 4 · 5가 나열되어있고, 이것을 成數인 6 · 7 · 8 · 9 · 10이 싸고 있는데, 이를 통해 五行이 生成되는 양상을 파악할 수 있다.

북쪽은 水의 자리로 1과 6이 위치하는데 하늘이 生數 1로써 水를 낳으면 땅이 成數 6으로써 水를 완성한다. 동쪽은 木의 자리로 3과 8이 위치하는데 하늘이 生數 3으로써 木을 낳으면 땅이 成數 8로써 木을 완성하며, 남쪽은 火의 자리로 2와 7이 위치하는데 땅이 生數 2로써 火를 낳으면 하늘이 成數 7로써 火를 완성한다. 서쪽은 金의 자리로 4와 9가 위치하는데 땅이 生數 4로써 金을 낳으면 하늘이 成數 9로써 金을 완성하며, 중앙은 土의 자리로 하늘이 生數 5로써 土를 낳으면 땅이 成數 10으로써 土를 완성한다. 河圖의 수를 따라 五行의 위치를 그려보면 그것들이 서로 相生하는 관계 또한 파악할 수 있는데, 북방의 水, 동방의 木, 남방의 火, 서방의 金, 중앙의 土를 배치하고 시계방향으로 도는 그림을 그린 것이 五行相生圖이다. 이것으로써 水生木, 木生火, 火生土, 土生金, 金生水의 五行相生관계를 알 수 있다.

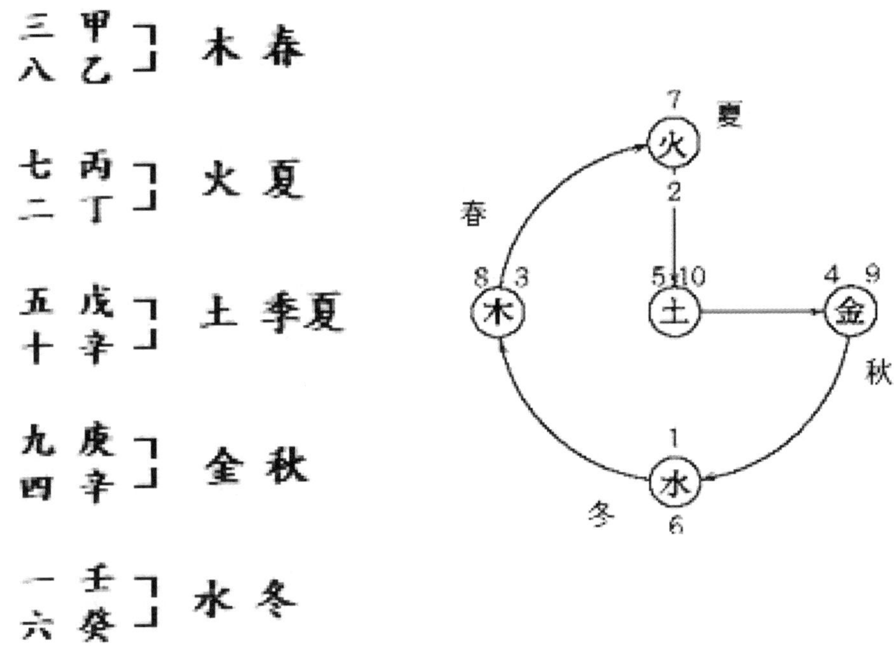

② 洛書

낙서는, 禹王이 홍수를 다스릴 적에 등에 무늬가 있는 거북이가 나왔는데, 그 등에 나열되어 있는 수가 9까지 있었으므로 우왕이 이를 보고서 차례로 나열하여 洪範 九疇를 만들었다고 한다.[14] 洛書는 河圖와는 달리 중앙에 10土가 없고 奇數와 偶數가 교차 나열되어 있다. 洛書의 數 배열에 따라 五行圖를 그리면 五行의 相克 관계를 볼 수 있는데 아래의 五行相克圖가 그것이다. 五行相克圖는 시계 빈대 방향으로 도는 그림으로, 水克火, 火克金, 金克木, 木克土, 土克水의 관계를 나타낸다. 천지만물은 서로 싸우고 부딪혀야 성장할 수 있다. 河圖가 천지 생성을 보여준다면, 洛書와 五行相克圖는 천지 운행의 양상을 보여준다고 할 수 있다.

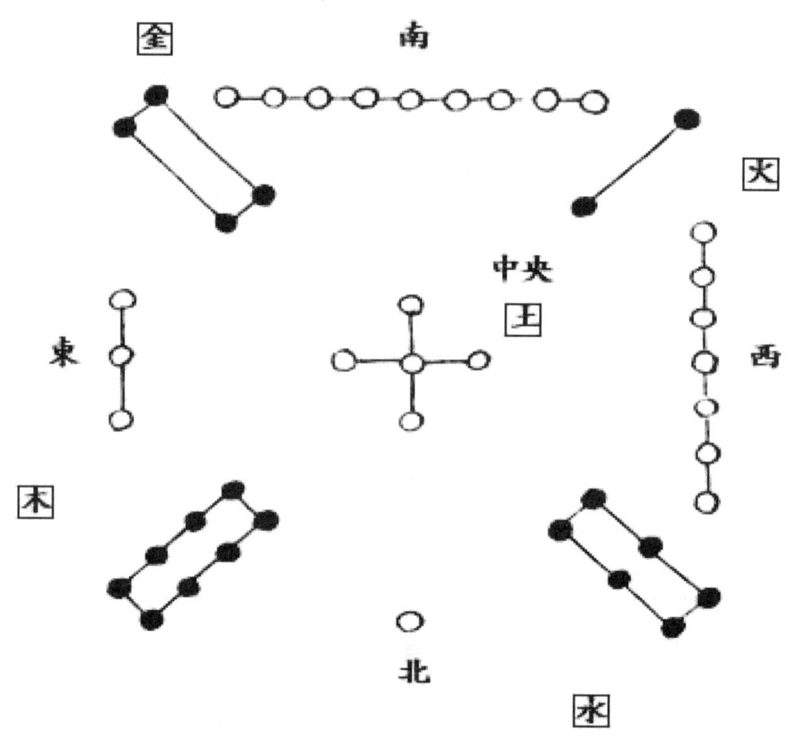

14 洪範九疇: 1.五行(金·木·水·火·土), 2.五事(貌·言·視·聽·思), 3.八政(食·貨·祀·司空·司徒·司寇·賓·師), 4.五紀(歲·月·日·星辰·曆數), 5.皇極, 6.三德(正直·剛克·柔克), 7.稽疑(雨·霽·蒙·驛·克·貞·悔), 8.庶徵(雨·暘·燠·寒·風·時), 9.五福(壽·富·康寧·攸好德·考終命)과 六極(凶短折·病·憂·貧·惡·弱).

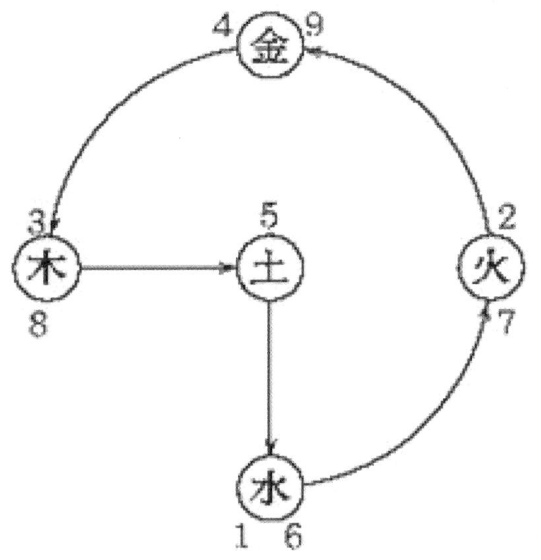

4. 점치는 법

(1) 蓍草占

① 점치는 법

1. 점을 치기 위한 도구(50개의 시초, 나무판자, 향로, 필기도구)를 마련한다.
2. 몸과 마음을 깨끗이 한 후 50개의 시초를 들어 향로에 연기를 쐬고 자신이 묻고 싶은 내용을 말한다.
3. 오른손으로 시초 하나를 뽑아 별도로 둔다. 이 시초는 太極을 상징하는 것으로 점이 끝날 때까지 사용하지 않는다.
4. 남은 49개의 시초를 **무심한 상태**에서 반으로 나눈다. 나눈 시초를 양쪽에 놓는다.
5. 왼손으로 왼쪽의 시초 전체를 잡고, 오른손으로 오른쪽의 시초 중 하나를 왼손 새끼손가락 사이에 건다.
6. 오른손으로 왼손의 시초를 4개씩 뗀다. 떼고 남은 것을 왼손 넷째손가락 사이에 건다. 다 세고 난 시초는 왼쪽에 다시 내려놓는다.
7. 이번에는 오른쪽에 놓아두었던 시초를 오른손으로 잡고 왼손으로 오른손의 시

초를 4개씩 뗀다. 떼고 남은 것을 왼쪽 셋째손가락 사이에 건다. 다 세고 난 시초는 오른쪽에 다시 내려놓는다.

8. 왼손에 걸려 있는 세 묶음의 시초를 합하여 판자 위편에 올려놓는다. → **第1變**
9. 왼쪽과 오른쪽에 놓아둔 시초를 다시 합하여 ④부터 ⑧까지의 과정을 두 번 더 반복한다.
10. 이렇게 **총3變**의 과정을 거치면 판자 위에 올려놓은 시초가 총 세 묶음이 되는데, 이것을 합한 수가 한 爻를 결정하게 된다.
11. 3變으로 한 爻를 얻으므로, 총 **18變**을 거쳐야만 6爻, 즉 한 卦를 얻을 수 있다.

② 爻얻는 법

남은 시초의 수를 계산하여 爻를 얻는 방법은 다음과 같다.

1. 맨 처음 왼손의 시초를 4개씩 나누었을 때의 나머지 → 1, 2, 3, 4 중의 하나[15]
2. 49개의 시초로 시작했기 때문에 처음의 나머지가 나오면, 나머지 숫자는 정해져 있다.[16]
   a. 왼쪽 1개 → 오른쪽 3개 (47÷4=11 나머지3)
   b. 왼쪽 2개 → 오른쪽 2개 (46÷4=11 나머지2)
   c. 왼쪽 3개 → 오른쪽 1개 (45÷4=11 나머지1)
   d. 왼쪽 4개 → 오른쪽 4개 (44÷4=11 여기에서도 시초를 남기기 위해 4를 남김)
3. 1변 이후 남은 시초수(새끼손가락 1개, 왼쪽 나머지, 오른쪽 나머지의 합) → 5 혹은 9
   a. 새끼손가락 1, 왼쪽 1, 오른쪽 3 → 5
   b. 새끼손가락 1, 왼쪽 2, 오른쪽 2 → 5
   c. 새끼손가락 1, 왼쪽 3, 오른쪽 1 → 5
   d. 새끼손가락 1, 왼쪽 4, 오른쪽 4 → 9
4. 2변 이후 남은 시초수(새끼손가락 1개, 왼쪽 나머지, 오른쪽 나머지의 합) → 4 혹은 8
   (2변을 시작할 때 시초수는 44 혹은 40)

••••••

15 4로 완전히 나누어떨어질 경우, 남는 시초가 없어서는 안 되기 때문에 4개를 남긴다.

16 1·2·3변 모두, 왼쪽의 나머지가 나오면 오른쪽의 나머지는 떼어보지 않아도 알 수 있다.

a. 새끼손가락 1, 왼쪽 1, 오른쪽 2(42÷4/38÷4) → 4

b. 새끼손가락 1, 왼쪽 2, 오른쪽 1(41÷4/37÷4) → 4

c. 새끼손가락 1, 왼쪽 3, 오른쪽 4(40÷4/36÷4) → 8

d. 새끼손가락 1, 왼쪽 4, 오른쪽 3(39÷4/35÷4) → 8

5. 3변 이후 남은 시초수(새끼손가락 1개, 왼쪽 나머지, 오른쪽 나머지의 합) → 4 혹은 8

(3변을 시작할 때 시초수는 40 혹은 36 혹은 32)

a. 새끼손가락 1, 왼쪽 1, 오른쪽 2(38÷4/34÷4/30÷4) → 4

b. 새끼손가락 1, 왼쪽 2, 오른쪽 1(37÷4/33÷4/29÷4) → 4

c. 새끼손가락 1, 왼쪽 3, 오른쪽 4(36÷4/32÷4/28÷4) → 8

d. 새끼손가락 1, 왼쪽 4, 오른쪽 3(35÷4/31÷4/27÷4) → 8

6. 3변을 모두 마친 후에 자신이 얻은 爻를 알 수 있는데, 그 방법은 다음과 같다.

四象	기호	출생/고유	奇偶[17]	3變의 나머지	策數
老陽 ⚌	(重)	1 / 9	三奇	5 · 4 · 4	36
少陰 ⚍	-- (拆)	2 / 8	二奇一偶	9 · 4 · 4 5 · 8 · 4 5 · 4 · 8	32
少陽 ⚎	— (單)	3 / 7	一奇二偶	5 · 8 · 8 9 · 8 · 4 9 · 4 · 8	28
老陰 ⚏	× (交)	4 / 6	三偶	9 · 8 · 8	24

a. 三奇 → 나머지 합 13 / 시초의 수 36(49-13) / 太陽 수(9)의 4배

b. 二奇一偶 → 나머지 합 17 / 시초의 수 32(49-17) / 少陰 수(8)의 4배

c. 一奇二偶 → 나머지 합 21 / 시초의 수 28(49-21) / 少陽 수(7)의 4배

17 여기서는 작은 수가 奇數, 큰 수가 偶數가 된다. 4와 5는 4로 한 번 나눌 수 있고 8과 9는 4로 두 번 나눌 수 있기 때문이다.

d. 三偶 → 나머지 합 25 / 시초의 수 24(49-25) / 太陰 수(6)의 4배

7. 爻는 本卦와 之卦가 다르다. 본괘와 지괘를 그리기 위하여, 점친 결과를 쓸 때, 重 · 拆 · 單 · 交로 표시해야 한다.

┌ 本卦 → 四象의 음양을 그대로 그림
└ 之卦 → 少陽 · 少陰은 음양을 그대로 그리고, 太陽 · 太陰은 반대로 그림

③ 해당 점괘 찾는 법

1. 變爻가 없을 때 : 本卦의 卦辭로 점을 친다.
2. 變爻가 하나일 때 : 本卦의 變爻 爻辭로 점을 친다.
3. 變爻가 둘일 때 : 本卦의 두 變爻 爻辭로 점을 치되 上爻를 위주로 한다.
4. 變爻가 셋일 때 : 本卦와 之卦의 卦辭로 점을 치되, 初爻가 變爻일 때는 本卦를 위주로 하고, 初爻가 不變爻일 때는 之卦를 위주로 한다.
5. 變爻가 넷일 때 : 之卦의 두 不變爻 爻辭로 점을 치되 下爻를 위주로 한다.
6. 變爻가 다섯일 때 : 之卦의 한 不變爻 爻辭로 점을 친다.
7. 變爻가 여섯일 때 : 之卦의 卦辭로 점을 친다. 단, 乾 · 坤卦는 用九 · 用六으로 점을 친다.

위 그림은 賁之睽卦인데, 세 爻가 변했으므로 本卦와 之卦의 卦辭로 점을 쳐야 한다. 그런데 初爻가 不變爻이므로 이때에는 之卦를 위주로 한다. 따라서 위의 卦를 얻은 사람의 점괘는 睽卦의 卦辭, "小事, 吉."에 해당하게 된다.

(2) 동전점[擲錢法]

위에서 살펴보았듯이, 본래의 筮法은 그 과정이 복잡하여, 卦 하나를 뽑는 데에 30분 이상이 소요된다. 이에 비해 동전으로 점을 치는 擲錢法은 동전 세 개를 6번만 던지면 한 卦를 얻을 수 있다. 동전을 한번 던져 바로 한 爻를 얻는데, 그 방법은 다음과 같다.

동전 3개를 두 손으로 상 위에 던진 뒤, 놓인 동전들의 앞면과 뒷면의 수에 따라 괘를 얻음	
1. 모두 앞면 → 三奇 앞 앞 앞	太陽
2. 앞면 2, 뒷면 1 → 二奇1偶 앞 앞 뒤	少陰
3. 앞면 1, 뒷면 2 → 1奇2偶 앞 뒤 뒤	少陽
4. 모두 뒷면 → 三偶 뒤 뒤 뒤	太陰

* 이 이론편은 원본을 따라 국한문을 그대로 혼용하였다.

하도지도(河圖之圖)

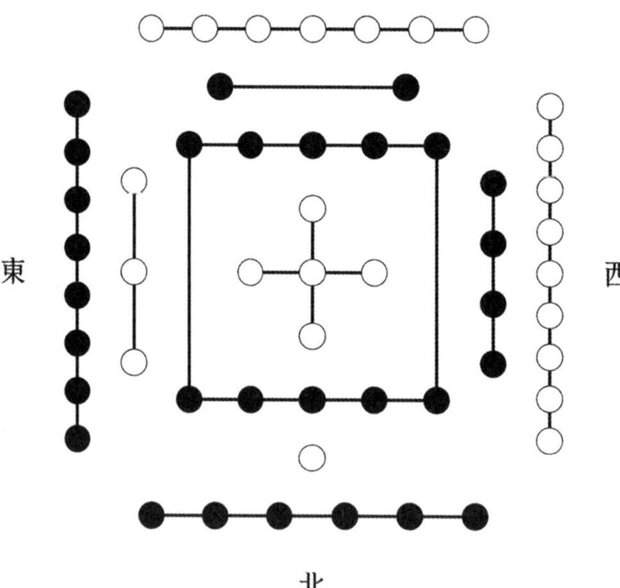

낙서지도(洛書之圖)

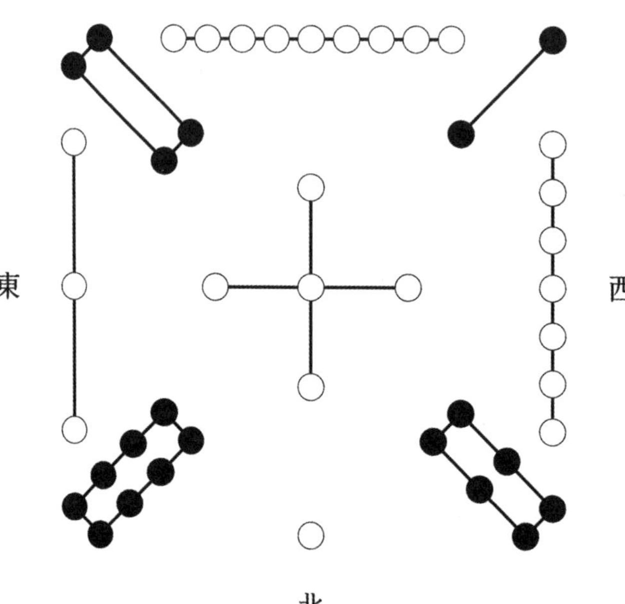

복희팔괘방위지도(伏羲八卦方位之圖)

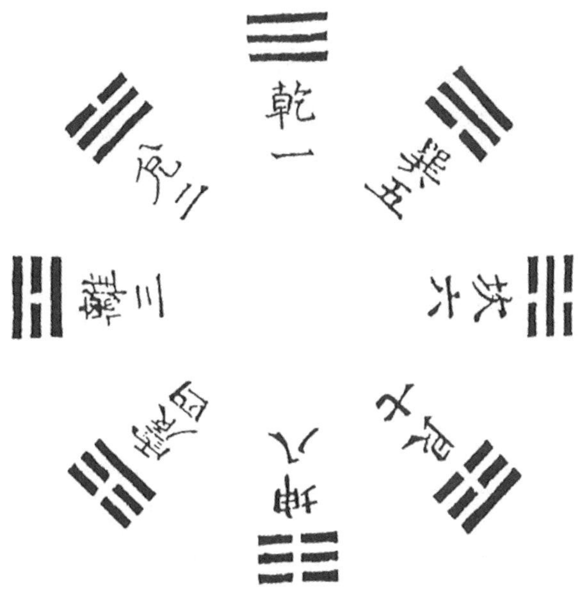

문왕팔괘방위지도(文王八卦方位之圖)

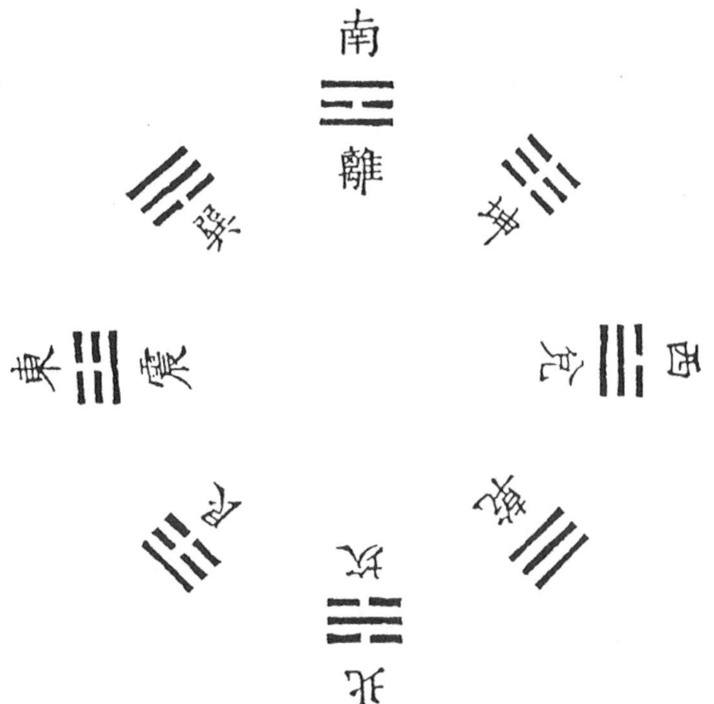

복희팔괘차서지도(伏羲八卦次序之圖)

八	七	六	五	四	三	二	一	
坤	艮	坎	巽	震	離	兑	乾	卦八
太陰		少陽		少陰		太陽		象四
陰				陽				儀兩
太極								

문왕팔괘차서지도(文王八卦次序之圖)

	坤母				乾父			
	☷				☰			
兑離巽	兑少女	離中女	巽長女		艮少男	坎中男	震長男	艮坎震
	☱	☲	☴		☶	☵	☳	
	得坤上爻	得坤中爻	得坤下爻		得乾上爻	得乾中爻	得乾下爻	

복희육십사괘차서지도(伏羲六十四卦次序之圖)

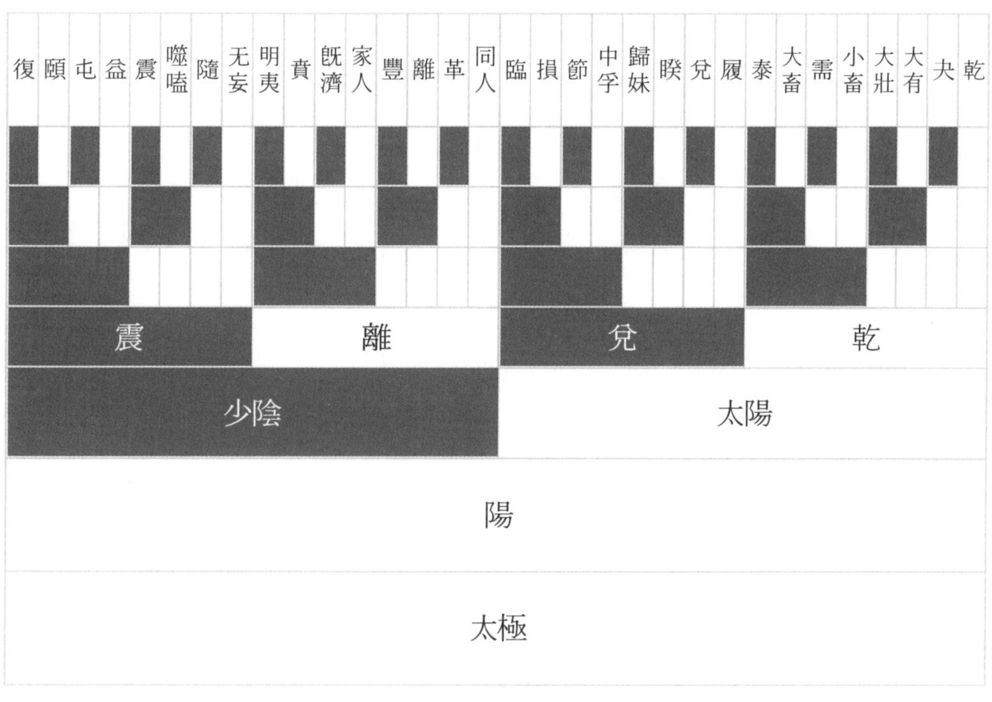

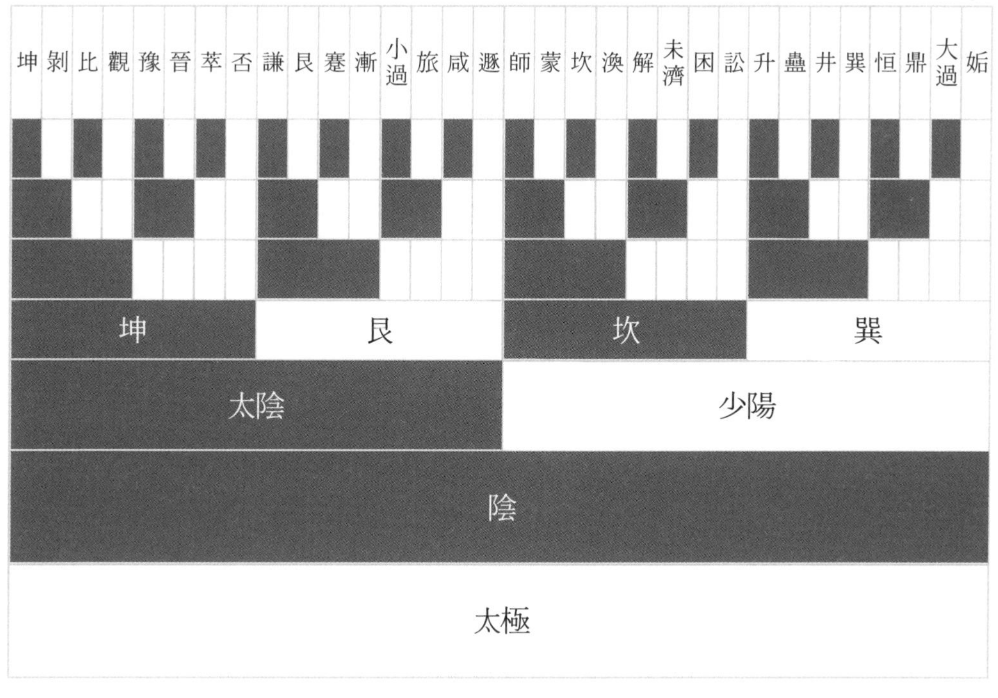

복희육십사괘방위지도(伏羲六十四卦方位之圖)

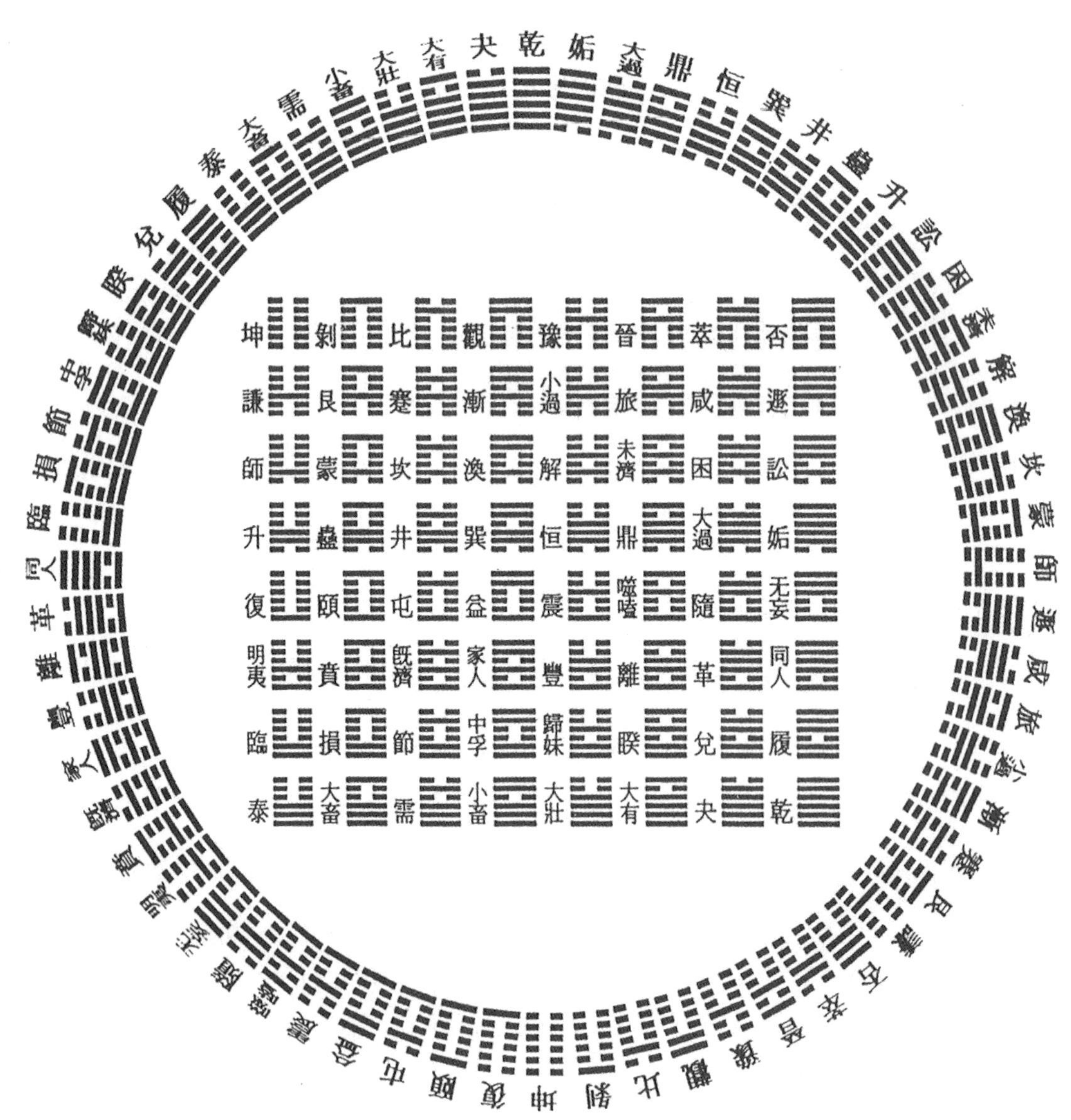

주역육십사괘 차서도(周易六十四卦 次序圖)

※ 이 64괘 차서도(次序圖)는 경전의 순서를 따라 좌에서 우로 만들었다.

1. 중천건 重天乾	2. 중지곤 重地坤	3. 수뢰준 水雷屯	4. 산수몽 山水蒙	5. 수천수 水天需	6. 천수송 天水訟	7. 지수사 地水師	8. 수지비 水地比
9. 풍천소축 風天小畜	10. 천택리 天澤履	11. 지천태 地天泰	12. 천지비 天地否	13. 천화동인 天火同人	14. 화천대유 火天大有	15. 지산겸 地山謙	16. 뢰지예 雷地豫
17. 택뢰수 澤雷隨	18. 산풍고 山風蠱	19. 지택림 地澤臨	20. 풍지관 風地觀	21. 화뢰서합 火雷噬嗑	22. 산화비 山火賁	23. 산지박 山地剝	24. 지뢰복 地雷復
25. 천뢰무망 天雷无妄	26. 산천대축 山天大畜	27. 산뢰이 山雷頤	28. 택풍대과 澤風大過	29. 중수감 重水坎	30. 중화리 重火離	31. 택산함 澤山咸	32. 뢰풍항 雷風恒
33. 천산돈 天山遯	34. 뢰천대장 雷天大壯	35. 화지진 火地晉	36. 지화명이 地火明夷	37. 풍화가인 風火家人	38. 화택규 火澤睽	39. 수산건 水山蹇	40. 뢰수해 雷水解
41. 산택손 山澤損	42. 풍뢰익 風雷益	43. 택천쾌 澤天夬	44. 천풍구 天風姤	45. 택지췌 澤地萃	46. 지풍승 地風升	47. 택수곤 澤水困	48. 수풍정 水風井
49. 택화혁 澤火革	50. 화풍정 火風鼎	51. 중뢰진 重雷震	52. 중산간 重山艮	53. 풍산점 風山漸	54. 뢰택귀매 雷澤歸妹	55. 뢰화풍 雷火豊	56. 화산려 火山旅
57. 중풍손 重風巽	58. 중택태 重澤兌	59. 풍수환 風水渙	60. 수택절 水澤節	61. 풍택중부 風澤中孚	62. 뢰산소과 雷山小過	63. 수화기제 水火旣濟	64. 화수미제 火水未濟

일러두기

1. 본서(本書)는 내각본(內閣本)《주역전의대전(周易傳義大全)》(언해본 포함)을 국역대본(國譯臺本)으로 하고 청대(淸代)에 이광지(李光地) 등이 칙명(勅命)을 받들어 편찬한《주역절중(周易折中)》및 퇴계(退溪) 이황(李滉)의《경서석의(經書釋義)》와 사계(沙溪) 김장생(金長生)의《경서변의(經書辨疑)》, 호산(壺山) 박문호(朴文鎬)의《주역본의상설(周易本義詳說)》, 일본(日本)의 한문대계본(漢文大系本)과 성균관대학교 대동문화연구원(大東文化研究院)의 경학자료집성(經學資料集成;역경(易經)), 《주역전의역해(周易傳義譯解;대유학당(大有學堂))》 등을 참고하여 상 · 중 · 하 3책으로 번역하였다.

2. 원문(原文) 이해의 도움을 위하여 현토(懸吐)하였다.
경문(經文)의 토는 관본(官本) 언해(諺解)의 토를 위주로 하되 필요에 따라 조정하였고, 전의(傳義)의 토는 역주자(譯註者)가 현토하였다.

3. 번역은 원의(原義)에 충실하여 원전강독(原典講讀)에 도움이 되도록 하였다.

4. 역주(譯註)는 중요한 출전(出典)이나 난해한 문맥과 타당성이 있다고 여겨지는 이설(異說) 및 오탈자(誤脫字)를 대상으로 하였고, 원문의 난해자(難解字)는 자의(字義)를 하단(下段)에 실었다.

5.《정전(程傳)》에 이동(異同)이 있는 것은《대전본(大全本)》을 따라 소자(小字)로 병기하였다.

6. 원문 중 경문(經文)과 전의(傳義)는 활자(活字)의 대소(大小)를 구분하고 번역문도 이에 따랐으며, 각 괘별(卦別)로 일련번호를 붙여 구분하였다.

7. 원문의 오자(誤字), 가차자(假借字) 등은 다음 부호를 사용하였다.

(오자) (정자)
- 오자(誤字)의 예(例) : 所(進)〔逢〕之時
- 가차자(假借字)의 예(例) : 文羨(衍)吉字

(수정) (언해)
- 현토(懸吐)의 예(例) : 元하고(코)

8. 독자들의 참고를 위하여 부록으로 설시구괘법(揲蓍求卦法;시초를 세어 괘를 찾는 법, 오호영(吳虎泳) 선생의《역상강의(易象講義)》에서 발췌)을 번역하여 원문과 함께 붙이고, 주역괘가(周易卦歌)를 함께 덧붙였다.

9. 본서의 사용 부호는 다음과 같다.

〈 〉: 보충역 및 편명 ( ) : 간주(間註) 및 보충역, 참고사항
《 》: 서명(書名) 〔 〕: 참고 원어(原語) 및 한자(漢字)
、 : 원문에서는 동격나열(同格羅列)
※ : 역자의 부연 설명

10. 목차는 옛 차례를 바꾸고 경문(經文)을 위주하여, 1권(상)에는 상경(上經) 24괘를, 2권(중)에는 상경 6괘와 하경 22괘를, 3권(하)에는 하경 12괘와〈계사전(繫辭傳)〉상 · 하,〈설괘전(說卦傳)〉·〈서괘전(序卦傳)〉·〈잡괘전(雜卦傳)〉을 실었으며, 맨 앞에 있던 총목(總目) 역시 뒤에 실었다.

新譯

周易傳義

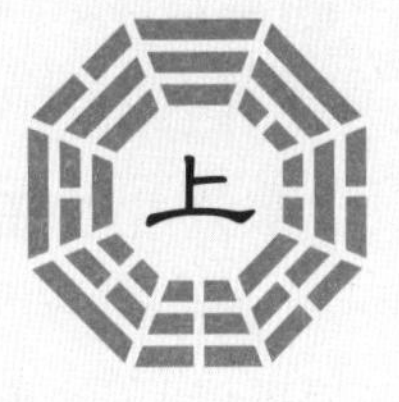

역전 서(易傳序)

易은 變易也니 隨時變易以從道也라 其爲書也 廣大悉備하여 將以順性命之理하며 通幽明之故하며 盡事物之情하여 而示開物成務之道也니 聖人之憂患後世 可謂至矣신저 去古雖遠이나 遺經尙存이라 然而前儒는 失意以傳言하고 後學은 誦言而忘味하니 自秦而下로 蓋无傳矣라 予生千載之後하여 悼斯文之湮晦하여 將俾後人으로 沿流而求源케하니 此傳所以作也라

역(易)은 변역(變易)함이니, 때에 따라 변역하여 도(道)를 따르는 것이다. 《주역》 책은 광대하여 모두 갖추어져 있어 장차 성명(性命)의 이치를 순히 하고 유명(幽明 ; 귀신세계와 인간세계)의 원인을 통달하고 사물의 정(情)을 다하여, 물건을 열어주고 일을 이루는〔開物成務〕 방도를 보여주었으니, 성인(聖人)이 후세를 근심하심이 지극하다고 이를 만하다.

옛날과의 거리는 비록 멀지만 남겨진 경(經)은 아직 보존되어 있다. 그러나 선유(先儒)들은 말만 전하여 뜻을 잃고 후학(後學)들은 말만 외워 의미를 잃었으니, 진(秦)나라 이래로는 전함이 없었다. 나는 천 년 뒤에 태어나서 사문(斯文 ; 역학을 가리킴)이 없어짐을 안타깝게 여겨 장차 후인(後人)들로 하여금 흐름(주석)을 거슬러 올라가 근원(경문)을 찾게 하였으니, 이것이 《역전(易傳)》을 짓게 된 이유이다.

易有聖人之道四焉하니 以言者는 尙其辭하고 以動者는 尙其變하고 以制器者는 尙其象하고 以卜筮者는 尙其占[18] 하나니 吉凶、消長之理와 進退、存亡之道 備於辭하여 推辭考卦하면 可以知變이니 象與占은 在其中矣라 君子居則觀其象而玩其辭하고 動則觀其變而玩其占하나니 得於辭요 不達其意者는 有矣어니와 未有不得於辭而能通其意者也라 至微者는 理也요 至著者는 象也니 體用一源이요 顯微

18 易有聖人之道四焉……以卜筮者尙其占 : 〈계사전 상〉 10장의 내용을 인용한 것으로, 여기의 이(以) 자는 '《주역》을 가지고'의 뜻이다.

··· 悼 : 슬플 도 湮 : 빠질 인 晦 : 어두울 회 俾 : 하여금 비 沿 : 거슬러올라갈 연 玩 : 살펴볼 완

无間이니 觀會通하여 以行其典禮[19]하면 則辭无所不備라 故로 善學者는 求言을 必自近하나니 易(이)於近者는 非知言者也라 予所傳者는 辭也니 由辭以得其意는 則在乎人焉이니라

有宋元符二年己卯正月庚申에 河南程頤正叔은 序하노라

역(易)에는 성인의 도(道)가 네 가지가 있으니, 이것(역)을 써서 말하려는 자는 그 말[辭;괘사와 효사]을 숭상하고, 이것을 써서 동(動)하려는 자는 그 변화[變]를 숭상하고, 이것을 써서 기물을 만들려는 자는 그 모양[象]을 숭상하고, 이것을 써서 점을 치려는 자는 그 점괘[占]를 숭상한다.

길흉(吉凶)·소장(消長)의 이치와 진퇴(進退)·존망(存亡)의 도(道)가 말에 갖추어져 있어 말을 미루어 괘를 상고하면 변화를 알 수 있으니, 상(象)과 점(占)은 이 가운데에 들어 있다. 군자가 일이 없어 편안히 거처할 때에는 그 상(象)을 관찰하고 말[글]을 살펴보며 동(動)할 때에는 변화를 관찰하고 점(占)을 살펴보니, 말을 알고도 뜻을 통달하지 못하는 자는 있지만 말을 알지 못하고서 뜻을 통달할 수 있는 자는 있지 않다.

지극히 은미한 것은 이치이고 지극히 드러난 것은 상(象)이다. 체(體)와 용(用)이 근원이 하나이고 드러남과 은미함이 간격이 없으니, 회통(會通)을 보아 전례(典禮;떳떳한 예)를 행하면 말에 갖추어지지 않음이 없다. 그러므로 잘 배우는 자는 반드시 가까운 데서 말을 구하니(연구하니), 가까운 것을 쉽게 여기는 자는 말[진리]을 아는 자가 아니다. 내가 전(傳;부연 설명한 역전)한 것은 말이니, 말로 말미암아 뜻을 아는 것은 사람(독자)에게 달려있다.

송(宋)나라 원부(元符) 2년(1099) 기묘년(己卯年) 정월(正月) 경신일(庚申日)에 하남(河南)의 정이 정숙(程頤正叔)은 쓰다.

19 觀會通以行其典禮:〈계사전 상〉 7장에 보이는 바, 회(會)는 이치가 모여 있어 빠뜨릴 수 없는 곳을 이르고, 통(通)은 이치가 행할 수 있어 막힘이 없는 곳을 이르며, 전례(典禮)는 떳떳한 예로 중용(中庸)의 용(庸)과 같음을 말한 것이다.

역 서(易序)*

※ 이 〈역서〉는《대전(大全)》의 범례(凡例)에도 '정자이서(程子二序)'라 하여 정이천(程伊川)이 지은 것으로 보았으며,《이정전서(二程全書)》에도 실려 있으나 잘못 전해진 것으로 저자 미상(著者未詳)이며, 〈계사전〉·〈문언전〉·〈설괘전〉과 주렴계(周濂溪)의 〈태극도설(太極圖說)〉 등을 짜집기하여 만든 것이다.

易之爲書 卦爻彖象之義備하여 而天地萬物之情이 見(현)하니 聖人之憂天下來世 其至矣신저 先天下而開其物하고 後天下而成其務라 是故로 極其數하여 以定天下之象하고 著其象하여 以定天下之吉凶하니 六十四卦와 三百八十四爻는 皆所以順性命之理하고 盡變化之道也라 散之在理則有萬殊하고 統之在道則无二致하니 所以易有太極하여 是生兩儀하니 太極者는 道也요 兩儀者는 陰陽也니 陰陽은 一道也요 太極은 无極也라

《주역》 책은 괘(卦)·효(爻)와 단(彖)·상(象)의 뜻이 갖추어져 천지 만물의 실정이 드러나 있으니, 성인(聖人)이 천하와 후세를 근심하심이 지극하시다. 천하에 앞서 사물을 열어주고 천하에 뒤에 하여 일을 이루어주셨다. 이 때문에 그 수(數)를 지극히 하여 천하의 상(象)을 정하고 그 상을 드러내어 천하의 길·흉을 정하였으니, 64괘와 384효는 모두 성명(性命)의 이치를 순히 하고 변화(變化)의 도(道)를 다한 것이다.

흩어져서 이치에 있으면 만 가지로 다름이 있고, 통합하여 도에 있으면 두 가지 이치가 없다. 이 때문에 역(易)에 태극(太極)이 있어 이것이 양의(兩儀)를 낳은 것이니, 태극은 도(道)이고 양의는 음양이니, 음양은 한 도이며 태극은 무극(無極)이다.

萬物之生에 負陰而抱陽하여 莫不有太極하며 莫不有兩儀하니 絪縕交感하여 變化不窮이라 形一受其生하고 神一發其智하여 情僞出焉하며 萬緒起焉하나니 易은 所以定吉凶而生大業이라 故로 易者는 陰陽之道也요 卦者는 陰陽之物也요 爻者는 陰陽之動也니 卦雖不同이나 所同者는 奇偶요 爻雖不同이나 所同者는 九六이라 是以로 六十四卦 爲其體하고 三百八十四爻 互爲其用하여 遠在六合之外하고 近在一身之中하여 暫於瞬息과 微於動靜에 莫不有卦之象焉하며 莫不有爻之義焉

··· 抱 : 안을 포 絪 : 기운덩이 인 縕 : 기운덩이 온 僞 : 거짓 위

하니 至哉라 易乎여 其道至大而无不包하고 其用至神而无不存이라

만물이 태어날 적에 음을 등지고 양을 안아 태극이 있지 않음이 없고 양의가 있지 않음이 없으니, 〈천지의 기운이〉 인온(絪縕:농후)하여 교감(交感)해서 변화가 다하지 않는다.

형체가 한번 생명을 받고 정신이 한번 지혜를 발하여 진정(眞情)과 거짓이 생겨나며 만 가지 단서가 일어나니, 역(易)은 길흉을 정하여 대업(大業)을 낳는 것이다. 그러므로 역은 음양의 도이고 괘는 음양의 물건이고 효(爻)는 음양의 동(動)함이니, 괘는 비록 똑같지 않으나 똑같은 것은 기(奇)와 우(偶)이고, 효는 비록 똑같지 않으나 똑같은 것은 구(九)와 육(六)이다. 이 때문에 64괘가 그 체(體)가 되고 384효가 서로 그 용(用)이 되어, 멀리는 육합(六合)의 밖에 있고 가까이는 한 몸의 가운데에 있어, 짧은 순식간과 동(動)·정(靜)의 작은 것에도 괘의 상(象)이 있지 않음이 없고 효의 뜻이 있지 않음이 없는 것이니, 지극하다, 역이여! 그 도(道)가 지극히 커서 포함하지 않은 것이 없고 그 쓰임이 지극히 신묘하여 있지 않은 것이 없다.

時固未始有一而卦未始有定象하며 事固未始有窮而爻亦未始有定位라 以一時而索卦면 則拘於无變이니 非易也요 以一事而明爻면 則窒而不通이니 非易也며 知所謂卦爻彖象之義하고 而不知有卦爻彖象之用도 亦非易也라 故로 得之於精神之運과 心術之動하여 與天地合其德하며 與日月合其明하며 與四時合其序하며 與鬼神合其吉凶然後에 可以謂之知易也라 雖然이나 易之有卦는 易之已形者也요 卦之有爻는 卦之已見(현)者也니 已形已見者는 可以言知어니와 未形未見者는 不可以名求하니 則所謂易者는 果何如哉아 此는 學者所當知也니라

때는 진실로 일찍이 똑같음이 있지 않고 괘는 일찍이 정해진 상(象)이 있지 않으며, 사물은 일찍이 다함이 있지 않고 효 역시 일찍이 정해진 위치가 있지 않다. 한(동일한) 때로써 괘를 찾으면 변화가 없음에 구애되니 역이 아니요, 한 가지(똑같은) 일로써 효를 밝히면 막혀서 통하지 못하니 역이 아니며, 이른바 괘(卦)·효(爻), 단(彖)·상(象)의 뜻만 알고 괘·효, 단·상의 쓰임을 모르는 것도 역이 아니다. 그러므로 정신(精神)의 운용과 심술(心術)의 움직임에서 터득하여 천지와 그 덕(德)이 합하며 일월(日月)과 그 밝음이 합하며 사시(四時)와 그 차례가 합하며 귀신과 그 길흉의 판단이 합한 뒤에야 역(易)을 안다고 말할 수 있는 것이다.

··· 暫 : 잠시 잠 瞬 : 눈깜짝일 순 索 : 찾을 색 窒 : 막힐 질

그러나 역에 괘가 있는 것은 역이 이미 나타난 것이요 괘에 효(爻)가 있는 것은 괘가 이미 드러난 것이니, 이미 나타나고 이미 드러난 것은 말(글)로써 알 수 있으나, 아직 나타나지 않고 아직 드러나지 않은 것은 명칭(글)으로써 구할 수 없으니, 이른바 역은 과연 어떠한 것인가? 이는 배우는 자가 마땅히 알아야 할 것이다.

※ 이 〈역서(易序)〉에 대해서는 위작(僞作)이란 설이 지배적인바, 우리나라의 농암(農巖) 김창협(金昌協)은 그의 〈잡지(雜識) 내편(內篇)〉에서 이것이 정자(程子)의 손에서 나온 것이 아님을 구체적으로 밝혔으므로 이를 원문과 함께 소개한다.

"《이정전서(二程全書)》 중에 이른바 〈역서〉라는 것이 있는데, 그 문장과 말뜻을 자세히 살펴보면 결코 정자의 손에서 나온 것이 아님을 알 수 있다. 이른바 '태극(太極)은 도(道)이고 양의(兩儀)는 음양(陰陽)이다.', '음양은 하나의 도이고 태극은 무극(無極)이다.', '형체가 한번 생명을 받고 정신이 한번 지각을 발하면 진실과 거짓이 나오고 온갖 실마리가 일어난다.'는 등의 말은 모두 다만 주렴계(周濂溪)의 〈태극도설(太極圖說)〉을 가지고 말을 바꾸고 부연한 것에 불과한데, 정자가 이러한 일을 하셨을 리가 없다. 이것이 과연 정자가 쓴 것이라면 주자(朱子)가 무엇 때문에 〈이중통명(李仲通銘)〉, 〈정소공지(程邵公誌)〉, 〈안자호학론(顏子好學論)〉만 취하여, 이정(二程)이 〈태극도설〉을 전수함에 대한 증거로 삼으셨겠는가.

더구나 '형체가 한번 생명을 받고 정신이 한번 지각을 발하면'이라는 두 구절은 본래의 말(〈태극도설〉)에 약간의 글자를 첨가하여 사족(蛇足)이 되어 버렸고, 그 나머지 예를 들어 '흩어져 이치에 있으면 만 가지로 다름이 되고, 통합하여 도(道)에 있으면 두 가지 이치가 없다.'는 등의 말은 대체로 사리에 맞지 않으니, 이것이 정자의 손에서 나오지 않았음이 분명하다. 다만 누가 지은 것인지 알 수 없을 뿐이다.

이정의 문집은 본래 주자가 편집한 것이나 이 가운데 유문(遺文)이라고 일컬어지는 것은 바로 후인들이 추후에 기록한 것인데, 이 〈역서〉 역시 유문에 들어 있다. 게다가 이 〈역서〉는 본래 《성리군서구해(性理羣書句解)》에서 나온 것인데, 《성리군서구해》에 실린 글들은 대체로 오류가 많아 신빙하여 믿을 것이 못된다.〔二程全書中, 有所謂易序者, 而詳其文字, 語意決不出程子手. 其所謂太極者道也, 兩儀者陰陽也; 陰陽一道也, 太極無極也; 形一受其生, 神一發其知, 情僞出焉, 萬緒起焉等語, 皆直用濂溪圖說, 改換敷演以成者, 程子當不爲此. 此果程子所

爲, 則朱子何只取李仲通, 程邵公好學論, 以爲二程傳圖說之證乎. 況形一受其生, 神一發其知二句, 視本語, 添若干字, 而便成蛇足, 其他如散之在理, 則有萬殊, 統之在道, 則無二致等語類, 不成義理, 其不出於程子審矣, 但不知何人所爲耳. 二程文集, 本朱子所編定, 而其稱遺文者, 乃後人所追錄, 此序亦係遺文, 而本出於性理羣書, 羣書所載諸文, 率多訛謬, 不足憑信也.]"

〈대전본(大全本)〉에 이 〈역서〉가 이천(伊川)의 저술로 밝히고 있으나 〈역전서(易傳序)〉와 달리 소주(小註)가 없는 것에서도 위작임을 알 수 있다.

〈역서(易序)〉의 뒤에 쓰다.[題易序後]

俗謂此序有補於通道, 故人多讀之. 予亦狃於舊聞, 尋常讀之, 不甚留意, 惟有疑乎絪縕交感之語, 是指氣化之初而言耶; 抑指人物已生之後而言耶. 是未可知也. 及今新譯而更思之, 又得農翁之說而再三讀之, 始覺其疏謬甚矣. 蓋此序掇拾諸家之言而依倣成文, 與孔周聖賢之旨, 大不相似, 萬物之生也, 已在絪縕之上, 固爲顚倒, 又全篇不過以知爲主, 文言所謂聖人與天地合其德以下四句, 乃大聖人參贊化育之極功, 至謂然後可以謂之知易者, 何歟? 苟論其至, 惟聖人盡性至命, 乃可謂知易. 然言有賓主輕重之異, 豈可以一概論之, 而責於學者乎. 讀者苟能取夫子之訓與周子之圖說, 文公之解而紬繹之, 則其不成倫脊, 不難見矣. 又有農翁之辨, 今不必一一指斥焉.

壬寅臨月日 昌山成百曉題

세속에서는 이 〈역서〉가 도(道)를 통하는데 도움이 있다 하여 사람들이 많이 읽는다. 나 또한 옛날에 들은 것에 익숙하여 평소 읽을 적에 그리 유의하지 않고 오직 인온교감(絪縕交感)의 말을 의심하여, '이 말은 만물이 기화(氣化)한 시초를 가리켜 말한 것인가, 아니면 사람과 물건이 이미 생긴 이후를 가리켜 말한 것인가? 이것을 알 수가 없다.'고 생각했었다.

··· 濂 : 물이름 렴 憑 : 의지할 빙 狃 : 익힐 뉴 謬 : 잘못될 류 紬 : 뽑을 주 繹 : 뽑을 역

그런데 이제 《주역》을 새로 번역하면서 다시 생각해보고, 또 농옹(農翁)의 말씀을 얻어 두세 번 읽어보고서야, 비로소 〈서〉의 소략하고 잘못됨이 심함을 깨달았다. 이 〈서〉는 비록 제가(諸家)의 말씀을 뽑아 모방해서 문장을 이루었으나, 공자나 주자(周子) 등 성현(聖賢)의 말씀과는 크게 다르다. 예컨대, '만물의 생겨남'이 이미 '인온교감'의 위에 있으니 진실로 순서가 뒤바뀌었다. 또, 이 글 전체가 역(易)을 아는 것을 위주로 말함에 불과하고, 뒤에서는 〈문언전(文言傳)〉에서 말한 '성인(聖人)이 천지와 그 덕(德)이 합한다.' 이하의 네 구(句)를 들고 있으니, 이는 바로 성인이 천지의 화육(化育)에 참여하여 돕는 지극한 공효로, 역을 아는 것보다 훨씬 높은 경지이다. 그런데 심지어 "이렇게 한 뒤에야 역을 안다고 말할 수 있다."고 하였으니, 이것이 무슨 말인가.

만일 지극한 경지를 논한다면 본성(本性)을 다하고 명(命)에 이른 성인만이 역을 안다고 말할 수 있을 것이다. 그러나 말에는 빈주(賓主)와 경중(輕重)의 차이가 있으니, 어찌 이런 구분 없이 똑같이 논해서 이러한 경지를 배우는 자에게 바랄 수 있겠는가.

독자(讀者)가 만일 부자(夫子;공자)의 가르침과 주자(周子)의 〈태극도설(太極圖說)〉, 주문공(朱文公;주자)의 〈태극도설해(太極圖說解)〉를 취하여 깊이 연구한다면, 이 말들의 조리 없음을 쉽게 알 수 있을 것이다. 그리고 농옹의 분변이 있기에 이제 굳이 하나하나 지적하지 않는다.

임인년 임월(臨月;섣달) 일에 창산(昌山) 성백효(成百曉)는 쓰다.

* 予所題一二友見之, 以爲絪縕交感與賓主輕重之說, 初學者未能深究, 莫若詳註焉. 故予又爲之附註焉.

내가 〈역서〉의 뒤에 쓴 것을 한두 명의 친구가 보고는 말하기를 "인온교감과 빈주경중의 말은 처음 배우는 자들이 깊이 연구할 수가 없으니, 자세히 주(註)를 다는 것만 못하다."라고 하였다. 그러므로 나는 또 위하여 주를 붙이는 바이다.

※ 인온교감(絪縕交感) : '인온'은 〈계사전 하〉에 "천지가 인온하여 만물이 화순하고 남녀가 정(精)을 맺어 만물이 화생한다.〔天地絪縕, 萬物化醇; 男女構精, 萬物化生.〕"라고 보인다. 이에 대한 《본의》의 설명은 다음과 같다. "인온은 사귐이 친밀한 모양이요, 순(醇)은 후(厚)

하여(진하여) 응집함을 이르니 기화(氣化)를 말하며, 화생(化生)은 형화(形化)이다.〔絪縕, 交密之狀, 醇, 謂厚而凝也, 言氣化者也; 化生, 形化者也.〕"

'기화'는 천지의 기운이 뭉쳐 물건이 태어나는 것이요, '형화'는 형체, 즉 남(수컷)과 녀(암컷)의 형체가 교감(交感)하여 태어나는 것이니, '교감'은 서로 감동하는 것으로, 〈계사전〉에서 말한 '남녀구정(男女構精)'이 바로 이것이다. 즉, 기화는 천지가 개벽한 뒤, 사람 등의 생물이 아직 없을 때, 천·지의 두 기운이 밀착하여 생물이 처음 생겨나는 것이고, 형화는 이후에 암컷과 수컷의 교접(교감)에 의하여 생물(새끼)이 생겨나는 것이다.

〈역서〉의 '인온교감' 이하의 말은, 주렴계(周濂溪) 〈태극도설〉의 "무극의 진리와 이기(二氣)·오행(五行)의 정기가 묘하게 응집되어, 건(乾)의 도는 남(수컷)이 되고 곤(坤)의 도는 녀(암컷)가 되어, 남·녀의 두 기운이 서로 감동하여, 만물을 화생해서 변화가 무궁하다.〔無極之眞, 二五之精, 妙合而凝, 乾道成男, 坤道成女, 二氣交感, 化生萬物而變化無窮焉.〕"는 내용을 모방한 것이다. 주자(朱子)는 이 〈태극도설해(太極圖說解)〉에서 "건의 남과 곤의 녀는 기화하는 것을 가지고 말한 것이요, 만물이 화생함은 형화하는 것을 가지고 말한 것이다.〔乾男坤女, 以氣化者言也; 萬物化生, 以形化者言也.〕" 하였다.

이렇듯, 〈계사전〉과 〈태극도설〉의 해당 구절에 대한 주자의 주석을 보면, '인온'은 기화를 가리키고, '교감'은 형화를 가리킴을 알 수 있다. 그런데 이 〈서〉는 '만물이 생김〔萬物之生〕'을 말한 뒤에 '인온교감'을 논하여 상하의 문맥이 잘 이어지지 않으며, 또 인온과 교감을 기화와 형화로 구분하지 않고 하나로 묶어서 '인온하여 교감하는 것'으로 본 듯하다.

※ 빈주경중(賓主輕重):〈제사(題辭)〉에서 말한 '빈주와 경중'의 차이란, 글을 쓸 적에 대성인(大聖人)을 위주하여 중하게 말한 것이 있고, 경하게 말하여 현인군자(賢人君子)까지 모두 포함한 것이 있다는 말이다. 예컨대, 《중용(中庸)》의 "오직 천하의 지극히 성실한 분이어야 그 성을 다할 수 있다.〔唯天下至誠, 爲能盡其性.〕"는 말이나, 〈계사전 상(繫辭傳上)〉의 "옛날에 총명하고 예지하며 신무하고 죽이지 않는 자일 것이다.〔古之聰明叡智神武而不殺者夫!〕"라는 말은 특별히 중하게 말한 경우로, 〈문언전(文言傳)〉에서 언급한 '천지와 그 덕이 합하는 성인' 또한 그렇다. 이런 경지는 정자(程子)와 주자(朱子)도 도달하지 못한 대성인의 경지인데, 그렇다면 정자와 주자가 대성인이 아니라 하여 《주역》을 몰랐다고 말할 수 있겠는가.

周易上經

○

本義 | 周는 代名也요 易은 書名也라 其卦는 本伏羲所畫이니 有交易、變易之義라 故로 謂之易이요 其辭則文王、周公所繫라 故로 繫之周라 以其簡袠(帙)重大라 故로 分爲上下兩篇하니 經은 則伏羲之畫과 文王、周公之辭也요 幷孔子所作之傳十篇하여 凡十二篇이라 中間에 頗爲諸儒所亂이러니 近世晁氏始正其失이나 而未能盡合古文이라 呂氏又更定著하여 爲經二卷、傳十卷하여 乃復孔氏之舊云[1]이라

주(周)는 대(代;왕조(王朝))의 이름이고 역(易)은 책의 이름이다. 그 괘(卦)는 본래 복희씨(伏羲氏)가 그은 것인데 교역(交易) · 변역(變易)의 뜻이 있으므로 역(易)이라 이르고, 그 글(괘사(卦辭)와 효사(爻辭))은 문왕(文王)과 주공(周公)이 단 것이므로 주(周)에다 역(易) 자를 단 것이다.

간질(簡帙)이 크고 무거우므로 나누어 상 · 하 두 편으로 만들었으니, 경문(經文)은 복희씨가 그은 괘와 문왕 · 주공의 글이요, 공자가 지은 전(傳) 10편을 합하여 모두 12편이다. 중간에 자못 유자(儒者)들에게 어지럽혀졌었는데, 근세(近世)에 조씨(晁氏;조열지(晁說之))가 처음으로 그 잘못을 바로잡았으나 고문(古文)에 모두 부합하지는 못하였다. 그러다가 여씨(呂氏;여조겸(呂祖謙))가 또다시 정저(定著;책을 정하여 만듦)하여 경(經) 2권, 전(傳) 10권으로 만들어 마침내 공씨(孔氏;공안국(孔安國))의 옛 모습을 회복하게 되었다.

1 周……乃復孔氏之舊云 : 이 주석은 "주역상경(周易上經)"을 해석한 것으로, 먼저 '주(周)' 자와 '역(易)' 자의 뜻을 풀이하고, '상경(上經)'의 의의를 설명하였다. '상경'에 대한 설명에서 주자(朱子)가 고역(古易)의 체재를 따랐음을 확인할 수 있다.

··· 袠 : 책갑 질

1 | 중천 重天 건(乾)[2] ䷀ 건하건상 乾下乾上[3]

乾은 **元**하고 **亨**하고 **利**하고 **貞**[4]하니라

건(乾)은 원(元)하고 형(亨)하고 이(利)하고 정(貞)하다.

本義 | **元亨**하고 **利貞**하니라

크게 형통하고 정(貞)함이 이롭다.

傳 | 上古聖人이 始畫八卦하니 三才之道備矣요 因而重之하여 以盡天下之變이라 故로 六畫而成卦라 重乾爲乾이니 乾은 天也니 天者는 天之形體요 乾者는 天之性情이라 乾은 健也니 健而无息之謂乾이라 夫天은 專言之則道也니 天且弗違是也라 分而言之하면 則以形體謂之天이요 以主宰謂之帝요 以功用謂之鬼神이요 以妙用謂之神이요 以性情謂之乾이라 乾者는 萬物之始라 故爲天, 爲陽, 爲父, 爲君이라 元、亨、利、貞을 謂之四德이니 元者는 萬物之始요 亨者는 萬物之長이요 利者는 萬物之遂요 貞者는 萬物之成이라 唯乾、坤이 有此四德이요 在他卦則隨

······

2 중천(重天) 건(乾) : 건(乾)은 자연 상징물로 하늘〔天〕의 상(象)에 해당하는바, 3획괘인 팔괘(八卦) 중에 위아래가 모두 같은 경우 중(重;거듭)자를 넣어서 건괘에는 중천 건(重天乾 ䷀), 태괘(兌卦)에는 중택 태(重澤兌 ䷹), 리괘(離卦)에는 중화 리(重火離 ䷝), 진괘(震卦)에는 중뢰 진(重雷震 ䷲), 손괘(巽卦)에는 중풍 손(重風巽 ䷸), 감괘(坎卦)에는 중수 감(重水坎 ䷜), 간괘(艮卦)에는 중산 간(重山艮 ䷳), 곤괘(坤卦)에는 중지 곤(重地坤 ䷁)이라 한다.

3 乾下 乾上 : 괘를 그릴 때는 아래에서부터 그리지만, 괘를 읽을 때는 상괘(上卦)부터 읽는바, '상괘의 자연물 상징-하괘의 자연물 상징-괘명'의 순서로 읽는다. 예컨대, 상괘가 산을 상징하는 간괘(艮卦)이고 하괘가 물을 상징하는 감괘(坎卦)인 몽괘(蒙卦)는 '산수몽(山水蒙)'이라고 읽는다. 다만, 건괘(乾卦)처럼 상·하괘가 동일한 중첩괘의 경우, '중(重)-상·하괘의 자연물 상징-괘명'의 순서로 읽는바, 예컨대 건괘는 '중천건'이라고 읽으니, 이는 팔괘가 양의(兩儀 ⚊ ⚋)에서 사상(四象 ⚌⚍⚎⚏)으로 점점 올라갔기 때문이다.
'건하(乾下) 건상(乾上)'은 경문에 작은 글씨로 붙어 있는 본주(本註)로, 상·하괘가 팔괘 중 어떤 괘인지 알려주는 주석이다. 아래 《본의》에 "下者, 內卦也; 上者, 外卦也."라고 한 것을 보면, '건하-건상'의 순서로 읽어야 함을 알 수 있다.

4 乾元亨利貞 : 《언해(諺解)》에는 '원(元)코 형(亨)코 이(利)코 정(貞)하니라'로 현토하였는바, 여기의 '코'는 '하고'의 줄임말이므로 '하고'로 바꾸었으며, 뒤의 경문도 모두 수정하였음을 밝혀둔다.

··· 畫 : 그을 획 奇 : 홀수 기 耦 : 짝수 우 (偶通)

事而變焉이라 故로 元은 專爲善大요 利는 主於正固요 亨、貞之體는 各稱其事하니 四德之義 廣矣大矣라

상고(上古)의 성인(聖人)이 처음 팔괘(八卦)를 그으니 삼재(三才;천(天)·지(地)·인(人))의 도(道)가 구비되었고, 인하여 이것을 거듭하여 천하의 변화를 다하였으므로 여섯 번 그어 괘를 이루었다. 건(乾)을 거듭한 것을 건괘(乾卦)라 하니, 건은 천(天)이니, 천은 하늘의 형체이고 건은 하늘의 성정(性情)이다. 건은 굳셈이니, 굳세어 쉼이 없음을 건이라 한다. 하늘은 전일(專一)하게(전체로) 말하면 도(道)이니, '하늘도 어기지 않는다.'는 것이 이것이다. 나누어 말하면 형체로써 말할 때에는 천(天)이라 하고, 주재(主宰;주장하여 다스림)로써 말할 때에는 상제(上帝)라 하고, 공용(功用)으로써 말할 때에는 귀신(鬼神)이라 하고, 묘용(妙用;신묘한 작용)으로써 말할 때에는 신(神)이라 하고, 성정(性情)으로써 말할 때에는 건(乾)이라 한다.

건은 만물(萬物)의 시초이다. 그러므로 그 상(象)이 천(天)이 되고 또 양(陽)이 되고 아버지가 되고 군주가 되는 것이다. 원(元)·형(亨)·이(利)·정(貞)을 사덕(四德)이라 하니, 원(元)은 만물의 시초이고, 형(亨)은 만물의 성장이고, 이(利)는 만물의 이룸이고, 정(貞)은 만물의 완성이다. 오직 건괘·곤괘(坤卦)만이 이 사덕을 모두 소유하였고 다른 괘에 있어서는 일에 따라 변한다. 그러므로 〈다른 괘에서는〉 원(元)은 오직 선(善)과 대(大)가 되고, 이(利)는 정고(正固)함을 주장하고, 형(亨)·정(貞)의 체(體)는 각기 그 일에 맞게 하니, 사덕의 뜻이 넓고 크다.

本義 | 六畫者는 伏羲所畫之卦也라 —者는 奇也니 陽之數也요 乾者는 健也니 陽之性也라 本註乾字는 三畫卦之名也니 下者는 內卦也요 上者는 外卦也라 經文乾字는 六畫卦之名也라 伏羲仰觀俯察하사 見陰陽有奇、耦(偶)之數라 故로 畫一奇以象陽하고 畫一耦以象陰하며 見一陰一陽有各生一陰一陽之象이라 故로 自下而上하고 再倍而三하여 以成八卦하며 見陽之性健而其成形之大者爲天이라 故로 三奇之卦를 名之曰乾而擬之於天也라 三畫已具하여 八卦已成이면 則又三倍其畫하여 以成六畫하여 而於八卦之上에 各加八卦하여 以成六十四卦也라 此卦는 六畫皆奇요 上下皆乾이니 則陽之純而健之至也라 故로 乾之名과 天之象

··· 擬 : 비길 의 筮 : 점 서 潛 : 잠길 잠 消 : 사라질 소

이 皆不易焉[5]이라 元亨利貞은 文王所繫之辭니 以斷一卦之吉凶이니 所謂彖辭者也라 元은 大也요 亨은 通也요 利는 宜也요 貞은 正而固也라 文王以爲乾道大通而至正이라 故로 於筮에 得此卦而六爻皆不變者[6]는 言其占當得大通而必利在正固니 然後에 可以保其終也라 此는 聖人所以作易하여 教人卜筮하여 而可以開物成務[7]之精意니 餘卦放此하니라

6획은 복희씨가 그은 괘이다. ⚊은 기수(奇數;홀수)이니 양(陽)의 수(數)이고, 건은 건(健;굳셈)이니 양의 성질이다. 본주(本註)의 건(乾) 자는 3획괘의 이름이니, 아래〔下〕란 내괘(內卦)이고 위〔上〕란 외괘(外卦)이다. 경문(經文)의 건 자는 6획괘의 이름이다. 복희씨가 우러러 천문(天文)을 보고 굽어 지리(地理)를 살펴서 음과 양에 기수(奇數;홀수)와 우수(偶數;짝수)가 있음을 보았다. 그러므로 한 기(奇)를 그어 양을 상징하고 한 우(偶)를 그어 음을 상징하였으며, 한 음과 한 양이 각각 한 음과 한 양을 낳는 상(象)이 있음을 보았다. 그러므로 아래에서 위로 올라가고 다시 배(倍)로 하여 세 번 그어 팔괘(八卦)를 이루었으며, 양의 성질이 굳세고 형체를 이룸이 큰 것이 하늘임을 보았다. 그러므로 세 기수(奇數)의 괘(☰)를 건(乾)이라 이름하여 하늘에 모의하였다. 3획이 이미 갖추어져 팔괘가 이루어지면 다시 그 획을 3배로 하여 6획을 이루어서 팔괘의 위에 각각 팔괘를 더하여 64괘를 이루었다.

5 乾之名 天之象 皆不易焉 : 3획괘의 건(乾)과 6획괘의 건(乾)의 명칭과 상(象)이 모두 같음을 말한 것이다. 이는 곤괘(坤卦)도 마찬가지이다. 건·곤괘를 제외한 나머지 중첩괘들은 3획괘와 6획괘의 상(象)이 동일하지 않은데, 이는 〈대상전(大象傳)〉에서 확인할 수 있는바, 건·곤괘는 〈대상전〉에서도 '천(天)'과 '지(地)'를 그대로 쓴 반면, 다른 중첩괘들은 '겸(兼)', '천(洊)', '수(隨)' 등 중첩의 뜻을 가진 글자를 덧붙였다.

6 於筮 得此卦而六爻皆不變者 : 점을 쳐서 이 건괘(乾卦)를 만나고 여섯 효(爻)가 모두 변하지 않았다는 것은 여섯 효가 모두 소양(少陽)으로 이루어졌음을 뜻한다. 주역점을 치면 노양(老陽)·소음(少陰), 소양(少陽)·노음(老陰)의 사상(四象)을 얻게 되는데 노양과 노음은 변하고 소음과 소양은 변하지 않는바, 여섯 효가 모두 소양이거나 소음일 경우에는 괘사(卦辭) 곧 단사(彖辭)로 점을 치고, 노양과 노음이면 그 변한 효로 점을 친다. 예컨대 건괘의 초구(初九)는 초구 한 효가 노양이어서 변한 경우이다. 그러나 이 설시법(揲蓍法)은 다양하여 쉽게 알 수 없으므로 뒤에 붙인 〈명서(明筮)〉와 〈서의(筮儀)〉를 참고하기 바란다.

7 開物成務 : 성인이 문명을 열어 온갖 일을 이루어준다는 의미로, 역(易)에 한정해서 말하면, 성인이 복서(卜筮)를 개발하여 사람들에게 일의 길(吉)·흉(凶)을 점치는 법을 가르쳐주어서 온갖 사무(事務)를 이룰 수 있게 한다는 뜻이다. 이 말은 〈계사전 상(繫辭傳上)〉 11장에, "역은 어찌하여 만든 것인가? 역은 사물을 열어주고 일을 이루어 천하의 도를 포괄하니 이와 같을 뿐이다.〔夫易, 何爲者也? 夫易, 開物成務, 冒天下之道, 如斯而已者也.〕"라고 보인다.

이 괘는 6획이 모두 기수(☰)이고 위와 아래가 모두 건(乾)이니, 양이 순수하고 굳셈이 지극하다. 그러므로 건이라는 이름과 천(天)의 상(象)이 모두 바뀌지 않은 것이다.

'원형이정(元亨利貞)'은 문왕이 붙인 말(글)로 한 괘의 길흉을 결단한 것이니, 이른바 단사(彖辭)라는 것이다. 원(元)은 큼이요 형(亨)은 통함이요 이(利)는 마땅함이요 정(貞)은 바르고 견고함이다. 문왕은 건도(乾道)가 크게 형통하고 지극히 바르다고 생각하였다. 그러므로 점을 쳐서 이 괘를 얻고 여섯 효가 모두 변하지 않은 경우에는, 그 점이 마땅히 대통(大通)을 얻고 반드시 이로움(마땅함)이 정고(正固)함에 있다고 말씀하였으니, 이렇게 한 뒤에야 그 종(終)을 보존할 수 있는 것이다. 이는 성인이 역을 지어 사람들에게 복서(卜筮)를 가르쳐서 사물을 열어주고 일을 이루게 하신 정밀한 뜻이니, 나머지 괘도 이와 같다.

初九는 潛龍이니 勿用이니라

초구(初九)는 못에 잠겨 있는 룡(龍)이니, 쓰지 말아야 한다.

傳 | 下爻爲初라 九는 陽數之盛이라 故로 以名陽爻라 理는 无形也라 故로 假象以顯義하니 乾은 以龍爲象이라 龍之爲物이 靈變不測이라 故로 以象乾道變化와 陽氣消息과 聖人進退하니라 初九는 在一卦之下하여 爲始物之端하니 陽氣方萌하고 聖人側微하니 若龍之潛隱하여 未可自用이니 當晦養以俟時니라

아래에 있는 효(爻)를 초(初)라 한다. 구(九)는 양수(陽數)가 성(盛)한 것이므로 이로써 양효(陽爻)를 이름하였다. 리(理)는 형체가 없으므로 상(象)을 빌어 뜻을 나타내었으니, 건(乾)은 룡(龍)을 상으로 삼는다. 룡이란 물건은 신령스럽고 변화불측하다. 그러므로 건도(乾道)의 변화와 양기(陽氣)의 소식(消息:불어남과 사라짐), 성인의 진퇴(進退)를 형상하였다. 초구(初九)는 한 괘의 아래에 있어서 사물을 시작하는 단서가 되니, 양기가 막 싹트고 성인이 미천한 때이니, 마치 룡이 못에 잠겨있는 것과 같아서 스스로 쓸 수 없으니, 마땅히 숨어 기르면서 때를 기다려야 한다.

本義 | 初九者는 卦下陽爻之名이라 凡畫卦者는 自下而上이라 故로 以下爻爲初

··· 潛 : 잠길 잠 息 : 자랄 식 晦 : 감출 회 俟 : 기다릴 사 惕 : 두려워할 척

라 陽數는 九爲老요 七爲少니 老變而少不變이라 故로 謂陽爻爲九[8]라 潛龍勿用은 周公所繫之辭니 以斷一爻之吉凶이니 所謂爻辭者也라 潛은 藏也요 龍은 陽物也라 初陽在下하여 未可施用이라 故로 其象爲潛龍이요 其占曰勿用이니 凡遇乾而此爻變者는 當觀此象而玩其占也라 餘爻放此하니라

초구(初九)는 괘의 아래에 있는 양효(陽爻)의 명칭이다. 무릇 괘를 긋는 자는 아래에서 위로 올라가므로 맨 아래의 효를 초(初)라 한다. 양수(陽數)는, 구(九)는 노양(老陽)이 되고 칠(七)은 소양(少陽)이 되는데, 노양은 변하고 소양은 변하지 않으므로 양효를 일러 구(九)라 한다. '잠룡물용(潛龍勿用)'은 주공이 단 말씀으로 한 효의 길흉을 결단한 것이니, 이른바 효사(爻辭)라는 것이다. '잠(潛)'은 감춤이요, '룡'은 양의 물건이다. 초양(初陽)이 아래에 있어서 아직 시용(施用)할 수 없다. 그러므로 그 상은 못에 잠겨있는 룡이 되고, 그 점괘는 쓰지 말라 한 것이니, 무릇 〈점을 쳐서〉 건괘를 만나고 이 효가 변한 경우는 마땅히 이 상을 보고 이 점괘를 완미(玩味)해야 한다. 나머지 효도 이와 같다.

九二는 見(현)龍在田이니 利見大人이니라

구이(九二)는 나타난 룡이 밭에 있으니, 대인(大人)을 만나봄이 이롭다.

傳 | 田은 地上也니 出見(현)於地上하여 其德已著하니 以聖人言之하면 舜之田漁時也라 利見大德之君以行其道요 君亦利見大德之臣以共成其功이요 天下利見大德之人以被其澤이니 大德之君은 九五也라 乾、坤은 純體라 不分剛柔하고 而以同德相應[9]이니라

8 陽數九爲老……謂陽爻爲九 : 사상(四象) 중에 태양(太陽;노양(老陽))은 구(九), 태음(太陰;노음(老陰))은 육(六), 소양(少陽)은 칠(七), 소음(少陰)은 팔(八)인데, 점을 칠 때 소양과 소음은 변하지 않고 노양과 노음은 변한다. 그러나 효는 변함을 위주로 하기 때문에 모든 양효(陽爻)를 구(九)라 하고 모든 음효를 육(六)이라 칭하는 것이다.

9 乾坤純體……而以同德相應 : 순체(純體)는 순양(純陽)·순음(純陰)의 체(體)를 이르며 강(剛)·유(柔)는 양효(陽爻)와 음효(陰爻)를 이른다. 원래 효는 초(初)와 사(四), 이(二)와 오(五), 삼(三)과 상(上)이 서로 음·양이 달라야 응하며, 만약 두 효가 모두 음이거나 양이면 서로 응하지 않는다. 예컨대 초구(初九)는 육사(六四)와 응하고 초육(初六)은 구사(九四)와 응하며, 구이(九二)는 육오(六五)와, 육이(六二)는 구오(九五)와 응하며, 구삼(九三)은 상육(上六)과, 육삼(六三)은 상구(上九)와 응한다. 그러나 건괘와 곤괘만은 모두 순체이므로 구이와 구오, 육이와 육

'전(田)'은 지상(地上)이니, 지상에 출현하여 그 덕이 이미 드러났으니, 성인으로 말한다면 순(舜) 임금이 농사짓고 물고기 잡던 때이다. 대덕(大德)의 군주를 만나보아 도(道)를 행함이 이롭고, 군주 또한 대덕의 신하를 만나 함께 공(功)을 이룸이 이로우며, 천하는 대덕의 사람을 만나 혜택을 입음이 이로우니, 대덕의 군주는 구오(九五)이다. 건괘와 곤괘는 순체(純體)라서 강(剛)·유(柔)를 나누지 않고 덕(중덕(中德))이 같은 것으로 서로 응한다.

本義 | 二는 謂自下而上第二爻也니 後放此하니라 九二는 剛健中正[10]하고 出潛離隱하여 澤及於物하니 物所利見이라 故로 其象이 爲見龍在田이요 其占이 爲利見大人이라 九二雖未得位[11]나 而大人之德已著하니 常人은 不足以當之라 故로 値此爻之變者는 但爲利見此人而已니 蓋亦謂在下之大人也라 此는 以爻與占者로 相爲主賓하니 自爲一例[12]라 若有見龍之德이면 則爲利見九五在上之大人矣니라

이(二)는 아래에서 위로 두 번째 효를 말하니, 뒤에도 이와 같다. 구이(九二)는 강건(剛健)하고 중정(中正)하며 잠겨있던 곳에서 나오고 숨어 있던 곳에서 떠나 혜택이 물건(사람)에 미치니, 물건이 만나봄이 이롭다. 그러므로 그 상(象)은 나타난 룡이 밭에 있음이 되고, 그 점괘는 대인을 만나봄이 이로움이 되는 것이다. 구이가 비록 양(陽)의 자리를 얻지 못했으나 대인의 덕이 이미 드러났으니, 보통사람은 이에 해당될 수가 없다. 그러므로 이 효의 변함을 만난 자는 다만 이 대인을 만

······

오가 똑같이 중덕(中德)이 있어 서로 응하는바, '중덕'은 '중'에 해당하는 이(二)와 오(五)의 자리에 있음을 가리킨다. 다만 정이천(程伊川)은 곤괘의 육오효(六五爻)는 군위(君位:군주의 자리)로 보지 않아 육이와 육오가 서로 응하지 않는 것으로 보았다.

10 九二 剛健中正 : 강건 중정(剛健中正)은 구오효(九五爻)를 가리키며 육이효(六二爻)는 유순중정(柔順中正)이라 한다. 구이는 엄격히 말하면 정중(正中)이어서 '바로 중하다.'로 해석해야 한다.

11 九二雖未得位 : '미득위(未得位)'는 지위가 낮거나 없음을 이르며, 또는 정위(正位:바른 자리)를 얻지 못했음을 이른다.

12 以爻與占者 相爲主賓 自爲一例 : 구이(九二) 효사의 본뜻은 "룡의 덕을 가진 대인이 세상에 나왔으니, 이 대인이 임금의 지위에 있는 대인(구오)을 만나보면 이롭다."라는 것이다. 점을 쳐서 이 효를 만난 사람이 만일 이러한 룡덕(龍德)을 지니고 있다면, 그가 바로 '구이의 대인'이 될 수 있는데, 이때는 점친 사람이 주(主)가 되고 효사가 객(客)이 된다. 반면 점친 사람이 룡덕을 가지고 있지 않다면, 그는 점괘의 주인이 되지 못하며, 효사도 "내가 구이의 대인을 만나보면 이롭다."라는 의미로 변하는데, 이때는 점친 사람이 객(客)이 되고 효사가 주(主)가 된다.

나봄이 이로울 뿐이니, 〈여기의 대인은〉 또한 아래에 있는 대인을 이른다. 이는 효와 점치는 자를 서로 주(主) · 빈(賓)으로 삼은 것이니, 따로 한 예(例)가 된다. 만약 〈점치는 자가〉 현룡(見龍)의 덕이 있다면 구오(九五), 즉 위에 있는 대인을 만나봄이 이로운 것이다.

九三은 君子終日乾乾하여 夕惕若하면 厲하나 无咎리라

구삼(九三)은 군자가 종일토록 건건(꾸준히 이어감)하여 저녁까지도 두려워하면 위태로우나 허물이 없으리라.

本義 | 夕惕若이니

저녁까지 두려워함이니,

傳 | 三雖人位나 已在下體之上[13]하니 未離於下而尊顯者也니 舜之玄德升聞[14]時也라 日夕不懈而兢惕이면 則雖處危地而无咎라 在下之人而君德已著하여 天下將歸之면 其危懼可知라 雖言聖人事나 苟不設戒면 則何以爲敎리오 作易之義也라

삼(三)은 비록 사람의 자리이나 이미 하체(下體:하괘(下卦))의 위에 있으니, 아직 아래를 떠나지 않았으나 높게 드러난 자이니, 순(舜) 임금의 숨겨진 덕이 위로 올라가 알려진 때이다. 밤낮으로 게을리 하지 않고 조심하고 두려워하면 비록 위태로운 곳에 처하더라도 허물이 없을 것이다. 아래에 있는 사람으로서 군주의 덕이 이미 드러나 천하가 장차 그에게 돌아오려 한다면 그 위태로움과 두려움을 알 수 있다. 비록 성인의 일을 말하였으나 만일 경계하는 뜻을 베풀지 않는다면 어찌 가르침이 되겠는가. 이것이 역(易)을 지은 의의(意義)이다.

本義 | 九는 陽爻요 三은 陽位니 重剛不中하고 居下之上하니 乃危地也라 然性體

······

13 三雖人位 已在下體之上 : 인위(人位)는 사람의 자리란 뜻이다. 《주역》에서 3획괘인 팔괘(八卦)의 경우에는 아래 효를 지(地), 가운데 효를 인(人), 위 효를 천(天)으로 보며, 6획괘인 64괘는 초(初)와 이(二)를 지(地), 삼(三)과 사(四)를 인(人), 오(五)와 상(上)을 천(天)으로 보기 때문에 삼(三)을 인위(人位)라 한 것이다. 하체(下體)는 상체(上體)와 상대되는 말로 하괘(下卦)를 가리킨다.

14 舜之玄德升聞 : 현덕승문(玄德升聞)은 순 임금의 드러나지 않은 덕이 올라가 요(堯) 임금에게 알려진 것으로 《서경(書經)》 〈순전(舜典)〉 첫머리에 보인다.

··· 惕 : 두려울 척 厲 : 엄할 려, 위태로울 려 咎 : 허물 구 兢 : 조심할 긍

剛健하여 有能乾乾惕厲之象이라 故로 其占如此라 君子는 指占者而言이니 言能憂懼如是면 則雖處危地而无咎也라

구(九)는 양효(陽爻)이고 삼(三)은 양위(陽位;양의 자리)이니, 거듭 강(剛)하고 중(中)하지 못하며 하괘(下卦)의 위에 있으니, 바로 위태로운 자리이다. 그러나 성체(性體;성질 또는 성격)가 강건하여 능히 건건(乾乾)하고 두려워하고 위태롭게 여기는 상(象)이 있으므로 그 점이 이와 같은 것이다. 군자는 점치는 자를 가리켜 말한 것이니, 근심하고 두려워하기를 이와 같이 하면 비록 위태로운 자리에 처하더라도 허물이 없음을 말한 것이다.

九四는 或躍在淵하면 无咎리라

구사(九四)는 혹 뛰어오르거나 연못에 있으면 허물이 없으리라.

本義｜ 或躍在淵이니

혹 뛰어오르거나 연못에 있음이니,

傳｜ 淵은 龍之所安也라 或은 疑辭니 謂非必也니 躍不躍을 唯及時以就安耳라 聖人之動은 无不時也니 舜之歷試時也[15]라

못은 룡이 편안히 여기는 곳이다. 혹(或)은 의심하는 말이니, 반드시 하는 것이 아님을 이른다. 뛰어오르거나 뛰어오르지 않음을 오직 때에 미쳐서(따라서) 편안한 곳으로 나아갈 뿐이다. 성인의 동(動)함은 때에 맞지 않음이 없으니, 순(舜) 임금이 시험을 거칠 때이다.

本義｜ 或者는 疑而未定之辭라 躍者는 无所緣而絕於地니 特未飛爾라 淵者는 上

15 舜之歷試時也 : 역시(歷試)는 관직을 맡겨 하나하나 차례로 시험해 봄을 이른다. 순 임금은 역산(歷山)에서 농사를 짓고 뇌택(雷澤)에서 물고기를 잡았는데, 순 임금이 있는 곳마다 사람들이 교화되었다. 그리하여 그윽한 덕〔玄德〕이 위로 요(堯) 임금에게 알려졌다. 요 임금은 천자의 자리를 그에게 물려주려 하여 차례로 시험하였는바, 교육을 담당한 사도(司徒)를 삼아 오전(五典;오륜)을 삼가 아름답게 하라 하시니 오전이 능히 순하게 교화되었으며, 정승의 지위인 백규(百揆)에 앉히시니 백규가 때에 따라 펴졌으며, 사방의 문에서 외국의 손님(사신)을 맞이하게 하시니 사방에서 오는 손님이 화목하였는바, 이것을 가리킨다. 이 내용은 《사기(史記)》의 〈오제기(五帝紀)〉와 《서경》의 〈순전(舜典)〉 등에 자세히 보인다.

… 躍 : 뛸 약 淵 : 못 연 緣 : 붙을 연

空下洞하여 深昧不測之所라 龍之在是에 若下於田이나 或躍而起면 則向乎天矣라 九陽、四陰[16]이니 居上之下하여 改革之際요 進退未定之時也라 故로 其象如此요 其占은 能隨時進退則无咎也라

'혹(或)'은 의심하여 결정하지 못하는 말이다. '약(躍)'은 인연한(붙은) 바가 없이 땅에서 떨어짐이니, 다만 날지 못할 뿐이다. '연(淵:못)'은 위는 비고 아래는 뚫려 있어 깊고 어두워서 측정할 수 없는 곳이다. 룡이 이곳에 있을 때에는 밭보다 아래에 있는 듯하나 혹 뛰어 일어나면 솟구쳐 하늘로 향한다. 구(九)는 양효이고 사(四)는 음위(陰位:음의 자리)이니, 상괘(上卦)의 아래에 있어서 개혁의 즈음이요 진퇴를 결정하지 못한 때이다. 그러므로 그 상(象)이 이와 같으며, 점(占)은 때에 따라 나아가고 물러나면 허물이 없는 것이다.

九五는 飛龍在天이니 利見大人이니라

구오(九五)는 나는 룡이 하늘에 있으니, 대인을 만나봄이 이롭다.

傳 | 進位乎天位也라 聖人이 既得天位면 則利見在下大德之人하여 與共成天下之事요 天下固利見夫大德之君也라

천위(天位:하늘의 자리, 천자의 지위)로 나아가는 것이다. 성인이 이미 천위를 얻었으면 아래에 있는 대덕(大德)의 사람(신하)을 만나보아 함께 천하의 일을 이루는 것이 이롭고, 천하 사람들은 진실로 대덕의 군주를 만나봄이 이로운 것이다.

本義 | 剛健中正으로 以居尊位하니 如以聖人之德으로 居聖人之位라 故로 其象如此하고 而占法은 與九二同하나 特所利見者 在上之大人爾라 若有其位면 則爲利見九二在下之大人也[17]라

••••••

16 九陽四陰: 위 구삼효에서 '구양효 삼양위(九陽爻三陽位)'라고 이미 말했으므로 여기서는 축약하여 구양사음(九陽四陰)이라 한 것이다.

17 占法……則爲利見九二在下之大人也: 여기에서도 점친 사람의 덕에 따라 점친 사람과 효의 주객이 결정된다는 말이다. 다만 구오는 룡덕을 가지고 있다고 해서 효의 주인이 될 수는 없고, 군주의 자리에 있어야 효의 주인이 될 수 있으므로, "만약 그 지위를 소유하고 있다면[若有其位]"이라고 한 것이다. 이에 대한 주자의 설명이 《대전본》의 소주(小註)에 다음과 같이 보인다. "구이와

강건(剛健)하고 중정(中正)함으로 존위(尊位;높은 군주의 자리)에 거하였으니, 성인의 덕으로 성인의 지위(제왕의 자리)에 있는 것과 같다. 그러므로 그 상이 이와 같고, 점치는 법은 구이(九二)와 같은데, 다만 만나봄이 이로운 자(상대)가 위에 있는 대인일 뿐이다. 그러나 만일 〈점치는 자가〉 군주의 지위를 소유하고 있다면 구이, 즉 아래에 있는 대인을 만나봄이 이로운 것이다.

上九는 亢龍이니 有悔리라

상구(上九)는 끝까지 올라간 룡이니, 뉘우침이 있으리라.

傳 | 九五者는 位之極中正者니 得時之極이요 過此則亢矣라 上九는 至於亢極이라 故로 有悔也니 有過則有悔라 唯聖人은 知進退存亡而无過하니 則不至於悔也라

구오(九五)는 지극히 중정(中正)한 자리이니 때를 얻음이 지극하고, 이것(구오)을 지나면 항극(亢極;지나치게 높음)이 된다. 상구(上九)는 지나치게 높은 곳에 이르렀으므로 뉘우침이 있는 것이니, 지나침이 있으면 뉘우침이 있다. 오직 성인은 진

······
구오(九五), 두 효는 점친 사람의 덕을 가지고 보아야 한다. 만약 자신에게 구이의 덕이 있는데 점을 쳐서 이 구이효를 얻었다면 '구오의 대덕의 군주를 만나봄이 이로움'이 되고, 만약 구이의 덕이 없는 보통사람이 점을 쳐서 구이효를 얻었다면, 다만 '이 구이의 대인을 만나봄이 이로움'이 되는 것이다. 자신이 구오의 군주로서 구오의 덕을 지니고 있는데 점을 쳐서 이 구오효를 얻었다면 '구이의 대덕의 사람을 만나봄이 이로움'이 되고, 만약 구이의 사람이 점을 쳐서 구오효를 얻었다면 '이 구오의 대덕의 사람을 만나봄이 이로움'이 되는 것이다. 각각 점친 사람을 따라 효와 점친 사람이 서로 주(主)·객(客)이 된다. 송(宋)나라 태조(太祖)가 하루는 왕소소(王昭素)에게 묻기를 「구오는 나는 룡이 하늘에 있으니, 대인을 만나봄이 이롭다.」는 효사를, 보통사람은 어떻게 점을 쳐서 이 괘를 얻을 수 있는가?'라고 하자, 왕소소가 대답하기를 '무슨 문제가 있겠습니까? 만약 신들이 점을 쳐서 이 효를 얻으면 폐하가 「하늘에 있는 나는 룡」이 되시니, 신들의 「이견대인」은 바로 폐하를 만나봄이 이로움이 되는 것입니다.'라고 하였다. 이 설명이 가장 좋으니, 이와 같이 한다면 384효로 천하의 모든 일을 포함하지 못할 것이 없고 두루 하지 못할 것이 없을 것인바, 이것이 역의 활용이 무궁한 까닭이다.〔九二九五兩爻, 此當以所占之人之德觀之. 若己是有九二之德, 占得此九二爻, 則爲利見九五大德之君. 若常人无九二之德者, 占得之, 則只爲利見此九二之大人耳. 己爲九五之君而有九五之德, 占得此九五爻, 則爲利見九二大德之人. 若九二之人占得之, 則爲利見此九五大德之人. 各隨所占之人, 以爻與占者, 相爲賓主也. 太祖一日, 問王昭素曰, 九五飛龍在天利見大人, 常人何可占得此卦? 昭素曰, 何害? 若臣等占得, 則陛下是飛龍在天, 臣等利見大人, 是利見陛下也. 此說得最好. 如此, 所以三百八十四爻, 而天下萬事, 无不可該, 无不周遍, 此易之用所以不窮也.〕" 《대전본》은 《주역전의대전(周易傳義大全)》을 가리키며, 세주는 여기에 딸린 소주(小註)인바, 뒤에는 《대전본》으로 표기하였음을 밝혀둔다.

··· 洞 : 뚫을 통 亢 : 높을 항

퇴와 존망의 이치를 알아 지나침이 없으니, 뉘우침에 이르지 않는다.

本義 | 上者는 最上一爻之名이요 亢者는 過於上而不能下之意也라 陽極於上하여 動必有悔라 故로 其象占如此하니라

'상(上)'은 가장 위에 있는 한 효의 명칭이고, '항(亢)'은 높음이 지나쳐서 내려오지 못하는 뜻이다. 양이 위에 지극하여 움직이면 반드시 뉘우침이 있다. 그러므로 그 상(象)과 점(占)이 이와 같은 것이다.

用九[18]는 見羣龍하되 无首하면 吉하리라

구(九)를 씀은 여러 룡을 보되 앞장섬이 없으면 길하리라.

本義 | 見羣龍无首니

여러 룡이 머리가 없음을 봄이니,

傳 | 用九者는 處乾剛之道라 以陽居乾體하여 純乎剛者也라 剛柔相濟爲中이어늘 而乃以純剛하니 是는 過乎剛也라 見羣龍은 謂觀諸陽之義니 无爲首則吉也라 以剛爲天下先은 凶之道也라

용구(用九)는 건강(乾剛)에 대처하는 방도이다. 양효로 건체(乾體)에 거하여 강(剛)에 순수한 자이다. 강함과 부드러움이 서로 이루어주는 것이 중도(中道)가 되는데 도리어 순강(純剛)을 쓰니, 이는 강함이 지나친 것이다. 여러 룡을 본다는 것은 모든 양을 살펴본다는 뜻을 이르니, 우두머리가 되지 말면(앞장서지 말면) 길하다. 강으로 천하의 먼저가 되는 것은 흉한 방도이다.

本義 | 用九는 言凡筮得陽爻者 皆用九而不用七이니 蓋諸卦百九十二陽爻之通例也라 以此卦純陽而居首라 故로 於此發之하고 而聖人因繫之辭하여 使遇此卦

······

18 用九 : 용구(用九)에 대한 해석은 《정전(程傳)》과 《본의(本義)》가 각기 다른바, 《정전》은 양(陽)을 쓰는 방도를 이른 것으로 본 반면, 《본의》에는 점사(占辭)의 하나로 보아 건괘의 여섯 효가 모두 변하였을 경우 이 용구로 점을 치며, 곤괘(坤卦) 역시 여섯 효가 모두 변하였을 경우 용육(用六)으로 점을 친다. 이 용구(用九)와 용육(用六)은 오직 건괘와 곤괘에만 해당하고 나머지 62괘는 지괘(之卦)로 점을 친다.

而六爻皆變者로 卽此占之[19]라 蓋六陽皆變하니 剛而能柔는 吉之道也라 故로 爲羣龍无首之象[20]이요 而其占은 爲如是則吉也라 春秋傳曰 乾之坤[21]曰 見羣龍无首吉이라하니 蓋卽純坤卦辭牝馬之貞 先迷後得 東北喪朋之意라

용구(用九)는 무릇 점을 쳐서 양효를 얻은 자는 모두 구(九)를 쓰고 칠(七)을 쓰지 않으니, 모든 괘 192 양효의 통례이다. 이 괘가 순양(純陽)이면서 맨 앞에 있으므로 여기에서 이것을 말하였고, 성인이 인하여 말을 달아서 이 괘를 만나고 여섯 효가 모두 변한 자로 하여금 이것을 가지고 점치게 한 것이다. 육양(六陽)이 모두 변하였으니, 강하면서 능히 부드러움은 길한 방도이다. 그러므로 여러 룡이 머리가 없는 상이 되고, 점이 이와 같이 하면 길한 것이다.

《춘추좌씨전》에 "건지곤(乾之坤)에 이르기를 '여러 룡이 머리가 없음을 보니 길하다.' 했다." 하였으니, 이는 곧 순곤괘(純坤卦)의 괘사(卦辭)에 '빈마(牝馬;암말)의 정(貞)함이니, 먼저 하면 혼미하고 뒤에 하면 얻으며 동북에서서는 벗을 잃는다.〔牝馬之貞, 先迷後得, 東北喪朋.〕'는 뜻이다.

彖曰 大哉라 乾元이여 萬物이 資始하나니 乃統天이로다

〈단전(彖傳)〉에 말하였다. "위대하다, 건(乾)의 원(元)이여! 만물이 의뢰하여 시작하니, 이에 하늘(천도(天道);천덕(天德))을 통합하였도다.

本義 | 彖은 卽文王所繫之辭요 傳者는 孔子所以釋經之辭也니 後凡言傳者는 倣此[22]하니라

••••••

19 使遇此卦而六爻皆變者 卽此占之 : 점을 쳐서 노양(老陽)·노음(老陰)을 얻으면, 본괘(本卦)는 음·양을 그대로 그리고, 지괘(之卦)는 반대로 그린다. 이를테면 여섯 효가 모두 노양이 나오면 본괘는 건괘(乾卦)가 되고, 지괘는 곤괘(坤卦)가 되는 것이다. 이렇게 여섯 효가 모두 노양이나 노음이 나올 경우, 지괘의 괘사로 점을 치는데 건·곤만은 예외적으로 용구(用九)와 용륙(用六)으로 점을 친다.

20 爲羣龍无首之象 : 군룡(羣龍)은 양강(陽剛)을, 무수(无首)는 음유(陰柔)를 상징한다.

21 乾之坤 : 건괘가 모두 노양효(老陽爻)로 이루어져 곤괘로 변하였음을 의미한다. 이 경우 건(乾)을 본괘(本卦), 곤(坤)을 지괘(之卦)라 하여 건지곤(乾之坤)이라 하는바, 이 내용은 《춘추좌씨전(春秋左氏傳)》 소공(昭公) 29년에 보인다.

22 彖……倣此 : 이것은 고역(古易)을 따라 〈단전(彖傳)〉에 붙인 해석으로 금역(今易)과 다른바,

••• 資 : 의뢰할 자 御 : 어거할 어 牝 : 암컷 빈

○ 此는 專以天道로 明乾義하고 又析元、亨、利、貞하여 爲四德以發明之로되 而此一節은 首釋元義也라 大哉는 歎辭라 元은 大也, 始也라 乾元은 天德之大始라 故로 萬物之生이 皆資之以爲始也요 又爲四德之首하여 而貫乎天德之始終이라 故로 曰統天이라

단(彖;괘사)은 문왕이 붙인 말(글)이고 전(傳)은 공자가 경문(經文)을 해석한 말씀(글)이니, 뒤에 전(傳)이라고 말한 것은 모두 이와 같다.

○ 이는 오로지 천도(天道)로써 건(乾)의 뜻을 밝히고, 또 원·형·이·정을 나누어 사덕(四德)으로 만들어서 건괘의 뜻을 발명하였는데, 이 1절(節)은 먼저 원(元)의 뜻을 해석한 것이다. '대재(大哉)'는 감탄사이다. '원(元)'은 큼이요 시작이다. '건(乾)의 원(元)'은 천덕(天德)의 큰 시작이므로 만물의 생겨남이 모두 이에 의뢰하여 시작하며, 또 사덕의 머리가 되어 천덕의 처음과 끝을 꿰뚫으므로 하늘의 도를 통합하였다고 말한 것이다.

雲行雨施하여 品物이 流形하나니라

구름이 흘러가고 비가 내려 만물이 형체를 갖춘다.

本義 | 此는 釋乾之亨也라

이는 건(乾)의 형(亨)을 해석한 것이다.

大明終始하면 六位時成하나니 時乘六龍하여 以御天[23] 하나니라

시작과 끝을 크게 밝히면 육위(六位;육효의 여섯 자리)가 때로 이루어지니, 때로 여섯 룡을 타고서 하늘(천운(天運))에 맞게 한다.

本義 | 始는 卽元也요 終은 謂貞也니 不終則无始요 不貞則无以爲元也라 此는 言

••••••

뒤의 〈상전(象傳)〉도 이와 같다. 고역의 체제를 따른 〈본의〉에는, '주역 단상전(周易彖上傳)'이라고 편명이 달려있고, 그 아래에 이 주석이 붙어있으며, '단'과 '전'의 글자 풀이 사이에 "상(上)은 경(經)의 상편이다.〔上者, 經之上篇〕"이라는 말이 더 있다.

23 以御天 : 어천(御天)에 대하여 정이천(程伊川)은 '천운에 맞게 하는 것'으로 본 반면 주자는 '천도를 운행하는 것'으로 풀이하였다.

聖人이 大明乾道之終始면 則見卦之六位 各以時成하여 而乘此六陽하여 以行天道하니 是乃聖人之元亨也라

'시(始)'는 곧 원(元)이요 '종(終)'은 정(貞)을 말한 것이다. 끝마치지 않으면 시작할 수 없고, 정(貞)하지 않으면 원(元)이 될 수 없다. 이는 성인이 건도(乾道)의 종(終)과 시(始)를 크게 밝히면, 괘의 육위(六位;여섯 자리)가 각기 때로써 이루어져서 여섯 양(陽)을 타고 천도를 운행함을 볼 수 있다고 말씀한 것이니, 이는 곧 성인의 원(元)·형(亨)이다.

乾道變化에 各正性命하나니 保合大和하여 乃利貞하니라

건도(乾道)가 변하여 화(化)함에 각각 성명(性命)을 바루니(바르게 간직하니), 대화(大和)를 보합(保合)하여 이에 이롭고 정(貞)하다.

本義 | 各正性命하여 保合大和하나니 乃利貞이니라

각기 성명을 바루어 대화를 보합하니, 마침내 이롭고 정(貞)하다.

本義 | 變者는 化之漸이요 化者는 變之成이라 物所受爲性이요 天所賦爲命이라 大和는 陰陽會合沖和之氣也라 各正者는 得於有生之初요 保合者는 全於已生之後라 此는 言乾道變化하여 无所不利어늘 而萬物이 各得其性命以自全하니 以釋利、貞之義也라

'변(變)'은 화(化)의 점진(漸進)이요, '화(化)'는 변(變)의 완성이다. 물건이 받은 것을 '성(性)'이라 하고, 하늘이 부여한 것을 '명(命)'이라 한다. '대화(大和)'는 음·양이 회합하여 조화로운 기운이다. '각정(各正)'은 만물이 태어나는〔有生〕 초기에 얻는 것이고, '보합(保合)'은 이미 태어난 뒤에 온전히 보존하는 것이다. 이는 건도(乾道)가 변화하여 이롭지 않은 바가 없는데 만물이 각기 그 성명을 얻어 스스로 온전히 함을 말하였으니, 이(利)·정(貞)의 뜻을 해석한 것이다.

首出庶物에 萬國이 咸寧[24]하나니라

······

24　首出庶物 萬國 咸寧:《언해(諺解)》는 이 경문에 대한 《정전(程傳)》과 《본의(本義)》의 해석을 다르게 보지 않았으나, 의미를 따져보면 '수출서물(首出庶物)'에 대한 둘의 해석이 다르다. 《정전》

만물에서 으뜸으로 나오니, 만국이 모두 편안하다."

傳| 卦下之〔一无之字〕辭爲彖이요 夫子從而釋之를 通謂之彖이라 彖者는 言一卦之義라 故로 知(智)者觀其彖辭면 則思過半矣[25]니라 大哉乾元은 贊乾元始萬物之道大也라 四德之元은 猶五常之仁하니 偏言則一事요 專言則包四者라 萬物資始乃統天은 言元也니 乾元은 統言天之道也라 天道始萬物하니 〔一更有萬字〕物資始於天也라 雲行雨施 品物流形은 言亨也니 天道運行하여 生育萬物也라 大明天道之終始면 則見卦之六位 各以時成하니 卦之初終은 乃天道終始라 乘此六爻之時는 乃天運也니 以御天은 謂以當天運이라 乾道變化에 生育萬物하여 洪纖、高下가 各以其類는 各正性命也라 天所賦爲命이요 物所受爲性이라 保合大和乃利貞은 保는 謂常存이요 合은 謂常和니 保合大和라 是以利且貞也라 天地之道常久而不已者는 保合大和也라 天爲萬物之祖요 王爲萬邦之宗이니 乾道首出庶物而萬彙(휘)亨하고 君道尊臨天位而四海從하니 王者體天之道면 則萬國咸寧也라

괘 아래의 말을 단(彖;단사)이라 하고, 공자가 따라서 해석한 것을 통틀어 단(단전)이라 한다. 단은 한 괘의 뜻을 말하였다. 그러므로 지혜로운 자가 단사(彖辭)를 살펴보면 생각이 이미 반을 넘는 것이다.

'대재건원(大哉乾元)'은 건(乾)의 원(元)이 만물을 시작하는 도가 큼을 찬미(贊美)한 것이다. 사덕(四德)의 원(元)은 오상(五常;인(仁)·의(義)·예(禮)·지(智)·신(信))의 인(仁)과 같으니, 한쪽만 말하면 한 가지 일이요, 전일하게(전체로) 말하면 네 가지를 모두 포함한다.

'만물자시 내통천(萬物資始乃統天)'은 원(元)을 말한 것이니, 건의 원은 하늘의

······

은 이 말의 주체를 건도(乾道)로 보아, '건도가 만물 중에 가장 먼저 나옴'의 의미로 해석하였고, 《본의》는 이를 성인의 이(利)·정(貞)으로 보아, '성인이 만인(萬人) 가운데 가장 뛰어남'의 의미로 해석하였다.

25 知(智)者觀其彖辭則思過半矣:단사(彖辭)는 괘사(卦辭)이며 이것을 부연 설명한 것을 〈단전(彖傳)〉이라 하는바, 이 내용은 〈계사전 하(繫辭傳下)〉에 보인다. 공자가 지으신 것으로 알려진 십익(十翼) 가운데 〈단전(彖傳)〉과 〈상전(象傳)〉, 〈계사전(繫辭傳)〉은 각각 상·하가 있는데, 옛날에는 〈단 상전(彖上傳)〉 또는 〈단 하전(彖下傳)〉, 〈상 상전(象上傳)〉 또는 〈상 하전(象下傳)〉, 〈계사 상전(繫辭上傳)〉 또는 〈계사 하전(繫辭下傳)〉으로 읽었으나 지금은 대부분 〈단전 상〉·〈단전 하〉로 읽으므로 이를 따라 〈상전 상〉·〈상전 하〉, 〈계사전 상〉·〈계사전 하〉로 표기하였음을 밝혀둔다.

··· 沖:화할 충 洪:클 홍 纖:가늘 섬 賦:줄 부 彙:무리 휘 蔕:꼭지 체 循:따를 순

도를 통합하여 말한 것이다. 천도(天道)가 만물을 시작하게 하니, 물건이 하늘에 의뢰하여 시작하는 것이다.

'운행우시 품물유형(雲行雨施品物流形)'은 형(亨)을 말한 것이니, 천도가 운행하여 만물을 낳아 기른다.

천도의 종(終)과 시(始)를 크게 밝히면 괘의 육위(六位)가 각기 때에 따라 이루어짐을 보게 되니, 괘의 초(初)와 종(終)은 곧 천도의 종과 시이다. 이 여섯 효의 때를 타는 것이 곧 천운(天運)이니, '이어천(以御天)'은 천운에 맞게 함을 이른다.

건도가 변화함에 만물을 낳고 길러서 크고 작음과 높고 낮음이 각기 그 류(類)를 따르는 것이 각기 성명(性命)을 바루는 것이다. 하늘이 부여한 것을 명(命)이라 하고, 물건이 받은 것을 성(性)이라 한다.

'보합대화 내이정(保合大和乃利貞)'에서의 '보(保)'는 항상 보존함이요 '합(合)'은 항상 화(和)함이니, 대화(大和)를 보합하기 때문에 이롭고 또 정(貞)한 것이다. 천지의 도가 항상하고 오래하고 그치지 않음은 대화를 보합하기 때문이다.

하늘은 만물의 원조(元祖)가 되고 왕은 만방(萬邦)의 종주(宗主)가 되니, 건도가 만물에서 으뜸으로 나옴에 만물이 형통하고, 군도(君道)가 천위(天位)에 높이 임함에 사해가 따르니, 왕자(王者)가 하늘의 도를 체행하면 만국(萬國)이 다 편안한 것이다.

本義 | 聖人在上하여 高出於物은 猶乾道之變化也요 萬國各得其所而咸寧은 猶萬物之各正性命而保合大和也니 此는 言聖人之利、貞也라 蓋嘗統而論之컨대 元者는 物之始生이요 亨者는 物之暢茂요 利則向於實也요 貞則實之成也라 實之旣成이면 則其根蔕(체)脫落하여 可復種而生矣니 此는 四德之所以循環而无端也라 然而四者之間에 生氣流行하여 初无間斷하니 此는 元之所以包四德而統天也라 其以聖人而言하면 則孔子之意는 蓋以此卦로 爲聖人得天位、行天道而致太平之占也니 雖其文義 有非文王之舊者나 然讀者各以其意求之하면 則竝行而不悖也라 坤卦放此하니라

성인이 윗자리에 있으면서 만물보다 높이 나옴(빼어남)은 건도(乾道)의 변화함과 같고, 만국(萬國)이 각기 제자리를 얻어 편안함은 만물이 각기 성명을 바루어 대화(大和)를 보합함과 같으니, 이는 성인의 이(利)·정(貞)을 말한 것이다.

일찍이 통합하여 논하건대, 원(元)은 물건이 처음 생김이요, 형(亨)은 물건이 번창하고 무성함이요, 이(利)는 열매로 나아감이요, 정(貞)은 열매가 완성된 것이다. 열매가 이미 완성되면 그 뿌리(고구마나 감자 따위)와 꼭지가(씨가) 떨어져서 다시 심어 날 수가 있으니, 이는 사덕(四德)이 순환하여 끝이 없는 까닭이다. 그러나 사덕의 사이에 생기가 유행하여 애당초 간단(間斷)함이 없으니, 이는 원(元)이 사덕을 포함하여 하늘(천도)을 통합하는 소이(所以)이다.

이를 성인으로써 말하면, 공자의 뜻은 이 괘를 성인이 천위(天位)를 얻어 천도(天道)를 행해서 태평성대를 이루는 점이라 여기신 것이니, 비록 그 글 뜻은 문왕의 옛것이 아니나, 독자가 각기 그 뜻으로써 찾는다면 함께 행해지고 모순되지 않을 것이다. 곤괘도 이와 같다.

象曰 天行이 健하니 君子以하여 自彊不息[26] 하나니라

〈상전(象傳)〉에 말하였다. "하늘의 운행이 굳세니, 군자가 보고서 스스로 힘쓰고 쉬지 않는다.

傳 | 卦下象은 解一卦之象이요 爻下象은 解一爻之象이니 諸卦皆取象以爲法하니라 乾道覆(부)育之象이 至大하여 非聖人이면 莫能體하니 欲人皆可取法也라 故로 取其行健而已니 至健은 固足以見天道也라 君子以自彊不息은 法天行之健也라

괘 아래의 상(象)은 한 괘의 상을 해석한 것이고, 효(爻) 아래의 상은 한 효의 상을 해석한 것이니, 모든 괘가 다 상을 취하여 법으로 삼았다. 건도(乾道)가 〈만물을〉 덮어주고 기르는 상이 지극히 커서 성인이 아니면 체행할 수 없으니, 사람이 누구나 모두 취하여 법으로 삼게 하고자 하였으므로 그 운행이 굳셈을 취했을 뿐이니, 지극히 굳셈은 진실로 이로써 천도를 볼 수 있다. 군자가 이것을 보고서 스스로 힘써 쉬지 않음은 하늘의 운행이 굳셈을 본받는 것이다.

······

26 君子以 自彊不息 : 중국본 등에는 모두 '君子以'를 '自彊不息'과 연결하여 한 구(句)로 삼았으나 《언해(諺解)》에는 '君子以하여'로 현토하였으므로 이를 따랐음을 밝혀둔다. 이는 군자가 그 상(象)을 보고서 본받아(응용하여) 이리이리 대처한다는 뜻이다.

··· 環 : 고리 환 彊 : 힘쓸 강 息 : 쉴 식 普 : 넓을 보 穆 : 공경할 목 遯 : 숨을 둔

本義 | 象者는 卦之上下兩象과 及兩象之六爻로 周公所繫之辭也[27]라

○ 天은 乾卦之象也니 凡重卦는 皆取重義로되 此獨不然者는 天一而已라 但言天行이면 則見其一日一周而明日又一周하여 若重複之象이니 非至健이면 不能也라 君子法之하여 不以人欲害其天德之剛이면 則自彊而不息矣리라

상(象)은 괘의 위아래 두 상과 두 상의 여섯 효로, 주공이 붙인 말씀이다.

○ 하늘은 건괘의 상이니, 무릇 중괘(重卦:6획괘)는 모두 거듭의 뜻을 취하였으나 이것만 홀로 그렇지 않은 것은 하늘은 〈3획괘의 건이나 6획괘의 건이〉 똑같을 뿐이다. 다만 하늘의 운행이라고만 말하면 하루에 한 번 돌고 다음날 또 한 번 돌아 중복되는 상을 볼 수 있으니, 지극히 굳셈이 아니면 할 수 없다. 군자는 이를 본받아 인욕(人欲)으로써 천덕(天德)의 강함을 해치지 않으면 스스로 힘쓰고 쉬지 않을 것이다.

潛龍勿用은 陽在下也요

'잠겨있는 룡은 쓰지 맒'은 양(陽)이 아래에 있기 때문이요

傳 | 陽氣在下하고 君子處微하여 未可用也라

양기가 아래에 있고 군자가 미천한 자리에 있어서 아직 쓸 수가 없는 것이다.

本義 | 陽은 謂九요 下는 謂潛이라

양은 구(九)를 이르고, 아래에 있다는 것은 잠겨있음을 이른다.

······

27 象者……周公所繫之辭也 : 고역(古易)의 체재를 따른 《본의(本義)》에는, 여기에 "상상전(象上傳)"이라는 편명이 달려있는바, 이 주석은 그 편명에 대한 주석이다. "괘의 위아래 두 상"은 〈대상전(大象傳)〉을 가리키고, "두 상의 여섯 효로 주공이 붙인 말"은 〈소상전(小象傳)〉을 가리키는데, 〈대상전〉은 상·하괘의 상을 풀이하고, 〈소상전〉은 여섯 효의 상을 각각 풀이한 것이므로, 이렇게 말한 것이다. "주공이 붙인 말"은 효사(爻辭)를 가리키므로 〈상전〉에 대한 설명으로는 적절하지 않아 보이는데, 이에 대하여 명나라 채청(蔡清)은 《역경몽인(易經蒙引)》에서 "及兩象之六爻周公所繫之辭也"를 한 구(句)로 읽어야 한다고 하면서, 그 이유로 〈소상전〉에서 효의 상을 풀이할 때, 효사의 구절을 따라 풀이하기 때문에 주공이 지은 효사까지 포함하여 말한 것이라고 하였다.

見龍在田은 德施普也요
'나타난 용이 밭에 있음'은 덕의 베풂이 넓은 것이요

傳 | 見於地上하니 德化及物하여 其施已普也라
지상에 나타나니, 덕화가 만물에 미쳐 그 베풂이 이미 넓은 것이다.

終日乾乾은 反復道也요
'종일토록 건건함'은 반복하기를 도(道)로써 함이요
본의 | 종일토록 건건한다는 것은 도를 반복함이요

傳 | 進退動息을 必以道也라
나아가고 물러나며 움직이고 멈춤을 반드시 도로써 하는 것이다.

本義 | 反復은 重複踐行之意라
반복은 거듭하여 실천한다는 뜻이다.

或躍在淵은 進无咎也요
'혹 뛰어오르거나 연못에 있음'은 나아감이 허물이 없는 것이요

傳 | 量可而進〔一有也字〕하여 適其時則无咎也〔一無也字〕라
가(可)함을 헤아려 나아가서 그 때에 맞게 하면 허물이 없는 것이다.

本義 | 可以進而不必進也라
나아갈 수는 있으나 반드시 나아가는 것은 아니다.

飛龍在天은 大人造也요
'나는 용이 하늘에 있음'은 대인(성군(聖君))의 일이요
본의 | 대인이 일어남이요

傳｜ 大人之爲는 聖人〔一无人字〕之事也라

대인의 함은 성인의 일이다.

本義｜ 造는 猶作也[28]라

'조(造)'는 작(作;일어나 제왕의 자리에 있음)과 같다.

亢龍有悔는 盈不可久也요

'끝까지 올라간 룡이니 뉘우침이 있음'은 가득함은 오래 갈 수 없는 뜻이요

傳｜ 盈則變이니 有悔也라

가득하면 변하니, 뉘우침이 있는 것이다.

用九는 天德은 不可爲首也라

'용구(用九)'는 천덕(天德)은 우두머리가 되려고 해서는 안 된다."

傳｜ 用九는 天德也라 天德은 陽剛이니 復用剛而好先이면 則過矣라

'용구(用九)'는 천덕이다. 천덕은 양강(陽剛)인데, 다시 강(剛)을 쓰고 앞서기를 좋아하면 지나치다.

本義｜ 言陽剛은 不可爲物先이라 故로 六陽皆變而吉[29]이라

••••••

28 造 猶作也 : '작(作)'은 '일함', '일어남' 등의 뜻을 가지는데, 《언해》에는 '일함'으로 해석하였으나 '일어남'으로 보는 것이 옳을 듯하다. 이에 대한 설명으로 《대전본》 세주(細註)에 진재서씨(進齋徐氏)의 말이 실려 있는바, 본서의 번역은 이 설에 의거하였다. "대인조(大人造)는 성인(聖人)이 일어남이다. 룡이 날아서 하늘에 있음은 대인이 일어나 제왕의 자리에 거함과 같다. '大人'은 '龍' 자를 해석한 것이고, '造' 자는 '飛' 자를 해석한 것이다.〔大人造者, 聖人作也. 龍以飛而在天, 猶大人以作而居位. 大人釋龍字, 造釋飛字.〕" '성인이 일어난다'는 것은 아래 〈문언전〉 2절의 '聖人作而萬物睹'를 가리킨 것이다. 주자는 여기의 작(作)을 기(起;일어남)로 훈하였는바, 이는 '성인이 일어나 제왕의 자리에 있으면 만인(萬人)이 우러러봄을 말한 것이다.

29 言陽剛……六陽皆變而吉 : 주자(朱子)는 이에 대해 "건은 만물의 시초가 되므로 천하의 물건이 건에 의뢰하여 시작하지 않음이 없다. 다만 이 육효는 모두 변할 때가 있으므로 군룡무수의 상

○ 天行以下를 先儒謂之大象이요 潛龍以下를 先儒謂之小象[30]이니 後放此하니라

양강(陽剛)은 물건의 먼저가 되려고 해서는 안 된다. 그러므로 여섯 양(陽)이 모두 변하여 길함을 말한 것이다.

○ 천행(天行) 이하를 선유(先儒)들은 대상(大象)이라 이르고 잠룡(潛龍) 이하를 선유들은 소상(小象)이라 일렀으니, 뒤도 이와 같다.

[1절] 文言[31]曰 元者는 善之長也요 亨者는 嘉之會也요 利者는 義之和也요 貞者는 事之幹也[32]니

〈문언전(文言傳)〉에 말하였다. 원(元)은 선(善)의 으뜸이요, 형(亨)은 아름다움의 모임이요, 이(利)는 의(義)에 화합함이요, 정(貞)은 일을 주간함이니,

傳｜ 他卦는 彖、象而已요 獨乾、坤은 更設文言하여 以發明其〔一作文〕義하니라 推乾之道하여 施於人事하니 元、亨、利、貞乾之四德이 在人이면 則元者는 衆善之首也요 亨者는 嘉美之會也요 利者는 和合於義也요 貞者는 幹事之用也라

딴 괘는 〈단전〉과 〈상전〉 뿐이요, 오직 건괘와 곤괘만이 〈문언전〉을 두어 그 뜻

••••••

이 있으니, 군주가 이것을 체행하여 마땅히 겸공(謙恭)하고 비순(卑順)해서 감히 천하의 먼저가 되려고 하지 않을 뿐이라고 한 것이니, 천덕은 머리가 되어서는 안 된다고 한 것이 아니요, 또 건이 머리가 될 수 없다고 말한 것이 아니다. 건이 머리가 되지 않는다면 만물이 어디에서 의뢰하여 시작해서 누가 머리가 되겠는가.〔乾爲萬物之始, 故天下之物, 无不資之以始. 但其六爻有時而皆變, 故有羣龍无首之象, 而君子體之, 則當謙恭卑順, 不敢爲天下先也. 非謂天德不可爲首也, 又非謂乾不爲首也. 乾不爲首, 則萬物何所資始而誰爲首乎.〕"라고 부연 설명하였다.《大全本》

30 天行以下……先儒謂之小象 : 괘의 상(象)을 설명한 것을 대상(大象), 효(爻)의 상을 설명한 것을 소상(小象)이라 한다. 이 건괘는 비직(費直)의 본(本)을 따라 괘사(卦辭)와 효사(爻辭)를 앞에 놓고 단왈(彖曰), 상왈(象曰), 문언왈(文言曰)을 뒤에 놓았다. 그러나 나머지 63괘는 모두 금역(今易)의 체재를 따라 건괘와 다르다.

31 文言 : 문언(文言)의 뜻에 대하여 1절(節) 첫 번째의 소주(小註) 끝부분에 절재채씨(節齋蔡氏)는 "문(文)은 문식함이요 언(言)은 글이니, 〈단전〉과 〈상전〉의 글을 문식하여 해석해서 〈단전〉과 〈상전〉의 뜻을 다하였는데, 건괘와 곤괘가 여러 괘의 첫머리에 있으므로 특별히 자세히 말하였으니, 나머지 괘는 유추할 수 있다.〔文, 飾也; 言, 辭也, 文釋彖、象之辭, 以盡彖、象之意. 乾、坤居衆卦之首, 故特詳之, 而餘卦可以類推也.〕"라고 하였다.《大全本》

32 貞者 事之幹也 : 간(幹)을, 정이천은 '일을 주간함'으로 본 반면, 주자는 '일의 근간(根榦)'으로 풀이하였다. 幹은 榦과 통한다.

을 밝혔다. 건도(乾道)를 미루어 사람의 일에 시행하니, 건의 원·형·이·정 네 덕이 사람에게 있으면, 원은 여러 선(善)의 으뜸이요, 형은 아름다움의 모임이요, 이는 의(義)에 화합함이요, 정은 일을 주간함의 쓰임이다.

本義 | 此篇은 申彖傳、象傳之意하여 以盡乾、坤二卦之蘊하니 而餘卦之說도 因可以例推云이라

○ 元者는 生物之始니 天地之德이 莫先於此라 故로 於時爲春이요 於人則爲仁而衆善之長也며 亨者는 生物之通이니 物至於此하면 莫不嘉美라 故로 於時爲夏요 於人則爲禮而衆美之會也며 利者는 生物之遂니 物各得宜하여 不相妨害라 故로 於時爲秋요 於人則爲義而得其分之和며 貞者는 生物之成[33]이니 實理具備하여 隨在各足이라 故로 於時爲冬이요 於人則爲智而爲衆事之幹이니 幹은 木之身而枝葉所依以立者也라

이 편은 〈단전〉과 〈상전〉의 뜻을 거듭하여 건, 곤 두 괘의 깊은 뜻을 다하였으니, 딴 괘의 말(글)도 따라서 이 예로 미루어 알 수 있다.

○ 원(元)은 생물(生物;물건을 낳음)의 시작이니, 천지(天地)의 덕이 이보다 먼저 함이 없다. 그러므로 철(계절)에 있어서는 봄이 되고 사람에게 있어서는 인(仁)이 되어 모든 선(善)의 으뜸이 된다. 형(亨)은 생물의 통함이니, 물건이 이에 이르면 아름답지 않음이 없다. 그러므로 철에 있어서는 여름이 되고 사람에게 있어서는 예(禮)가 되어 모든 아름다움의 모임이 된다. 이(利)는 생물의 이룸이니, 물건이 각기 마땅함을 얻어 서로 방해하지 않는다. 그러므로 철에 있어서는 가을이 되고 사람에게 있어서는 의(義)가 되어 그 분수의 화함을 얻음이 된다. 정(貞)은 생물의 완성이니, 실리(實理)가 갖추어져서 있는 곳에 따라 각기 충족하다. 그러므로 철에 있어서는 겨울이 되고 사람에게 있어서는 지(智)가 되어 모든 일의 근간이 된다. '간(幹)'은 나무의 몸통으로 가지와 잎이 의지하여 서는 것이다.

······

33 利者生物之遂……貞者生物之成 : '수(遂)'와 '성(成)'은 모두 이룬다는 뜻이나, 두 자(字)를 나란히 쓸 경우 수는 70~80%가 이루어진 것이고, 성은 완성됨을 이른다. 《논어》 〈팔일(八佾)〉에 '성사불설(成事不說), 수사불간(遂事不諫)'이라고 보이는데, 주자의 《집주》에 "수사(遂事)는 일이 비록 이루어지지(완성되지) 않았으나 형세가 그칠 수 없는 것이다.〔遂事, 謂事雖未成, 而勢不能已者.〕"라고 풀이하였다.

君子體仁[34]이 足以長人이며

군자가 인(仁)을 체행함이 사람(남)의 우두머리가 될만하며,

傳 | 體法於乾之仁은 乃爲君長之道니 足以長人也라 體仁은 體元也니 比而效之를 謂之體라

건의 인(仁)을 체법(體法:본받음)함은 바로 군장(君長)이 될 수 있는 방도이니, 충분히 사람의 우두머리가 될 수 있다. 인을 체행함은 원(元)을 체행하는 것이니, 가까이 놓고 본받음을 '체(體)'라 한다.

嘉會足以合禮며

모임을 아름답게 함이 충분히 예(禮)에 합하며,

傳 | 得會通之嘉라야 乃合於禮也라 不合禮則非理니 豈得爲嘉리오 非理면 安有亨乎아

회(會)와 통(通)의 아름다움을 얻어야 비로소 예(禮)에 합한다. 예에 합하지 않으면 이치가 아니니, 어찌 아름다움이 될 수 있겠는가. 이치가 아니면 어찌 형통함이 있겠는가.

利物이 足以和義며

물건을 이롭게 함이 충분히 의(義)에 화합하며,

傳 | 和於義라야 乃能利物이니 豈有不得其宜而能利物者乎아

의(義)에 화합하여야 물건을 이롭게 할 수 있으니, 어찌 그 마땅함을 얻지 못하고서 능히 물건을 이롭게 함이 있겠는가.

34 君子體仁 : 체인(體仁)을, 정이천은 "건의 인(仁)을 체행하고 본받는 것"으로 해석한 반면, 주자는 "인(仁)을 본체로 삼는 것"으로 해석하였다.

貞固足以幹事니

정고(貞固;정(貞)하고 견고함)함이 충분히 일을 주간할 수 있으니,

傳 | 貞〔一作正〕固는 所以能幹事也라

정고함은 능히 일을 주간할 수 있는 것이다.

本義 | 以仁爲體면 則无一物不在所愛之中이라 故로 足以長人이요 嘉其所會면 則无不合禮요 使物各得其所利면 則義无不和라 貞固者는 知正之所在而固守之니 所謂知而弗去者也[35]라 故로 足以爲事之幹이라

인(仁)을 본체〔體〕로 삼으면 어느 한 물건도 사랑하는 가운데 있지 않음이 없으므로 충분히 사람의 우두머리가 될 수 있는 것이요, 그 모이는 바를 아름답게 하면 예(禮)에 합하지 않음이 없고, 물건으로 하여금 그 이로운 바를 얻게 하면 의(義)로워서 화합하지 않음이 없다. 정고(貞固)는 정도(正道)가 있는 곳을 알아 굳게 지키는 것이니, 이른바 알아서 떠나가지 않는다는 것이다. 그러므로 일의 근간이 될 수 있는 것이다.

君子行此四德者라 故로 曰 乾元、亨、利、貞이라

군자는 이 네 덕(德)을 행하는 자이다. 그러므로 건(乾)은 원(元)하고 형(亨)하고 이(利)하고 정(貞)하다 한 것이다.

傳 | 行此四德이라야 乃合於乾也라

이 네 덕을 행하여야 건도(乾道)에 합한다.

本義 | 非君子之至健이면 无以行此라 故로 曰乾元亨利貞이라하니라

······

35 知而弗去者也 :《맹자》〈이루 상(離婁上)〉에 "인(仁)의 실제는 어버이를 섬기는 것이 이것이요, 의(義)의 실제는 형을 순종하는 것이 이것이요, 지(智)의 실제는 이 두 가지를 알아서 떠나가지 않는 것이 이것이다.〔仁之實, 事親是也; 義之實, 從兄是也; 智之實, 知斯二者弗去是也.〕"라고 보인다.

○ 此는 第一節이니 申彖傳之意라 與春秋傳所載穆姜之言不異[36]하니 疑古者已有此語어늘 穆姜稱之요 而夫子亦有取焉이라 故로 下文에 別以子曰로 表孔子之辭하니 蓋傳者欲以明此章之爲古語也리라

군자의 지극히 굳셈이 아니면 이것을 행할 수 없다. 그러므로 건은 원하고 형하고 이하고 정하다 한 것이다.

○ 이는 제 1절(節)이니, 〈단전(彖傳)〉의 뜻을 거듭 밝힌 것이다. 이 내용은《춘추좌씨전》 양공(襄公) 9년에 실린 목강(穆姜)의 말과 다르지 않으니, 의심컨대 옛날부터 이미 이러한 말이 있었는데, 목강이 이것을 칭하였고 공자도 취하신 듯하다. 그러므로 아래 글에 별도로 '자왈(子曰)'로써 공자의 말씀임을 표시하였으니, 이는 전(傳)을 지은 자가 이 장(章)이 옛말임을 밝히고자 한 것이다.

[2절] **初九曰 潛龍勿用은 何謂也오 子曰 龍德而隱者也니 不易乎世하며 不成乎名하여 遯世无悶하며 不見是而无悶하여 樂則行之하고 憂則違之하여 確乎其不可拔이 潛龍也라**

초구(初九)에 이르기를 '잠겨 있는 룡은 쓰지 말라.'는 것은 무슨 말인가? 공자께서 말씀하셨다. "룡덕(龍德)을 가지고 은둔한 자이니, 세상에 따라 변하지 않으며 명성을 이루려 하지 않아, 세상에 은둔하여도 근심하지 않으며, 남으로부터 옳게 여김(인정)을 받지 못하여도 고민하지 않아서, 즐거운 세상이면 출세하여 도(道)를 행하고 걱정스런 세상이면 조정을 떠나가서, 뜻이 확고하여 뽑을(빼앗을) 수 없는 것이 잠겨있는 룡이다."

傳| 自此以下는 言乾之用하니 用九之道也라 初九는 陽之微니 龍德之潛隱이니 乃聖賢之在側陋也라 守其道하여 不隨世而變하고 晦其行하여 不求知於時하여 自

······

36 春秋傳所載穆姜之言不異 : 목강(穆姜)은 제(齊)나라 여자로, 노 선공(魯宣公)의 부인이 되었다. 성공(成公) 16년에 그녀가 숙손교여(叔孫僑如)를 좋아하여 아들인 성공(成公)을 폐위하고 숙손교여를 군주로 세우기 위해 동궁으로 이거(移居)하면서 주역점을 쳐 간괘(艮卦)가 수괘(隨卦)로 변한 점사(占辭)를 얻고 이러한 말을 하였는데, 끝내 일이 실패하여 동궁에 유폐되었다가 양공(襄公) 9년에 죽었다. 이 내용은 수괘(隨卦)의 괘사(卦辭)인 '隨元亨利貞'의《본의》에 자세히 보이니, 참고하기 바란다.

··· 遯 : 숨을 돈(둔) 悶 : 근심할 민 違 : 떠날 위 庸 : 떳떳할 용 陋 : 추할 루

信自樂하여 見可而動하고 知難而避하여 其守堅不可奪이니 潛龍之德也라

이 이하는 건(乾)의 쓰임을 말하였으니, 구(九)를 쓰는 방법이다. 초구는 양(陽)이 미미하니, 룡덕이 잠기고 숨은 것이니, 바로 성현(聖賢)이 미천할 때이다. 그 도를 지켜 세상에 따라 변치 않으며, 그 행실을 감추어 세상에 알려지기를 구하지 않아, 스스로 믿고 스스로 즐거워하여 가능함을 보고 동하며 어려움을 알고 피하여, 그 지킴이 확고해서 빼앗을 수 없으니, 잠룡(潛龍)의 덕이다.

本義 | 龍德은 聖人之德也니 在下故로 隱이라 易은 謂變其所守라 大抵乾卦六爻를 文言은 皆以聖人明之하니 有隱顯而无淺深也라

룡덕은 성인의 덕인데, 아랫자리에 있으므로 숨은 것이다. 역(易)은 그 지키는 바를 변함이다. 대저 건괘의 여섯 효를 〈문언전〉은 모두 성인으로 밝혔으니, 〈때에〉 숨고 나타남은 있으나 〈덕에〉 깊고 얕음은 없다.

九二曰 見龍在田利見大人은 何謂也오 子曰 龍德而正中者也니 庸言之信하며 庸行之謹하여 閑邪存其誠하며 善世而不伐하며 德博而化니 易曰見龍在田利見大人이라하니 君德也라

구이(九二)에 이르기를 '나타난 룡이 밭에 있으니 대인을 만나봄이 이롭다.'는 것은 무슨 말인가? 공자께서 말씀하셨다. "〈대인은〉 룡덕(龍德)이요 바로 중(中)한 자이니, 평상시의 말을 신실(信實)하게 하고 평상시의 행실을 삼가서, 사(邪)를 막아 성(誠)을 보존하며 세상을 좋게 하고도 자신의 공로를 자랑하지 않으며 덕이 넓어 교화하는 자이니, 역(易)에 이르기를 '나타난 룡이 밭에 있으니 대인을 만나봄이 이롭다.' 하였으니, 이는 군주의 덕이다."

傳 | 以龍德而處正中者也라 在卦之正中하니 爲得正中之義라 庸信、庸謹은 造次必於是也라 旣處无過之地면 則唯在閑邪니 邪旣閑則誠存矣라 善世而不伐은 不有其善也요 德博而化는 正己而物正也니 皆大人之事니 雖非君位나 君之德也라

〈대인은〉 룡덕을 간직하고서 정중(正中;한 가운데)에 처한 자이다. 하괘(下卦)의 한 가운데에 있으니, 정중을 얻은 뜻이 된다. '평상시의 말을 신실하게 하고 평상

··· 閑 : 막을 한 伐 : 자랑할 벌

시의 행실을 삼간다.'는 것은 잠시라도(위급할 때라도) 이에 반드시 하는 것이다. 이미 허물이 없는 곳에 처했으면 오직 사(邪)를 막음에 있을 뿐이니, 이미 사를 막았으면 성(誠)이 보존된다. '세상을 좋게 하고도 자신의 공로를 자랑하지 않는다.'는 것은 그 선(善)을 소유하지 않음이요, '덕이 넓어 교화한다.'는 것은 자기를 바르게 함에 남이 바루어지는 것이다. 이는 모두 대인의 일이니, 비록 군주의 지위는 아니나 군주의 덕인 것이다.

本義 | 正中은 不潛而未躍之時也라 常言亦信하고 常行亦謹은 盛德之至也라 閑邪存其誠은 无斁(역)亦保之意[37]라 言君德也者는 釋大人之爲九二也[38]라

정중(바로 중함)은 못에 잠기지도 않고 위로 뛰어오르지도 않은 때이다. 평상시의 말도 신실하게 하고 평상시의 행실도 삼감은 성덕(盛德)이 지극한 것이다. 사(邪)를 막아 성(誠)을 보존함은 싫어함이 없을 때에도 보존한다는 뜻이다. 군덕(君德)이라고 말한 것은 대인이 구이(九二)가 됨을 해석한 것이다.

九三曰 君子終日乾乾夕惕若 厲无咎는 **何謂也**오 **子曰 君子進德修業**하나니 **忠信**이 **所以進德也**요 **修辭立其誠**이 **所以居業也**라 **知至至之**라 **可與幾也**며 **知終終之**라 **可與存義也**니 **是故**로 **居上位而不驕**하며 **在下位而不憂**하나니 **故**로 **乾乾**하여 **因其時而惕**하면 **雖危**나 **无咎矣**리라

구삼(九三)에 이르기를 '군자가 종일토록 건건(乾乾)하여 저녁까지도 두려워하면 위태로우나 허물이 없다.'는 것은 무슨 말인가? 공자께서 말씀하셨다. "군자는 덕을 진전시키고 업(業)을 닦나니, 충(忠)·신(信)이 덕

······

37 无斁亦保之意 : '무역역보'는 《시경(詩經)》 〈대아(大雅) 사재(思齊)〉에 보이는 내용으로, 문왕이 항상 마음을 보존하셨음을 형용한 말이다. 역(斁)은 역(射)으로도 쓰는 바, 역은 염권(厭倦), 즉 싫증이 나고 게을러지는 것이다. 성현(聖賢)은 염권을 느낄 때에 더욱 마음을 가다듬어 용공(用功)하기 때문에 마음을 보전하기가 쉬우며, 싫증이 나지 않을 때에 마음을 보존하기가 도리어 어렵다 한다.

38 言君德也者 釋大人之爲九二也 : '군덕(君德:군주의 덕)'이라고 말함으로써 경문에서 말한 대인이 구오의 대인이 아니라 구이의 대인임을 밝힌 것이라는 말이다. 여기의 대인이 만일 구오의 대인이라면 다만 '군덕'이라고만 말하지 않고 '군위(君位:군주의 지위)'라고도 했을 것이기 때문이다.

··· 斁 : 싫을 역

을 진전시키는 것이요 말을 함에 그 성실함을 세움이 업을 보유하는 것이다. 이를 데(지선(至善))를 알아 이르므로 더불어 기미를 알 수 있고, 끝마칠 데를 알아 마치므로 더불어 의(義)를 보존할 수 있는 것이다. 이 때문에 윗자리에 있어도 교만하지 않고 아랫자리에 있어도 근심하지 않는 것이다. 그러므로 건건하여 때에 따라 두려워하면 비록 위태로우나 허물이 없다는 것이다."

傳 | 三居下之上而君德已著하니 將何爲哉아 唯進德修業而已라 內積忠信은 所以進德也요 擇言篤志는 所以居業也라 知至至之는 致知也니 求知所至而後〔一无後字〕至之니 知之在先이라 故로 可與幾니 所謂始條理者知(智)之事也라 知終終之는 力行也니 旣知所終이면 則力進而終之니 守之在後라 故로 可與存義니 所謂終條理者聖之事也[39]니 此는 學之始終也라 君子之學如是라 故로 知處上下之道而无驕憂하고 不懈而知懼하여 雖在危地而无咎也라

삼(三)은 하괘(下卦)의 위에 거하여 군주의 덕이 이미 드러났으니, 장차 무슨 일을 하겠는가. 오직 진덕(進德)과 수업(修業)을 할 뿐이다. 안에 충신(忠信)을 쌓는 것이 진덕이요, 말을 가려 하고 뜻을 돈독히 하는 것이 거업(居業)이다. 이를 데를 알아 이르는 것은 치지(致知)인바, 이를 곳을 알기를 구한 뒤에 이르니, 아는 것이 행(行)보다 앞에 있다. 그러므로 더불어 기미를 안다고 한 것이니, 《맹자》에 이른바 '조리(條理)를 시작함은 지(智)의 일'이라는 것이다. 끝마칠 데를 알아 끝마치는 것은 역행(力行:힘써 행함)인바, 이미 끝마칠 곳을 알았으면 힘써 나아가 끝마쳐야 하니 지키는 것은 〈앎보다〉 뒤에 있다. 그러므로 더불어 의(義)를 보존하는 것이니, 《맹자》에 이른바 '조리를 끝마침은 성(聖:덕행)의 일'이라는 것이다.

이는 학문의 시작과 끝이다. 군자의 학문이 이와 같다. 그러므로 위와 아래에 처하는 도리를 알아 교만하거나 근심하지 않고 게을리 하지 않으며 두려워할 줄을 알아 비록 위태로운 자리에 있어도 허물이 없는 것이다.

39 所謂始條理者知之事也……所謂終條理者聖之事也:《맹자》〈만장 하(萬章下)〉에 보이는 바, 지(智)의 일은 지공부(知工夫)를 뜻하고 성(聖:덕행)의 일은 행공부(行工夫)를 뜻한다.

本義 | 忠信은 主於心者니 无一念之不誠也요 修辭는 見(현)於事者니 无一言之不實也라 雖有忠信之心이나 然非修辭立誠이면 則无以居之라 知至至之는 進德之事요 知終終之는 居業之事니 所以終日乾乾而夕猶惕若者는 以此故也라 可上可下하고 不驕不憂하니 所謂无咎也라

충신(忠信)은 마음에 주장하는 것이니 한 생각도 성실하지 않음이 없는 것이요, 말을 닦음은 일에 나타나는 것이니 한 마디 말도 성실하지 않음이 없는 것이다. 비록 충신의 마음이 있더라도 말을 닦음에 성실함을 세움이 아니면 업에 머물 수 없다. 이를 데를 알아 이름은 진덕(進德)의 일이요, 끝마칠 데를 알아 끝마침은 거업(居業)의 일이니, 종일토록 힘쓰고 힘써 저녁까지도 오히려 두려워하는 것은 이 때문이다. 위로 오를 수도 있고 아래로 내려올 수도 있으며 교만하지 않고 근심하지 않으니, 이른바 '허물이 없다'는 것이다.

九四曰 或躍在淵无咎는 何謂也오 子曰 上下无常이 非爲邪也며 進退无恒이 非離羣也라 君子進德修業은 欲及時也니 故로 无咎니라

구사(九四)에 이르기를 '혹 뛰어오르거나 연못에 있으면 허물이 없다.'는 것은 무슨 말인가? 공자께서 말씀하셨다. "오르고 내림에 일정함이 없는 것이 간사함을 하는 것이 아니며, 나아가고 물러감에 항상함이 없는 것이 동류(同類)를 떠남이 아니다. 군자가 진덕(進德)하고 수업(修業)함은 때에 미처(맞추어) 〈도를〉 행하고자 해서이다. 그러므로 허물이 없는 것이다."

傳 | 或躍或處하여 上下无常하고 或進或退하여 去就從宜는 非爲邪枉이요 非離羣類니 進德修業은 欲及時耳라 時行時止하여 不可恒也라 故로 云或이라 深淵者는 龍之所安也니 在淵은 謂躍就所安이라 淵在深而言躍은 但取進就所安之義라 或은 疑辭니 隨時而未可必也라 君子之順時는 猶影之隨形이니 可離면 非道也라

혹 뛰어오르고 혹 머물러서 오르내림에 일정함이 없고, 혹 나아가고 혹 물러나서 거취가 마땅함을 따름은, 간사하거나 굽음을 하는 것이 아니요 여러 동류(同類)와 떨어짐이 아니니, 진덕하고 수업함은 때에 미쳐 도를 행하고자 하는 것이다. 때로 행하고 때로 멈추어 항상할 수 없다. 그러므로 혹(或)이라고 말한 것이다.

깊은 못은 룡이 편안히 있는 곳이니, 못에 있다는 것은 룡이 뛰어 편안한 곳으로 나아감을 말한다. 못은 깊은 곳에 있는데 뛴다고 말함은 다만 편안한 곳으로 나아가는 뜻을 취한 것이다. '혹(或)'은 의심하는 말이니, 때에 따르고 반드시 함은 아니다. 군자가 때를 따름은 마치 그림자가 형체를 따르는 것과 같으니, 떠날 수 있으면 도가 아니다.

本義 | 內卦는 以德學言이요 外卦는 以時位言이라 進德修業은 九三備矣요 此則欲其及時而進也라

내괘(內卦)는 덕과 학문으로 말하고, 외괘(外卦)는 때와 지위로 말하였다. 진덕과 수업은 구삼효(九三爻)에 구비하였고, 이 구사효(九四爻)에서는 때에 미처 나아가고자 한 것이다.

九五曰 飛龍在天利見大人은 **何謂也**오 **子曰 同聲相應**하며 **同氣相求**하여 **水流濕**하며 **火就燥**하며 **雲從龍**하며 **風從虎**라 **聖人作而萬物覩**하나니 **本乎天者**는 **親上**하고 **本乎地者**는 **親下**[40]하나니 **則各從其類也**니라

구오(九五)에 이르기를 '나는 룡이 하늘에 있으니, 대인을 만나봄이 이롭다.'는 것은 무슨 말인가? 공자께서 말씀하셨다. "같은 소리는 서로 응하고 같은 기운은 서로 구하여, 물은 습한 곳으로 흐르고 불은 건조한 곳으로 나아가며, 구름은 룡을 따르고 바람은 범을 따른다. 그리하여 성인이 나옴에 만물(萬物;만인(萬人))이 우러러본다. 하늘에 근본한 것은 위를 친히(가까이) 하고 땅에 근본한 것은 아래를 친히 하니, 각기 그 류(類)를 따르는 것이다."

傳 | 人之與聖人은 類也라 五以龍德升尊位에 人之類莫不歸仰이어든 況同德乎

40 本乎天者……親下 : 본호천(本乎天)과 본호지(本乎地)도 정자와 주자의 해석이 약간 달라, 정이천은 하늘에 근본한 것을 일(日)·월(月)·성신(星辰)으로 본 반면 주자는 사람 등의 동물로 보았고, 땅에 근본한 것을 정이천은 벌레와 짐승·초목으로 본 반면 주자는 식물로 보았는바, 사람 등의 동물은 머리가 땅 위에 있고 초목은 머리(뿌리)가 땅 속에 있기 때문이다.

••• 濕 : 젖을 습 燥 : 마를 조 作 : 일어날 작 睹 : 볼 도

아 上應於下하고 下從於上은 同聲相應하고 同氣相求也라 流濕, 就燥, 從龍, 從虎는 皆以氣類라 故로 聖人作而萬物皆覩하니 上旣見下하고 下亦見上이라 物은 人也라 古語云人物、物論이라하니 謂人也라 易中에 利見大人은 其言則同이나 義則有異하니 如訟之利見大人은 謂宜見大德中正之人이면 則其辨明이니 言在見前이요 乾之二、五는 則聖人旣出에 上下相見하여 共成其事니 所利者見大人也니 言在見後[41]라 本乎天者는 如日月星辰이요 本乎地者는 如蟲獸草木이라 陰、陽이 各從其類하니 人、物이 莫不然也라

일반인과 성인은 동류(同類)이다. 구오(九五)가 룡덕(龍德)으로서 높은 지위에 오름에 인류(人類)가 돌아와 우러르지 않음이 없는데, 하물며 덕이 같은 자(구이의 대인)에 있어서랴. 위가 아래에 응하고 아래가 위를 따름은, 같은 소리가 서로 응하고 같은 기운이 서로 구하는 것이다. 물은 습한 곳으로 흐르고 불은 건조한 곳으로 나아가며 구름은 룡을 따르고 바람은 범을 따름은 모두 기(氣)가 같은 류(類)로 따르는 것이다. 그러므로 성인이 나옴에 만물이 모두 우러러보는 것이니, 윗사람이 이미 아랫사람을 만나보고, 아랫사람 역시 윗사람을 만나보는 것이다. '물(物)'은 사람〔人〕이다. 옛말에 인물(人物)이라 하고 물론(物論:공론, 여론)이라 하였는데, 〈여기에서의 물(物)은〉 사람을 말한다.

역(易)에 '대인을 만나봄이 이롭다〔利見大人〕'는 것은 그 말은 같으나 뜻은 서로 다르니, 예컨대 송괘(訟卦) 괘사(卦辭)의 '이견대인(利見大人)'은 대덕(大德)·중정(中正)의 사람을 만나보면 그 분변(판결)이 명백함을 말한 것으로 이로움이 만나보기 전에 있는 것이요, 건괘의 구이(九二)와 구오(九五)는 성인이 이미 나옴에 윗사람과 아랫사람이 서로 만나서 함께 그 일을 이루는 것이니, 이로움이 대인을 만나보는 것으로, 〈이로움이〉 만나본 뒤에 있음을 말한 것이다.

하늘에 근본한 것은 해와 달, 별과 같은 것들이요, 땅에 근본한 것은 벌레와 짐

······

41 如訟之利見大人……言在見後 : '언재견전(言在見前)'은 이로움이 대인(명판관)을 만나보기 전에 있는 것이요, '언재견후(言在見後)'는 이로움이 대인을 만나본 뒤에 있음을 말한다. 예컨대 송괘(訟卦)의 대인(大人)은 중정(中正)을 지키는 명판관으로 송사하는 자가 명판관을 만났으면 굳이 판결장(判決狀)을 받지 않고도 승리할 것이 분명하므로 '이로움이 대인을 만나보기 전에 있다.'고 말한 것이요, 건괘(乾卦)의 대인은 구이(九二)와 구오(九五)를 이르는바, 예컨대 신하인 순(舜)이 존위(尊位)에 있는 요(堯)를 만나 함께 나라를 다스려 오랜 뒤에야 성공을 볼 수 있었으므로 '이로움이 대인을 만나본 뒤에 있다.'고 말한 것이다.

승, 초목과 같은 것들이다. 음과 양이 각기 그 류를 따르니, 사람과 물건(동물과 식물)도 그렇지 않음이 없다.

本義 | 作은 起也요 物은 猶人也라 覩는 釋利見之意也라 本乎天者는 謂動物이요 本乎地者는 謂植物이라 物各從其類하니 聖人은 人類之首也라 故로 興起於上이면 則人皆見之라

'작(作)'은 흥기(興起;일어남)함이요, '물(物)'은 인(人)과 같다. '도(覩)'는 이견(利見)의 뜻을 해석한 것이다. 하늘에 근본한 것은 동물을 이르고 땅에 근본한 것은 식물을 이른다. 물건이 각기 그 류(類)를 따르니, 성인은 인류의 우두머리이므로 위에서 흥기하면 사람들이 모두 그를 보는 것이다.

上九曰 亢龍有悔는 何謂也오 子曰 貴而无位하며 高而无民하며 賢人이 在下位而无輔라 是以動而有悔也니라

상구(上九)에 이르기를 '끝까지 올라간 룡이니 뉘우침이 있다.'는 것은 무슨 말인가? 공자께서 말씀하셨다. "귀하나 지위가 없으며 높으나 백성이 없으며 현인이 아랫자리에 있어서 도와주는 이가 없다. 이 때문에 동하면 뉘우침이 있는 것이다."

傳 | 九居上而不當尊位라 是以无民无輔하여 動則有悔也라

구(九)가 상(上)에 거하여 높은 자리에 해당하지 않는다. 이 때문에 백성이 없고 보필하는 이가 없어서 동하면 뉘우침이 있는 것이다.

本義 | 賢人在下位는 謂九五以下요 无輔는 以上九過高志滿하여 不來輔助之也라
○ 此는 第二節이니 申象傳之意하니라

현인이 아랫자리에 있다는 것은 구오(九五) 이하를 이르고, 보필하는 이가 없다는 것은 상구(上九)가 지나치게 높고 뜻이 자만하여 와서 도와주지 않음을 이른다.

○ 이는 제 2절(節)이니, 〈상전(象傳)〉의 뜻을 거듭 밝힌 것이다.

[3절] **潛龍勿用**은 **下也**요
'잠룡(潛龍)은 쓰지 맒'은 아래에 있기 때문이요,

傳 | 此以下는 言乾之時라 勿用은 以在下하여 未可用也라
이 이하는 건(乾)의 때를 말하였다. 쓰지 말라는 것은 아래에 있어서 아직 쓸 수가 없기 때문이다.

見龍在田은 **時舍也**요
'현룡(見龍)이 밭에 있음'은 때로 멈추는 것이요
본의 | 때가 버림이요

傳 | 隨時而止也라
때에 따라 멈추는 것이다.

本義 | 言未爲時用也라
아직 때(세상)의 쓰임이 되지 못함을 말한 것이다.

終日乾乾은 **行事也**요
'종일(終日)토록 건건함'은 〈마땅히 해야 할〉 일을 행함이요,

傳 | 進德修業也라
덕(德)을 진전시키고 업(業)을 닦는 일이다.

或躍在淵은 **自試也**요
'혹 뛰어오르거나 못에 있음'은 스스로 시험함이요,

傳 | 隨時自用也라
때에 따라 스스로 쓰는 것이다.

… 舍 : 버릴 사, 머무를 사 遽 : 별안간 거, 급할 거 姑 : 우선 고 災 : 재앙 재 揮 : 휘두를 휘

本義 | 未遽有爲요 姑試其可라

대번에 일을 할 수는 없고 우선 그 〈때의〉 가함을 시험하는 것이다.

飛龍在天은 上治也[42]요

'비룡(飛龍)이 하늘에 있음'은 위의 다스림이요,

본의 | 위에서 다스림이요

傳 | 得位而行은 上之治也라

지위를 얻어 행함은 위의 다스림이다.

本義 | 居上以治下라

위에 거하여 아래를 다스리는 것이다.

亢龍有悔는 窮之災也요

'항룡(亢龍)이니 뉘우침이 있음'은 궁극함의 재앙이요,

傳 | 窮極而災至也라

궁극하여 재앙이 이른 것이다.

乾元用九는 天下治也라

'건원(乾元)의 용구(用九)'는 천하가 다스려짐이다.

傳 | 用九之道는 天與聖人同하니 得其用이면 則天下治也라

구(九)를 쓰는 방도는 하늘과 성인이 같으니, 그 씀을 얻으면 천하가 다스려지는 것이다.

42 飛龍在天 上治也 : '상치(上治)'를 《정전》에는 '위(천자)의 다스림(정치)'으로 해석하고, 《본의》에는 '윗자리(천자의 자리)에서 아래를 다스리는 것'으로 해석하였는바, 《정전》의 해석에서 '치(治)'는 거성(去聲:다스려짐, 또는 정치)이고, 《본의》의 해석에서는 평성(平聲:다스리다)이다.

本義 | 言乾元用九는 見(현)與他卦不同이니 君道剛而能柔면 天下无不治矣리라 ○ 此는 第三節이니 再申前意하니라

건원(乾元)의 용구(用九)라고 말한 것은 다른 괘와 같지 않음을 나타낸 것이니, 군주의 도가 강하면서 능히 부드러우면 천하가 다스려지지 않음이 없는 것이다.

○ 이는 제3절(節)이니, 앞의 뜻을 다시 밝힌 것이다.

[4절] 潛龍勿用은 陽氣潛藏이요

'잠룡은 쓰지 맒'은 양의 기운이 잠기고 감추어져 있기 때문이요

傳 | 此以下는 言乾之義라 方陽微潛藏之時하니 君子亦當晦隱이요 未可用也라

이 이하는 건(乾)의 뜻을 말하였다. 양이 미약하여 잠기고 감추는 때를 당하였으니, 군자 또한 숨고 은둔하여야 하고 아직 쓸 수가 없는 것이다.

見龍在田은 天下文明이요

'현룡이 밭에 있음'은 천하가 문명(文明)함이요,

傳 | 龍德이 見於地上이면 則天下見其文明之化也〔一作而化之〕라

룡덕(龍德)이 지상에 나타나면 천하가 그 문명의 교화를 입는다.

本義 | 雖不在上位나 然天下已被其化라

비록 윗자리에 있지 않으나 천하가 이미 그 교화를 입는다.

終日乾乾은 與時偕行이요

'종일토록 건건함'은 때에 따라 함께 가는 것이요,

傳 | 隨時而進也라

때에 따라 나아가는 것이다.

本義 | 時當然也라

때가 당연한 것이다.

或躍在淵은 **乾道乃革**이요
'혹 뛰어오르거나 못에 있음'은 건도(乾道)가 이에 변혁함이요,

傳 | 離下位而升上位하니 上下革矣라
아랫자리를 떠나 윗자리로 오르니, 상·하가 변혁된다.

本義 | 離下而上하니 變革之時라
아랫자리를 떠나 윗자리로 오르니, 변혁하는 시기이다.

飛龍在天은 **乃位乎天德**이요
'비룡이 하늘에 있음'은 마침내 천덕(天德)에 자리함이요,

傳 | 正位乎上하여 位當天德〔一作德矣〕이라
위에서 자리를 바로하여 지위가 천덕에 당한 것이다.

本義 | 天德은 卽天位也니 蓋唯有是德이라야 乃宜居是位라 故로 以名之라
천덕은 곧 천자의 자리이니, 오직 이 덕이 있어야 이 지위에 거할 수 있다. 그러므로 '천위'를 〈'천덕'이라고〉 이름한 것이다.

亢龍有悔는 **與時偕極**이요
'항룡이니 뉘우침이 있음'은 때와 함께 궁극함이요,

傳 | 時旣極이면 則處時者亦極矣라
때가 이미 궁극하면 때에 처하는 자도 궁극하다.

乾元用九는 **乃見天則**(칙)이라
'건원의 용구(用九)'는 이에 하늘의 법칙을 볼 수 있는 것이다.

傳 | 用九之道는 天之則也니 天之法則은 謂天道也라 或問乾之六爻가 皆聖人之事乎아 曰 盡其道者는 聖人也라 得失則吉凶存焉이니 豈特乾哉리오 諸卦皆然也니라

구(九)를 쓰는 방법은 하늘의 법칙이니, 하늘의 법칙이란 천도(天道)를 이른다.

혹자가 묻기를 "건괘의 여섯 효가 모두 성인의 일입니까?" 하기에, 다음과 같이 대답하였다. "그 도리를 다하는 자는 성인이다. 잘하고 잘못함은 길·흉이 이에 달려있는 것이니, 어찌 유독 건괘만 그렇겠는가. 모든 괘가 다 그러하다."

本義 | 剛而能柔는 天之法也라
○ 此는 第四節이니 又申前意하니라

강하면서 능히 부드러움은 하늘의 법칙이다.

○ 이는 제 4절(節)이니, 앞의 뜻을 다시 밝혔다.

[5절] 乾元者는 始而亨者也요

건원(乾元)은 시작하여 형통한 것이요,

傳 | 又反覆詳說하여 以盡其義라 旣始則必亨이니 不亨則息矣라

또다시 반복하여 상세히 말해서 그 뜻을 다하였다. 이미 시작하면 반드시 형통하니, 형통하지 못하면 종식되고 만다.

本義 | 始則必亨은 理勢然也라

시작하면 반드시 형통함은 이치와 형세에 당연한 것이다.

利貞者는 性情也[43]라

43 利貞者 性情也 : 정명도(程明道)가 말씀하였다. "원과 형은 다만 시작하여 형통한 것이니, 처음 발생함에 대개 일례로 형통함을 말한 것이요, 이와 정에 이르면 곧 각기 성명을 바르게 간직하는 것이다.〔元亨者, 只是始而亨者也, 謂始初發生, 大概一例亨通也. 及到利貞, 便是各正性命.〕" ○"성정은 자질, 체단이란 말과 같으니, 천지의 기운이 모여서〔亭毒〕 화육하는 것이 모두 이(利)이고, 그 공을 소유하지 아니하여 항상하고 오래해서 그치지 않는 것이 정이다.〔性情猶言資質體段, 亭毒化

이(利)와 정(貞)은 〈건(乾)의〉 성정(性情;본성)이다.

傳 | 乾之性情也라 旣始而亨하니 非利貞이면 其能不息乎아

〈이 · 정은〉 건의 성정이다. 이미 시작하여 형통하니, 이(利)와 정(貞)이 아니면 어찌 능히 종식되지 않겠는가.

本義 | 收斂歸藏에 乃見性情之實이라

수렴하고〔利〕 돌아가 감춤〔貞〕에 성정의 실제를 볼 수 있다.

乾始能以美利利天下라 不言所利하니 大矣哉라

건의 시작이 능히 아름다운 이로움으로써 천하를 이롭게 한다. 굳이 이로운 바를 말하지 않았으니, 이로움이 크구나.

傳 | 乾始之道 能使庶類生成하여 天下蒙其美利로되 而不言所利者는 蓋无所不利하여 非可指名也라 故로 贊其利之大曰大矣哉라하니라

건시(乾始)의 도가 여러 종류로 하여금 능히 생성(生成)하게 하여 천하가 그 아름다운 이로움을 입으나 이로운 바를 말하지 않은 것은 이롭지 않은 바가 없어서 지적하여 이름할 수 없기 때문이다. 그러므로 그 이로움의 큼을 찬미하여 '크구나'라고 말한 것이다.

本義 | 始者는 元而亨也요 利天下者는 利也요 不言所利者는 貞也라 或曰 坤利牝馬則言所利矣라하니라

시작함은 원(元)과 형(亨)이요, 천하를 이롭게 함은 이(利)이고, 이로운 바를 말하지 않음은 정(貞)이다.

혹자는 말하기를 "곤괘(坤卦)에 '빈마(牝馬)의 〈정(貞)함이〉 이롭다.'고 했으니, 그렇다면 〈곤괘에서는〉 이로운 바를 말한 것이다."라고 한다.

••••••

育. 不有其功, 常久而不已者, 貞也.]"《大全本》

大哉라 **乾乎**여 **剛健中正純粹 精也**요

위대하다, 건(乾)이여! 강(剛)·건(健)하고 중(中)·정(正)하고 순(純)·수(粹)함이 정(精)함이요,

本義 | **剛健中正**이 **純粹精也**요

강·건하고 중·정함이 순수하여 정하고

本義 | 剛은 以體言이요 健은 兼用言이요 中者는 其行无過不及이요 正者는 其立不偏이니 四者는 乾之德也라 純者는 不雜於陰柔요 粹者는 不雜於邪惡이니 蓋剛、健、中、正之至極이요 而精者는 又純粹之至極也라 或疑乾剛无柔하니 不得言中正者라하니 不然也라 天地之間에 本一氣之流行而有動靜爾니 以其流行之統體而言이면 則但謂之乾而无所不包矣요 以其動靜分之然後에 有陰陽、剛柔之別也니라

'강(剛)'은 체(體)로써 말한 것이요, '건(健)'은 용(用)을 겸하여 말한 것이요, '중(中)'은 그 행실이 과(過)하거나 불급(不及)함이 없는 것이요, '정(正)'은 그 섬이 치우치지 않은 것이니, 〈강·건·중·정〉 네 가지는 건의 덕이다. '순(純)'은 음유(陰柔)에 뒤섞이지 않음이요 '수(粹)'는 사악(邪惡)에 뒤섞이지 않음이니, 강·건·중·정함이 지극한 것이요, '정(精)'은 또 순수함이 지극한 것이다.

혹자는 "건강(乾剛)하기만 하고 유(柔)가 없으니 중정하다고 말할 수 없다."고 의심하는 자가 있는데, "이는 옳지 않다. 천지의 사이에는 본래 한 기운(원기)이 유행하는데 동(動)과 정(靜)이 있을 뿐이니, 유행의 통체(統體:전체)를 가지고 말하면 다만 건이라고만 말하여도 포함되지 않음이 없고, 동과 정으로 나눈 뒤에야 음과 양, 강과 유의 구별이 있는 것이다."

六爻發揮는 **旁通情也**요

육효(六爻:여섯 효)로 발휘함은 정(情)을 널리 통함이요,

本義 | 旁通은 猶言曲盡이라

방통(旁通)은 곡진하다는 말과 같다.

··· 旁 : 넓을 방 溥 : 넓을 부(보) 衍 : 남을 연 梏 : 속박할 곡 契 : 합할 계 紇 : 묶을 흘

時乘六龍하여 **以御天也**니 **雲行雨施**라 **天下平也**라

때로 육룡(六龍)을 타고서 하늘(천운)에 맞게 운행하니, 구름이 다니고 비가 내려 천하가 화평하다.

傳 | 大哉는 贊乾道之大也라 以剛、健、中、正、純、粹六者로 形容乾道하니 精은 謂六者之精極이라 以六爻로 發揮旁通하여 盡其情義하고 乘六爻之時하여 以當天運이면 則天之功用著矣라 故로 見〔一作日〕雲行雨施하니 陰陽溥(보)暢은 天下和平之道也라

'대재(大哉)'는 건도(乾道)의 큼을 찬미한 것이다. 강 · 건 · 중 · 정 · 순 · 수 여섯 가지로 건도를 형용하였으니, 정(精)은 이 여섯 가지가 정함이 지극함을 말한 것이다. 육효(六爻)로써 발휘하고 널리 통하여 그 실정과 뜻을 다하고 육효의 때를 타서 천도에 맞게 하면 하늘의 공용(功用)이 드러난다. 그러므로 구름이 다니고 비가 내림을 보는 것이니, 음과 양이 크게 화창함은 천하가 화평한 방도이다.

本義 | 言聖人時乘六龍以御天이면 則如天之雲行雨施而天下平也라

○ 此는 第五節이니 復申首章之意하니라

성인이 때로 육룡을 타고 천도에 맞게 하면 이는 하늘에 구름이 다니고 비가 내리는 것과 같아서 천하가 화평함을 말한 것이다.

○ 이는 제 5절(節)이니, 머릿 장(章)의 뜻(단전의 뜻)을 다시 밝힌 것이다.

[6절] **君子以成德爲行**하나니 **日可見之 行也**라 **潛之爲言也**는 **隱而未見**(현)하며 **行而未成**이라 **是以君子弗用也**하나니라

군자는 덕을 이룸을 행실로 삼으니, 날로 볼 수 있는 것이 행실이다. 잠(潛)이란 말은 숨어서 나타나지 않으며 행실이 아직 이루어지지 않은 것이다. 이 때문에 군자가 쓰지 않는 것이다.

본의 | 군자는 이루어진 덕을 행실로 삼으니,

傳 | 德之成에 其事可見者는 行也라 德成而後에 可施於用이니 初方潛隱未見(현)하여 其行未成하니 未成이면 未著也라 是以君子弗用也니라

덕이 이루어짐에 그 일을 볼 수 있는 것은 행실이다. 덕이 이루어진 뒤에야 씀에 베풀 수 있는데, 초구(初九)는 잠기고 숨어서 아직 나타나지 않아 그 행실이 아직 이루어지지 않았으니, 이루어지지 않았으면 드러나지 못한다. 이 때문에 군자가 쓰지 않는 것이다.

本義 | 成德은 已成之德也라 初九는 固成德이나 但其行未可見爾라

'성덕(成德)'은 이미 이루어진 덕이다. 초구는 진실로 이루어진 덕이나 다만 그 행실이 아직 드러날 수 없을 뿐이다.

君子學以聚之하고 **問以辨之**하며 **寬以居之**하고 **仁以行之**하나니 **易曰見龍在田利見大人**이라하니 **君德也**라

군자가 배워서 지식을 모으고 물어서 옳고 그름을 분변하며 너그러움으로 거하고(마음속에 둠) 인(仁)으로 행하나니, 역(易)에 이르기를 '나타난 용이 밭에 있으니 대인을 만나봄이 이롭다.' 하였으니, 이는 인군(人君)의 덕인 것이다.

傳 | 聖人在下하여 雖已顯而未得位면 則進德修業而已니 學聚、問辨은 進德也요 寬居、仁行은 修業也라 君德已著면 利見大人而進以行之耳니 進居其位者는 舜、禹也요 進行其道者는 伊、傅也라

성인이 아랫자리에 있어서 비록 이미 드러났으나 아직 지위를 얻지 못했으면 진덕(進德)하고 수업(修業)할 뿐이다. 배워서 〈지식을〉 모으고 물어서 〈옳고 그름을〉 분변함은 진덕이요, 너그러움으로 거하고 인(仁)으로 행함은 수업이다. 군주의 덕이 이미 드러나면 대인을 만나보아 나아가서 도를 행하는 것이 이로우니, 나아가 그 지위에 머문(있은) 자는 순(舜)과 우(禹)이고, 나아가 그 도를 행한 자는 이윤(伊尹)과 부열(傅說)이었다.

本義 | 蓋由四者하여 以成大人之德이라 再言君德은 以深明九二之爲大人也라

네 가지(學·問·寬·仁)로 말미암아 대인의 덕을 이룬다. '군주의 덕'이라고 두 번 말한 것은 구이(九二)가 대인이 됨을 깊이 밝힌 것이다.

九三은 **重剛而不中**[44]하여 **上不在天**하며 **下不在田**이라 **故**로 **乾乾**하여 **因其時而惕**하면 **雖危**나 **无咎矣**리라

구삼(九三)은 거듭된 강(剛)이고 중(中)하지 못하여 위로는 하늘에 있지 않고 아래로는 밭(지상)에 있지 않다. 그러므로 건건(乾乾)하여 때에 따라 두려워하면 비록 위태로우나 허물이 없는 것이다.

傳 | 三은 重剛이니 剛之盛也라 過中而居下之上하여 上未至於天이나 而下已離於田하니 危懼之地也라 因時順處하여 乾乾兢惕以防危라 故로 雖危而不至於咎라 君子順時兢惕은 所以能泰也라

구삼(九三)은 거듭된 강(剛)이니, 강이 성(盛)한 것이다. 중(中)을 지나 하괘(下卦)의 위에 거하여 위로는 아직 하늘에 이르지 못하였으나, 아래로는 이미 밭에서 떠났으니, 위태롭고 두려운 자리이다. 때에 따라 순히 처하여 건건하며 조심하고 두려워하여 위험을 방비한다. 그러므로 비록 위태로우나 허물에는 이르지 않는 것이다. 군자가 때에 따라 조심하고 두려워함은 편안할 수 있는 소이(所以)이다.

本義 | 重剛은 謂陽爻陽位라

중강(重剛)은 양효가 양위에 있음을 이른다.

九四는 **重剛而不中**하여 **上不在天**하며 **下不在田**하며 **中不在人**이라 **故**로 **或之**하니 **或之者**는 **疑之也**니 **故**로 **无咎**니라

구사(九四)는 거듭된 강이고 중하지 못하여 위로는 하늘에 있지 않고, 아래로는 밭(지상)에 있지 않고, 가운데로는 인간에 있지 않다. 그러므로

44 重剛而不中 : 중강(重剛)은 강양(剛陽)이 거듭된 것으로 양효(陽爻)가 양위(陽位)인 삼효(三爻)에 있음을 이르며, 불중(不中)은 중(中)하지 못한 것으로 이효(二爻)와 오효(五爻)가 아님을 이른다. 이효와 오효는 각각 하체(下體:내괘(內卦))와 상체(上體:외괘(外卦))의 가운데 있는 바, 중은 곧 중도(中道)에 맞음을 의미한다. 이 때문에 양효가 양위인 오효에 있으면 중강이 되지 않고 중정(中正)함이 되어 좋은 것으로 본다. 그러나 아래 구사효(九四爻)에도 '重剛而不中'이라는 말이 보이는 바, 주자는 "구사는 중강이 아니니니 중(重) 자는 연문(衍文)인 듯하다." 하였다. 이에 반하여 정이천(程伊川)은 이를 특별히 설명하지 않고 구사 역시 중강으로 보아 리괘(離卦)·대장괘(大壯卦)·손괘(巽卦)의 구사효《역전(易傳)》에서도 모두 중강을 그대로 해석하였다.

혹(或)이라고 하였으니, 혹이란 의심하는 말이니, 그러므로 허물이 없는 것이다.

傳 | 四는 不在天, 不在田하고 而出人之上矣니 危地也라 疑者는 未決之辭니 處非可必也라 或進或退하여 唯所安耳니 所以无咎也라

구사는 하늘에도 있지 않고 밭(지상)에도 있지 않으면서 인간의 위로 나왔으니, 위험한 자리이다. '의(疑)'는 아직 결단하지 못한 말이니, 처함을 기필할 수 있는 것이 아니다. 〈그래서〉 혹 나아가고 혹 물러가서 오직 편안한대로 할 뿐이니, 이 때문에 허물이 없는 것이다.

本義 | 九四는 非重剛이니 重字는 疑衍(연)이라 在人은 謂三이요 或者는 隨時而未定也라

구사는 중강(重剛)이 아니니, 중(重) 자는 의심컨대 연문(衍文:쓸데없는 글자)인 듯하다. 인간에 있다는 것은 삼(三)을 말함이요, 혹(或)이란 때에 따르고 아직 결정하지 못한 것이다.

夫大人者는 與天地合其德하며 與日月合其明하며 與四時合其序하며 與鬼神合其吉凶하여 先天而天弗違[45]하며 後天而奉天時하나니 天且弗違온 而況於人乎며 況於鬼神乎여

저 대인이란 자는 천지(天地)와 그 덕이 합하며(천지와 덕이 똑같으며), 일월(日月)과 그 밝음이 합하며, 사시(四時)와 그 질서가 합하며, 귀신과 그 길흉의 판단이 합하여, 하늘보다 먼저 하여도 하늘이 어기지 않으며 하늘보다 뒤에 하여 천시(天時)를 받드나니, 하늘도 어기지 않는데 하물며 사람에게 있어서며, 귀신에게 있어서랴.

······

45 先天而天弗違 :《언해》에는 '天의(에) 先하여도 天이 違치 못하며'로 해석하였으나, 《정전》과 《본의》에 이러한 뜻이 보이지 않으므로 '하늘보다 먼저하여도 하늘이 어기지 않으며'로 번역하였다. 그러나 아랫구의 '後天而奉天時'에 맞추어 '하늘에 먼저 하여 하늘이 어기지 않으며, 하늘에 뒤에 하여 천시를 받든다.'로 해석해도 될 듯하다.

傳 | 大人이 與天地、日月、四時、鬼神合者는 合乎道也라 天地者는 道也요 鬼神者는 造化之跡也라 聖人이 先於天而天同之하고 後於天而能順天者는 合於道而已니 合於道면 則人與鬼神이 豈能違也리오

대인이 천지, 일월, 사시, 귀신과 더불어 합하는 것은 도(道)에 합하는 것이다. 천지는 도이고 귀신은 조화의 자취이다. 성인이 하늘보다 먼저 하여 하늘이 이에 똑같게 하고, 하늘보다 뒤에 하여 하늘에 순응하는 것은 도에 합할 뿐이니, 도에 합하면 사람과 귀신이 어찌 어길 수 있겠는가.

本義 | 大人은 卽釋爻辭所利見之大人也니 有是德而當其位라야 乃可以當之라 人與天地、鬼神이 本无二理로되 特蔽於有我之私라 是以로 梏於形體하여 而不能相通하나니 大人은 无私하여 以道爲體하니 曾何彼此先後之可言哉리오 先天不違는 謂意之所爲 默與道契요 後天、奉天은 謂知理如是하여 奉而行之라 回紇(흘)이 謂郭子儀[46]曰 卜者言此行에 當見一大人而還이라하더니 其占이 蓋與此合이라하니 若子儀者는 雖未及乎夫子之所論이나 然其至公无我하니 亦可謂當時之大人矣라

대인은 바로 효사(爻辭)에 '이견대인(利見大人)'의 대인을 해석한 것이니, 이 덕이 있으면서 이런 지위에 당하여야 이에 해당할 수 있다. 사람이 천지, 귀신과는 본래 두 이치가 없으나 다만 사람은 유아(有我)의 사(私)에 가리워질 뿐이다. 이 때문에 형체에 질곡되어 서로 통하지 못하니, 대인은 사가 없어 도(道)로써 본체를 삼으니, 어찌 피차(彼此)와 선후(先後)를 말할 것이 있겠는가.

'하늘보다 먼저 하여도 하늘이 어기지 않는다〔先天不違〕'는 것은 마음에 생각하는 바가 묵묵히 도와 합함을 말한 것이고, '하늘보다 뒤에 하여 하늘을 받든다〔後天奉天〕'는 것은 이치가 이와 같음을 알아 받들어 행함을 말한다.

회흘(回紇)이 곽자의(郭子儀)를 보고 말하기를 "점치는 자가 이번 걸음에 한 대인을 만나고 돌아올 것이라고 말하더니, 그 점(占)이 이와 부합했다." 하였으니,

46 回紇謂郭子儀 : 회흘(回紇)은 위구르로, 당나라 현종(玄宗) 때에 안록산(安祿山)이 반란을 일으켜 수도인 장안(長安)과 낙양(洛陽)이 함락되자 구원병을 이끌고 왔었는데, 이 말은 회흘의 장수가 당나라의 대장인 곽자의(郭子儀)를 보고 한 말이다.

곽자의와 같은 사람은 비록 공자가 말씀한 대인에는 미치지 못하나 지극히 공정하고 사가 없었으니, 또한 당시의 대인이라 일컬을 수 있다.

亢之爲言也는 **知進而不知退**하며 **知存而不知亡**하며 **知得而不知喪**이니

항(亢)이란 말은 나아감만 알고 물러날 줄을 모르며, 보존함만 알고 망할 줄을 모르며, 얻음만 알고 잃을 줄을 모르는 것이니,

本義 | 所以動而有悔也라

이 때문에 동(動)하면 뉘우침이 있는 것이다.

其唯聖人乎아 **知進退存亡而不失其正者 其唯聖人乎**인저

오직 성인인가? 진퇴와 존망의 이치를 알아 정도(正道)를 잃지 않는 자는 오직 성인일 것이다.

傳 | 極之甚이 爲亢이니 至於亢者는 不知進退、存亡、得喪之理也라 聖人則知而處之하여 皆不失其正이라 故로 不至於亢也라

궁극함이 심한 것을 항(亢)이라 하니, 항극에 이르는 자는 진퇴, 존망, 득상(得喪)의 이치를 알지 못해서이다. 성인은 이를 알고 대처하여 모두 정도를 잃지 않는다. 그러므로 〈성인은〉 항극에 이르지 않는 것이다.

本義 | 知其理勢如是하고 而處之以道면 則不至於有悔矣니 固非計私以避害者也라 再言其唯聖人乎는 始若設問而卒自應之也라

○ 此는 第六節이니 復申第二、第三、第四節之意하니라

그 이치〔理〕와 형세〔勢〕가 이와 같음을 알고 도(道)로써 대처하면 뉘우침이 있음에 이르지 않는 것이니, 진실로 사사로움을 계산하여 해(害)를 피하는 것은 아니다. '기유성인호(其唯聖人乎)'라고 두 번 말한 것은 처음에는 가설하여 묻는 것처럼 하고, 끝에는 스스로 응답한 것이다.

○ 이는 제(第) 6절(節)이니, 제 2절 · 제 3절 · 제 4절의 뜻을 거듭 밝힌 것이다.

2 중지 重地 곤(坤) ䷁ 곤하곤상 坤下坤上

坤은 **元**하고 **亨**하고 **利**하고 **牝馬之貞**[47]이니

곤(坤)은 원(元)하고 형(亨)하고 이(利)하고 암말의 정(貞)함이니,

本義 | **坤**은 **元亨**하고 **利牝馬之貞**이니

곤(坤)은 크게 형통하고 암말의 정(貞)함이 이로우니,

傳 | **坤**은 **乾之對也**니 **四德同而貞體則異**라 **乾**은 **以剛固爲貞**이요 **坤則**〔一作以〕**柔順而**〔一作爲〕**貞**이라 **牝馬**는 **柔順而健行**이라 **故**로 **取其象曰牝馬之貞**이라하니라

곤괘(坤卦)는 건괘(乾卦)의 상대이니, 사덕(四德)은 같으나 정(貞)의 체(體)는 다르다. 건괘는 강고(剛固)함을 정으로 삼고, 곤괘는 유순하여 정하다(유순함을 정으로 삼는다). 암말은 유순하고 굳건히 걸어간다. 그러므로 그 상(象)을 취하기를 '암말의 정함〔牝馬之貞〕'이라고 말한 것이다.

君子의 **有攸往**[48]이니라

······

47 利牝馬之貞 : 퇴계(退溪)는 "대저 양(陽)은 남고 음(陰)은 부족하며, 양은 온전한 수(數)를 다 사용하고 음은 수의 절반만 사용한다. 건(乾)은 이롭지 않음이 없으므로 굳이 이로운 바를 말하지 않았고, 곤(坤)은 암말의 정(貞)함이 이롭다고 하였으니, 다만 유순(柔順)하고 정정(正貞)하면 이롭고 그 나머지는 다 이롭지 못한 것이다." 하였으며, 간이(簡易;최립(崔岦))는 "건에서는 육룡(六龍)을 탄 성인으로 말하였고 곤에서는 암말을 탄 군자로 말하였으니, 군도(君道)와 신도(臣道)의 구분이 있다." 하였다.

48 君子有攸往 : 《정전》은 경문(經文)의 이 다섯 글자는 독립적인 것으로 해석하였는바, 아래 주(註)에 "군자소행(君子所行)"이라고 한 데서 이를 확인할 수 있다. 반면, 주자는 "군자유유왕은 이는 바로 허구(虛句)이니, 이천은 다만 〈단전(彖傳)〉의 글에 운(韻)을 달아 '유순하고 이정함이 군자가 행하는 바이다.'라고 한 것을 보시고, 마침내 해석하기를 '군자의 행하는 바가 유순하고 이롭고 또 정하다.' 하셨으니, 잘못이다.〔君子有攸往, 此是虛句, 伊川只見彖傳辭押韻, 有柔順利貞, 君子攸往之語, 遂解之, 君子所行, 柔順而利且貞, 非也.〕"라고 하고, '군자유유왕'을 아래 구(句)로 연결시켰는바, 《언해》는 이들 주석에 의거하여 《정전》에는 '군자의 유유왕이니라'로 현토하고, 《본의》에는 '군자유유왕인댄'으로 현토한 것이다.

··· 牝 : 암컷 빈 攸 : 바 유

군자의 갈 바를 둠이다.

本義 | 君子有攸往인댄
　　군자가 가는 바가 있을진대

傳 | 君子所行이 柔順而利且貞[49]하니 合坤德也라
　군자의 행하는 바가 유순하고 이롭고 또 정(貞)하니, 곤의 덕에 합한다.

先하면 迷하고 後하면 得하리니 主利하니라
　먼저 하면 혼미하고 뒤에 하면 얻으리니, 이로움을 주장한다.

本義 | 得하여 主利하니
　　뒤에 하면 얻어 이로움을 주장하니,

傳 | 陰은 從陽者也니 待唱而和하나니 陰而先陽이면 則爲迷錯이요 居後라야 乃得其常也라 主利는 利萬物則主於坤이니 生成이 皆地之功也라 臣道亦然하니 君令臣行하여 勞於事者는 臣之職也라

　음은 양을 따르는 자로 〈양이〉 선창하기를 기다려 화답하니, 음으로서 양보다 먼저 하면 혼미하고 어긋남이 되고, 뒤에 거하여야 비로소 떳떳함을 얻는다. '이로움을 주장한다.〔主利〕'는 것은 만물을 이롭게 함은 곤(坤)을 주장하는 것이니, 생성(生成)이 모두 땅의 공(功)이다. 신하의 도리 또한 그러하니, 인군은 명령하고 신하는 이행하여 일에 수고로운 것은 신하의 직분이다.

••••••

49 君子所行 柔順而利且貞 : 이에 대하여 주자는 "'군자유유왕(君子攸有往)'은 허구(虛句)이다. 이천(伊川)은 다만 〈단전(彖傳)〉의 글에 운(韻)을 달았는데, 여기에 '유순이정 군자유행(柔順利貞, 君子攸行)'이란 말이 있음을 보시고 마침내 해석하기를 '군자의 행하는 바가 유순하고 이롭고 또 정하다.' 하셨으니, 잘못이다." 하였다. '군자유유왕(君子攸有往)은 허구(虛句)이다.'라는 것은 주자는 '군자유유행인댄'으로 보아 아랫구와 연결시켰는데, 정자는 이것을 독립시켜 '군자유유왕이니라'로 해석하였음을 말한 것이다.

••• 唱 : 부를 창 迷 : 혼미할 미 錯 : 어긋날 착 偶 : 짝 우 差 : 조금 차

西南은 得朋이요 東北은 喪朋[50]이니 安貞하여 吉[51]하니라

서쪽과 남쪽은 벗을 얻고 동쪽과 북쪽은 벗을 잃을 것이니, 안정(安貞)하여 길(吉)하다.

本義 | 安貞하면 吉하리라

정(貞)을 편안히 여기면 길하리라.

傳 | 西南은 陰方이요 東北은 陽方[52]이라 陰必從陽하니 離喪其朋類라야 乃能成化育之功하여 而有安貞之吉이라 得其常則安이요 安於常則貞이라 是以吉也라

서쪽과 남쪽은 음의 방위이고, 동쪽과 북쪽은 양의 방위이다. 음은 반드시 양을 따르니, 그 붕류(朋類:음)를 잃어야만 비로소 화육(化育)하는 공을 이루어서 안정(安貞)의 길함이 있을 수 있다. 떳떳함을 얻으면 편안하고, 떳떳함을 편안히 여기면 정(貞)하다. 이 때문에 길한 것이다.

••••••

50 西南得朋 東北喪朋 : 이에 대한 《정전》과 《본의》의 해석이 상반된다. 서·남은 음(陰)의 방위이고 동·북은 양(陽)의 방위인데, 《정전》에서는 순음괘인 곤괘가 자기의 동류인 음을 버리고 동·북으로 가야 비로소 양을 만나 화육(化育)하는 공을 이룰 수 있다고 보았는바, '동북상붕'을 해야 '안정길(安貞吉)'할 수 있다고 해석한 것이다. 반면, 《본의》는 괘사의 해석과는 의미가 분명히 드러나지 않지만, 아래 〈단전(彖傳)〉의 해석에서 "동·북은 비록 벗을 잃으나 서·남으로 돌아온다면 끝내는 복경(福慶)이 있을 것이다."라고 하였는바, '서남득붕'을 해야 '안정길'할 수 있다고 해석하고 있음을 확인할 수 있다.

51 安貞吉 : 사계(沙溪) 김장생(金長生)은 《본의(本義)》의 '安, 順之爲也; 貞, 健之守也.'라 한 말을 들고 "이것을 보면 안(安)과 정(貞)이 뜻이 다르므로 마땅히 '편안하고 또 정(貞)하다.'로 해석해야 할 것이나 뒤에는 또 '大抵能安於正則吉也.'라 하여 '정(貞)에 편안하다.'로 해석해서 앞뒤가 서로 맞지 않는다."고 하였다. 《經書辨疑》 그러나 《대전본(大全本)》에 운봉호씨(雲峰胡氏:호병문(胡炳文))는 "안정(安貞)을 나누어서 말하면 안(安)은 순(順)이 하는 것이고 정(貞)은 굳셈[健]이 하는 것이며, 합하여 말하면 건(健)에 순함을 바름으로 삼는 것이다.[安貞, 分而言之, 安者, 順之爲; 貞者, 健之守. 合而言之, 則以順乎健爲正.]"라 하여, 나누어 말하면 안(安)하고 정(貞)한 것으로 해석하고 합하면 정(貞)에 안(安)한 것으로 보았다. 뒤에 보이는 《본의(本義)》의 "利以順健爲正" 역시 '이로움이 순(順)하고 굳셈(健)을 바름으로 삼는다.'고 해석할 수 있으나, 운봉호씨의 설을 따라 건의 굳셈을 순종하는 것으로 해석하였음을 밝혀둔다.

52 西南……陽方 : 〈하도(河圖)〉를 보면 이를 알 수 있다. 〈하도〉에 따르면, 서쪽은 오행 중 금(金)이 자리하는데 금의 생수(生數)는 음(陰)의 수인 4이고 남쪽은 화(火)가 자리하는데 화의 생수 역시 음수인 2이며, 동쪽은 목(木)이 자리하는데 목의 생수는 양(陽)의 수인 3이고 북쪽은 수(水)가 자리하는데 수의 생수 역시 양수인 1이다.

本義 | **--** 者는 偶也니 陰之數也요 坤者는 順也니 陰之性也라 註中者는 三畫卦之名也요 經中者는 六畫卦之名也라 陰之成形이 莫大於地하니 此卦三畫皆偶라 故로 名坤而象地요 重之하여 又得坤焉이면 則是陰之純, 順之至라 故로 其名與象이 皆不易也라 牝馬는 順而健行者라 陽先, 陰後하고 陽主義, 陰主利라 西南은 陰方이요 東北은 陽方이라 安은 順之爲也요 貞은 健之守也라 遇此卦者는 其占이 爲大亨이요 而利以順健爲正이니 如有所往이면 則先迷後得而主於利리니 往西南則得朋하고 往東北則喪朋이니 大抵能安於正則吉也라

-- 는 짝수(偶數)이니 음(陰)의 수이고, 곤은 순하니 음의 성질이다. 주(註) 가운데의 것은 3획괘의 이름이고, 경(經) 가운데의 것은 6획괘의 이름이다. 음이 형체를 이룬 것이 땅보다 더 큰 것이 없는데, 이 괘의 세 획이 모두 짝수이다. 그러므로 곤이라 이름하여 땅을 상징하였고, 이를 거듭하여 또다시 곤을 얻으면 이는 음이 순수하고 순함이 지극한 것이다. 그러므로 그 이름과 상이 모두 바뀌지 않은 것이다.

암말은 순하고 굳건히 걸어가는 자이다. 양은 먼저이고 음은 뒤이며, 양은 의로움을 주장하고 음은 이로움을 주장한다. 서쪽과 남쪽은 음의 방위이고, 동쪽과 북쪽은 양의 방위이다. '안(安)'은 순함이 하는 것이요, '정(貞)'은 굳셈이 지키는 것이다. 이 괘를 만난 자는 그 점(占)이 크게 형통하고 굳셈을 순종함으로써 정도(正道)를 삼는 것이 이로우니, 만약 가는 바가 있을진댄 먼저 하면 혼미하고 뒤에 하면 얻어서 이로움을 주장할 것이다. 서남(西南)으로 가면 벗을 얻고 동북(東北)으로 가면 벗을 잃을 것이니, 대저 정도를 편안히 여기면 길한 것이다.

※ 이 괘사(卦辭;단사)는 내용이 길고 《정전》과 《본의》에 대한 해석 또한 각기 달라 독자들이 이해하기 어려우므로 《정전》에 따른 현토와 해석을 모아 소개하고 《본의》에 대한 것 또한 뒤에 소개하였으며, 이 뒤의 〈단전〉에도 이러한 경우가 있으면 이를 따라 각각 소개하였다.

《정전》 坤은 元하고 亨하고 利하고 牝馬之貞이니 君子有攸往이니라 先하면 迷하고 後하면 得하리니 主利하니라 西南은 得朋이요 東北은 喪朋이니 安貞하여 吉하리라

– 곤(坤)은 크고 형통하고 이롭고 암말의 정(貞)함이니, 군자의 갈 바를 둠이니

라. 먼저 하면 혼미하고 뒤에 하면 얻으리니 이로움을 주장한다. 서쪽과 남쪽은 벗을 얻고 동쪽과 북쪽은 벗을 잃을 것이니, 안정(安貞)하여 길하다.

《본의》 坤은 元亨하고 利牝馬之貞이니 君子有攸往인댄 先하면 迷하고 後하면 得하여 主利하니 西南은 得朋이요 東北은 喪朋이니 安貞하면 吉하리라

– 곤(坤)은 크게 형통하고 암말의 정(貞)함이 이로우니, 군자가 갈 바가 있을진대 먼저 하면 혼미하고 뒤에 하면 얻어 이로움을 주장하니, 서쪽과 남쪽은 벗을 얻고 동쪽과 북쪽은 벗을 잃을 것이니, 정(貞)을 편안히 여기면 길하리라.

彖曰 至哉라 坤元이여 萬物이 資生하나니 乃順承天이니

〈단전(彖傳)〉에 말하였다. "지극하다, 곤(坤)의 원(元)이여! 만물이 의뢰하여 생겨나니, 이에 하늘을 순히 받드니,

本義 | 此는 以地道로 明坤之義而首言元也라 至는 極也니 比大면 義差緩이라 始者는 氣之始요 生者는 形之始라 順承天施는 地之道也라

이는 땅의 도(道)로써 곤의 뜻을 밝히면서 첫 번째로 원(元)을 말한 것이다. '지(至)'는 지극함이니, 〈건괘 단전의〉 '대(大)'와 비교하면 뜻이 다소 느슨하다. '시(始)'는 기운의 시작이요, '생(生)'은 형체의 시작이다. 하늘의 베풂을 순히 받드는 것이 땅의 도이다.

坤厚載物이 德合无疆하며

곤의 두터움이 물건을 실음은 덕이 〈건(乾)의〉 무강(无疆;한이 없음)에 합하며

傳 | 資生之道 可謂大矣로되 乾旣稱大[53]라 故로 坤稱至하니 至義差緩하여 不若

······

53 乾旣稱大 : 건괘 〈단전(彖傳)〉에 "크다.(위대하다.) 건의 원이여! 만물이 의뢰하여 시작한다.〔大哉! 乾元, 萬物資始.〕"라고 하였으므로 말한 것이다. 앞의 《본의》에 "至, 極也, 比大義差緩" 역시 이를 말한 것이다.

··· 差 : 조금 차 緩 : 느슨할 완 疆 : 경계 강, 끝 강 履 : 밟을 리

大之盛也니 聖人이 於尊卑之辨에 謹嚴如此하시니라 萬物이 資乾以始하고 資坤以生하니 父母之道也라 順承天施하여 以成其功하니 坤之厚德이 持載萬物은 合於乾之无疆也라

의뢰하여 생겨나는 방도가 크다고 말할 만하나, 건(乾)에서 이미 크다고 칭하였으므로 곤(坤)은 지극하다고 칭하였으니, '지(至)'는 뜻이 다소 느슨하여 대(大)처럼 성(盛)하지 못하다. 성인이 존(尊)·비(卑;천존(天尊)·지비(地卑))의 분별에 있어서 근엄함이 이와 같다. 만물이 건(乾)에 의뢰하여 시작하고 곤(坤)에 의뢰하여 생겨나니, 부·모의 도이다. 하늘의 베풂을 순히 받들어서 공을 이루니, 곤의 후(厚)한 덕이 만물을 잡아 실어줌은 건의 무강(无疆)에 합한다.

含、弘、光、大하여 品物이 咸亨하나니라

포용하고 너그럽고 빛나고 위대하여 만물이 다 형통하다.

本義 | 言亨也라 德合无疆은 謂配乾也라

형(亨)을 말한 것이다. 덕이 무강에 합한다는 것은 건괘에 배합함을 말한다.

牝馬는 地類니 行地无疆하며 柔順利貞이 君子攸行이라

암말은 땅의 부류이니, 땅을 걸어감이 끝이 없으며 유순하고 이(利)·정(貞)함이 군자의 행하는 바이다.

傳 | 以含、弘、光、大四者로 形容坤道하니 猶乾之剛健中正純粹也라 含은 包容也요 弘은 寬裕也요 光은 昭明也요 大는 博厚也니 有此四者라 故로 能成承〔一作順〕天之功하여 品物〔一作類〕이 咸得亨遂라 取牝馬爲象者는 以其柔順而健行하여 地之類也일새라 行地无疆은 謂健也라 乾健坤順하니 坤亦健乎아 曰 非健이면 何以配乾이리오 未有乾行而坤止也라 其動也剛하나 不害其爲柔也라 柔順而利貞이 乃坤德也니 君子之所行也라 君子之道 合坤德也라

함(含)·홍(弘)·광(光)·대(大) 네 가지로 곤도(坤道)를 형용하였으니, 건괘(乾卦)의 강(剛)·건(健)·중(中)·정(正)·순(純)·수(粹)와 같다. '함(含)'은 포용함이요, '홍(弘)'은 너그러움이요, '광(光)'은 밝게 빛남이요, '대(大)'는 넓고 두터움이

니, 〈곤은〉 이 네 가지가 있으므로 능히 하늘을 받드는 공(功)을 이루어서 만물이 모두 형통하게 이루어지는 것이다. 암말을 취하여 상(象)으로 삼은 것은 〈암말은〉 성질이 유순하고 굳건히 걸어가서 땅의 부류이기 때문이다. '행지무강(行地无疆)'은 〈말의 걸어감이〉 굳셈을 말한 것이다.

"건(乾)은 굳세고 곤(坤)은 순한데, 곤 역시 굳세단 말입니까?" 하기에, 다음과 같이 대답하였다. "굳세지 않으면 어떻게 건에 짝할 수 있겠는가. 건이 가는데 곤이 멈추는 경우는 있지 않다. 그 동함이 강(剛)하나 유순함이 됨에는 무방하다. 유순하고 이(利)·정(貞)함이 곤의 덕이니, 바로 군자가 행하는 바이다. 군자의 도는 곤의 덕에 합한다."

本義 | 言利貞也라 馬는 乾之象而以爲地類者는 牝은 陰物이요 而馬又行地之物也일새라 行地无疆은 則順而健矣요 柔順利貞은 坤之德也라 君子攸行은 人之所行이 如坤之德也라 所行如是면 則其占이 如下文所云也라

이(利)·정(貞)을 말한 것이다. 말[馬]은 건(乾)의 상(象)인데 땅의 부류라고 한 것은, 암말은 음의 물건이고 말은 또 땅을 걸어가는 물건이기 때문이다. 땅을 걸어감이 끝이 없음은 순하고 굳센 것이요, 유순과 이·정은 곤의 덕이다. '군자가 행하는 바'는 사람의 행하는 바가 곤의 덕과 같은 것이다. 행하는 바가 이와 같으면 그 점(占)이 아랫글에서 말한 바와 같을 것이다.

先하면 **迷**하여 **失道**하고 **後**하면 **順**하여 **得常**하리니 **西南得朋**은 **乃與類行**이요 **東北喪朋**은 **乃終有慶**하리니

먼저 하면 혼미하여 음(陰)의 도(道)를 잃고 뒤에 하면 순하여 떳떳함을 얻으리니, '서남(西南)은 벗을 얻는다'는 것은 동류(同類)와 함께 행함이요, '동북(東北)은 벗을 잃는다'는 것은 마침내 〈시집가서 자녀를 생육하는〉 복경(福慶)이 있는 것이다.

本義 | **東北喪朋**이나
동북(東北)은 벗을 잃으나

本義 | 陽大陰小하여 陽得兼陰이나 陰不得兼陽이라 故로 坤之德이 常減於乾之

半也라 東北은 雖喪朋이나 然反之西南이면 則終有慶矣리라

양은 크고 음은 작아서 양은 음을 겸할 수 있으나 음은 양을 겸할 수 없다. 그러므로 곤(坤)의 덕(德)이 항상 건(乾)의 반으로 줄어드는 것이다. 동북은 비록 벗을 잃으나 서남으로 돌아온다면 끝내는 복경이 있을 것이다.

安貞之吉이 應地无疆이니라

안정(安貞)의 길함이 땅의 무강(无疆)에 응한다."

傳 | 乾之用은 陽之爲也요 坤之用은 陰之爲也라 形而上曰天地之道요 形而下曰陰陽之功이라 先迷後得以下는 言陰道也라 先唱則迷하여 失陰道하고 後和則順而得其常理라 西南은 陰方이니 從其類는 得朋也요 東北은 陽方이니 離其類는 喪朋也라 離其類而從陽이면 則能成生物之功하여 終有吉慶也라 與類行者는 本也요 從於陽者는 用也라 陰體柔躁라 故로 從於陽이면 則能安貞而吉하여 應地道之无疆也니 陰而不安貞이면 豈能應地之道리오 彖有三无疆하니 蓋不同也라 德合无疆은 天之不已也요 應地无疆은 地之无窮也요 行地无疆은 馬之健行也라

건의 쓰임은 양(陽)이 하는 것이고, 곤의 쓰임은 음(陰)이 하는 것이다. 형이상(形而上;형으로부터 그 이상)을 천지(天地)의 도(道)라 하고, 형이하(形而下;형으로부터 그 이하)를 음양의 공(功)이라 한다. '선미후득(先迷後得)' 이하는 음의 도를 말한 것이다. 선창하면 혼미하여 음의 도를 잃고, 뒤에 화답하면 순하여 떳떳한 이치를 얻는다. 서남(西南)은 음의 방위이니 그 동류를 따름은 벗을 얻는 것이고, 동북(東北)은 양의 방위이니 그 동류를 떠남은 벗을 잃는 것이다. 그 동류를 떠나 양을 따르면 물건(자식)을 낳는 공을 이룰 수 있어서 끝내 길함과 복경이 있는 것이다.

동류와 더불어 함께 가는 것은 근본(본체)이고, 양을 따르는 것은 쓰임〔用〕이다. 음의 체(體)는 유순하고 조급하다. 그러므로 양을 따르면 능히 안정(安貞)하고 길하여 지도(地道)의 무강(无疆)에 응하는 것이다. 음으로서 안정하지 않으면 어찌 지도에 응할 수 있겠는가.

〈단전(彖傳)〉에 세 무강이 있는데, 이는 모두 똑같지 않다. '덕이 무강에 합한다.〔德合无疆〕'는 것은 하늘의 운행이 그치지 않음이고, '땅의 무강에 응한다.〔應地无疆〕'는 것은 땅의 무궁함이고, '땅을 걸어감이 끝이 없다〔行地无疆〕'는 것은

말이 굳건히 걸어감이다.

本義 | 安而且貞이 地之德也라

편안하고 또 정(貞)함이 땅의 덕이다.

象曰 地勢坤이니 君子以하여 厚德으로 載物하나니라

〈상전(象傳)〉에 말하였다. "지세(地勢;지형)가 곤(坤)이니, 군자가 보고서 후(厚)한 덕으로 물건을 실어준다."

傳 | 坤道之大猶乾也니 非聖人이면 孰能體之리오 地厚而其勢順傾[54]이라 故로 取其順厚之象하여 而云地勢坤也라 君子觀坤厚之象하여 以深厚之德으로 容載庶物하나니라

곤도(坤道)의 큼이 건(乾)과 같으니, 성인이 아니면 누가 이것을 체행하겠는가. 땅은 두텁고 지형은 순히 기울어져 있다. 그러므로 순하고 두터운 상을 취하여 지세(地勢)가 곤(坤)이라고 말한 것이다. 군자가 곤의 두터운 상을 보고서 깊고 두터운 덕으로 만물을 용납하여 실어준다.

本義 | 地는 坤之象이니 亦一而已라 故로 不言重하고 而言其勢之順하니 則見其高下相因之无窮하여 至順極厚而无所不載也라

땅은 곤의 상(象)이니, 역시 덕이 〈3획괘의 곤과〉 똑같을 뿐이다. 그러므로 '중곤(重坤;거듭된 곤)'이라고 말하지 않고 그 세(勢)가 순하다고만 말하였으니, 그 높고 낮음이 서로 인하여 다함이 없어서 지극히 순하고 지극히 후하여 싣지 않는 바가 없음을 나타낸 것이다.

初六은 履霜하면 堅冰至하나니라

초육(初六)은 서리를 밟으면 단단한 얼음이 이른다.

······

54 地厚而其勢順傾 : 사계(沙溪)는 "곤괘(坤卦)가 음(陰)이고 중국(中國)의 지형이 서북쪽은 높고 동남쪽은 낮으므로 '순(順)하고 기울었다'고 말한 것이다." 하였다.《經書辨疑》

··· 躁 : 조급할 조 載 : 실을 재 履 : 밟을 리 霜 : 서리 상 堅 : 굳을 견 冰 : 얼음 빙

傳 | 陰爻稱六하니 陰之盛也라 八則陽生[55]矣니 非純盛也라 陰始生於下하여 至微也로되 聖人이 於陰之始生에 以其將長이라하여 則爲之戒라 陰之始凝而爲霜하니 履霜則當知陰漸盛而至堅冰矣라 猶小人始雖甚微나 不可使長이니 長則至於盛也라

음효(陰爻)를 육(六)이라 칭하니, 음(陰)이 성(盛)한 것이다. 팔(八)은 양이 낳은 것이니, 순수하게 성한 것이 아니다. 음이 처음 아래에서 생겨나서 지극히 미약하나, 성인은 음이 처음 생겨날 때에 이 〈음이〉 장차 자라날 것이라 하여 이를 경계하였다. 음이 처음 응결(凝結)하여 서리가 되니, 서리를 밟으면 마땅히 음이 점점 성하여 단단한 얼음에 이를 것을 알아야 한다. 이는 소인(小人)이 처음에는 비록 매우 미약하나 자라나게 해서는 안 되니, 자라나면 성(盛)함에 이르는 것과 같다.

本義 | 六은 陰爻之名이니 陰數는 六老而八少라 故로 謂陰爻爲六也라 霜은 陰氣所結이니 盛則水凍而爲冰이라 此爻는 陰始生於下하여 其端甚微로되 而其勢必盛이라 故로 其象이 如履霜則知堅冰之將至也라 夫陰陽者는 造化之本이니 不能相无요 而消長有常하니 亦非人所能損益也라 然이나 陽主生하고 陰主殺하니 則其類有淑慝(특)之分焉이라 故로 聖人作易에 於其不能相无者엔 旣以健順、仁義之屬明之[56]하여 而无所偏主하시고 至其消長之際, 淑慝之分하여는 則未嘗不致其扶陽抑陰之意焉하시니 蓋所以贊化育而參天地者니 其旨深矣라 不言其占者는 謹微之意 已可見於象中矣일새라

육(六)은 음효(陰爻)의 이름이니, 음수(陰數)에서 육(六)은 노음(老陰)이고 팔(八)은 소음(少陰)이다. 그러므로 음효를 육(六)이라고 말한 것이다. 서리는 음기(陰氣)가 맺힌 것이니, 성(盛)하면 물이 얼어 얼음이 된다. 이 효(爻)는 음이 처음 아래에

••••••

55 八則陽生 : 사상(四象)에서 노양(老陽)은 양 가운데의 양으로 숫자는 9, 소음(少陰)은 양 가운데의 음으로 숫자는 8, 소양(少陽)은 음 가운데의 양으로 숫자는 7, 노음(老陰)은 음 가운데의 음으로 숫자는 6인바, 8은 양이 낳았고 7은 음이 낳았으므로 이 두 가지는 취하지 않고 오직 9를 양, 6을 음의 대표로 보는 것이다.

56 旣以健順仁義之屬明之 : 건(健)은 양의 덕이고 순(順)은 음의 덕이며, 인(仁)은 양에 속하고 의(義)는 음에 속하는바, 건·순과 인·의 두 가지는 모두 좋은 것이어서 없을 수 없으므로 말한 것이다.

••• 淑 : 착할 숙 慝 : 사악할 특 贊 : 도울 찬

서 생겨나서 그 단서가 매우 미약하나 그 기세는 반드시 성할 것이다. 그러므로 그 상(象)이 서리를 밟으면 단단한 얼음이 장차 이르게 됨을 아는 것과 같다.

무릇 음·양은 조화의 근본이니 서로 없을 수 없고, 소장(消長:사라지고 자라남)이 일정함이 있으니, 역시 사람이 덜어내고 더할 수 있는 것이 아니다. 그러나 양은 낳음을 주장하고 음은 죽임을 주장하니, 그렇다면 그 부류에 숙(淑:선)·특(慝:악)의 분별이 있다. 그러므로 성인이 역(易)을 지을 적에 서로 없을 수 없는 것에는 이미 건(健)·순(順)과 인(仁)·의(義)의 등속으로 이를 밝혀서 양(陽)만을 편벽되게 주장한 바가 없고, 소(消)·장(長)의 실제와 선·악의 구분에 이르러는 일찍이 양을 붙들어주고 음을 억제하는 뜻을 지극히 하지 않음이 없으셨으니, 이는 〈성인이〉 천지의 화육(化育)을 도와서 천지에 참여하신 것이니, 그 뜻이 깊다.

그 점(占:길흉)을 말하지 않은 것은 은미함을 삼가는 뜻이 이미 상(象) 가운데에 볼 수 있기 때문이다.

象曰 履霜堅冰은 **陰始凝也**니 **馴致其道**하여 **至堅冰也**하나니라

〈상전〉에 말하였다. "서리를 밟으면 단단한 얼음이 이름은 음이 처음 응결(凝結)한 것이니, 그 도를 순치(馴致:점차 이룸)하여 단단한 얼음에 이르는 것이다."

傳 | **陰始凝而爲霜**하니 **漸盛則至於堅冰**〔一有也字〕이라 **小人雖微**나 **長則漸至於盛**이라 **故**로 **戒於初**라 **馴**은 **謂習**이니 **習而至於盛**이니 **習**은 **因循也**라

음(陰)이 처음 응결하여 서리가 되니, 점점 성하게 되면 단단한 얼음에 이른다. 소인이 비록 미약하나 자라나면 점차 성함에 이른다. 그러므로 초기에 경계한 것이다. '순(馴)'은 익힘을 말하니 익혀서 성함에 이름이니, '습(習)'은 옛것을 그대로 따르는 것이다.

本義 | **按魏志**에 **作初六履霜**하니 **今當從之**라 **馴**은 **順習也**라

살펴보건대 《삼국지(三國志)》〈위지(魏志)〉에 '초육리상(初六履霜)'으로 되어 있으니, 지금 마땅히 이것을 따라야 한다. '순(馴)'은 순히 익힘이다.

··· 凝 : 엉길 응 凍 : 얼 동 馴 : 따를 순, 길들일 순 循 : 따를 순

六二는 **直、方、大**라 **不習**이라도 **无不利**하니라

육이(六二)는 곧고 방정하고 위대하다. 익히지 않아도 이롭지 않음이 없다.

傳 | 二는 陰位니 在下故로 爲坤之主라 統言坤道하니 中正在下는 地之道也라 以直、方、大三者로 形容其德用하니 盡地之道矣라 由直、方、大故로 不習而无所不利하니 不習은 謂其自然이니 在坤道則莫之爲而爲也요 在聖人則從容中道也라 直、方、大는 孟子所謂至大至剛以直也[57]라 在坤體故로 以方易剛하니 猶貞加牝馬也라 言氣則先大하니 大는 氣之體也요 於坤則先直、方하니 由直、方而大也라 直、方、大는 足以盡地道하니 在人識之耳라 乾、坤은 純體니 以位相應이로되 二는 坤之主라 故로 不取五應하니 不以君道處五也요 乾則二、五相應이니라

이(二)는 음(陰)의 자리이니, 아래에 있으므로 곤(坤)의 주체가 된 것이다. 곤도(坤道)를 통합하여 말했으니, 중정(中正)하면서 아래에 있는 것은 땅의 도이다. 직(直)·방(方)·대(大) 세 가지로써 곤의 덕과 쓰임을 형용하였으니, 땅의 도를 다하였다. 곧고 방정하고 크기 때문에 익히지 않아도 이롭지 않은 바가 없는 것이다. '익히지 않는다〔不習〕'는 것은 자연스러움을 말한 것이니, 곤도(坤道)에 있어서는 하지 않아도 저절로 되는 것이요, 성인에 있어서는 종용히 도(道)에 맞는 것이다.

직·방·대는 맹자가 말씀한 "지극히 크고 지극히 강하고 곧다.〔至大至剛以直〕"는 것이다. 곤체(坤體)에 있기 때문에 방(方) 자를 강(剛) 자와 바꿨으니, 정(貞)에 암말을 가(加)한 것과 같다. 호연지기(浩然之氣)에서는 대(大)를 먼저 말하였으니 대(大)는 기운의 체(體)이기 때문이고, 곤에서는 직(直)과 방(方)을 먼저 말하였으니 직·방으로 말미암아 커지기 때문이다. 직·방·대는 땅의 도를 충분히 다할 수 있으니, 사람이 이것을 앎에 달려있을 뿐이다.

건(乾)과 곤(坤)은 순체(純體)라서 효(爻)의 자리로써 서로 응하는데, 이(二)는 곤

57 孟子所謂至大至剛以直也:《맹자》〈공손추 상(公孫丑上)〉에 호연지기(浩然之氣)를 설명하면서 "其爲氣也, 至大至剛以直養而無害."라고 보이는데, 주자는 "지극히 크고 지극히 강하니 정직함으로써 기르고 해치지 않음〔至大至剛, 以直養而無害.〕"으로 구두(句讀)를 떼었으나 정이천(程伊川)은 고주(古注)를 따라 이와 같이 연결하여 해석하였다.

의 주체이다. 그러므로 오(五)의 응을 취하지 않았으니, 군도(君道)로써 오(五)를 처우해 주지 않은 것이다. 건(乾)은 이(二)와 오(五)가 서로 응한다.

本義 | 柔順正固는 坤之直也요 賦形有定은 坤之方也요 德合无疆은 坤之大也라 六二柔順而中正하고 又得坤道之純者라 故로 其德이 內直外方而又盛大하여 不待學習而无不利하니 占者有其德이면 則其占如是也라

유순하고 정고(正固)함은 곤(坤)의 곧음이요, 형체를 부여함에 일정함이 있음은 곤의 방정함이요, 덕이 건(乾)의 무강(无疆)에 합함은 곤의 큼이다. 육이(六二)는 유순(柔順)하고 중정(中正)하며 또 곤도의 순수함을 얻은 자이다. 그러므로 그 덕이 안은 곧고 밖은 방정하며 또 성대하여 배워 익히기를 기다리지 않아도 이롭지 않음이 없는 것이니, 점치는 자가 이러한 덕이 있으면 그 점(占)이 이와 같을 것이다.

象曰 六二之動이 直以方也니 不習无不利는 地道光也라

〈상전〉에 말하였다. "육이(六二)의 동함이 곧고 방정하니, 익히지 않아도 이롭지 않음이 없음은 지도(地道)가 빛남이다."

傳 | 承天而動은 直以方耳니 直方則大矣라 直方之義는 其大无窮이라 地道光顯하여 其功順成하니 豈習而後利哉리오

하늘을 받들어 동함은 곧고 방정함일 뿐이니, 곧고 방정하면 커진다. 직(直)과 방(方)의 뜻은 그 큼이 무궁하므로 지도(地道)가 밝게 드러나 그 공(功)이 순히 이루어지니, 어찌 익힌 뒤에야 이롭겠는가.

六三은 含章可貞이니 或從王事하여 无成有終이니라

육삼(六三)은 아름다움을 머금음(속에 간직함)이 정(貞)할 수 있으니, 혹 왕사(王事; 왕의 일)에 종사하여 이룸이 없고 종말(끝마침)을 두어야 한다.

本義 | 含章可貞이나 或從王事하면 无成有終하리라

아름다움을 머금음이 정(貞)할 수 있으나, 혹 왕사에 종사하면 이룸은 없어도 좋은 종말은 있으리라.

··· 賦 : 줄 부 含 : 머금을 함 章 : 밝을 장 晦 : 어두울 회

傳 | 三居下之上하니 得位者也라 爲臣之道는 當含晦其章美하여 有善則歸之於君이라야 乃可常而得正이니 上无忌惡(오)之心하고 下得柔〔一作恭〕順之道也라 可貞은 謂可貞固守之요 又可以常久而无悔咎〔一作吝〕也라 或從上之事하여 不敢當其成功하고 唯奉事以守其終耳니 守職以終其事〔一有者字〕는 臣之道也라

삼(三)은 하괘(下卦)의 윗자리에 있으니, 지위를 얻은 자이다. 신하가 된 도리는 마땅히 자기의 아름다움을 머금고 감추어서 잘한 것이 있으면 군주에게 돌려야 항상하여 정도(正道)를 얻을 것이니, 이렇게 하면 윗사람은 시기하고 미워하는 마음이 없고, 아랫사람은 유순한 도를 얻는다.

'가정(可貞)'은 정고(貞固)하게 지킬 수 있고 또 항상하고 오래하여도 뉘우침과 허물이 없을 수 있음을 이른다. 혹 윗사람의 일에 종사하여 감히 성공을 차지하지 않고 오직 일을 받들어 끝마침을 지킬 뿐이니, 직분을 지켜 그 일을 끝마치는 것은 신하의 도리이다.

本義 | 六陰、三陽이니 內含章美하여 可貞以守라 然居下之上하여 不終含藏이라 故로 或時出而從上之事면 則始雖无成이나 而後必有終이니 爻有此象이라 故로 戒占者有此德則如此占也라

육(六)은 음효(陰爻)이고 삼(三)은 양위(陽位)이니, 안에 아름다움을 머금어서 성고히 지킬 수 있다. 그러나 하괘(下卦)의 윗자리에 거하여 끝내 머금고 감출 수 없다. 그러므로 혹 때로 나와서 윗사람의 일에 종사하면 처음에는 비록 성공이 없으나 뒤에는 반드시 좋은 종말이 있을 것이니, 효(爻)에 이러한 상(象)이 있다. 그러므로 점치는 자에게 이러한 덕이 있으면 이 점괘와 같다고 경계한 것이다.

象曰 含章可貞이나 以時發也요

〈상전〉에 말하였다. "아름다움을 머금어 정(貞)할 수 있으나 때에 따라 발할 것이요,

傳 | 夫子懼人之守文而不達義也하여 又從而明之하시니라 言爲臣處下之道는 不當有其功善이요 必含晦其美라야 乃正而可常이나 然義所當爲者는 則以時而發이요 不有其功耳라 不失其宜가 乃以時也니 非含藏終不爲也라 含而不爲는 不盡忠

者也니라

부자(공자)는 사람들이 글을 지키기만 하고 뜻을 통달하지 못할까 두려워하여, 다시 따라서 이것을 밝히신 것이다. 신하가 되어 아랫자리에 처하는 도리는 마땅히 자기의 공과 잘한 것을 차지하지 말고, 반드시 그 아름다움을 머금고 감추어야 정고(正固)하고 항상 할 수 있으나 의리상 마땅히 해야 할 경우에는 때에 따라 발할 것이요, 그 공로를 차지하지 않을 뿐이라고 말씀한 것이다. 마땅함을 잃지 않는 것은 때에 따라 하기 때문이니, 머금고 감추어 끝내 하지 않는 것은 아니다. 머금고 하지 않는 것은 충성을 다하지 않는 자이다.

或從王事는 知(智)光大也라

혹 왕사(王事)에 종사함은 지혜가 밝고 큰 것이다."

傳 | 象은 只擧上句로되 解義則幷及下文하니 他卦皆然[58]이라 或從王事而能无成有終者는 是其知(智)之光大也니 唯其知之光大라 故로 能含晦라 淺暗之人은 有善이면 唯恐人之不知하나니 豈能含章也리오

〈상전〉은 다만 윗구만 들었으나 뜻을 해석한 것은 아래 글까지 미쳤으니, 다른 괘도 모두 그러하다. 혹 왕사(王事)에 종사하여 이룸이 없고 종말을 두어야 함은 그 지혜가 밝고 크기 때문이니, 오직 지혜가 밝고 크기 때문에 능히 머금고 감출 수 있는 것이다. 지혜가 얕고 우매한 사람은 잘한 일이 있으면 행여 남이 알지 못할까 두려워하니, 어찌 아름다움을 머금을 수 있겠는가.

六四는 括囊이면 无咎며 无譽리라

육사(六四)는 주머니끈(주머니의 주둥이)을 묶듯이 하면 허물도 없으며 칭찬도 없으리라.

••••••

58 象……他卦皆然 : 〈상전〉에서는 효사 중에 '혹종왕사(或從王事)' 한 구만 언급하였으나, '지혜가 밝고 큼'의 해석은 '혹종왕사 무성유종(无成有終)' 두 구에 적용된다는 말이다. 〈상전〉에서는 이처럼 효사의 일부만 언급하는 경우가 종종 있는데, 〈상전〉의 해석은 효사 전체에 적용되는 것으로 보아야 할 때도 있다. 특히 여기의 '지광대야(知光大也)'는 '혹종왕사'보다 '무성유종'에 방점이 있다.

••• 括 : 맺을 괄 囊 : 주머니 낭

本義 | **括囊**이니

주머니끈을 묶음이니,

傳 | **四居近五之位**하여 **而无相得之義**[59]하니 **乃上下閉隔之時**니 **其自處以正**은 **危疑之地也**라 **若晦藏其知(智)**하여 **如括結囊口而不露**면 **則可得无咎**요 **不然則有害也**라 **旣晦藏**이면 **則无譽矣**라

사(四)가 오(五)와 가까운 자리에 있어 서로 마음이 맞는 뜻이 없으니, 바로 상·하가 막혀있는 때이니, 〈이러한 때에〉 정도(正道)로써 자처함은 위태롭고 의심받을 수 있는 자리이다. 만약 그 지혜를 감추어 주머니끈을 묶듯이 하여 드러내지 않는다면 허물이 없을 것이요, 그렇지 않으면 해로움이 있을 것이다. 이미 감추어 숨는다면 칭찬이 없는 것이다.

本義 | **括囊**은 **言結囊口而不出也**라 **譽者**는 **過實之名**이니 **謹密如是**면 **則无咎而亦无譽矣**리라 **六四**는 **重陰不中**이라 **故**로 **其象占如此**하니 **蓋或事當謹密**이어나 **或時當隱遁也**라

'괄낭(括囊)'은 주머니의 입(주둥이)을 묶어 나오지 못하게 함을 말한다. 예(譽:칭찬)는 실제보다 지나친 이름(명성)이니, 삼가고 치밀함(말조심함)이 이와 같으면 허물도 없고 또한 칭찬도 없을 것이다. 육사효(六四爻)는 거듭된 음(陰)이고 중(中)하지 못하다. 그러므로 그 상(象)과 점(占)이 이와 같으니, 혹 일이 마땅히 삼가고 은밀히 해야 하거나 혹 때가 은둔할 때를 만난 경우이다.

象曰 括囊无咎는 愼不害也라

〈상전〉에 말하였다. "주머니끈을 묶듯이 하면 허물이 없음은 삼가면 해롭지 않은 것이다."

••••••

59 无相得之義:상득(相得)은 마음이 서로 맞는 것으로 사(四)는 대신(大臣)의 자리이고 오(五)는 군주의 자리인데, 오와 사가 음·양이 다르면 대체로 마음이 맞지만 두 효가 모두 양이거나 모두 음이면 서로 맞지 못한다.

••• 隔 : 막힐 격 露 : 드러낼 로 密 : 말조심할 밀 遁 : 숨을 돈(둔)

傳 | 能愼如此면 則无害也라

능히 삼가기를 이와 같이 하면 해가 없는 것이다.

六五는 黃裳이면 元吉이리라

육오(六五)는 황색(黃色) 치마처럼 하면 크게 선(善)하고 길하리라.

本義 | 黃裳이니 元吉하니라

황색 치마이니, 크게 길하다.

傳 | 坤雖臣道나 五實君位라 故로 爲之戒云 黃裳元吉이라하니 黃은 中色이요 裳은 下服이니 守中而居下면 則元吉이니 謂守其分也라 元은 大而善也라 爻象에 唯言守中居下則元吉이라하니 不盡發其義也라 黃裳이 旣元吉이면 則居尊은 爲天下大凶을 可知라 後之人未達하여 則此義晦矣니 不得不辨也라 五는 尊位也니 在他卦엔 六居五가 或爲柔順하고 或爲文明하고 或爲暗弱이나 在坤則爲居尊位라 陰者는 臣道也요 婦道也니 臣居尊位는 羿(예)、莽[60]是也니 猶可言也어니와 婦居尊位는 女媧(왜)氏、武氏[61]是也니 非常之變〔一作大〕이니 不可言也라 故로 有黃裳之戒而不盡言也라 或疑在革엔 湯、武之事도 猶盡言之[62]어늘 獨於此不言은 何也오 曰 廢興은 理之常也요 以陰居尊位는 非常之變也일새라

곤(坤)은 비록 신하의 도리이나 오(五)는 실로 군주의 자리(지위)이다. 그러므로 경계하기를 '황색 치마처럼 하면 크게 선(善)하고 길하리라.'고 말하였으니, 황(黃)

••••••

60 羿莽 : 예(羿)는 후예(后羿)로 하(夏)나라 때 유궁국(有窮國)의 군주였는데, 하후(夏后) 상(相)을 몰아내고 천자의 지위를 찬탈하였다가 가신(家臣)인 한착(寒浞)에게 죽임을 당하였으며, 망(莽)은 왕망(王莽)으로 전한(前漢) 말기 외척으로 황실(皇室)이 미약한 틈을 타 역시 제위(帝位)를 찬탈하고 신(新)나라를 세웠다가 광무제(光武帝) 유수(劉秀)에게 토벌 당하였다.

61 女媧氏武氏 : 여왜씨(女媧氏)는 상고(上古)시대 복희씨(伏羲氏)의 딸로 복희씨를 이어 중국 최초로 여황제가 된 인물이라 하며, 무씨(武氏)는 측천무후(則天武后)로 당 고종(唐高宗)의 후비(后妃)가 되었다가 고종(高宗)이 죽자 제위를 계승한 아들들을 차례로 몰아내고 황제가 된 다음 국호(國號)를 주(周)라 하였다.

62 或疑在革 湯武之事 猶盡言之 : 혁괘(革卦 ䷰)는 개혁과 혁명(革命)을 뜻하는바, 혁괘 〈단전(彖傳)〉에 "하늘과 땅이 개혁하여 사시가 이루어지며 탕왕과 무왕이 혁명(명을 바꿈)하여 하늘을 순히 따르고 사람을 응하였으니, 혁의 때가 크다.〔天地革而四時成, 湯武革命, 順乎天而應乎人, 革之時大矣哉.〕"라고 보이므로 말한 것이다.

••• 裳 : 치마 상 羿 : 사람이름 예 莽 : 풀 망 媧 : 여자이름 왜 廢 : 폐할 폐

은 중앙(토(土))의 색깔이요, 치마는 아래에 입는 옷이다. 중도(中道)를 지키고 아래에 거하면 크게 선하고 길한 것이니, 분수를 지킴을 말한 것이다.

'원(元)'은 크고 선(善)한 것이다. 효(爻)의 상에 오직 '중도를 지키고 아래에 거하면 크게 선하고 길하다.'고만 말하였으니, 그 뜻을 다 밝히지 않은 것이다. 황색 치마가 이미 크게 선하고 길하다면 음(陰)이 존위(尊位 ; 제왕의 자리)에 거함은 천하의 대흉(大凶)이 됨을 알 수 있다. 후세의 사람들이 이것을 통달하지 못하여 이 뜻이 어두워졌으니, 분별하지 않을 수 없다.

오(五)는 존위(尊位)이니, 다른 괘에 있어서는 육(六)이 오(五)에 거함이 혹 유순함이 되고 혹 문명(文明)함이 되고 혹 어둡고 약함이 되나, 곤괘(坤卦)에 있어서는 존위에 거함이 된다. 음은 신하의 도리이고 부인의 도리이니, 신하가 존위에 거한 것은 후예(后羿)와 왕망(王莽)이니 그래도 말할 수 있지만, 부인이 존위에 거한 것은 여왜씨(女媧氏)와 무씨(武氏)가 이것이니, 비상한 변고라서 말할 수 없다. 그러므로 황색 치마의 경계만 있고 다 말하지 않은 것이다.

혹자가 "혁괘(革卦)에 있어서는 탕왕(湯王)과 무왕(武王)의 혁명(革命)한 일도 오히려 다 말하였는데 유독 곤괘에 있어서만 말하지 않은 것은 어째서인가?" 하고 의심하기에, 다음과 같이 대답하였다. "나라가 폐하고 흥함은 이치의 떳떳함이요(떳떳한 이치요), 음으로서 존위에 거함은 비상(非常)한 변고이기 때문이다."

本義 | 黃은 中色이요 裳은 下飾이라 六五以陰居尊하여 中順之德이 充諸內而見(현)於外라 故로 其象如此하고 而其占爲大善之吉也니 占者德必如是면 則其占亦如是矣리라 春秋傳에 南蒯(괴)將叛할새 筮得此爻하고 以爲大吉이라한대 子服惠伯曰 忠信之事則可어니와 不然이면 必敗하리라 外强內溫이 忠也요 和以率貞이 信也라 故로 曰黃裳元吉이라하니 黃은 中之色也요 裳은 下之飾也요 元은 善之長也라 中不忠이면 不得其色이요 下不共(恭)이면 不得其飾이요 事不善이면 不得其極이라 且夫易은 不可以占險이어늘 三者有闕하니 筮雖當이나 未也[63]라하더니 後에 蒯

63 南蒯將叛……未也 : 남괴(南蒯)는 춘추시대 노(魯)나라 사람으로 계손씨(季孫氏)의 사읍(私邑)인 비(費) 땅의 읍재(邑宰)였는데, 계평자(季平子)가 대부(大夫)가 되어 예우하지 않자 비 땅을 가지고 반란을 일으켰다가 실패하고 제(齊)나라로 도망하였다. 《춘추좌씨전》의 기록을 《대전본》에서는 다음과 같이 소개하였다. "《춘추좌씨전》 소공(昭公) 12년, 남괘가 장차 반란을 일으키려 할

… 蒯 : 성 괴 飾 : 꾸밀 식 闕 : 빠질 궐 殃 : 재앙 앙

果敗하니 此可以見占法矣로다

황(黃)은 중앙의 색이요, 치마는 아래의 꾸밈이다. 육오효(六五爻)가 음효로서 존위(尊位)에 거하여 중순(中順)한 덕이 내면에 충적되어 외면에 드러난다. 그러므로 그 상이 이와 같고 그 점이 크게 선(善)한 길함이 되니, 점치는 자의 덕이 반드시 이와 같으면 그 점 또한 이러할 것이다.

《춘추좌씨전》 소공(昭公) 12년에 남괴(南蒯)가 장차 반란을 일으키려 할 적에 점을 쳐서 이 효(爻)를 얻고는 "크게 길하다."고 말하니, 자복혜백(子服惠伯)이 말하기를 "충신(忠信)의 일이라면 괜찮지만 그렇지 않으면 반드시 패할 것이다. 밖은 강하고 안은 온순함이 충(忠)이요, 화(和)로써 정(貞)을 따름이 신(信)이다. 그러므로 말하기를 '황상원길(黃裳元吉)'이라고 하였으니, 황은 중앙의 색이요, 치마는 아래의 꾸밈이요, 원(元)은 선의 으뜸이다. 중심(中心)이 불충(不忠)하면 그 색(色)을 얻지 못한 것이요, 아랫사람이 공손하지 않으면 그 꾸밈을 얻지 못한 것이요, 일이 선하지 않으면 그 극(極)을 얻지 못한 것이다. 또 무릇 역(易)은 험한 것을 점쳐서는 안 되는데, 세 가지가 결함이 있으니, 점(占)이 비록 이에 해당된다 하더라도 안 된다." 하였는데, 뒤에 남괴가 과연 실패하였으니, 여기에서 점치는 법을 볼 수 있다.

象曰 黃裳元吉은 文在中也라

〈상전〉에 말하였다. "'황상원길(黃裳元吉)'은 문(文)이 중(中)에 있기 때문이다."

······

적에 매서(枚筮:점치는 내용을 묻지 않고 점을 치는 것)를 해서, 곤지비(坤☷之比☵☷)를 만나니, 그 점에 황상원길(黃裳元吉)이라 하였으므로, 크게 길할 것이라고 말하였다. 자복혜백이 '……'라고 하였다. 그 주(註)에 다음과 같이 보인다. '외괘인 감괘(坎卦)는 험하므로 강(强)이라고 하였고, 내괘인 곤괘(坤卦)는 순(順)하므로 온순〔溫〕이라고 한 것이다. 강하면서 온순할 수 있으므로 충(忠)이 되는 것이다. 물〔감괘〕은 화(和)하고 흙〔곤괘〕은 편안하니, 이것이 정화(正和)와 정신(正信)의 근본이다. 부역(夫易)은 이 역〔此易〕이라는 말과 같으니, 「이 황상의 점」이라는 말이다. 역의 도는 바르고 크기 때문에 험한 일은 점을 쳐서는 안 되는 것이다.'〔左傳昭公十二年, 南蒯將叛, 枚筮之, 遇坤☷之比☵☷, 曰黃裳元吉, 以爲大吉. 子服惠伯云云. 註, 坎外卦險, 故强. 坤內卦順, 故溫. 强而能溫, 所以爲忠. 水和而土安, 正和正信之本也. 夫易, 猶言此易, 謂此黃裳之占. 易道正大, 故險事不可以占.〕"

傳 | 黃은 中之文이요 在中은 不過也라 內積至美而居下라 故로 爲元吉이라

'황(黃)'은 중앙의 문채(색)요, 중(中)에 있음은 지나치지 않음이다. 안에 지극한 아름다움을 쌓고 아랫자리에 거하였으므로 '원길(元吉)'이라 한 것이다.

本義 | 文在中而見於外也라

문(文)이 속에 있어서 밖에 드러나는 것이다.

上六은 龍戰于野하니 其血이 玄黃이로다

상육(上六)은 룡(龍)이 들에서 싸우니, 그 피가 검고 누렇도다.

傳 | 陰은 從陽者也라 然이나 盛極則抗而爭이라 六旣極矣하니 復進不已則必戰이라 故로 云戰于野라하니 野는 謂進至於外也라 旣敵矣면 必皆傷이라 故로 其血玄黃이라

음은 양을 따르는 자이다. 그러나 성(盛)함이 지극하면 항거하여 다툰다. 육(六)이 이미 극에 있으니, 다시 나아가 그치지 않으면 반드시 양과 싸울 것이다. 그러므로 들에서 싸운다고 말하였으니, 들은 나아가 밖에 이름을 말한다. 〈음이〉 이미 양과 대등해지면 반드시 싸워 〈음과 양이〉 모두 상한다. 그러므로 그 피가 검고 누른 것이다.

本義 | 陰盛之極하여 至與陽爭하여 兩敗俱傷하니 其象如此라 占者如是면 其凶可知라

음의 성함이 지극하여 양과 다툼에 이르러 둘이 모두 패하고 함께 상하니, 그 상(象)이 이와 같다. 점치는 자가 이와 같으면 그 흉함을 알 수 있다.

象曰 龍戰于野는 其道窮也라

〈상전〉에 말하였다. "룡이 들에서 싸움은 그 도가 궁극한 것이다."

傳 | 陰盛하여 至於窮極이면 則必爭而傷也라

음이 성하여 궁극함에 이르면 반드시 다투어 상한다.

用六은 利永貞하니라

육(六)을 씀은 영구(永久)하고 정고(貞固)함이 이롭다.

傳 | 坤之用六은 猶乾之用九하니 用陰之道也라 陰道柔而難常이라 故로 用六之道 利在常永貞固하니라

곤괘의 용육(用六)은 건괘의 용구(用九)와 같으니, 음(陰)을 쓰는 방법이다. 음의 도는 유순하여 항상하기 어렵다. 그러므로 육(六)을 쓰는 방법은 이로움이 상영(常永 ; 항상하고 오래함)하고 정고함에 있는 것이다.

本義 | 用六은 言凡得陰爻者 皆用六而不用八하니 亦通例也라 以此卦純陰而居首라 故로 發之하니 遇此卦而六爻俱變者는 其占如此辭라 蓋陰柔而不能固守호되 變而爲陽이면 則能永貞矣라 故로 戒占者以利永貞하니 卽乾之利貞也라 自坤而變故로 不足於元亨云이라

용육(用六)은 무릇 음효를 얻은 자는 모두 육(六)을 쓰고 팔(八)을 쓰지 않음을 말했으니, 이 또한 통례이다. 이 괘는 순음(純陰)이면서 첫 번째에 거하였다(있다). 그러므로 이것을 밝힌 것이니, 이 괘를 만나고 여섯 효가 모두 변한 자는 그 점(占)이 이 말과 같은 것이다. 음유(陰柔)여서 굳게 지키지 못하는데, 변하여 양이 되면 영구(永久)하고 정고할 것이다. 그러므로 점치는 자에게 '영구하고 정고함이 이롭다.'고 경계하였으니, 건괘(乾卦)의 이정(利貞)과 같다. 곤(坤)으로부터 〈건으로〉 변하였다. 그러므로 원형(元亨)에는 부족한 것이다.

象曰 用六永貞은 以大終也라

〈상전〉에 말하였다. "'용육영정(用六永貞)'은 종말을 성대히 하는 것이다."

傳 | 陰旣貞固不足이면 則不能永終이라 故로 用六之道 利在盛大於終하니 能大於終이라야 乃永貞也라

음(陰)이 이미 정고함이 부족하면 영구히 끝마치지 못한다. 그러므로 용육(用六)의 도(道)가 이로움이 종말을 성대하게 함에 있는 것이니, 능히 종말을 성대하게 하여야 비로소 영구하고 정고할 수 있다.

本義 | 初陰後陽이라 故로 曰大終이라

처음은 음이고 뒤에는 양이 되었다. 그러므로 종말을 크게 했다고 말한 것이다.

[1절] **文言曰 坤은 至柔而動也剛하고 至靜而德方하니**

〈문언전(文言傳)〉에 말하였다. 곤괘(坤卦)는 지극히 유순하나 동함이 강(剛)하고, 지극히 고요하나 덕(德)이 방정(方正)하니,

本義 | 剛方은 釋牝馬之貞也니 方은 謂生物有常이라

강(剛)과 방(方)은 '빈마지정(牝馬之貞)'을 해석한 것이니, 방(方)은 물건을 낳음에 떳떳(항상)함이 있음을 말한다.

後得하여 主[利]而有常하며

뒤에 하면 얻어서 이로움을 주장하여 떳떳함이 있으며,

本義 | 程傳曰 主下에 當有利字라

《정전(程傳)》에 "주(主) 자 아래에 마땅히 이(利) 자가 있어야 한다." 하였다.

含萬物而化光하니

만물을 포용하여 공화(功化)가 빛나니,

本義 | 復明亨義라

다시 형(亨)의 뜻을 밝혔다.

坤道其順乎인저 承天而時行하나니라

곤도(坤道)가 순하구나! 하늘을 받들어 때로 행한다.

傳 | 坤道至柔而其動則剛하고 坤體至靜而其德則方하니 動剛故로 應乾不違하고 德方故로 生物有常이라 陰之道는 待唱而和라 故로 居後爲得하여 而主利成萬物하니 坤之常也요 含容萬類하니 其功化光大也라 主字下에 脫利字라 坤道其順乎

承天而時行은 承天之施하여 行不違時하니 贊坤道之順也라

곤도가 지극히 유순하나 그 동함은 강하고, 곤체(坤體)가 지극히 고요하나 그 덕은 방정하니, 동함이 강하므로 건(乾)에 응하여 어기지 않고, 덕이 방정하므로 물건을 낳음에 떳떳함(항상함)이 있는 것이다. 음의 도는 양이 선창하기를 기다려 화답한다. 그러므로 뒤에 거함이 음의 도를 얻음이 되어서 이로움을 주장하여 만물을 이루어주니 이는 곤(坤)의 떳떳함이요, 만류(萬類)를 포함하여 용납하니 그 공화(功化)가 빛나고 크다. 주(主) 자 아래에 이(利) 자가 빠졌다. '곤도기순호 승천이시행(坤道其順乎 承天而時行)'은 하늘의 베풂을 받들어서 행함이 때를 어기지 않는 것이니, 이는 곤도(坤道)의 순함을 찬양한 것이다.

本義 | 復明順承天之義라

○ 此以上은 申彖傳之意하니라

다시 하늘을 순히 받드는 뜻을 밝혔다.

○ 이 이상은 〈단전(彖傳)〉의 뜻을 거듭 밝힌 것이다.

[2절] **積善之家**는 **必有餘慶**하고 **積不善之家**는 **必有餘殃**하나니 **臣弑其君**하며 **子弑其父**가 **非一朝一夕之故**라 **其所由來者漸矣**니 **由辨之不早辨也**니 **易曰履霜堅冰至**라하니 **蓋言順也**라

선(善)을 쌓은 집안은 반드시 남은(후손의) 경사가 있고, 불선(不善)을 쌓은 집안은 반드시 남은 재앙이 있으니, 신하가 군주를 시해하며 자식이 아비를 시해하는 것은 하루아침과 하룻저녁의 변고가 아니요, 그 말미암아 온 것이 점진한 것이니, 분변하기를 일찍 분변하지 않음에서 말미암은 것이다. 역(易)에 이르기를 '서리를 밟으면 단단한 얼음이 이른다.' 하였으니, 이는 순차적임을 말한 것이다.

本義 | **順**은 **當作愼**이라

순(順)은 마땅히 신(愼)이 되어야 한다.

傳 | 天下之事 未有不由積而成하니 家之所積者善이면 則福慶及於子孫하고 所積不善이면 則災殃流於後世라 其大至於弑逆之禍라도 皆因積累而至요 非朝夕

··· 殃 : 재앙 앙 弑 : 죽일 시 累 : 여러 루 早 : 일찍 조 蕃 : 무성할 번 閉 : 닫을 폐

所能成也라 明者則知漸不可長하고 小積成大하여 辨之於早하여 不使順長이라 故로 天下之惡이 无由而成하니 乃知霜冰之戒也라 霜而至於〔一无於字〕冰하고 小惡而至於〔一无於字〕大는 皆事勢之順長也라

천하의 일이 쌓음으로 말미암아 이루어지지 않음이 없으니, 집안에서 쌓은 것이 선(善)이면 복경(福慶)이 자손에게 미치고, 쌓은 것이 불선(不善)이면 재앙이 후세에 흐른다. 그 큰 악(惡)으로 시역(弑逆)의 화(禍)에 이르더라도 모두 쌓고 여러 번 함으로 인하여 이루어지는 것이요, 하루아침과 하룻저녁에 이루어지는 것이 아니다. 지혜가 밝은 자는 점진함을 자라게 해서는 안 되며 작은 것이 쌓여 큰 것을 이룸을 알아서, 조기(早期)에 분변하여 순차적으로 자라지 못하게 한다. 그러므로 천하의 악이 말미암아 이루어지지 않는 것이니, 이것은 바로 서리를 밟으면 얼음이 이르는 경계를 안 것이다. 서리가 얼음에 이르고 작은 악이 큰 악에 이름은 모두 사세가 순차적으로 자라는 것이다.

本義｜ 古字에 順愼通用하니 按此當作愼이니 言當辨之於微也라

고자(古字)에 순(順)과 신(愼)을 통용하였으니, 살펴보면 이 순(順) 자는 마땅히 신(愼)이 되어야 하니, 은미할 때에 마땅히 분변해야 함을 말한 것이다.

直은 其正也요 方은 其義也니 君子敬以直內하고 義以方外하여 敬義立而德不孤하나니 直方大 不習无不利는 則不疑其所行也라

'직(直)'은 그 바름이요 '방(方)'은 그 의로움이니, 군자가 경(敬)하여 그 안(마음)을 곧게 하고 의로워 밖을 방정하게 해서, 경(敬)과 의(義)가 확립되면 덕이 외롭지 않으니(성대해지니), '직방대 불습무불리(直方大 不習无不利)'는 그 행하는 바를 의심하지 않는 것이다.

傳｜ 直은 言其正也요 方은 言其義也라 君子主敬以直其內하고 守義以方其外하여 敬立而〔一作則〕內直하고 義形而〔一作則〕外方하니 義는 形於外요 非在外也라 敬、義旣立이면 其德盛矣니 不期大而大矣니 德不孤也라 无所用而不周하고 无所施而不利하니 孰爲疑乎아

'직(直)'은 그 바름을 말하고, '방(方)'은 그 의로움을 말한다. 군자가 경(敬)을 주장하여 안(마음)을 곧게 하고 의(義)를 지켜 밖을 방정하게 하니, 경이 확립되어 안이 곧아지고 의가 나타나 밖이 방정해지니, 의가 밖에 나타나는 것이요 밖에 있는 것은 아니니다. 경과 의가 이미 확립되면 그 덕이 성대(盛大)해지니, 커지기를 기대하지 않아도 커지므로 덕이 외롭지 않은 것이다. 쓰는 것마다 두루하지 않음이 없고 베푸는 바마다 이롭지 않음이 없으니, 어찌 의심할 것이 있겠는가.

本義 | 此는 以學而言之也라 正은 謂本體요 義는 謂裁制요 敬則本體之守也라 直內方外는 程傳에 備矣라 不孤는 言大也라 疑故로 習而後利니 不疑則何假於習이리오

이는 학문으로써 말한 것이다. '정(正)'은 본체(本體)를 이르고 '의(義)'는 재제(裁制)를 이르며, '경(敬)'은 본체를 지키는 것이다. '직내방외(直內方外)'의 뜻은 《정전》에 자세히 구비하였다. '불고(不孤)'는 큼을 말한 것이다. 의심하기 때문에 익힌 뒤에 이로운 것이니, 의심하지 않는다면 어찌 익힐 필요가 있겠는가.

陰雖有美나 含之하여 以從王事하여 弗敢成也니 地道也며 妻道也며 臣道也니 地道는 无成而代有終也니라

음(陰)은 비록 아름다움이 있으나 이를 머금고서 왕사(王事)에 종사하여 감히 이루지 말아야 하니, 이것이 땅의 도이며 아내의 도이며 신하의 도이니, 땅의 도는 이룸이 없고 대신하여 끝마침이 있는 것이다.

傳 | 爲下之道는 不居其功하고 含晦其章美하여 以從王事하여 代上以終其事로되 而不敢有其成功也니 猶地道代天終物이로되 而成功則主於天也라 妻道亦然하니라

아랫사람이 된 도리는 그 공을 자처하지 않고, 자신의 아름다움을 머금고 숨겨 왕사(王事)에 종사해서 윗사람을 대신해 그 일을 끝마치되 그 성공을 차지하지 않아야 하니, 땅의 도가 하늘을 대신하여 물건을 끝마치나 성공은 하늘을 주장하는 것과 같다. 아내의 도 또한 그러하다.

天地變化하면 草木蕃하고 天地閉하면 賢人隱하나니 易曰括囊无咎无譽라하니 蓋言謹也라

천지가 〈조화로워〉 변화하면 초목이 번성하고 천지가 닫히면 현인(賢人)이 은둔하니, 역(易)에 이르기를 '주머니끈을 묶듯이 하면 허물도 없고 칭찬도 없다.' 하였으니, 삼가야 함을 말한 것이다.

傳 | 四居上하여 近君而无相得之義라 故로 爲隔絶之象이라 天地交感이면 則變化萬物하여 草木蕃盛하고 君臣相際而道亨하며 天地閉隔이면 則萬物不遂하고 君臣道絶하여 賢者隱遯이라 四於閉隔之時에 括囊晦藏이면 則雖无令譽나 可得无咎니 言當謹自守也라

사(四)가 위(상체(上體))에 거하여 군주와 가까운데 서로 맞는 뜻이 없다. 그러므로 막히고 끊긴 상(象)이 된다. 하늘과 땅이 서로 감동하면 만물이 변화하여 초목이 번성하고 임금과 신하가 서로 사귀어 도(道)가 형통하며, 하늘과 땅이 막히고 닫히면 만물이 이루어지지 못하고 군주와 신하의 도가 끊기어 현자(賢者)가 은둔한다. 사(四)가 닫히고 막힌 때에 주머니끈을 묶듯이 하여 숨기고 감추면 비록 훌륭한 명예가 없으나 허물이 없을 수 있으니, 마땅히 삼가서 스스로 지켜야 함을 말한 것이다.

君子黃中通理하여

군자가 황(黃)이 중심(中心)에 있으면서 이치에 통하여

本義 | 黃中은 言中德在內니 釋黃字之義也라

황중(黃中)은 중덕(中德)이 안에 있음을 말하니, 황(黃) 자의 뜻을 해석한 것이다.

正位居體하여

바른 자리에서 하체(下體;아래)에 거하여

本義 | 雖在尊位나 而居下體하니 釋裳字之義也라

비록 존위(尊位)에 있으나 하체에 거하였으니, 상(裳) 자의 뜻을 해석한 것이다.

… 嫌 : 혐의할 혐 偕 : 함께 해 鈞 : 고를 균 敵 : 필적할 적

美在其中하여 **而暢於四支**하며 **發於事業**하나니 **美之至也**라

아름다움이 이 가운데에 있어서 사지(四支)에 창달하며 사업에 나타나니, 아름다움이 지극하다.

傳｜ 黃中은 文居中也니 君子文中而達於理하고 居正位而不失爲下之體라 五는 尊位로되 在坤則惟〔一作故惟〕取中正之義라 美積於中하여 而通暢於四體하고 發見(현)於事業은 德美之至盛也라

황중(黃中)은 문채가 가운데(중심)에 있는 것이니, 군자는 문채가 가운데에 있으면서 이치를 통달하며, 바른 자리에 거하여 아랫사람이 된 체(體)를 잃지 않는다. 오(五)는 존위(尊位)이나 곤괘(坤卦)에 있어서는 오직 중정(中正)의 뜻만을 취하였다. 아름다움이 가운데에 쌓여 사체(四體;사지)에 통창하고 사업에 나타남은 덕의 아름다움이 지극히 성(盛)한 것이다.

本義｜ 美在其中은 復釋黃中이요 暢於四體는 復釋居體라

'미재기중(美在其中)'은 다시 황중(黃中)을 해석하였고, '창어사체(暢於四體)'는 다시 거체(居體)를 해석하였다.

陰疑於陽하면 **必戰**하나니 **爲其嫌於无陽也**라 **故**로 **稱龍焉**하고 **猶未離其類也**라 **故**로 **稱血焉**하니 **夫玄黃者**는 **天地之雜也**니 **天玄而地黃**하니라

음이 양과 대등해지면 반드시 싸우니, 양이 없다고 혐의할까 염려하였으므로 룡(龍)이라 칭하였고, 〈음이〉 아직 그 종류를 떠나지 않았으므로 피〔血〕라고 칭하였으니, 저 검고 누른 것은 하늘과 땅의 〈색깔이〉 뒤섞인 것이니, 하늘은 검고 땅은 누르다.

傳｜ 陽大陰小하여 陰必從陽하나니 陰既盛極하여 與陽偕矣면 是疑於陽也니 不相從則必戰이라 卦雖純陰이나 恐疑无陽이라 故로 稱龍하니 見(현)其與陽戰也라 于野는 進不已而至於外也니 盛極而進不已면 則戰矣라 雖盛極이나 不離陰類也어늘 而與陽爭하니 其傷可知라 故로 稱血이라 陰既盛極하여 至與陽爭이면 雖陽이나

不能无傷이라 故로 其血玄黃이라 玄黃은 天地之色이니 謂皆傷也라

양(陽)은 크고 음(陰)은 작아서 음이 반드시 양을 따르는데, 음의 성함이 이미 지극하여 양과 같아지면 이는 양과 대등해지는 것이니, 서로 〈대등하여 음이 양을〉 따르지 않으면 반드시 싸운다.

이 괘는 비록 순음(純陰)이나 양이 없다고 의심할까 두려워하였다. 그러므로 룡(龍)이라 칭하였으니, 〈음이〉 양과 싸움을 나타낸 것이다. '우야(于野)'는 나아가 그치지 않아 밖에 이르는 것이니, 음의 성함이 지극한데도 나아가 그치지 않는다면 〈양과〉 싸우게 된다. 비록 음의 성함이 지극하나 음의 류(類)를 아직 떠나지 않았는데 양과 더불어 다투니, 그 상함을 알 수 있다. 그러므로 피라고 칭한 것이다. 음이 이미 지극히 성(盛)하여 양과 다투니, 비록 양이라도 상함이 없을 수 없다. 그러므로 그 피가 검고 누른 것이다. 검고 누른 것은 하늘과 땅의 색깔이니, 음과 양이 모두 상함을 말한 것이다.

本義 | 疑는 謂鈞敵而无小大之差也라 坤雖无陽이나 然陽未嘗无也라 血은 陰屬이니 蓋氣陽而血陰也라 玄黃은 天地之正色이니 言陰陽皆傷也라

○ 此以上은 申象傳之意하니라

'의(疑)'는 비슷하고 대등하여 크고 작음의 차이가 없음을 말한다. 곤(坤)은 비록 양효(陽爻)가 없으나 양이 일찍이 없는 것은 아니다. 피는 음의 등속이니, 기운은 양이고 피는 음이다. 검고 누른 것은 하늘과 땅의 바른 색깔이니, 음과 양이 모두 상함을 말한 것이다.

○ 이 이상은 〈상전(象傳)〉의 뜻을 거듭 밝힌 것이다.

3 수뢰 水雷 준(屯)[64] ䷂ 진하감상 震下坎上

傳 | 屯은 序卦曰〔一无日字〕有天地然後에 萬物生焉하니 盈天地之間者 惟萬物이라 故受之以屯하니 屯者는 盈也요 屯者는 物之始生也라하니라 萬物始生하여 鬱結未通이라 故로 爲盈塞於天地之間하니 至通暢茂盛이면 則塞意亡矣라 天地生萬物하니 屯은 物之始生이라 故로 繼乾、坤之後라 以二象言之하면 雲雷之興은 陰陽始交也요 以二體言之하면 震始交於下하고 坎始交於中하니 陰陽相交라야 乃成雲雷라 陰陽始交하여 雲雷相應而未成澤이라 故로 爲屯이니 若已成澤則爲解也[65]라 又動於險中하니 亦屯之義라 陰陽不交則爲否(비)요 始交而未暢則爲屯이니 在時則天下屯難未亨泰之時也라

준괘(屯卦)는 〈서괘전(序卦傳)〉에 "하늘(건)과 땅(곤)이 있은 뒤에 만물이 생겨나니, 하늘과 땅 사이에 꽉 찬 것이 만물이다. 그러므로 준괘로 받았으니, 준(屯)은 가득함이요 준은 물건(식물)이 처음 나온 것이다." 하였다. 만물이 처음 나와 꽉 막혀서 통창(通暢)하지 못하므로 하늘과 땅 사이에 가득차 막힘이 되었으니, 통창하고 무성함에 이르면 막힌 뜻이 없어진다. 천지가 만물을 내니, 준(屯)은 물건이 처음 나온 것이다. 그러므로 건(乾) · 곤(坤)의 뒤를 이은 것이다.

두 상(象)으로써 말하면 구름과 우레가 일어남은 음과 양이 처음 사귄 것이요, 두 체(體)로써 말하면 진(震 ☳)이 처음 아래에서 사귀고 감(坎 ☵)이 처음 가운데에서 사귀었으니, 음과 양이 서로 사귀어야 구름과 우레를 이룬다. 음과 양이 처음 사귀어서 구름과 우레가 서로 응하였으나 택(澤;비)을 이루지 못했으므로 준(屯)이 된 것이니, 만일 이미 택(澤)을 이루었으면 해괘(解卦 ䷧)가 된다. 또 험한

64 준(屯):《언해》에는 둔(屯)으로 되어 있으나, 《본의(本義)》에 "屯, 張倫反."이라고 되어 있으므로 《본의》의 음을 따라 준으로 표기하였다.

65 若已成澤則爲解也 : 수(水 ☵)·뢰(雷 ☳)는 구름과 우레여서 준괘(屯卦 ䷂)인 반면, 뢰(雷 ☳)·(水 ☵)는 이미 비를 이루어 해괘(解卦 ䷧)가 됨을 말한 것이다.

··· 屯 : 어려울 준 盈 : 가득찰 영 鬱 : 막힐 울 塞 : 막힐 색 坎 : 구덩이 감

가운데에서 동(動)하니 또한 준(屯)의 뜻이다. 음과 양이 사귀지 않으면 비괘(否卦 ䷋)가 되고, 처음 사귀되 통창하지 않으면 준괘(屯卦)가 되니, 시대에 있어서는 천하가 어려워 형통하지 못하는 때이다.

屯은 **元亨**하고 **利貞**하니 **勿用有攸往**이요 **利建侯**하니라

준(屯)은 크게 형통하고 정(貞)함이 이로우니, 갈 바를 두지 말고 후(侯)를 세움이 이롭다.

傳 | 屯은 有大亨之道로되 而處之는 利在貞〔一作正〕固하니 非貞固면 何以濟屯이리오 方屯之時하여 未可有所往也라 天下之屯을 豈獨力所能濟리오 必廣資輔助라 故로 利建侯也라

준(屯)은 크게 형통할 방도가 있으나 이에 대처함은 이로움이 정고(貞固:정도(正道)를 굳게 지킴)에 있으니, 정고가 아니면 어떻게 어려움을 구제하겠는가? 준(屯:어려움)의 때를 당하여 가는 바를 두어서는 안 된다. 천하의 어려움을 어찌 혼자의 힘으로 구제할 수 있겠는가? 반드시 널리 보조함을 얻어야 한다. 그러므로 후(侯)를 세움이 이로운 것이다.

本義 | 震、坎은 皆三畫卦之名이라 震은 一陽이 動於二陰之下라 故로 其德이 爲動이요 其象이 爲雷며 坎은 一陽이 陷於二陰之間이라 故로 其德이 爲陷, 爲險이요 其象이 爲雲, 爲雨, 爲水라 屯은 六畫卦之名也니 難也니 物始生而未通之意라 故로 其爲字 象屮(草)穿地始出而未申也라 其卦以震遇坎하니 乾坤始交而遇險陷이라 故로 其名爲屯이라 震動在下하고 坎險在上하니 是能動乎險中이니 能動이면 雖可以亨이나 而在險이면 則宜守正而未可遽進이라 故로 筮得之者는 其占이 爲大亨而利於正이로되 但未可遽有所往耳라 又初九는 陽居陰下而爲成卦之主하니 是能以賢下人하여 得民而可君之象이라 故로 筮立君者 遇之則吉也라

진(震☳)과 감(坎☵)은 모두 3획괘의 이름이다. 진(震)은 한 양(陽)이 두 음(陰)의 아래에서 동하므로 그 덕(德)은 동함이 되고 그 상(象)은 우레가 되며, 감(坎)은 한 양이 두 음의 사이에 빠져 있으므로 그 덕은 빠짐이 되고 험함이 되며 그 상은 구름이 되고 비가 되고 물이 된다. 준(屯)은 6획괘의 이름이니 어려움이니, 물건

··· 陷 : 빠질 함 穿 : 뚫을 천 艱 : 어려울 간

이 처음 나와서 아직 펴지지 못한 뜻이다. 그러므로 그 글자됨이 풀이 땅을 뚫고 처음 나와 아직 펴지지 못한 것을 본뜬 것이다.

이 괘(卦)는 진(震)이 감(坎)을 만났으니, 건(乾)·곤(坤)이 처음 사귀어 험함(險陷)을 만났다. 그러므로 그 이름을 준(屯)이라 한 것이다. 진동(震動)이 아래에 있고 감험(坎險)이 위에 있으니, 이는 험한 가운데 동함이다. 능히 동하면 비록 형통할 수 있으나 험한 가운데에 있으면, 마땅히 정도(正道)를 지킬 것이요 갑자기 나아가서는 안 된다. 그러므로 점을 쳐서 이 괘를 얻은 자는 그 점(占)이 크게 형통하고 정도를 지킴이 이로우나 다만 갑자기 가는 바를 두어서는 안 되는 것이다. 또 초구(初九)는 양이 음의 아래에 있어서 괘를 이룬 주체가 되었으니, 이는 현자(賢者)로서 남에게 몸을 낮추어 백성(민심)을 얻어 군주가 될 수 있는 상이다. 그러므로 군주를 세우는 것을 점치는 자가 이 괘를 만나면 길한 것이다.

彖曰 屯은 剛柔始交而難生하며

〈단전(彖傳)〉에 말하였다. "준(屯)은 강(剛)과 유(柔)가 처음 사귀어 어려움이 생겼으며,

本義 | 以二體로 釋卦名義라 始交는 謂震이요 難生은 謂坎이라

두 체(體;진(震)과 감(坎))로써 괘명(卦名)의 뜻을 해석하였다. 처음 사귀었다는 것은 진(震)을 이르고, 어려움이 생겼다는 것은 감(坎)을 이른다.

動乎險中하니

험한 가운데에 동하니,

傳 | 以雲雷二象言之하면 則剛柔始交也요 以坎震二體言之하면 動乎險中也라 剛柔始交하여 未能通暢이면 則艱屯이라 故云難生이요 又動於險中하니 爲艱屯之義라

구름과 우레 두 상(象)으로써 말하면 강(剛)과 유(柔)가 처음 사귄 것이고, 감(坎)과 진(震) 두 체(體)로써 말하면 험한 가운데에 동한 것이다. 강과 유가 처음 사귀어 통창하지 못하면 어렵다. 그러므로 어려움이 생겼다고 말한 것이고, 또 험한 가운데에 동하니 어려운 뜻이 된다.

大亨貞은

크게 형통하고 정(貞)함은

本義 | 大亨貞이니라

크게 형통하고 정(貞)하다

本義 | 以二體之德으로 釋卦辭라 動은 震之爲也요 險은 坎之地也라 自此以下로 釋元亨利貞에 乃用文王本意[66]하니라

두 체(體)의 덕으로 괘사(卦辭)를 해석하였다. '동(動)'은 진(震)이 하는 것이고 '험(險)'은 감(坎)의 자리이다. 이 이하는 원형이정(元亨利貞)을 해석할 적에 문왕(文王)의 본의(本意)를 사용하였다.

雷雨之動이 滿盈일새라

우레와 비의 동(動)함이 가득하기 때문이다.

本義 | 滿盈하여

우레와 비의 동함이 가득하여

傳 | 所謂大亨而貞〔一作正〕者는 雷雨之動이 滿盈也일새라 陰陽始交則艱屯하여 未能通暢이요 及其和洽則成雷雨하여 滿盈於天地之間하여 生物乃遂하니 屯有大亨之道也라 所以能大亨은 由夫〔一无夫字〕貞也니 非貞固면 安能出屯이리오 人之處屯에 有致大亨之道하니 亦在夫〔一无夫字〕貞固也라

이른바 '크게 형통하고 정(貞)하다.'는 것은 우레와 비의 동함이 가득하기 때문이다. 음과 양이 처음 사귀면 어려워 통창하지 못하고, 화합함에 이르면 우레와 비를 이루어 천지의 사이에 가득하여 물건을 냄이 이에 이루어지니, 준(屯)에 크게 형통할 방도가 있는 것이다. 크게 형통하는 까닭은 정(貞)하기 때문이니, 정고

······

66 釋元亨利貞 乃用文王本意 : 원형이정(元亨利貞)을 주자는 '크게 형통하고 정(貞)함이 이롭다.'고 해석하는 것이 문왕(文王)의 본의라고 보았으나, 앞의 〈단전(彖傳)〉에는 건괘와 곤괘에 모두 사덕(四德)으로 풀이하였다. 그러나 준괘부터는 〈단전〉 역시 '크게 형통하고 정(貞)함이 이롭다.'고 해석하였으므로 말한 것이다.

(貞固)함이 아니면 어떻게 어려움에서 벗어나겠는가. 사람이 어려움에 처할 때에 크게 형통함을 이루는 방도가 있으니, 이 또한 정고함에 달려있는 것이다.

天造草昧에는 宜建侯요 而不寧이니라

천조(天造;시운, 또는 천운)가 어지럽고 어두울 때에는 마땅히 후(侯;제후)를 세우고 편안히 여기지 말아야 한다."

本義 | 天造草昧라

천조(天造)가 어지럽고 어두우므로 마땅히 후(侯)를 세우고 편안히 여겨서는 안 된다.

傳 | 上文은〔一有旣字〕言天地生物之義하고〔一有是以字〕此는 言時事라 天造는 謂時運也라 草는 草亂无倫序요 昧는 冥昧不明이라 當此時運하여 所宜建立輔助면 則可以濟屯이요 雖建侯自輔나 又當憂勤兢畏하여 不遑寧處니 聖人之深戒也라

윗글은 천지가 물건을 낳는 뜻을 말하였고, 이 글은 때의 일을 말한 것이다. 천조(天造)는 시운을 말한다. '초(草)'는 혼란하여 질서가 없는 것이고, '매(昧)'는 어두워서 밝지 못한 것이다. 이런 시운을 당하여 보조하는 사람을 세우면 어려움을 구제할 것이요, 비록 제후(諸侯)를 세워 스스로 돕게 하더라도 또 마땅히 걱정하고 힘쓰고 조심하여 편안히 거처할 겨를이 없어야 하니, 이는 성인의 깊은 경계이다.

本義 | 以二體之象으로 釋卦辭라 雷는 震象이요 雨는 坎象이라 天造는 猶言天運이라 草는 雜亂이요 昧는 晦冥也라 陰陽交而雷雨作하여 雜亂晦冥하여 塞乎兩間하여 天下未定하고 名分未明하니 宜立君以統治요 而未可遽謂安寧之時也라 不取初九爻義者는 取義多端하니 姑擧其一也라

두 체(體)의 상(象)으로써 괘사를 해석하였다. 우레는 진(震)의 상이고, 비는 감(坎)의 상이다. 천조(天造)는 천운이란 말과 같다. '초(草)'는 잡란(雜亂)함이고, '매(昧)'는 어두움이다. 음과 양이 사귀어 우레와 비가 일어나서 잡란하고 깜깜하여 하늘과 땅 두 사이를 꽉 막아서 천하가 아직 안정되지 못하고 명분이 아직 밝아지지 못하니, 마땅히 군주를 세워 통치하게 할 것이요, 대번에 안녕(安寧)한 때라고 생각해서는 안 된다. 초구효(初九爻)의 뜻을 취하지 않은 것은 뜻을 취함이 여러

••• 遑 : 겨를 황 晦 : 어두울 회 冥 : 어두울 명 遽 : 급할 거 洽 : 합할 흡

가지이니, 우선 그 한 가지를 든 것이다.

※《정전》彖曰 屯은 剛柔始交而難生하며 動乎險中하니 大亨貞은 雷雨之動이 滿盈일새라 天造草昧에는 宜建侯요 而不寧이니라

–〈단전(彖傳)〉에 말하였다. "준(屯)은 강(剛)과 유(柔)가 처음 사귀어 어려움이 생겼으며, 험한 가운데에 동하니, 크게 형통하고 정(貞)함은 우레와 비의 동(動)함이 가득하기 때문이다. 천조(天造;시운)가 어지럽고 어두울 때에는 마땅히 후(侯;제후)를 세우고 편안히 여기지 말아야 한다."

《본의》彖曰 屯은 剛柔始交而難生하며 動乎險中하니 大亨貞이니라 雷雨之動이 滿盈하여 天造草昧엔 宜建侯요 而不寧이니라

–〈단전〉에 말하였다. "준(屯)은 강(剛)과 유(柔)가 처음 사귀어 어려움이 생겼으며, 험한 가운데에 동하니, 크게 형통하고 정(貞)하다. 우레와 비의 동함이 가득하여 천조(天造)가 어지럽고 어두우므로 마땅히 후(侯)를 세우고 편안히 여겨서는 안 되는 것이다.

象曰 雲雷屯이니 君子以하여 經綸하나니라

〈상전(象傳)〉에 말하였다. "구름과 우레가 준(屯)이니, 군자가 보고서 경륜(經綸)을 한다."

傳｜ 坎을 不云雨而云雲者는 雲은 爲雨而未成者也니 未能成雨하니 所以爲屯이라 君子觀屯之象하여 經綸天下之事하여 以濟於屯〔一无屯字〕難이라 經緯, 綸緝은 謂營爲也라

감(坎)을 비라고 말하지 않고 구름이라고 말한 것은 구름은 비가 되려고 하나 아직 비를 이루지 못한 것이니, 비를 이루지 못했기 때문에 준(屯)이라 한 것이다. 군자가 준(屯)의 상(象)을 보고서 천하의 일을 경륜하여 어려움을 구제한다. 경위(經緯)와 윤집(綸緝;실을 합치고 이어감)은 경영함을 이른다.

本義｜ 坎을 不言水而言雲者는 未通之意라 經綸은 治絲之事니 經은 引之요 綸은

··· 兢 : 조심할 긍 綸 : 다스릴 륜

理之也라 屯難之世는 君子有爲之時也라

감(坎)을 물이라고 말하지 않고 구름이라고 말한 것은 아직 통창하지 못한 뜻이다. 경륜(經綸)은 실을 다스리는 일이니, '경(經)'은 실을 길게 늘임이요 '륜(綸)'은 실을 다스림이다. 어려운 세상은 군자가 큰 일을 할 수 있는 때이다.

初九는 磐桓이니 利居貞하며 利建侯[67]하니라

초구(初九)는 반환(磐桓;주저)함이니, 정(貞)에 거함이 이로우며 후(侯)를 세움이 이롭다.

본의 | 서서 후(侯)가 됨이 이롭다.

傳 | 初以陽爻在下하니 乃剛明之才로 當屯難之世하여 居下位者也니 未能便往濟屯이라 故磐桓也라 方屯之初하여 不磐桓而遽進이면 則犯難矣라 故로 宜居正而固其志라 凡人處屯難이면 則鮮能守正하나니 苟无貞固之守면 則將失義하리니 安能濟時之屯乎아 居屯之世하여 方屯於下하니 所宜有助가 乃居屯濟屯之道也라 故取建侯之義하니 謂求輔助也라

초(初)는 양효(陽爻)로서 아래에 있으니, 바로 강명(剛明)한 재질로 어려운 세상을 당하여 낮은 지위에 거한 자이니, 곧바로 가서 어려움을 구제할 수 없다. 그러므로 반환(磐桓)하는 것이다. 준(屯)의 초기를 당하여 반환하지 않고 갑자기 나아가면 난(難)을 범한다. 그러므로 마땅히 정(正)에 거하고 그 뜻을 견고히 지켜야 하는 것이다.

무릇 사람이 어려움에 처하면 정도(正道)를 지키는 자가 적으니, 만일 정고(貞固)한 지킴이 없으면 장차 의(義)를 잃을 것이니, 어떻게 세상의 어려움을 구제하겠는가? 〈초구가〉 준(屯)의 세상에 거하여 아래에서 어려움을 당하고 있으니, 마땅히 도와주는 사람이 있는 것이 바로 어려움에 처하여 어려움을 구제하는 길이다. 그러므로 후(侯)를 세우는 뜻을 취하였으니, 보조할 자를 구함을 이른다.

••••••

67 利建侯 : 사계(沙溪)는 "《본의(本義)》에 위의 괘사(卦辭)와 〈단전(彖傳)〉의 '의건후(宜建侯)'에서는 모두 후(侯)를 세우는 것으로 해석하였으나, 여기에서는 '세워서 후를 삼음이 이롭다.〔利建以爲侯〕'라고 해석하여 위아래 글이 각기 다르니, 의심스럽다." 하였다. 이에 대한 해설이 아래 주에 있으니, 참고하기 바란다.

••• 緯 : 씨실 위 緝 : 이을 집 磐 : 머뭇거릴 반 桓 : 머뭇거릴 환 鮮 : 드물 선

本義 | 磐桓은 難進之貌라 屯難之初에 以陽在下하고 又居動體하여 而上應陰柔險陷之爻라 故로 有磐桓之象이라 然居得其正이라 故로 其占이 利於居貞이요 又本成卦之主로 以陽下陰하여 爲民所歸하니 侯之象也라 故로 其象이 又如此하니 而占者如是면 則利建以爲侯也[68]라

'반환(磐桓)'은 나아감을 어렵게 여기는 모양이다. 준난(屯難)의 초기에 양효로서 아래에 있고 또 동(動)의 체(體)에 거했으며, 위로 음유 험함(陰柔險陷)의 효(爻; 육사(六四))와 응(應)한다. 그러므로 반환의 상(象)이 있는 것이다. 그러나 거함이 정(正)을 얻었으므로 그 점(占)이 정(貞)에 거함이 이로운 것이다. 또 본래 성괘(成卦)의 주체로 양으로서 음에게 낮추어 백성들이 귀의(歸依)하는 바가 되었으니, 제후(諸侯)의 상이다. 그러므로 그 상이 또 이와 같으니, 점치는 자가 이와 같으면 서서 후(侯)가 됨이 이로운 것이다.

象曰 雖磐桓하나 志行正也며

〈상전〉에 말하였다. "비록 반환하나 뜻은 정도(正道)를 행하려 하며,

傳 | 賢人在下하여 時苟未利하니 雖磐桓하여 未能遂往濟時之屯이나 然有濟屯之志와 與濟屯之用하니 志在行其正也라

현인(賢人)이 아래에 있어 시운이 진실로 이롭지 못하니, 비록 반환하여 당장 가서 세상의 어려움을 구제하지는 못하나, 어려움을 구제하려는 뜻과 어려움을 구제할 수 있는 쓰임(재주)이 있으니, 이는 뜻이 정도(正道)를 행함에 있는 것이다.

••••••

68 利建以爲候也 : 효사의 '이건후(利建候)'는 괘사에도 보이는데, 괘사의 해석은 《정전(程傳)》과 《본의(本義)》에 차이가 없지만, 초구 효사 '이건후'의 해석에는 차이가 있다. 이는, 괘사와 효사에 대한 《본의》의 해석이 다르기 때문인바, 괘사에 대해서는 '군주를 세움〔立君〕'이라고 하였으나, 효사에 대해서는 '서서 후가 됨이 이로움'이라고 하였다. 이 차이에 대한 해설이 《대전본》에 다음과 같이 보인다. "혹자가 물었다. '초구의 이건후(利建侯)를 《본의》에서 '점치는 자가 이와 같으면 서서 후가 됨이 이롭다.'라고 하였으니, 이 점은 괘사와 다릅니다. 어째서입니까?" 주자가 답하였다. "괘사는 한 괘를 통론한 것이니, 이른바 '후(候)'라는 것은 바로 타인에게 속하는 것으로, 타인은 바로 초구효이다. 효사는 한 효만을 말한 것이니, 이른바 '후'라는 것은 바로 자기이다. 그러므로 똑같지 않은 것이다."〔或問, 初九利建侯, 本義云, 占者如是, 則利建以爲侯, 此占與彖異. 如何? 朱子曰, 卦辭通論一卦, 所謂侯者乃屬他人, 卽爻之初九也. 爻辭專言一爻, 所謂侯者乃其自己, 故不同也.〕"

以貴下賤하니 **大得民也**로다
귀한 신분으로서 천한 이에게 몸을 낮추니, 크게 민심을 얻도다."

傳 | 九當屯難之時하여 以陽而來居陰下하니 爲以貴下賤之象이라 方屯之時하여 陰柔不能自存이어늘 有一剛陽之才하니 衆所歸從也요 更能自處卑下하니 所以大得民也라 或疑方屯于下하니 何有貴乎아 夫以剛明之才而下於陰柔하고 以能濟屯之才而下於不能하니 乃以貴下賤也라 況陽之於陰에 自爲貴乎아

구(九)가 준난(屯難)의 때를 당하여 양으로 와서 음의 아래에 거하니, 이는 귀한 신분으로서 천한 이에게 낮추는 상(象)이 된다. 준(屯)의 때를 당하여 음유(陰柔)는 자신도 보존할 수가 없는데 한 강양(剛陽)의 재주가 있으니 여러 사람들이 귀의하여 따르는 바이고, 다시 자처하기를 비하(卑下;겸손)하게 하니, 이 때문에 크게 민심(民心)을 얻는 것이다.

혹자는 "아래에서 어려움을 당하고 있으니 무슨 귀함이 있겠는가?" 하고 의심한다. "그러나 강명(剛明)한 재주로 음유에게 낮추고, 어려움을 구제할 수 있는 재주로 능하지 못한 이에게 몸을 낮추니, 이것이 바로 귀한 신분으로 천한 이에게 낮추는 것이다. 더구나 양은 음에 대해 본래 존귀함이 됨에 있어서랴."

六二는 **屯如邅**(전)**如**하며 **乘馬班如**하니 **匪寇**면 **婚媾**리니 **女子貞**하여 **不字**라가 **十年**에야 **乃字**로다
육이(六二)는 어렵게 여기고 머뭇거리며 말을 탔다가 내려오니(나아가지 못하니) 적이 아니면 혼구(婚媾;배필)리니, 여자가 정도(貞道)를 지켜서 생육(生育)을 하지 않다가 십 년이 되어서야 비로소 생육을 하도다.

本義 | **匪寇**라 **婚媾**니
말을 타고서 나아가지 못하니 적이 아니라 바로 구혼(求婚)하는 것이니,

傳 | 二以陰柔로 居屯之世하여 雖正〔一作五〕應在上이나 而逼於初剛이라 故로 屯難邅回라 如는 辭〔一有助字〕也라 乘馬는 欲行也니 欲從正應而復班如하여 不能進

••• 邅 : 나아가지못할 전 班 : 나눌 반 寇 : 도적 구 媾 : 혼인 구 逼 : 핍박할 핍 字 : 기를 자

也라 班은 分布之義니 下馬爲班이니 與馬異處也라 二當屯世하여 雖不能自濟나 而居中得正하고 有應在上하니 不失義者也라 然逼近於初하니 陰乃陽所求요 柔者는 剛所陵이라 柔當屯時하여 固難自濟요 又爲剛陽所逼이라 故로 爲難也니 設匪逼於寇難이면 則往求於婚媾矣라 婚媾는 正應也요 寇는 非理而至者라 二守中正하여 不苟合於初하니 所以不字라 苟貞固不易하여 至于十年이면 屯極必通하니 乃獲正應而字育矣라 以女子陰柔로 苟能守其志節이면 久必獲通이어든 況君子守道不回乎아 初爲賢明剛正之人이어늘 而爲寇以侵逼於人은 何也오 曰 此는 自據二以柔近剛而爲義요 更不計初之德如何也니 易之取義如此하니라

이(二)는 음유(陰柔)로서 준(屯)의 세상에 처하여 비록 정응(正應;구오(九五))이 위에 있으나 초(初)의 강(剛)에 가까워 핍박을 받으므로 어렵게 여기고 머뭇거리는 것이다. '여(如)'는 어조사이다. 말을 탐은 가고자 함이니, 정응을 따르고자 하다가 다시 내려와서 나아가지 못하는 것이다. '반(班)'은 분포(分布)한다는 뜻이니, 말에서 내림을 '반(班)'이라 하니, 말과 처소를 달리하는 것이다.

이(二)는 어려운 세상을 당하여 비록 스스로 구제하지 못하나 중(中)에 거하고 정(正)을 얻었으며 응(應)이 위에 있으니, 의리를 잃지 않은 자이다. 그러나 초구(初九)에 매우 가까이 있으니, 음은 바로 양이 구하는 바이며, 유(柔)는 강(剛)이 능멸하는 바이다. 유(柔)가 어려운 때를 당하여 진실로 스스로 구제하기 어렵고 또 강양(剛陽)에게 핍박을 당한다. 그러므로 어려움이 된 것이니, 설령 구난(寇難)에게 핍박을 당하지 않는다면 가서 혼구(婚媾)를 구하게 될 것이다. 혼구는 정응이요 구(寇)는 이치가 아닌데 이른 자이다. 이(二)가 중정(中正)을 지켜 구차히 초구에게 합하지 않으니, 이 때문에 자식을 생육하지 못하는 것이다.

만일 정도를 굳게 지키고 변치 않아 10년에 이르면, 어려움이 극에 달하면 반드시 통하게 되니, 이에 정응을 얻어 생육을 할 것이다. 여자인 음유(陰柔)로서 만일 지절(志節)을 지킨다면 오래면 반드시 통함을 얻는데, 하물며 군자가 도(道)를 지키고 변치 않음에 있어서랴.

"초(初)는 현명(賢明)하고 강정(剛正)한 사람인데도 도적[寇]이 되어 남을 침해하고 핍박함은 어째서인가?" "이는 본래 이(二)가 유(柔)로서 강(剛)에 가까이 있음을 근거하여 뜻을 삼은 것이요, 다시 초구(初九)의 덕(德)이 어떠한가는 계산하지 않은 것이니, 역(易)의 뜻을 취함이 이와 같다."

本義 | 班은 分布不進之貌라 字는 許嫁也니 禮曰 女子許嫁하면 笄而字라하니라 六二는 陰柔中正으로 有應於上이나 而乘初剛이라 故로 爲所難而邅回不進이라 然初非爲寇也요 乃求與己爲婚媾耳라 但己守正故로 不之許라가 至于十年하여 數窮理極이면 則妄求者去하고 正應者合而可許矣라 爻有此象이라 故로 因以戒占者하니라

'반(班)'은 분포하고 나아가지 않는 모양이다. '자(字)'는 시집감을 허락하는 것이니, 《예기(禮記)》〈곡례(曲禮)〉에 "여자는 시집가기를 허락하면 비녀를 꽂고 자(字)를 짓는다." 하였다. 육이(六二)는 음유 중정(陰柔中正)으로 위에 응(應)이 있으나 초(初)의 강(剛)을 타고 있기 때문에 어려움을 당하여 머뭇거리고 나아가지 못하는 것이다. 그러나 초(初)는 도적이 아니요 바로 자기와 혼구가 되기를 구할 뿐이다. 다만 자신이 정도를 지키기 때문에 허락하지 않다가 10년에 이르러 운수가 다하고 이치가 극에 달하면 망령되이 구하는 자(초구)가 떠나가고 정응(正應)인 자가 합하여 혼인을 허락할 수 있는 것이다. 효(爻)에 이러한 상이 있으므로 인하여 점치는 자에게 경계한 것이다.

象曰 六二之難은 乘剛也요 十年乃字는 反常也라

〈상전〉에 말하였다. "육이(六二)의 어려움은 강(剛)을 타고 있기 때문이요, 십년내자(十年乃字)는 상도(常道)로 돌아온 것이다."

傳 | 六二居屯之時而又乘剛하여 爲剛陽所逼하니 是其患難也라 至於十年이면 則難久必通矣니 乃得反其常하여 與正應合也라 十은 數之終也라

육이(六二)가 준(屯)의 때에 처하고 또 강(剛)을 타고 있어서 강양(剛陽)에게 핍박을 당하니, 이는 환난이다. 10년에 이르면 난이 오래되어 반드시 통할 것이니, 그제야 비로소 상도(常道)로 돌아와서 정응과 합하게 된다. '십(十)'은 수(數)의 끝이다.

六三이 卽鹿无虞라 惟入于林中이니 君子幾하여 不如舍(捨)니 往하면 吝하리라

육삼(六三)은 사슴을 쫓되 길을 인도하는 우인(虞人)이 없어 〈길을 잃

··· 逼 : 가까울 핍 笄 : 비녀 계 卽 : 나아갈 즉, 쫓을 즉 虞 : 우인 우, 벼슬이름 우 吝 : 부끄러울 린

고〉 숲속으로 빠져 들어갈 뿐이니, 군자는 기미를 알아 버리는(포기하는) 것만 못하니, 그대로 계속하여 가면 부끄러우리라.

傳 | 六三이 以陰〔一无陰字〕柔居剛하니 柔旣不能安屯이요 居剛而不中正이면 則妄動이라 雖貪於所求나 旣不足以自濟요 又无應援하니 將安之乎아 如卽鹿而无虞人也라 入山林者는 必有虞人以導之니 无導之者면 則惟陷入于林莽中이라 君子見事之幾微하여 不若舍而勿逐이니 往則徒取窮吝而已라

육삼(六三)이 음유(陰柔)로서 강위(剛位)에 거하였으니, 유(柔)는 이미 어려움을 편안히 여기지 못하고, 양강(陽剛)의 자리에 거하고 중정(中正)하지 못하면 망령되이 동한다. 비록 구하는 바에 탐욕을 내나 이미 스스로 구제할 수 없고 또 응원(應援)이 없으니, 장차 어디로 가겠는가? 마치 사슴을 쫓되 우인(虞人)이 없는 것과 같다. 산림에 들어가는 자는 반드시 우인이 있어 인도해 주어야 하니, 인도하는 자가 없으면 오직 길을 잃고 숲 속으로 빠져 들어갈 뿐이다. 군자는 일의 기미를 보아 버리고 쫓지 않는 것만 못하니, 가면 한갓 곤궁함과 부끄러움만 취할 뿐이다.

本義 | 陰柔居下하여 不中不正하고 上无正應하여 妄行取困하니 爲逐鹿无虞陷入林中之象이라 君子見幾하여 不如舍去니 若往逐而不舍면 必致羞吝하리니 戒占者宜如是也라

음유(陰柔)로서 아래에 거하여 중정(中正)하지 못하고, 위에 정응이 없어서 망령되이 행동하여 곤궁함을 취하니, 사슴을 쫓되 우인(虞人)이 없어서 숲 속으로 빠져 들어가는 상(象)이 된다. 군자는 기미를 보아 버리는(포기하는) 것만 못하니, 만일 쫓아가고 버리지 않는다면 반드시 부끄러움을 이룰(취할) 것이니, 점치는 자에게 마땅히 이와 같이 하라고 경계한 것이다.

象曰 卽鹿无虞는 以從禽也요 君子舍之는 往하면 吝窮也라

〈상전〉에 말하였다. "사슴을 쫓되 우인이 없음은 짐승을 탐내어 쫓기 때문이고, 군자가 버림은 가면 부끄럽고 곤궁하기 때문이다."

傳 | 事不可而妄動은 以從欲也요 无虞而卽鹿은 以貪禽也라 當屯之時하여 不可動而動하니 猶无虞而卽鹿은 以有從禽之心也라 君子則見幾而舍之不從하나니 若往則可吝而困窮也라

일이 불가한데 망령되이 동함은 욕심을 따르기 때문이요, 우인(虞人)이 없는데도 사슴을 쫓음은 짐승을 탐하기 때문이다. 준(屯)의 때를 당하여 동해서는 안되는데 동하니, 이는 마치 우인이 없이 사슴을 쫓음은 짐승을 탐내어 쫓는 마음이 있는 것과 같다. 군자는 기미를 보아 버리고 쫓지 않으니, 만일 계속하여 쫓아가면 부끄럽고 곤궁할 것이다.

六四는 乘馬班如니 求婚媾하여 往하면 吉[69]하여 无不利하리라

육사(六四)는 말을 탔다가 내려옴이니, 혼구(婚媾)를 구하여 가면 길하여 이롭지 않음이 없으리라.

本義 | 求婚媾어든

말을 타고서 나아가지 않음이니, 〈초구(初九)가〉 혼구(婚媾)를 구하거든

傳 | 六四以柔順으로 居近君之位하니 得於上者也로되 而其才不足以濟屯이라 故로 欲進而復止하니 乘馬班如也라 已旣不足以濟時之屯이나 若能求賢以自輔면 則可濟矣라 初는 陽剛之賢이요 乃是正應이니 己之婚媾也라 若求此陽剛之婚媾하여 往與共輔陽〔一无陽字〕剛中正之君하여 濟時之屯이면 則吉而无所不利也라 居公卿之位하여 己之才雖不足以濟時之屯이나 若能求在下之賢하여 親而用之면 何所不濟哉리오

육사(六四)가 유순함으로서 군주와 가까운 자리에 거하였으니, 윗사람에게 신임을 얻은 자이나 그 재주가 어려움을 구제할 수 없으므로 나아가고자 하다가 다시 멈춘 것이니, 이는 말을 탔다가 내려온 것이다. 자신은 이미 세상의 어려움을 구제하지 못하나 만일 현자(賢者)를 구하여 스스로 돕게 하면 구제할 수 있다. 초

69 求婚媾 往 吉 :《정전》에는 "육사(六四)가 초구(初九) 양강(陽剛)의 혼구(짝)을 구하여 가는 것"으로 보았으나, 《본의》에는 "초구가 정응인 육사를 구하거든 육사가 가는 것"으로 보았다.

구(初九)는 양강(陽剛)의 현자요 바로 정응이니, 자기의 혼구(婚媾)이다. 만일 이 양강의 혼구를 구하여 가서 함께 양강 중정(陽剛中正)한 군주(구오(九五))를 보필하여 세상의 어려움을 구제한다면, 길하여 이롭지 않은 바가 없을 것이다. 공경(公卿)의 지위에 거하여 자신의 재주가 비록 세상의 어려움을 구제할 수 없으나, 만일 아래에 있는 현자를 구해서 친애하여 등용하면 어찌 구제하지 못하는 바가 있겠는가?

本義 | 陰柔居屯하여 不能上進이라 故로 爲乘馬班如之象이라 然初九守正居下하여 以應於己라 故로 其占이 爲下求婚媾則吉也라

음유(陰柔)로서 어려운 때에 처하여 위로 나아가지 못한다. 그러므로 말을 타되 내려오는 상이 된다. 그러나 초구(初九)가 정(正)을 지키고 아래에 거하여 자기에게 응(應)하므로 그 점(占)이 아래에서 혼구를 구하면 길함이 되는 것이다.

象曰 求而往은 明也라

〈상전〉에 말하였다. "〈초구를〉 구하여 감은 현명(賢明)한 것이다."

본의 | 구하거든 감은

傳 | 知己不足하고 求賢自輔而後往하니 可謂明矣라 居得致之地〔一作位〕하여 己不能而遂已는 至暗者也라

자신의 부족함을 알고 현자를 구하여 스스로 돕게 한 뒤에 가니, 현명하다고 이를 만하다. 현자를 데려올 수 있는 지위에 있으면서 자신이 능하지 못하다고 하여 마침내 그만두는 것은 지극히 어두운 자이다.

九五는 屯其膏니 小貞이면 吉하고 大貞이면 凶하리라

구오(九五)는 고택(膏澤:은택)을 베풀기가 어려우니, 조금씩 바로잡으면 길하고 크게 바로잡으면 흉하리라.

本義 | 小는 貞이면 吉하고 大는 貞이라도 凶하리라

작은 일에는 정하면 길하고 큰 일에는 정하여도 흉하리라.

··· 莽 : 풀우거질 망 膏 : 은택 고 驟 : 갑자기 취 恬 : 편안할 념 僖 : 즐거울 희

傳｜ 五居尊得正而當屯時하니 若有剛明之賢이 爲之輔면 則能濟屯矣로되 以其无臣也라 故로 屯其膏라 人君之尊은 雖屯難之世라도 於其名位엔 非有損也요 唯其施爲有所不行하고 德澤有所不下하니 是屯其膏니 人君之屯也라 旣膏澤有所不下면 是威權不在己也니 威權去己而欲驟正之는 求凶之道니 魯昭公、高貴鄕公之事[70] 是也라 故로 小貞則吉也니 小貞은 則漸正之也라 若盤庚、周宣[71]은 修德用賢하여 復(복)先王之政하여 諸侯復(부)朝하니 謂以道馴致하여 爲之不暴(폭)也라 又非恬然不爲를 若唐之僖、昭也[72]니 不爲면 則常屯以至於亡矣리라

오(五)가 존위(尊位)에 거하고 정(正)을 얻었으면서 어려운 때를 당하였으니, 만일 강명(剛明)한 현자(賢者)가 보필함이 있으면 어려움을 구제할 수 있으나, 〈훌륭한〉 신하가 없기 때문에 그 은택을 베풀기 어려운 것이다. 인군(人君)의 존귀함은 비록 어려운 세상이라도 그 명칭과 지위에 있어서는 감손(減損)됨이 있지 않고, 오직 그 시행함이 행해지지 못하고 덕택이 아랫사람들에게 내려가지 않는 바가 있으니, 이것이 '준기고(屯其膏)'이니 인군의 어려움이다.

이미 덕택이 아랫사람들에게 내려가지 못하는 바가 있으면 이는 위엄과 권세가 자기에게 있지 않은 것이니, 위엄과 권세가 자기에게서 떠났는데 이것을 갑자기 바로잡고자 함은 흉함을 구하는 방도이니, 노 소공(魯昭公)과 고귀향공(高貴鄕公)의 일이 이것이다.

그러므로 조금씩 바로잡으면 길한 것이니, 소정(小貞)은 점점 바로잡는 것이다. 예컨대 반경(盤庚)과 주 선왕(周宣王)이 덕을 닦고 현자(賢者)를 등용하여 선왕

70 魯昭公高貴鄕公之事 : 노 소공(魯昭公)은 춘추시대 노나라의 군주로 권신(權臣)인 계손씨(季孫氏)를 제거하려다가 계손씨와 맹손씨(孟孫氏)·숙손씨(叔孫氏)의 역공(逆攻)을 받고 국외로 도망하여 진(晉)나라 땅인 간후(乾侯)에 머물다가 죽었으며, 고귀향공(高貴鄕公)은 삼국(三國)시대 위(魏)나라의 군주인 조모(曹髦)로 역시 권신인 사마소(司馬昭)를 제거하려다가 실패하고 고귀향공으로 강등되었다.

71 若盤庚周宣 : 반경(盤庚)은 경(耿) 땅에서 은(殷)으로 천도하여 상(商)나라를 중흥(中興)시킨 군주로 묘호(廟號)는 중종(中宗)인데, 이후 상나라를 은(殷)나라로 칭하기도 하였다. 주선(周宣)은 주나라 선왕(宣王)으로 역시 주나라를 중흥시킨 군주이다.

72 若唐之僖昭也 : 희소(僖昭)는 희종(僖宗)과 소종(昭宗)으로, 희종은 환관(宦官)들에게 옹립되어 주권을 제대로 행사하지 못하였으며, 소종은 희종의 아우로 뒤를 이어 즉위하였으나 환관들이 전횡(專橫)하였고 결국 진번(鎭藩)인 주전충(朱全忠)에게 시해당하였으며, 아들 애황제(哀皇帝)에 이르러 당(唐)나라는 끝내 멸망하고 말았다.

(先王)의 정사를 회복해서 제후(諸侯)들이 다시 조회하게 만든 것과 같은 것이니, 도(道)로써 점점 길들여서 갑자기 바로잡지 않음을 이른다. 또 편안히 여기고 아무것도 하지 않기를 당(唐)나라의 희종(僖宗)과 소종(昭宗)처럼 하는 것은 아니니, 아무것도 하지 않는다면 항상 어려워서 망함에 이를 것이다.

本義 | 九五雖以陽剛中正으로 居尊位나 然當屯之時하여 陷於險中하고 雖有六二正應이나 而陰柔才弱하여 不足以濟하며 初九得民於下하여 衆皆歸之하고 九五는 坎體로 有膏潤而不得施하니 爲屯其膏之象이라 占者以處小事면 則守正하여 猶可獲吉이어니와 以處大事면 則雖正而不免於凶이라

구오(九五)가 비록 양강 중정(陽剛中正)으로 존위(尊位)에 거하였으나 준(屯)의 때를 당하여 험(險)의 가운데에 빠져 있고, 비록 정응인 육이(六二)가 있으나 음유(陰柔)로 재주가 약하여 충분히 구제하지 못하며, 초구(初九)는 아래에서 민심을 얻어 무리들이 모두 그에게 귀의하고, 구오는 감체(坎體)로 고윤(膏潤:고택(膏澤))이 있으나 베풀 수가 없으니, 이는 '준기고(屯其膏)'의 상이 된다. 점치는 자가 이로써 작은 일에 대처한다면 정도를 지켜서 그래도 길함을 얻을 수 있으나, 큰 일에 대처한다면 비록 바르더라도 흉함을 면치 못할 것이다.

象曰 屯其膏는 施未光也라

〈상전〉에 말하였다. "'준기고(屯其膏)'는 베풂이 광대하지 못한 것이다."

傳 | 膏澤不下及이라 是以로 德施未能光大也니 人君之屯也라

고택(膏澤)이 아래에 미치지 못한다. 이 때문에 덕(德)의 베풂이 광대하지 못한 것이니, 인군의 어려움이다.

上六은 乘馬班如하여 泣血漣如로다

상육(上六)은 말을 탔다가 내려와서 피눈물을 줄줄 흘리도다.

본의 | 말을 타고서 나아가지 못하여

傳 | 六以陰柔로 居屯之終하고 在險之極하여 而无應援하여 居則不安하고 動无所

··· 獲 : 얻을 획 泣 : 울 읍 漣 : 눈물줄줄흐르는모양 련 厄 : 곤할 액 顚 : 쓰러질 전

之하여 乘馬欲往이라가 復班如不進이라 窮厄之甚하여 至於泣血漣如하니 屯之極也라 若陽剛而有助면 則屯旣極하여 可濟矣리라

육(六)이 음유(陰柔)로서 준(屯)의 끝에 거하고 험(險)의 극에 있는데 응원(應援)이 없어 거하면 불안하고 동하면 갈 곳이 없어, 말을 타고 가려고 하다가 다시 내려오고 나아가지 못한다. 곤액이 심하여 피눈물을 줄줄 흘림에 이르니, 어려움이 극도에 달한 것이다. 만일 양강(陽剛)으로서 도와주는 자가 있으면 어려움이 이미 극에 달하였으므로 구제할 수 있을 것이다.

本義 | 陰柔无應하고 處屯之終하여 進无所之하니 憂懼而已라 故로 其象如此하니라

음유로 응(應)이 없고 준(屯)의 끝에 처하여 나아감에 갈 곳이 없으니, 근심하고 두려워할 뿐이다. 그러므로 그 상(象)이 이와 같은 것이다.

象曰 泣血漣如어니 何可長也리오

〈상전〉에 말하였다. "피눈물을 줄줄 흘리니, 어찌 장구할 수 있겠는가."

傳 | 屯難窮極하여 莫知所爲라 故로 至泣血이라 顚沛如此하니 其能長久乎아 夫卦者는 事也요 爻者는 事之時也라 分三而又兩之[73]하면 足以包括衆理하니 引而伸之하고 觸類而長之하면 天下之能事畢矣리라

준난(屯難)이 궁극에 이르러 어찌 할 줄을 알지 못한다. 그러므로 피눈물을 흘림에 이른 것이다. 전패(顚沛)함이 이와 같으니, 어찌 장구할 수 있겠는가? 괘는 〈전체의〉 일이요 효(爻)는 일의 때이다. 셋으로 나누고 또 이것을 두 번 하면 여러 이치를 포괄할 수 있으니, 이것을 늘여서 신장하고 류(類)에 닿는대로 키워 나간다면 천하의 능사(能事)를 다하게 될 것이다.

······

73 分三而又兩之 : 사계(沙溪)는 "분삼(分三)은 3획괘를 이르고 우양지(又兩之)는 6획괘를 이른다." 하였다. 3획괘는 초효·2효·3효 하나하나를 따져보므로 '분삼'이라고 한 것이고, 6획괘는 크게 상괘(上卦)와 하괘(下卦) 둘로 나누어 보므로 '양지'라고 한 것이다.

··· 沛 : 넘어질 패 括 : 쌀 괄 觸 : 닿을 촉 類 : 무리 류

4 산수 山水 몽(蒙) ䷃ 감하간상 坎下艮上

傳 | 蒙은 序卦에 屯者는 盈也요 屯者는 物之始生也니 物生必蒙이라 故受之以蒙하니 蒙者는 蒙也니 物之穉(치)也라하니라 屯者는 物之始生이니 物始生穉小하여 蒙昧未發[74]하니 蒙所以次屯也라 爲卦 艮上坎下하니 艮은 爲山, 爲止요 坎은 爲水, 爲險이라 山下有險하니 遇險而止하여 莫知所之가 蒙之象也라 水는 必行之物이로되 始出하여 未有所之라 故로 爲蒙이니 及其進則爲亨義라

몽괘(蒙卦)는 〈서괘전〉에 "준(屯)은 가득함이요 준은 물건(식물)이 처음 생겨난 것이니, 물건이 생겨나면 반드시 어리다. 그러므로 몽괘(蒙卦)로 받았으니, 몽(蒙)은 어림이니, 물건이 어린 것이다." 하였다. 준(屯)은 물건이 처음 생겨난 것이니, 물건이 처음 나와 어려서 몽매하여 개발되지 못했으니, 몽괘가 이 때문에 준괘(屯卦 ䷂)의 다음이 된 것이다. 괘됨이 간(艮 ☶)이 위에 있고 감(坎 ☵)이 아래에 있으니, 간(艮)은 산이 되고 그침이 되며, 감(坎)은 물이 되고 험함이 된다.

산 아래에 험함이 있으니, 험함을 만나 그쳐서 갈 바를 알지 못하는 것이 몽(蒙)의 상(象)이다. 물은 반드시 가는 물건이나 처음 나와서 갈 바가 있지 못하므로 몽이라 한 것이니, 나아감에 미치면(이르면) 형통하는 뜻이 된다.

蒙은 亨하니 匪我求童蒙이라 童蒙求我니 初筮어든 告(곡)하고 再三이면 瀆이라 瀆則不告이니 利貞하니라

몽(蒙)은 형통하니, 내가 동몽(童蒙)에게 구하는 것이 아니라 동몽이 나에게 구함이니, 처음 묻거든 고해 주고 두 번 세 번 물으면 번독(煩瀆)하다. 번독하면 고해주지 않을 것이니, 정(貞)함이 이롭다.

······

74 蒙昧未發 : 몽(蒙)은 콩이나 팥 등이 처음 싹이 나올 때에 깍지를 뒤집어쓰고 있는 것인바, 이것을 뒤집어쓰고 있으면 어림이 되며, 사람에 있어서는 눈에 콩깍지가 씌워져 자세히 보지 못함이 된다. 그러므로 몽매하여 개발되지 못했다고 한 것이다.

··· 蒙 : 어릴 몽, 어리석을 몽, 뒤집어쓸 몽 穉 : 어릴 치 匪 : 아닐 비 告 : 고할 곡 瀆 : 번거로울 독

傳 | 蒙은 有開發之理하니 亨之義也요 卦才時中하니 乃致亨之道라 六五는 爲蒙之主요 而九二는 發蒙者也니 我는 謂二也라 二非蒙主로되 五旣順巽於二하니 二乃發蒙者也라 故로 主二而言이라 匪我求童蒙、童蒙求我는 五居尊位하여 有柔順之德하고 而方在童蒙하여 與二爲正應하고 而中德又同하니 能用二之道하여 以發其蒙也요 二以剛中之德在下하여 爲君所信嚮하니 當以道自守하여 待君至誠求己而後應之면 則能用其道니 匪我求於童蒙이요 乃童蒙來求於我也라 筮는 占決也라 初筮告은 謂至誠一意以求己則告之요 再三則瀆慢矣라 故로 不告也라 發蒙之道는 利以貞正이요 又二雖剛中이나 然居陰이라 故로 宜有戒하니라

몽(蒙)은 개발할 이치가 있으니 형통하는 뜻이요, 괘의 재주(재질)가 때를 얻었고 중(中)을 하니 형통함을 이루는 도(道)이다. 육오(六五)는 몽괘(蒙卦)의 주체이고 구이(九二)는 몽(蒙)을 개발하는 자이니, 아(我)는 이(二)를 이른다. 이(二)는 몽괘의 주체가 아니나 오(五)가 이미 이(二)에게 순손(順巽)하니, 이(二)는 바로 몽매함을 개발해주는 자이다. 그러므로 이(二)를 위주하여 말하였다.

'비아구동몽 동몽구아(匪我求童蒙 童蒙求我)'는 오(五)가 존위(尊位)에 거하여 유순한 덕(德)이 있고 동몽(童蒙)의 때에 있어서 이(二)와 정응(正應)이 되며 중덕(中德)이 또 같으니, 능히 이(二)의 도(道)를 써서 자기의 몽매함을 개발하는 것이다. 이(二)가 강중(剛中)의 덕으로 아래에 있어서 군주가 신임하고 향하는 바가 되었으니, 마땅히 도(道)로써 스스로 지켜 군주가 지성(至誠)으로 자기를 구하기를 기다린 뒤에 응하면 〈군주가〉 능히 그 도(道)를 쓸 수 있을 것이니, 이는 내가 동몽에게 구하는 것이 아니요 바로 동몽이 와서 나에게 구하는 것이다.

'서(筮)'는 점을 쳐서 결단함이다. '초서곡(初筮告)'은 지극한 정성과 한결같은 마음으로 나에게 〈찾아와서 가르침을〉 구하면 고해주고, 두세 번 자주 물으면 독만(瀆慢:번독(煩瀆)하고 불경(不敬)함)이 되므로 고해주지 않는 것이다. 몽(蒙)을 개발하는 방도는 정정(貞正)함이 이롭고, 또 이(二)가 비록 강중(剛中)이나 음의 자리에 거하였으므로 경계가 있는 것이다.

本義 | 艮亦三畫卦之名이니 一陽이 止於二陰之上이라 故로 其德이 爲止요 其象이 爲山이라 蒙은 昧也니 物生之初에 蒙昧未明也라 其卦以坎遇艮하니 山下有險은 蒙之地也요 內險外止는 蒙之意也라 故로 其名爲蒙이라 亨以下는 占辭也라

九二는 內卦之主로 以剛居中하니 能發人之蒙者요 而與六五로 陰陽相應이라 故로 遇此卦者는 有亨道也라 我는 二也요 童蒙은 幼穉而蒙昧니 謂五也라 筮者明이면 則人當求我而其亨在人이요 筮者暗이면 則我當求人而亨在我니 人求我者는 當視其可否而應之요 我求人者는 當致其精一而扣之며 而明者之養蒙과 與蒙者之自養이 又皆利於以正也라

간(艮 ☶) 또한 3획괘의 이름이니, 한 양(陽)이 두 음(陰)의 위에 멈춰 있다. 그러므로 그 덕이 그침이 되고 그 상이 산(山)이 된다. '몽(蒙)'은 몽매함이니, 물건이 생겨난 초기에 몽매하여 밝지 못한 것이다. 이 괘는 감(坎 ☵)으로서 간(艮)을 만났으니, 산 아래에 험함이 있음은 몽(蒙)의 처지요, 안은 험하고 밖은 그침은 몽의 뜻이다. 그러므로 그 이름을 몽이라 한 것이다.

형(亨) 이하는 점사(占辭:점을 친 글)이다. 구이(九二)는 내괘(內卦)의 주체로 강(剛)으로서 중(中)에 거하였으니, 남의 몽매함을 개발해 줄 수 있는 자이며, 육오(六五)와 더불어 음 · 양이 서로 응하므로, 이 괘를 만난 자는 형통할 방도가 있는 것이다.

'아(我)'는 이(二)이고, '동몽'은 유치하고 몽매한 자이니 오(五)를 이른다. 점치는 자가 밝으면 남(몽매한 자)이 마땅히 나에게 구하여(찾아와서) 그 형통함이 남에게 있을 것이요, 점치는 자가 어두우면 내(몽매한 자)가 마땅히 남에게 구하여 형통함이 나에게 있을 것이니, 남이 나에게 구할 경우에는 마땅히 〈구하는 사람의〉 가부(可否)를 보아 응할 것이요, 내가 남에게 구할 경우에는 마땅히 정일(精一:정성과 한결같음)함을 지극히 하여 물을 것이며, 밝은 자가 몽매한 자를 길러줌과 몽매한 자가 스스로 기름이 또 모두 정도(正道)를 씀이 이로운 것이다.

彖曰 蒙은 山下有險하고 險而止 蒙이라

〈단전(彖傳)〉에 말하였다. "몽(蒙)은 산 아래에 험함이 있고 험하고 그침이 몽이다.

本義 | 以卦象卦德으로 釋卦名하니 有兩義라

괘상(卦象)과 괘덕(卦德)으로써 괘명(卦名)을 해석하였으니, 두 가지 뜻이 있다.

蒙亨은 **以亨行**이니 **時中也**요 **匪我求童蒙, 童蒙求我**는 **志應也**요
'몽형(蒙亨)'은 형통함으로써(형통할 방도로써) 행함이니, 때를 얻었고 중도(中道)에 맞기 때문이요, 내가 동몽에게 구하는 것이 아니라 동몽이 나에게 구함은 뜻이 응함이요,

本義 | **以亨行**하여
형통함으로써 행하여

傳 | 山下有險하니 內險不可處하고 外止莫能進하여 未知所爲라 故로 爲昏蒙之義라 蒙亨以亨行 時中也는 蒙之能亨은 以亨道行也라 所謂亨道는 時中也[75]니 時는 謂得君之應이요 中은 謂處得其中이니 得中則〔一有得字〕時也라 匪我求童蒙 童蒙求我 志應也는 二以〔一无以字〕剛明之賢으로 處於下하고 五以童蒙居上하니 非是二求於五요 蓋五之志應於二也라 賢者在下하니 豈可自進以求於君이리오 苟自求之면 必无能信用之理라 古之人이 所以必待人君致敬盡禮而後往者는 非欲自爲尊大라 蓋其尊德樂道 不如是면 不足與有爲也일새니라

산 아래에 험함이 있으니, 안은 험하여 처할 수 없고 밖은 그쳐서 나아갈 수 없어 어찌할 바를 모른다. 그러므로 혼몽(昏蒙)의 뜻이 된다. '몽형 이형행 시중야(蒙亨以亨行時中也)'는 몽(蒙)이 형통함은 형통할 방도로써 행하기 때문이다. 이른바 형통할 방도라는 것은 시중(時中)이니, '시(時)'는 군주의 응(應)을 얻음을 이르고, '중(中)'은 처함이 중(中)을 얻음을 이르니, 중을 얻으면 때에 맞는다.

'내가 동몽에게 구하는 것이 아니라 동몽이 나에게 구함은 뜻이 응한다는 것〔匪我求童蒙 童蒙求我 志應也〕'은 이(二)가 강명(剛明)의 현자(賢者)로서 아래에 처하였고 오(五)가 동몽으로서 위에 거하였으니, 이는 이(二)가 오(五)를 구하는 것이 아니요 오(五)의 뜻이 이(二)에 응(應)하는 것이다. 현자가 아래에 있으니, 어찌 스스로 나아가 군주에게 써주기를 구하겠는가? 만약 스스로 등용해주기를 구한다면 반드시 군주가 믿고 등용할 리(理)가 없다. 옛사람이 반드시 인군이 공경을 지극히 하고 예(禮)를 극진히 하기를 기다린 뒤에야 갔던 까닭은, 스스로 존대

••••••

75 時中也 :《정전》은 시(時)와 중(中)을 나누어 시는 군주의 응(應)을 얻음을 이르고 중은 처함이 중을 얻음으로 본 반면,《본의》는 때의 중으로 보았다.

(尊大)하게 하려고 함이 아니라, 인군이 덕(德)을 높이고 도(道)를 즐거워함이 이와 같지 않으면 더불어 일을 할 수 없기 때문이었다.

初筮告은 **以剛中也**요 **再三瀆 瀆則不告**은 **瀆蒙也**일새니

처음 묻거든 고해줌은 강중(剛中)하기 때문이요, 재삼(再三) 물으면 번독함이니, 번독하면 고해주지 않음은 몽(蒙)을 번독하게 하기 때문이니,

傳| 初筮는 謂誠一而來하여 求決其蒙이니 則當以剛中之道로 告而開發之요 再三은 煩數(삭)也니 來筮之意煩數하여 不能誠一이면 則瀆慢矣니 不當告也라 告之라도 必不能信受요 徒爲煩瀆이라 故로 曰瀆蒙也라하니 求者, 告者 皆煩瀆矣라

'초서(初筮)'는 정성스럽고 한결같은 마음으로 와서 그 몽매함을 해결해 주기를 구하는 것이니, 이렇게 하면 마땅히 강중(剛中)의 도(道)로써 고(告)하여 개발시켜 주어야 된다. '재삼(再三)'은 번삭((煩數:번거롭고 자주)함이니, 와서 묻는 뜻이 번삭하여 정성스럽고 한결같지 못하면 독만(瀆慢)이 되니, 고해주지 말아야 한다. 고해주더라도 반드시 믿고 받아들이지 않아서 한갓 번독함이 될 뿐이다. 그러므로 '독몽(瀆蒙)'이라 하였으니, 구하는 자와 고해주는 자가 모두 번독함이 된다.

蒙以養正이 **聖功也**라

어릴 때에 바름을 길러줌이 성인(聖人)이 되는 공부이다."

傳| 卦辭曰利貞이어늘 彖은 復伸其義하여 以明不止爲戒於二요 實養蒙之道也라하니라 未發之謂蒙이니 以純一未發之蒙而養其正은 乃作聖之功也라 發而後禁이면 則扞格而難勝이니 養正於蒙은 學之至善也라 蒙之六爻에 二陽은 爲治蒙者요 四陰은 皆處蒙者也라

괘사(卦辭)에 "정(貞)함이 이롭다." 하였는데, 〈단전(彖傳)〉은 다시 그 뜻을 부연하여, 다만 이(二)를 경계한 것일 뿐만이 아니요 실로 몽(蒙)을 기르는 방도임을 밝힌 것이다. 아직 개발되지 않음을 몽(蒙)이라 하니, 순일(純一)하여 아직 개발되지 않은 몽으로서 바름을 길러줌은 바로 성인이 되는 공부이다. 개발된 뒤에 금하면 거부〔扞格〕하여 감당하기 어려우니, 어릴 때에 바름을 기르는 것이 배움에 지

… 瀆 : 번거로울 독 嚮 : 향할 향 艮 : 그칠 간 扣 : 두드릴 고(구) 煩 : 번거로울 번 扞 : 막을 한

극히 좋은 것이다. 몽의 여섯 효(爻) 가운데 두 양은 몽을 다스리는 자가 되고, 네 음은 모두 몽에 처한 자이다.

本義 | 以卦體로 釋卦辭也라 九二以可亨之道로 發人之蒙하고 而又得其時之中하니 謂如下文所指之事는 皆以亨行而當其可也라 志應者는 二는 剛明이요 五는 柔暗이라 故二不求五而五求二하여 其志自相應也라 以剛中者는 以剛而中이라 故로 能告而有節也라 瀆은 筮者二三이면 則問者固瀆而告者亦瀆矣라 蒙以養正은 乃作聖之功이니 所以釋利貞之義也라

괘체(卦體)로써 괘사(卦辭)를 해석하였다. 구이(九二)가 형통할 수 있는 방도로 남의 몽매함을 개발시키고 또 때의 중(中)을 얻었으니, 하문(下文)에서 가리킨 바의 일은 모두 형통할 방도로써 행하여 그 가(可)함에 마땅한 것이다. '지응(志應)'은 이(二)는 강명(剛明)이고 오(五)는 유암(柔暗)이다. 그러므로 이(二)가 오(五)에게 구하지 않고 오(五)가 이(二)에게 구하여 그 뜻이 서로 응(應)하는 것이다.

'이강중(以剛中)'은 강함과 중도로 하기 때문에 능히 고해줌에 절도가 있는 것이다. '독(瀆)'은, 점치는 자가 두세 번 점을 치면 묻는 자도 진실로 번독하고 고해주는 자도 번독하다. 어릴 때에 바름을 길러줌이 바로 성인이 되는 공부이니, 이는 '이정(利貞)'의 뜻을 해석한 것이다.

象曰 山下出泉이 蒙이니 君子以하여 果行하며 育德하나니라

〈상전(象傳)〉에 말하였다. "산 아래에서 샘물이 나옴이 몽(蒙)이니, 군자가 보고서 행실을 과단성 있게 하며 덕(德)을 기른다."

傳 | 山下出泉하니 出而遇險하여 未有所之 蒙之象也니 若人蒙穉하여 未知所適也라 君子觀蒙之象하여 以果行育德하니 觀其出而未能通行이면 則以果決其所行하고 觀其始出而未有所向이면 則以養育其明德也라

산 아래에서 샘물이 나오니, 샘물이 나와서 험함을 만나 갈 바가 없는 것이 몽(蒙)의 상이니, 마치 사람이 몽매하고 어려서 갈 바를 모르는 것과 같다. 군자가 몽의 상을 보고서 행실을 과단성 있게 하고 덕(德)을 기르니, 샘물이 나와서 통행하지 못함을 보면 이로써 그 행하는 바를 과단성 있게 하고, 처음 나와서 향하는

바가 없음을 보면 이로써 그 밝은 덕을 기르는 것이다.

本義 | 泉은 水之始出者니 必行而有漸也라

천(泉)은 물이 처음 나온 것이니, 반드시 흘러가나 점점함이 있는 것이다.

初六은 發蒙하되 利用刑人하여 用說(脫)桎梏이니 以往이면 吝하리라

초육(初六)은 몽매함을 개발하되 사람을 형벌하여 몽매한 질곡을 벗겨줌이 이로우니, 그대로 계속하여 가면 부끄러우리라.

本義 | 發蒙이니 利用刑人하고

초육(初六)은 몽매함을 개발할지니, 사람을 형벌하고 질곡을 벗겨줌이 이로우니,

傳 | 初以陰暗居下하니 下民之蒙〔一作象〕也니 爻言發之之道하니라 發下民之蒙엔 當明刑禁以示之하여 使之知畏然後에 從而敎導之라 自古聖王爲治에 設刑罰以齊其衆하고 明敎化以善其俗하여 刑罰立而後敎化行하니 雖聖人尙德而不尙刑이나 未嘗偏廢也라 故로 爲政之始는 立法居先이라 治蒙之初에 威之以刑者는 所以說(탈)去其昏蒙之桎梏이니 桎梏은 謂拘束也[76]라 不去其昏蒙之桎梏이면 則善敎无由而入이라 旣以刑禁率之면 雖使心未能喩라도 亦當畏威以從하여 不敢肆其昏蒙之欲이니 然後에 漸能知善道하여 而革其〔一无其字〕非心이면 則可以移風易俗矣라 苟專用刑以爲治면 則蒙雖畏나 而終不能發이요 苟免而无恥하여 治化不可得而成矣라 故로 以往則可吝이라

초(初)가 음암(陰暗)으로서 아래에 거하였으니 하민(下民)의 몽매한 자이니, 효(爻)에서는 이것을 개발하는 방도를 말하였다. 하민의 몽매함을 개발함에는 마땅히 형벌과 금령(禁令)을 밝혀 보여주어서 그들로 하여금 두려워할 줄을 알게 한 뒤에 따라서 가르치고 인도하여야 한다. 예로부터 성왕(聖王)이 정치를 할 적에

······

76 桎梏 謂拘束也 : 질곡(桎梏)에 대하여 《정전》은 혼몽의 질곡으로 본 반면, 《본의》는 실제로 형틀(질곡)을 잠시 벗겨주는 것으로 보았다. 《본의》에 대한 《언해》는 '利用刑人하고'로 현토하였으나, 《본의》에 '마땅히 통렬히 징계하되 잠시 풀어놓아준다〔當痛懲而暫舍之〕'라고 한 것을 보면 '利用刑人이나'로 현토하는 것이 옳을 것으로 보인다.

··· 數 : 자주 삭 扞 : 막을 한 格 : 막을 격 桎 : 차꼬 질 梏 : 차꼬 곡 喩 : 깨우칠 유

형벌을 만들어 백성들을 통일시키고 교화를 밝혀 풍속을 선(善)하게 하여 형벌이 세워진 뒤에 교화가 행해졌으니, 비록 성인은 덕(德)을 숭상하고 형벌을 숭상하지 않으나 일찍이 어느 한 쪽을 폐하지 않았다. 그러므로 정사하는 초기에는 법을 세움이 우선인 것이다.

몽매함을 다스리는 초기에 형벌로써 위엄을 보이는 것은 그 혼몽한 질곡을 벗겨주기 위한 것이니, 질곡은 구속됨을 이른다. 혼몽한 질곡을 제거하지 않으면 선(善)한 가르침이 들어갈 길이 없다. 이미 형벌과 금령으로 통솔하면 비록 가령 마음은 깨우치지 못하더라도 또한 마땅히 위엄을 두려워하여 순종해서 감히 그 혼몽한 욕심을 부리지 못할 것이니, 그런 뒤에 점점 선(善)한 도(道)를 알아서 나쁜 마음을 고치게 하면 풍속을 바꿀 수 있다. 만일 오로지 형벌만 사용하여 정사를 하려 하면 몽매한 자가 비록 두려워하나 끝내 몽매함을 개발하지 못할 것이요, 구차히 형벌만 면하려 하고 부끄러운 마음이 없어서 다스림과 교화를 이룰 수 없다. 그러므로 그대로 계속하여 가면 부끄러운 것이다.

本義 | 以陰居下는 蒙之甚也니 占者遇此면 當發其蒙이라 然發之之道는 當痛懲而暫舍之하여 以觀其後니 若遂往而不舍면 則致羞吝矣니 戒占者當如是也라

음(陰)으로서 아래에 거함은 몽매함이 심한 것이니, 점치는 자가 이러한 경우를 만나면 마땅히 그 몽매함을 개발하여야 한다. 그러나 개발하는 방도는 마땅히 통렬히 징계하되 잠시 놓아주어서(풀어주어서) 그 뒤를 살펴보아야 하니, 만일 그대로 가고 놓아주지 않으면 부끄러움에 이르게 된다. 점치는 자에게 마땅히 이와 같이 할 것을 경계한 것이다.

象曰 利用刑人은 以正法也라

〈상전〉에 말하였다. "사람을 형벌함이 이로움은 법을 바로잡는 것이다."

傳 | 治蒙之始에 立其防限하고 明其罪罰은 正其法也니 使之由之하여 漸至於化也라 或疑發蒙之初에 遽用刑人은 无乃不敎而誅乎아하니 不知立法制刑이 乃所以敎也라 蓋後之論刑者는 不復知敎化在其中矣니라

몽매함을 다스리는 초기에 방한(防限;금지하는 한계)을 세우고 죄와 벌을 밝힘은

••• 肆 : 부릴 사 懲 : 징계할 징 暫 : 잠시 잠 舍 : 버릴 사 矜 : 불쌍할 긍

그 법을 바로잡는 것이니, 몽매한 자로 하여금 이것을 따르게 하여 점점 교화에 이르게 하는 것이다.

혹자는 "몽매함을 개발하는 초기에 갑자기 사람을 형벌함은 가르치지 않고 주벌하는 것이 아닌가?" 하고 의심하는데, "이는 법을 세우고 형벌을 만드는 것이 바로 가르치는 것임을 알지 못한 것이다." 후세에 형벌을 논하는 자들은 교화가 이 가운데 들어 있음을 다시 알지 못하였다.

本義 | 發蒙之初엔 法不可不正이니 懲戒는 所以正法也라

몽매함을 개발하는 초기에는 법을 바로잡지 않을 수 없으니, 징계함은 법을 바로잡는 것이다.

九二는 包蒙이면 吉하고 納婦면 吉하리니 子克家로다

구이(九二)는 몽매함을 포용해주면 길하고 부인의 말을 받아들이면 길할 것이니, 자식이 집안일을 잘하도다.

本義 | 包蒙이니 吉하고 納婦니 吉하고 子克家니라

구이(九二)는 몽매함을 포용함이니 길하고, 부인의 말을 받아들임이니 길하고, 자식이 집안일을 잘하는 것이다.

傳 | 包는 含容也라 二居蒙之世하여 有剛明之才하고 而與六五之君相應하며 中德又同하니 當時之任者也라 必廣其含容하여 哀矜昏愚면 則能發天下之蒙하고 成治蒙之功하여 其道廣하고 其施博하리니 如是則吉也라 卦唯二陽爻어늘 上九는 剛而過하고 唯九二 有剛中之德而應於五하여 用於時而獨明者也니 苟恃其明하여 專於自任이면 則其德不弘이라 故로 雖婦人之柔闇이라도 尙當納其所善이면 則其明廣矣라 又以諸爻皆陰故로 云婦라 堯舜之聖은 天下所莫及也로되 尙曰 淸問下民, 取人爲善[77]也라하니 二能包納이면 則克濟其君之事하여 猶子能治其家也라

••••••

77 淸問下民 取人爲善 : 청문(淸問)은 마음을 깨끗이 비우고 묻는 것으로 《서경》〈주서(周書) 여형(呂刑)〉에 "황제(순 임금)는 마음을 깨끗이 비우고 하민에게 물으셨다.〔皇帝淸問下民.〕"라고 보이며, 《맹자》〈공손추 상(公孫丑上)〉에는 "대순은 선(善)을 남과 함께 하사 자기를 버리고 남을 따르셨으며 남에게서 취하여 선을 행하는 것을 좋아하셨다.〔大舜善與人同, 舍己從人, 樂取於人以爲

五旣陰柔라 故로 發蒙之功이 皆在於二라 以家言之하면 五는 父也요 二는 子也니 二能主蒙之功이면 乃人子克治其家也라

'포(包)'는 함용(含容:포용)함이다. 이(二)가 몽매한 세상에 처하여 강명(剛明)한 재질이 있고 육오(六五)의 군주와 서로 응(應)하며 중덕(中德)이 또 같으니, 시대의 임무를 담당한 자이다. 반드시 포용력을 넓혀 혼우(昏愚)한 자들을 가엾게 여기면 천하의 몽매함을 개발하고 몽매함을 다스리는 공(功)을 이루어서 그 도(道)가 넓고 그 베풂이 넓을 것이니, 이와 같이 하면 길하다.

괘에 오직 두 양효(陽爻)가 있는데 상구(上九)는 강(剛)으로서 과(過)하고, 오직 구이(九二)만이 강중(剛中)의 덕(德)이 있으며 오(五)와 응하여 당시에 쓰여지고 홀로 밝은 자이니, 만일 그 밝음을 믿고서 자임하기를 오로지 하면 그 덕이 넓지 못하다. 그러므로 비록 유약하고 어두운 부인의 말이라도 그의 좋은 점을 받아들이면 그 밝음이 넓은 것이다. 또 여러 효(爻)가 모두 음(陰)이므로 부(婦)라고 말하였다.

요(堯)·순(舜)과 같은 성인(聖人)은 천하가 미칠 수 없는데도 오히려 하민(下民)에게 잘 묻고 남에게서 취하여 선(善)을 행하셨다고 하였으니, 이(二)가 포용하고 받아들이면 능히 군주의 일을 이루어서 마치 자식이 집안을 잘 다스리는 것과 같이 할 것이다. 오(五)가 이미 음유(陰柔)이기 때문에 몽매함을 개발하는 공(功)이 모두 구이(九二)에게 달려 있는 것이다. 집안으로써 말하면 오(五)는 아버지이고 이(二)는 자식이니, 이(二)가 몽매함을 개발하는 공을 주관함은 바로 자식이 집안일을 잘 다스리는 것이다.

本義 | 九二 以陽剛으로 爲內卦之主하여 統治羣陰하니 當發蒙之任者라 然所治旣廣하고 物性不齊하니 不可一槪取必이어늘 而爻之德이 剛而不過하니 爲能有所包容之象이요 又以陽受陰하니 爲納婦之象이요 又居下位而能任上事하니 爲子克家之象이라 故로 占者有其德而當其事면 則如是而吉也라

구이(九二)가 양강(陽剛)으로서 내괘(內卦)의 주체가 되어 여러 음(陰)을 통치하니, 몽매함을 개발하는 임무를 맡은 자이다. 그러나 다스리는 바가 이미 넓고 물

······

善.]"라고 보인다.

··· 闇 : 어두울 암 賂 : 뇌물 뢰 挑 : 꾈 도 叶 : 화할 협 寇 : 노략질할 구

건(사람)의 성질이 똑같지 않으니, 일괄적으로 기필할 수가 없다. 그런데 효(爻)의 덕(德)이 강하나 과(過)하지 않으니 능히 포용하는 바가 있는 상(象)이 되고, 또 양으로서 음을 받아들이니 부인의 말을 받아들이는 상(象)이 되고, 또 하위(下位)에 거하여 능히 윗사람의 일을 맡으니 자식이 집안을 다스리는 상이 된다. 그러므로 점치는 자가 이러한 덕(德)이 있으면서 이러한 일을 맡으면 이와 같아 길한 것이다.

象曰 子克家는 剛柔接也라

〈상전〉에 말하였다. "자식이 집안 일을 잘 다스림은 강(剛)과 유(柔)가 접하기(사귀기) 때문이다."

傳 | 子而克治其家者는 父之信任이 專也요 二能主蒙之功者는 五之信任이 專也일새라 二與五剛柔之情相接이라 故로 得行其剛中之道하여 成發蒙之功하니 苟非上下之情相接이면 則二雖剛中이나 安能尸其事乎아

자식이 집안일을 잘 다스리는 것은 아버지의 신임이 전일(專一)하기 때문이요, 이(二)가 몽매함을 개발하는 공을 주관하는 것은 오(五)의 신임이 전일하기 때문이다. 이(二)와 오(五)는 강(剛)과 유(柔)의 정(情)이 서로 접하므로 강중(剛中)의 도(道)를 행하여 몽매함을 개발하는 공을 이룰 수 있으니, 만일 상하(上下)의 정(情)이 서로 접한 것이 아니라면 이(二)가 비록 강중이나 어떻게 그 일을 주관하겠는가?

本義 | 指二五之應이라

이(二)와 오(五)의 응(應)함을 가리킨 것이다.

六三은 勿用取女니 見金夫하고 不有躬하니 无攸利하니라

육삼(六三)은 여자를 취함에 쓰지 말 것이니, 금부(金夫;돈 많은 남자)를 보고 자기 몸(정조, 절개)을 두지 못하니, 이로운 바가 없다.

傳 | 三以陰柔로 處蒙闇하여 不中不正하니 女之妄動者也라 正應在上이어늘 不能遠從하고 近見九二爲羣蒙所歸하여 得時之盛이라 故로 捨其正應而從之하니 是는 女之見金夫也라 女之從人은 當由正禮어늘 乃見人之多金하고 說而從之면 不能

保有其身者也니 无所往而利矣니라

삼(三)이 음유(陰柔)로서 몽매함에 처하여 중정(中正)하지 못하니, 여자로서 망동(妄動)하는 자이다. 정응(正應:상구(上九))이 위에 있는데 멀리 가서 따르지 못하고, 구이(九二)가 여러 몽(蒙)이 귀의하는 바가 되어 당시에 뜻을 얻음이 성함을 가까이에서 보았다. 그러므로 그 정응을 버리고 구이를 따르니, 이는 여자가 금부(金夫)를 본 것이다. 여자가 사람(남자)을 따름은 마땅히 정례(正禮)를 따라야 하는데, 사람(남자)이 돈이 많은 것을 보고 기뻐하여 따라간다면 이는 그 몸을 지키지 못하는 자이니, 가는 곳마다 이로움이 없는 것이다.

本義 | 六三은 陰柔로 不中不正하니 女之見金夫而不能有其身之象也라 占者遇之면 則其取女에 必得如是之人하리니 无所利矣라 金夫는 蓋以金賂己而挑之니 若魯秋胡[78]之爲者라

육삼(六三)은 음유(陰柔)로서 중정(中正)하지 못하니, 여자로서 금부(金夫)를 보고 그 몸을 두지(보유하지) 못하는 상(象)이다. 점치는 자가 이 괘(卦)를 만나면 여자를 취함에 반드시 이와 같은 사람을 얻을 것이니, 이로운 바가 없다. 금부(金夫)는 금을 자기에게 주어서 꾀는 것이니, 노(魯)나라 추호(秋胡)의 행위와 같은 자이다.

象曰 勿用取女는 行이 不順也라

〈상전〉에 말하였다. "여자를 취하지 말라는 것은 행실이 순하지 않기 때문이다."

本義 | 行不順(愼)也라

행실을 삼가지 않기 때문이다.

傳 | 女之如此면 其行이 邪僻不順하니 不可取也라

78 秋胡:추호(秋胡)는 춘추시대 노(魯)나라 사람으로 결혼한 지 5일 만에 진(陳)나라로 벼슬하러 갔다가 5년 만에 돌아오는데, 길가에 미부인(美夫人)이 뽕을 따고 있었다. 추호가 그녀에게 돈을 주며 유혹하였으나 부인은 거절하고 받지 않았다. 집에 돌아오자 어머니가 며느리를 불러 보게 하였는데, 바로 그 미부인이었다. 이에 부인은 남편이 어머니를 봉양하지 않고 외국(外國)으로 벼슬하러 갔으며, 또 돈으로 남의 부인을 유혹하려했다 하여 스스로 자결하였다.

여자가 이와 같으면 그 행실이 사벽하여 순하지 못하니, 취해서는 안 된다.

本義 | 順은 當作愼이니 蓋順愼은 古字通用이라 荀子의 順墨을 作愼墨[79] 하며 且行不愼이 於經意에 尤親切하니 今當從之니라

'순(順)'은 마땅히 '신(愼)'이 되어야 하니, 순(順)과 신(愼)은 고자(古字)에 통용되었다. 《순자(荀子)》〈유효(儒效)〉의 '순묵(順墨)'을 '신묵(愼墨)'으로 읽으며, 또 '행실을 삼가지 않는다.'는 것이 경(經)의 뜻에 더욱 가까우니, 이제 마땅히 이것을 따라야 한다.

六四는 困蒙이니 吝하도다

육사(六四)는 몽(蒙)에 곤궁함이니, 부끄럽도다.

傳 | 四以陰柔而蒙闇하고 无剛明之親援하여 无由自發其蒙하니 困於昏蒙者也니 其可吝이 甚矣라 吝은 不足也니 謂可少也라

사(四)가 음유(陰柔)로서 몽매하고 강명(剛明)한 이가 가까이에서 원조해 줌이 없어서 스스로 자신의 몽매함을 개발할 길이 없으니 혼몽함에 곤궁한 자이니, 부끄러울 만함이 심하다. '린(吝)'은 부족함이니, 하찮게 여길 만함을 이른다.

本義 | 旣遠於陽하고 又无正應하니 爲困於蒙之象이니 占者如是면 可羞吝也라 能求剛明之德而親近之면 則可免矣리라

이미 양(陽)과 멀고 또 정응(正應)이 없으니, 몽매함에 곤궁한 상(象)이 된다. 점치는 자가 이와 같으면 부끄러울 만하다. 강명(剛明)한 덕(德)이 있는 자를 구하여 친근히 하면 부끄러움을 면할 수 있을 것이다.

象曰 困蒙之吝은 獨遠實也라

〈상전〉에 말하였다. "곤몽(困蒙)의 부끄러움은 홀로 실(實;양(陽))과 멀

79 荀子 順墨作愼墨 : 신묵(愼墨)은 춘추(春秋)·전국(戰國)시대의 사상가(思想家)인 신도(愼到)와 묵적(墨翟)을 이른다.

기 때문이다."

傳 | 蒙之時에 陽剛은 爲發蒙者어늘 四陰柔而最遠於剛하니 乃愚蒙之人而不比近賢者니 无由得明矣라 故로 困於蒙이라 可羞吝者는 以其獨遠於賢明之人也니 不能親賢以致困은 可吝之甚也라 實은 謂陽剛也라

몽(蒙)의 때에 양강(陽剛)은 몽매함을 개발하는 자인데, 사(四)는 음유(陰柔)로서 강(剛)과 가장 머니, 바로 어리석고 몽매한 사람이 현자(賢者)를 가까이 하지 않는 것이니, 밝음을 얻을 수가 없으므로 몽에 곤궁한 것이다. 부끄러울 만한 것은 홀로 현명한 사람과 멀기 때문이니, 현자를 친근히 하지 못하여 곤궁함을 이룸(부름)은 부끄러울 만함이 심한 것이다. '실(實)'은 양강(陽剛)을 이른다.

本義 | 實은 叶韻去聲[80]이라

실(實)은 협운(叶韻)에 거성(去聲:신)이다.

六五는 童蒙이니 吉하니라

육오(六五)는 동몽(童蒙)이니, 길하다.

傳 | 五以柔順으로 居君位하여 下應於二하니 以柔中之德으로 任剛明之才면 足以治天下之蒙이라 故로 吉也라 童은 取未發而資於人也니 爲人君者 苟能至誠任賢하여 以成其功이면 何異乎出於己也리오

오(五)가 유순함으로써 군위(君位)에 거하여 아래로 구이(九二)와 응하니, 유중(柔中)의 덕(德)이 있으면서 강명(剛明)한 재주에게 맡기면 충분히 천하의 몽매함을 다스릴 수 있다. 그러므로 길한 것이다. 동(童)은 아직 개발되지 못하여 남에게 의뢰함을 취한 것이니, 인군(人君)이 된 자가 진실로 지성(至誠)으로 현자에게 맡겨서 그 공을 이룬다면 자기에게서 나온 것과 어찌 다르겠는가.

······

80 實叶韻去聲 : 협운(叶韻)은 어떤 문자(文字)의 운(韻)에 맞게 음을 다르게 읽음을 이르는바, 실(實)의 원음은 '실'이어서 입성(入聲)인데, 육삼효(六三爻) 〈상전〉의 행불신(行不愼)과 육오효(六五爻) 〈상전〉의 순이손(順以巽)과 운을 맞추기 위하여 음을 '신'으로 바꾸어 읽음을 말한 것이다.

本義 | 柔中居尊하여 下應九二하니 純一未發하여 以聽於人이라 故로 其象이 爲童蒙이요 而其占이 爲如是則吉也라

유중(柔中)으로 존위(尊位)에 거하여 아래로 구이(九二)에 응하니, 순일(純一)하고 개발되지 않아 남을 따른다. 그러므로 그 상(象)은 동몽(童蒙)이 되고, 그 점(占)은 이와 같이 하면 길함이 되는 것이다.

象曰 童蒙之吉은 順以巽也일새라

〈상전〉에 말하였다. "동몽의 길함은 순하고 겸손하기 때문이다."

傳 | 舍己從人은 順從也요 降志下求는 卑巽也니 能如是면 優於天下矣리라

자기를 버리고 남을 따름은 순종함이요, 뜻을 낮추어 아래로 구함은 비손(卑巽;겸손)함이니, 이와 같이 하면 천하를 다스림에도 넉넉할 것이다.

上九는 擊蒙이니 不利爲寇요 利禦寇하니라

상구(上九)는 몽매함을 쳐야(공격하여 제거하여야) 하니, 침략을 하는 것은 이롭지 않고 침략을 막는 것은 이롭다.

본의 | 몽매함을 깨우침이니,

傳 | 九居蒙之終하니 是當蒙極之時라 人之愚蒙旣極하여 如苗民之不率爲寇爲亂者는 當擊伐之라 然九居上하여 剛極而不中이라 故로 戒不利爲寇하니 治人之蒙은 乃禦寇也요 肆爲貪暴는 乃爲寇也라 若舜之征有苗와 周公之誅三監[81]은 禦

······

81 若舜之征有苗 周公之誅三監 : 유묘(有苗)는 국명(國名)으로 삼묘(三苗)라고도 하는데 삼묘의 군주이나 군주로 인정하지 않아 묘민(苗民)이라고 한 것이다. 나라가 장강(長江) 하류에 있었는데, 지형이 험고(險固)함을 믿고 난(亂)을 일으켰다가 순제(舜帝)의 토벌을 받았는바, 이 내용이 《서경》〈순전(舜典)〉과 〈고요모(皐陶謨)〉에 보인다. 삼감(三監)은 은(殷)나라를 감시하던 세 사람으로 관숙(管叔)과 채숙(蔡叔)·곽숙(霍叔)을 이른다. 무왕(武王)은 은나라를 정벌한 다음 주(紂)의 아들 무경(武庚)을 은에 봉하여 성탕(成湯)의 제사를 받들게 하는 한편, 이가 반란할 것을 우려하여 세 아우로 하여금 무경을 감시하게 하고 삼감(三監)이라 칭하였다. 그 후 무왕이 별세하고 나이 어린 성왕(成王)이 즉위하여 주공(周公)이 섭정하자, 삼감은 '주공이 어린 성왕을 폐위시키고 자신이 왕이 되려 한다.'는 유언비어를 퍼뜨리고 무경과 함께 반란하였다가 주공의 토벌을 받고 처형되었다.

··· 禦 : 막을 어 率 : 따를 솔 捍 : 막을 한 誨 : 가르칠 회

寇也요 秦皇、漢武 窮兵誅伐[82]은 爲寇也라

구(九)가 몽(蒙)의 끝에 거하였으니, 이는 몽이 극에 달한 때를 당한 것이다. 사람의 어리석음과 몽매함이 이미 지극하여 묘민(苗民:유묘의 군주)처럼 따르지 않고 침략하고 난(亂)을 일으키는 자는 마땅히 쳐야 한다. 그러나 구(九)가 상(上)에 있어 강(剛)함이 지극하여 중(中)하지 못하므로 침략을 하는 것은 불리하다고 경계하였으니, 남의 몽매함을 다스리는 것은 바로 침략을 막는 것이요, 함부로 탐욕과 포악한 짓을 하는 것은 바로 침략을 하는 것이다. 순(舜) 임금이 유묘(有苗)를 정벌한 것과 주공(周公)이 삼감(三監)을 주벌한 것으로 말하면 침략을 막은 것이요, 진시황(秦始皇)과 한 무제(漢武帝)가 무력(武力)을 끝까지 동원하여 주벌한 것은 침략을 한 것이다.

本義 | 以剛居上하여 治蒙過剛이라 故로 爲擊蒙之象이라 然取必太過하고 攻治太深이면 則必反爲之害니 惟捍其外誘하여 以全其眞純이면 則雖過於嚴密이나 乃爲得宜라 故로 戒占者如此하니 凡事皆然이요 不止爲誨人也라

강(剛)으로서 상(上)에 거하여 혼몽함을 다스림이 지나치게 강하다. 그러므로 격몽(擊蒙)의 상(象)이 된 것이다. 그러나 기필(期必)함을 취함이 너무 지나치고 다스림이 너무 심하면 반드시 도리어 폐해가 될 것이니, 오직 외부의 유혹을 막아서 진순(眞純)함을 온전히 하면 비록 엄밀함에는 지나치나 바로 마땅함을 얻음이 된다. 그러므로 점치는 자에게 이와 같이 하라고 경계하였으니, 모든 일이 다 그러한 것이요, 다만 사람을 가르치는 것뿐만이 아니다.

象曰 利用禦寇는 上下順也라

〈상전〉에 말하였다. "침략을 막음이 이로움은 상(上)·하(下)가 순하기 때문이다."

······

82 秦皇漢武窮兵誅伐 : 진황(秦皇)은 진 시황(秦始皇)이고 한무(漢武)는 한 무제(漢武帝)이며 궁병(窮兵)은 병력을 끝까지 동원하여 다른 나라를 침공하는 것으로, 진 시황과 한 무제는 영토 확장을 위해 전쟁을 계속하였다.

傳 | 利用禦寇는 上下皆得其順也라 上不爲過暴하고 下得擊去其蒙은 禦寇之義也라

'이용어구(利用禦寇)'는 상 · 하가 모두 그 순함을 얻었기 때문이다. 위가 지나치게 포악하지 않고 아래가 몽매함을 쳐서 제거됨은 침략을 막는 뜻이다.

本義 | 禦寇以剛이면 上下皆得其道라

침략을 막기를 강(剛)함으로써 하면 상 · 하가 모두 그 도리를 얻는다.

5 수천 水天 수(需) ䷄ 건하감상 乾下坎上

傳 | 需는 序卦에 蒙者는 蒙也니 物之穉也니 物穉면 不可不養也라 故受之以需하니 需者는 飮食之道也라하니라 夫物之幼穉는 必待養而成이니 養物之所需者는 飮食也라 故로 曰 需者는 飮食之道也라하니라 雲上於天은 有蒸潤之象이니 飮食은 所以潤益於物이라 故로 需爲飮食之道니 所以次蒙也라 卦之大意는 須待之義어늘 序卦는 取所須之大者耳라 乾健之性은 必進者也어늘 乃處坎險之下하여 險爲之阻라 故로 須待而後進也라

수괘(需卦)는 〈서괘전(序卦傳)〉에 "몽(蒙)은 어림이니 물건(사람)이 어린 것이니, 물건이 어리면 기르지 않을 수 없다. 그러므로 수괘로 받았으니, 수(需:음식)는 음식의 도(道)이다." 하였다. 물건이 어린 것은 반드시 길러주기를 기다려 이루어지니, 물건을 기를 때에 필요한 것은 음식이다. 그러므로 '수(需)는 음식의 도(道)'라고 한 것이다. 구름이 하늘로 올라감은 김이 오르고 윤택한 상(象)이 있으니, 음식은 물건을 윤택하고 유익하게 한다. 그러므로 수괘가 음식의 도가 되는 것이니, 이 때문에 몽괘(蒙卦 ䷃)의 다음이 된 것이다.

괘의 대의(大意)는 기다리는 뜻인데 〈서괘전〉에서는 필요한 것 중에 큰 것을 취하였다. 건건(乾健)의 성(性)은 반드시 위로 나아가는 것인데, 마침내 감험(坎險)의 아래에 처하여 험(險)이 가로막고 있으므로 기다린 뒤에 나아가는 것이다.

需는 有孚하여 光亨하고 貞吉하니 利涉大川하니라

수(需)는 성신(誠信)이 있어 광명하여 형통하고 정(貞)하고 길하니, 대천(大川)을 건넘이 이롭다.

本義 | **需有孚하면 光亨하고 貞하면 吉하여**

수(需)는 성신(誠信)이 있으면 광명하고 형통하며 정(貞)하면 길하여

傳 | 需者는 須待也라 以二體言之하면 乾之剛健이 上進而遇險하여 未能進也라

··· 需 : 필요할 수, 음식 수, 기다릴 수 蒸 : 김오를 증 阻 : 막을 조

故로 爲需待之義요 以卦才言之하면 五居君位하여 爲需之主하고 有剛健中正之德하며 而誠信이 充實於中하니 中實은 有孚也라 有孚則光明而能亨通하고 得貞正〔一无正字〕而吉也니 以此而需면 何所不濟리오 雖險无難矣라 故로 利涉大川也라 凡貞吉은 有旣正且吉者하고 有得正則吉者하니 當辨也니라

수(需)는 기다림이다. 두 체(體)로써 말하면 강건(剛健)한 건(乾)이 위로 나아가다가 험함을 만나 나아가지 못한다. 그러므로 기다리는 뜻이 된 것이다. 괘재(卦才)로써 말하면 오(五)가 군위(君位;군주의 자리)에 거하여 수(需)의 주체가 되고 강건 중정(剛健中正)의 덕이 있으며 성신(誠信)이 가운데에 충실하니, 가운데가 충실〔中實〕함은 성실함이 있는 것이다. 성실함이 있으면 광명(光明)하여 형통하고 정정(貞正)함을 얻어 길하니, 이러한 방도로써 기다린다면 무엇인들 건너지(이루지) 못하겠는가. 비록 험하더라도 어려움이 없을 것이다. 그러므로 대천(大川)을 건넘이 이로운 것이다. 무릇 정길(貞吉)은 이미 바르고 또 길한 경우가 있고 바름을 얻으면 길한 경우가 있으니, 이 두 가지를 마땅히 구분하여야 한다.

本義 | 需는 待也라 以乾遇坎하니 乾健坎險이라 以剛遇險하여 而不遽進以陷於險은 待之義也라 孚는 信之在中者也라 其卦 九五以坎體中實하고 陽剛中正而居尊位하니 爲有孚得正之象이요 坎水在前이어늘 乾健臨之하니 將涉水而不輕進之象이라 故로 占者爲有所待而能有信이면 則光亨矣요 若又得正이면 則吉而利涉大川이라 正固는 无所不利로되 而涉川은 尤貴於能待하니 則不欲速而犯難也라

'수(需)'는 기다림이다. 건(乾 ☰)이 감(坎 ☵)을 만났으니, 건(乾)은 굳세고 감(坎)은 험하다. 강한 것이 험함을 만나 갑자기 나아가 험함에 빠지지 않음은 〈시기를 보아 나아갈 때를〉 기다리는 뜻이다. '부(孚)'는 신(信;성실함)이 가운데에 있는 것이다. 이 괘는 구오(九五)가 감체(坎體)로서 중실(中實)하고 양강 중정(陽剛中正)하며 존위(尊位)에 거하였으니 성실함이 있고 정(正)을 얻은 상이 되며, 감수(坎水)가 앞에 있는데 건건(乾健)이 임하였으니, 장차 물을 건너려 하나 경솔하게 나아가지 않는 상이다. 그러므로 점치는 자가 기다리는 바가 있고 성실함이 있으면 광명하고 형통하며, 만약 또 바름을 얻으면 길하여 대천을 건넘이 이로운 것이다. 정고(正固)함은 이롭지 않은 바가 없으나 냇물을 건넘은 기다림을 더욱 귀하게 여기니, 속히 하려다가 난(難)을 범하지 않는 것이다.

··· 遽 : 갑자기 거

彖曰 需는 **須也**니 **險**이 **在前也**라 **剛健而不陷**하니 **其義不困窮矣**라

〈단전(彖傳)〉에 말하였다. "수(需)는 기다림이니, 험함이 앞에 있어 기다리는 것이다. 강건(剛健)하면서도 험함에 빠지지 않으니, 그 의(義)가 곤궁하지 않은 것이다.

傳 | 需之義는 須也니 以險在於前하여 未可遽進이라 故로 需待而行也라 以乾之剛健으로 而能需待不輕動이라 故로 不陷於險하니 其義不至於困窮也라 剛健之人은 其動必躁하나니 乃能需待而動은 處之至善者也라 故로 夫子贊之云 其義不困窮矣라하시니라

수(需)의 뜻은 기다림이니, 험함이 앞에 있어서 갑자기 나아갈 수가 없다. 그러므로 기다렸다가 가는 것이다. 강건(剛健)한 건(乾)으로서 능히 기다리고 경솔하게 동하지 않기 때문에 험함에 빠지지 않는 것이니, 그 의(義)가 곤궁함에 이르지 않는다. 강건한 사람은 동함이 반드시 조급한데 마침내 기다렸다가 동함은, 대처하기를 지극히 선(善)하게 하는 자이다. 그러므로 부자(夫子;공자)께서 칭찬하시기를 "그 의(義)가 곤궁하지 않다."라고 하신 것이다.

本義 | 此는 以卦德으로 釋卦名義라

이는 괘덕(卦德)으로써 괘명(卦名)의 뜻을 해석한 것이다.

需有孚光亨 貞吉은 **位乎天位**하여 **以正中也**요

'수유부광형 정길(需有孚光亨貞吉)'은 천위(天位;군위(君位))에 자리하여(처하여) 정중(正中)하기 때문이요,

傳 | 五以剛實居中하니 爲孚之象이요 而得其所需하니 亦爲有孚之義라 以乾剛而至誠이라 故로 其德光明而能亨通하고 得貞正而吉也라 所以能然者는 以居天位而得正中也라 居天位는 指五요 以正中은 兼二言이라 故云正中하니라

오(五)는 강실(剛實)로서 중(中)에 거하였으니 성실함의 상이 되고, 기다리는 바를 얻었으니 또한 유부(有孚)의 뜻이 된다. 건강(乾剛)이면서 지극히 성실하기 때문에 그 덕(德)이 광명하여 형통하며 정정(貞正)함을 얻어 길한 것이다. 이러한 까

··· 孚 : 믿을 부, 진실할 부 躁 : 조급할 조

닭은 천위(天位)에 거하여 정중(正中)을 얻었기 때문이다. 천위에 거했다는 것은 구오(九五)를 가리키고, 정중(正中;바로 중함)은 구이(九二)를 겸하여 말하였다. 그러므로 정중이라 한 것이다.

利涉大川은 **往有功也**라

대천(大川)을 건넘이 이로움은 가면 공(功)이 있는 것이다."

傳 | 旣有孚而貞正이면 雖涉險阻나 往則有功也니 需道之至善也라 以乾剛而能需면 何所不利리오

이미 성실함이 있고 정정(貞正)하면 비록 험조(險阻)를 건너더라도 가면 공(功)이 있을 것이니, 기다리는 방도에 지극히 선(善)한 것이다. 건강(乾剛)으로서 능히 기다린다면 어느 곳인들 이롭지 않겠는가.

本義 | 以卦體及兩象으로 釋卦辭라

괘체(卦體)와 두 상(象)으로써 괘사(卦辭)를 해석하였다.

象曰 雲上於天이 **需**니 **君子以**하여 **飮食宴樂**하나니라

〈상전(象傳)〉에 말하였다. "구름이 하늘로 올라감이 수(需)이니, 군자가 보고서 음식을 먹고 연락(宴樂)을 한다."

傳 | 雲氣蒸而上升於天하여 必待陰陽和洽然後成雨하나니 雲方上於天하여 未成雨也라 故로 爲須待之義라 陰陽之氣交感而未成雨澤은 猶君子畜其才德而未施於用也라 君子觀雲上於天하여 需而爲雨之象하여 懷其道德하고 安以待時하여 飮食以養其氣體하고 宴樂以和〔一作養〕其心志하니 所謂居易以俟命也라

구름 기운이 증발하여 위로 하늘로 올라가 반드시 음·양이 화합〔和洽〕하기를 기다린 뒤에 비를 이루니, 구름이 막 하늘로 올라가 아직 비를 이루지 못하였다. 그러므로 기다리는 뜻이 된 것이다. 음·양의 기운이 서로 감응하였으나 아직 우택(雨澤)을 이루지 못함은 군자가 재덕(才德)을 쌓았으나 아직 실용에 베풀지 못함과 같다. 군자가 구름이 하늘로 올라가 〈음·양이 화합하기를〉 기다려서 비가 되

••• 洽 : 합할 흡 宴 : 잔치 연

는 상을 보고서, 도덕(道德)을 간직하고 편안히 때를 기다려 음식을 먹으면서 그 기체(氣體)를 기르고 연락(宴樂)하여 그 심지(心志)를 화하게 하니, 《중용》에 이른 바 "평이(平易)함에 거하여 천명(天命)을 기다린다."는 것이다.

本義 | 雲上於天에 无所復爲요 待其陰陽之和而自雨爾라 事之當需者는 亦不容更有所爲요 但飮食宴樂하여 俟其自至而已니 一有所爲면 則非需也라

구름이 하늘로 올라감에 다시 하는 바가 없고 음 · 양이 화합하여 스스로 비가 내리기를 기다릴 뿐이다. 일에 마땅히 기다려야 할 것은 또한 다시 작위하는 바를 용납하지 않고, 다만 음식을 먹고 연락(宴樂)하여 스스로 이르기를 기다릴 뿐이니, 한 번이라도(조금이라도) 작위하는 바가 있으면 기다림〔需〕이 아니다.

初九는 需于郊라 利用恒이니 无咎리라

초구(初九)는 교외에서 기다림이다. 항상함이 이로우니, 허물이 없으리라.

傳 | 需者는 以遇險故로 需而後進이라 初最遠於險故로 爲需于郊니 郊는 曠遠之地也라 處於曠遠이면 利在安守其常이니 則无咎也라 不能安常이면 則躁動犯難하리니 豈能需於遠而无過也리오

수(需)는 험함을 만났기 때문에 기다린 뒤에 나아가는 것이다. 초(初)는 험함(감(坎))에서 가장 멀므로 교외에서 기다림이 되니, 〈서울에서〉 교(郊)는 아득히 먼 지역이다. 아득히 먼 곳에 처하면 이로움이 그 떳떳함을 편안히 지킴에 있으니, 이렇게 하면 허물이 없다. 떳떳함을 편안히 여기지 못하면 조급히 동하여 난(難)을 범할 것이니, 어찌 먼 곳에서 기다려 허물이 없을 수 있겠는가?

本義 | 郊는 曠遠之地니 未近於險之象也요 而初九陽剛으로 又有能恒於其所之象이라 故로 戒占者能如是則无咎也라

'교(郊)'는 아득히 먼 땅이니 험함에 가깝지 않은 상이요, 초구(初九)는 양강(陽剛)으로 또 제 자리에 항상하는 상이 있다. 그러므로 점치는 자에게 이와 같이 하면 허물이 없다고 경계한 것이다.

••• 郊 : 들 교 曠 : 멀 광

象曰 需于郊는 **不犯難行也**요 **利用恒无咎**는 **未失常也**라

〈상전〉에 말하였다. "교외에서 기다림은 난을 범하여 가지 않는 것이요, 항상함이 이로우니 허물이 없음은 떳떳함을 잃지 않는 것이다."

傳 | 處曠遠者는 不犯冒險難而行也라 陽之爲物은 剛健上進者也로되 初能需待於曠遠之地하여 不犯險難而進하고 復宜安處하여 不失其常하니 則可以无咎矣라 雖不進이라도 而志動者는 不能安其常也라 君子之需時也에 安靜自守하여 志雖有須나 而恬然若將終身焉하니 乃能用常也라

아득히 먼 곳에 처함은 험난함을 범하거나 무릅쓰고 가지 않는 것이다. 양(陽)이란 물건은 강건(剛健)하여 위로 나아가는 자이나, 초(初)가 아득히 먼 땅(곳)에서 기다려 험난함을 무릅쓰고서 나아가지 않고, 다시 편안히 처하여 그 떳떳함을 잃지 않으니, 이렇게 하면 허물이 없을 수 있다. 비록 나아가지 않더라도 마음이 동하는 자는 그 떳떳함을 편안히 여기지 못한다. 군자가 때를 기다림에 안정(安靜)하고 스스로 지켜, 뜻은 비록 기다림이 있으나 태연히 장차 그대로 종신(終身)할 듯이 여기니, 이것이 바로 떳떳함을 쓰는 것이다.

九二는 **需于沙**라 **小有言**하나 **終吉**하리라

구이(九二)는 모래에서 기다림이다. 다소 말(구설(口舌))이 있으나 끝내 길하리라.

傳 | 坎爲水하니 水近則有沙라 二去險漸近이라 故로 爲需于沙라 漸近於險難하니 雖未至於患害나 已小有言矣라 凡患難之辭는 大小有殊하니 小者는 至於有言이니 言語之傷은 至小者也라 二以剛陽之才로 而居柔守中하여 寬裕自處하니 需之善也니 雖去險漸近이나 而未至於險이라 故로 小有言語之傷이나 而无大害하여 終得其吉也라

감(坎)은 물이 되니, 물이 가까우면 모래가 있다. 이(二)는 험(險)과 거리가 점점 가까워지므로 모래에서 기다림이 되는 것이다. 점점 험난함에 가까우니, 비록 환해(患害)에는 이르지 않았으나 이미 다소 말(구설)이 있는 것이다. 무릇 환난(患難)이란 말은 크고 작은 차이가 있으니, 작은 것은 말이 있음에 이르니, 언어(言語)의

… 冒 : 무릅쓸 모 恬 : 편안할 념

상해(傷害)는 환난 중에 지극히 작은 것이다. 이(二)가 강양(剛陽)의 재질로 유위(柔位)에 거하고 중(中)을 지켜 관유(寬裕)로 자처하니 기다리기를 잘하는 것이니, 비록 험(險)과 거리가 점점 가까우나 아직 험함에는 이르지 않았다. 그러므로 다소 언어의 상해가 있으나 큰 해로움이 없어 끝내 길함을 얻는 것이다.

本義 | **沙則近於險矣**라 **言語之傷**은 **亦災害之小者**니 **漸進近坎**이라 **故有此象**이요 **剛中能需**라 **故得終吉**이니 **戒占者當如是也**라

모래이면 험함에 가깝다. 언어의 상해는 또한 재해 중에 작은 것이니 점점 나아가 감(坎)과 가까우므로 이러한 상이 있는 것이요, 강중(剛中)으로서 능히 기다리므로 끝내 길함을 얻는 것이니, 점치는 자에게 마땅히 이와 같이 하라고 경계한 것이다.

象曰 需于沙는 **衍**으로 **在中也**니 **雖小有言**하나 **以吉**로 **終也**리라

〈상전〉에 말하였다. "모래에서 기다림은 너그러움으로 중(中)에 있기 때문이니, 비록 다소 허물하는 말이 있으나 길함으로 마치리라."

傳 | **衍**은 **寬綽**(작)**也**라 **二雖近險**이나 **而以寬裕居中**이라 **故雖小有言語及之**나 **終得其吉**하니 **善處者也**라

'연(衍)'은 너그러움이다. 이(二)가 비록 험(險)과 가까우나, 관유(寬裕)로서 중(中)에 거하였다. 그러므로 비록 다소 허물하는 말의 미침(이름)이 있으나 끝내 길함을 얻으니, 잘 대처하는 자이다.

本義 | **衍**은 **寬意**니 **以寬居中**하여 **不急進也**라

'연(衍)'은 너그러운 뜻이니, 너그러움으로서 중(中)에 거하여 급히 나아가지 않는 것이다.

九三은 **需于泥**니 **致寇至**리라

구삼(九三)은 진흙에서 기다림이니, 구난(寇難)이 옴을 부르리라.

··· 衍 : 넉넉할 연 綽 : 너그러울 작 泥 : 진흙 니 寇 : 도적 구

傳｜ 泥는 逼於水也니 旣進逼於險이면 當致寇難之至也라 三은 剛而不中하고 又居健體之上하여 有進動之象이라 故致寇也니 苟非敬愼이면 則致喪敗矣리라

진흙은 물에 가까우니, 이미 나아가 험함에 가까우면 마땅히 구난(寇難)이 옴을 부를 것이다. 삼(三)은 강(剛)하나 중(中)하지 못하며, 또 건체(健體)의 위에 있어 나아가고 동하는 상이 있다. 그러므로 구난을 부르는 것이니, 만일 공경하고 삼가지 않으면 상패(喪敗)를 부를 것이다.

本義｜ 泥는 將陷於險矣라 寇는 則害之大者니 九三은 去險愈近而過剛不中이라 故其象如此하니라

진흙은 장차 험함에 빠질 것이다. '구(寇)'는 해로움이 큰 것이니, 구삼(九三)은 험함과 거리가 더욱 가까운데, 지나치게 강(剛)하고 중(中)하지 못하므로 그 상(象)이 이와 같은 것이다.

象曰 需于泥는 災在外也라 自我致寇하니 敬愼이면 不敗也리라

〈상전〉에 말하였다. "진흙에서 기다림은 재앙이 밖에 있는 것이다. 나로부터 구난(寇難)을 불렀으니, 공경하고 삼가면 패망하지 않으리라."

傳｜ 三은 切逼上體之險難이라 故云災在外也라하니 災는 患難之通稱이로되 對眚(생)而言則分也[83]라 三之致寇는 由己進而迫之라 故云自我라 寇自己致하니 若能敬愼하여 量宜而進이면 則无喪敗也라 需之時는 須而後進也니 其義在相時而動이라 非戒其不得進也요 直使敬愼하여 毋失其宜耳니라

삼(三)은 상체(上體)의 험난함과 매우 가까우므로 재앙이 밖에 있다고 하였으니, 재(災)는 환난을 통칭한 것이나 생(眚)과 상대하여 말하면 구분이 있다. 삼(三)이 구난(寇難)을 부른 것은 자기가 나아가 가까이 하였기 때문이다. 그러므로 '나로부터'라고 말한 것이다. 나로부터 구난(寇難)을 불렀으니, 만일 공경하고 삼가

83 災……對眚而言則分也 : 사계(沙溪)는 "안의 괴변(怪變)을 생(眚)이라 하고 밖의 괴변을 상(祥)이라 하고 하늘에서 내리는 불을 재(災)라 한다." 하였다.《經書辨疑》 생(眚)은 모르고 지은 죄이므로 자신이 불러온 재(災)와는 구분이 있는 것이다.

••• 逼 : 가까울 핍 眚 : 허물 생 迫 : 핍박할 박

서 마땅함을 헤아려 나아가면 패망함이 없을 것이다. 수(需)의 때에는 기다린 뒤에 나아가야 하니, 그 의(義)가 때를 보아 동함에 있다. 이는 나아갈 수 없음을 경계한 것이 아니요, 다만 공경하고 삼가서 그 마땅함을 잃지 않게 한 것이다.

本義 | 外는 謂外卦라 敬愼不敗는 發明占外之占하니 聖人示人之意切矣로다

'외(外)'는 외괘(外卦)를 이른다. '공경하고 삼가면 패망하지 않는다.'는 것은 점(占) 밖의 점을 발명한 것이니, 성인이 사람에게 보여준 뜻이 간절하다.

六四는 需于血이니 出自穴[84]이로다

육사(六四)는 피에서 기다림이니, 구멍(편안한 곳)에서 나오도다.

本義 | 需于血이나 出自穴하리라

피에서 기다리나 구멍(위험)에서 나오리라.

傳 | 四以陰柔之質로 處於險而下當三陽之進하여 傷於險難者也라 故云需于血이라 旣傷於險難이면 則不能安處하여 必失其居라 故云出自穴이라하니 穴은 物之所安也라 順以從時하여 不競於險難은 所以不至於凶也라 以柔居陰하니 非能競者也니 若陽居之면 則必凶矣리라 蓋无中正之德하고 徒以剛競於險이면 適足以致凶耳니라

사(四)가 음유(陰柔)의 자질로 험함에 처하였고, 아래로는 세 양(陽)이 나옴을 막고 있어서 험난함에 상해를 당한 자이다. 그러므로 피에서 기다린다고 말한 것이다. 이미 험난함에 상해를 입었으면 편안히 거처하지 못하여 반드시 그 거처를 잃을 것이다. 그러므로 '구멍에서 나온다.' 하였으니, 구멍은 물건(동물)이 편안히 여기는 곳이다. 때를 순히 따라서 험난함에 다투지 않음은 흉함에 이르지 않는 방법이다. 유효(柔爻)로서 음위(陰位)에 거하였으니, 능히 다툴 수 있는 자가 아니다. 만약 양이 여기에 거한다면 반드시 흉할 것이니, 중정(中正)의 덕이 없고 한갓 강

84 出自穴 : 정이천은 혈(穴;구멍 또는 굴)을 동물이 편안히 거처하는 곳으로 해석한 반면, 주자는 사람이 굴 속에 거처하는 것으로 해석하여 '출자혈(出自穴)'을 위험한 곳에서 탈출하는 것으로 보았다.

··· 穴 : 구멍 혈 競 : 다툴 경 適 : 다만 적

함으로써 험함에서 다툰다면 다만 흉함을 부를 뿐이다.

本義 | 血者는 殺傷之地요 穴者는 險陷之所라 四交坎體하니 入乎險矣라 故爲需于血之象이라 然柔得其正하여 需而不進이라 故又爲出自穴之象이라 占者如是면 則雖在傷地나 而終得出也라

'혈(血)'은 살상하는 자리이고 '혈(穴)'은 험함(險陷)의 곳이다. 사(四)는 감체(坎體)와 사귀었으니, 험함으로 들어간 것이다. 그러므로 피에서 기다리는 상이 된 것이다. 그러나 유(柔)가 정(正:바른자리)을 얻어 때를 기다리고 나아가지 않으므로 또 구멍에서 나오는 상이 된 것이다. 점치는 자가 이와 같이 하면 비록 상해를 받을 자리에 있더라도 끝내 벗어나게 될 것이다.

象曰 需于血은 順以聽也라

〈상전〉에 말하였다. "피에서 기다림은 순히 하여 때를 따르는 것이다."

傳 | 四以陰柔로 居於險難之中하여 不能固處라 故退出自穴이라 蓋陰柔〔一作柔弱〕는 不能與時競하여 不能處則退니 是順從以聽於時라 所以不至於凶也니라

사(四)가 음유(陰柔)로서 험난한 가운데 처하여 굳게 처하지 못하므로 구멍에서 물러 나오는 것이다. 음유여서 때와 다투지 못하여 그대로 머물러 처하지 못하면 물러 나오니, 이는 순종하여 때를 따르는 것이다. 이 때문에 흉함에 이르지 않는 것이다.

九五는 需于酒食이니 貞하고 吉하니라

구오(九五)는 술과 음식에서 기다림이니, 정(貞)하고 길하다.

本義 | 貞하면 吉하리라

정(貞)하면 길하리라.

傳 | 五以陽剛으로 居中得正하고 位乎天位하여 克盡其道矣라 以此而需면 何需不獲이리오 故宴安酒食以俟之하니 所須必得也라 旣得貞正而所需必遂면 可謂吉矣라

오(五)가 양강(陽剛)으로 중(中)에 거하고 정(正)을 얻고 천위(天位)에 자리해서 그 도(道)를 능히 다하였다. 이렇게 기다린다면 무엇을 기다린들 얻지 못하겠는가. 그러므로 편안히 술과 음식을 먹으면서 기다리니, 기다리는 바를 반드시 얻을 것이다. 이미 정정(貞正)함을 얻고 기다리는 바를 반드시 이룬다면 길하다고 이를 만하다.

本義 | 酒食은 宴樂之具니 言安以待之라 九五陽剛中正으로 需于尊位라 故有此象하니 占者如是而貞固면 則得吉也라

술과 음식은 연락(宴樂)하는 도구이니, 편안히 기다림을 말한 것이다. 구오(九五)는 양강 중정(陽剛中正)으로 존위(尊位)에서 기다린다. 그러므로 이러한 상이 있으니, 점치는 자가 이와 같이 하고 정고(貞固)하면 길함을 얻을 것이다.

象曰 酒食貞吉은 以中正也라

〈상전〉에 말하였다. "'주식정길(酒食貞吉)'은 중정(中正)하기 때문이다."

傳 | 需于酒食而貞且吉者는 以五得中正而盡其道也일새라

술과 음식을 먹으면서 기다려 정(貞)하고 길한 것은, 오(五)가 중정(中正)을 얻어 그 도(道)를 다하기 때문이다.

上六은 入于穴이니 有不速之客三人이 來하리니 敬之면 終吉이리라

상육(上六)은 구멍에 들어감이니, 부르지 않은 손님 세 사람이 올 것이니, 이들을 공경하면 끝내 길하리라.

傳 | 需以險在前하여 需時而後進이어늘 上六이 居險之終하니 終則變矣요 在需之極하니 久而得矣라 陰止於六은 乃安其處라 故爲入于穴이니 穴은 所安也라 安而旣止면 後者必至니 不速之客三人은 謂下之三陽이라 乾之三陽은 非在下之物이요 需時而進者也니 需旣極矣라 故皆上進이라 不速은 不促之而自來也라 上六은 旣需得其安處하니 羣剛之來에 苟不起忌疾忿競之心하고 至誠盡敬以待之면 雖甚剛暴나 豈有侵陵之理리오 故終吉也라 或疑二陰居三陽之上하니 得爲安乎아

••• 速 : 부를 속 促 : 재촉할 촉 競 : 다툴 경

曰 三陽은 乾體니 志在上進하고 六은 陰位니 非所止之正이라 故无爭奪之意하니 敬之則吉也라

수(需)는 험함이 앞에 있어서 때를 기다린 뒤에 나아가는데, 상육(上六)이 험함의 끝에 처하였으니 끝이 되면 변할 것이요, 수(需)의 극에 있으니 오래면 구함을 얻을 것이다. 음(陰)이 육(六)에 그침은 바로 그 거처를 편안히 여기는 것이다. 그러므로 구멍에 들어감이 되니, 구멍은 편안한 곳이다. 편안한 곳에 이미 그치면 뒤에 있는 자가 반드시 이를 것이니, 부르지 않은 손님 세 사람이란 아래의 세 양효(陽爻)를 이른다. 건(乾)의 세 양은 아래에 있는 물건이 아니요 때를 기다려 나오는 자이니, 수(需)가 이미 극에 이르렀으므로 모두 위로 나오는 것이다.

'불속(不速)'은 재촉하지 않았는데도 스스로 오는 것이다. 상육(上六)은 이미 기다림에 그 편안함을 얻었으니, 여러 강(剛)들이 옴에 만일 꺼리고 미워하며 성내고 다투는 마음을 일으키지 않고 지성으로 공경을 다하여 대접한다면, 비록 심히 강하고 포악하나 어찌 침해하고 능멸할 리(理)가 있겠는가. 그러므로 끝내 길한 것이다.

혹자는 의심하기를 "두 음이 세 양의 위에 있으니, 편안하다고 이를 수 있겠는가?" 하기에 다음과 같이 대답하였다. "세 양은 건(乾)의 체(體)이니 뜻이 위로 나아감에 있고, 육(六)은 음의 자리이니 양이 그칠 바의 바른 자리가 아니다. 그러므로 쟁탈할 뜻이 없으니, 양을 공경하면 길한 것이다."

本義 | 陰居險極하여 无復有需하니 有陷而入穴之象이요 下應九三이어늘 九三이 與下二陽으로 需極竝進하니 爲不速客三人之象이요 柔不能禦而能順之하니 有敬之之象이라 占者當陷險中이나 然於非意之來에 敬以待之면 則得終吉也리라

음효(陰爻)가 험(險)의 극(極)에 처하여 다시 기다림이 없으니 빠져서 구멍에 들어가는 상이 있고, 아래로 구삼(九三)과 응하는데 구삼은 아래의 두 양과 함께 기다림이 극에 이르러 함께 나오니, 부르지 않은 손님 세 사람의 상이 되며, 유(柔)가 이들을 막지 못하고 순종하니, 공경하는 상이 있다. 점치는 자가 마땅히 험한 가운데 빠질 것이나 뜻하지 않은 것이 옴에 공경하여 대접하면 끝내 길함을 얻을 것이다.

象曰 不速之客來 敬之終吉은 雖不當位[85]나 未大失也라

〈상전〉에 말하였다. "부르지 않은 손님이 옴에 공경하면 끝내 길함은 비록 자리에 합당하지 않으나 큰 잘못이 없기 때문이다."

傳 | 不當位는 謂以陰而在上也라 爻以六居陰하니 爲所安이로되 象에 復盡其義하여 明陰宜在下而居上은 爲不當位也라 然能敬慎以自處면 則陽不能陵하여 終得其吉이니 雖不當位나 而未至於大失也라

'불당위(不當位)'는 음효(陰爻)로서 상(上)에 있음을 이른다. 이 효(爻)는 육(六)이 음위(陰位)에 거하였으니 편안한 바가 되나 〈상전에서는〉 다시 그 뜻을 지극히 하여 음은 마땅히 아래에 있어야 하는데 위에 있음은 자리에 합당하지 않음이 됨을 밝힌 것이다. 그러나 공경하고 삼가서 자처하면 양이 능멸하지 않아 끝내 그 길함을 얻을 것이니, 비록 자리에 합당하지 않으나, 큰 잘못에는 이르지 않는 것이다.

本義 | 以陰居上은 是爲當位어늘 言不當位는 未詳이라

음(陰)이 상(上)에 있음은 당위(當位;자리에 합당함)가 되는데 불당위(不當位)라고 말한 것은 미상이다.

85 雖不當位 : 당위(當位)는 여러 뜻이 있으나 대체로 양효(陽爻)가 초(初)·3·5의 홀수자리에 있고 음효(陰爻)가 2·4·상(上)의 짝수자리에 있는 것을 자리에 맞다 하여 당(當)을 거성(去聲)으로 읽는바, 번역에서는 '합당하다'로 바꾸어 표현하였음을 밝혀둔다.

6 천수 天水 송(訟) ䷅ 감하건상 坎下乾上

傳 | 訟은 序卦에 飮食必有訟이라 故受之以訟이라하니라 人之所需者는 飮食이니 旣有所須면 爭訟所由起也니 訟所以次需也라 爲卦 乾上坎下하니 以二象言之하면 天陽上行하고 水性就下하여 其行相違하니 所以成訟也요 以二體言之하면 上剛下險하니 剛險相接이면 能无訟乎아 又人이 內險阻而外剛强은 所以訟也라

송괘(訟卦)는 〈서괘전〉에 "음식에는 반드시 쟁송(爭訟:분쟁)이 있다. 그러므로 송괘로 받았다." 하였다. 사람이 필요한 것은 음식이니, 이미 필요로 하는 것이 있으면 쟁송이 이로 말미암아 일어나니, 송괘가 이 때문에 수괘(需卦 ䷄)의 다음이 된 것이다. 괘됨이 건(乾 ☰)이 위에 있고 감(坎 ☵)이 아래에 있으니, 두 상으로 말하면 하늘의 양(陽)은 위로 올라가고 물의 성질은 아래로 내려가서 그 감이 서로 어긋나니 이 때문에 송(訟)을 이룬 것이요, 두 체(體)로 말하면 위는 강(剛)하고 아래는 험(險)하니, 강(剛)과 험(險)이 서로 접하면 쟁송이 없을 수 있겠는가. 또 사람이 안(마음)은 험조(險阻)하고 밖(외도)은 강강(剛强)함은 다투게 되는 것이다.

訟은 有孚나 窒하여 惕하니 中은 吉하고 終은 凶하니

송(訟)은 성실함이 있으나 막혀서 두려우니, 〈쟁송함에〉 중도(中道)에 맞으면 길하고 끝까지 함은 흉하니,

本義 | 窒하니 惕하여

막히니, 두려워하여

傳 | 訟之道는 必有其孚實이니 中无其實이면 乃是誣妄이니 凶之道也라 卦之中實은 爲有孚之象이라 訟者는 與人爭辯(辨)而待決於人이니 雖有孚나 亦須窒塞未通이라 不窒則已明하여 无訟矣리라 事旣未辯이면 吉凶을 未可必也라 故有畏惕이라 中吉은 得中則吉也요 終凶은 終極其事則凶也라

송(訟)의 도(道)는 반드시 부실(孚實:성실,진실)이 있어야 하니, 중심에 성실함이

··· 訟 : 송사할 송 需 : 필요할 수 須 : 필요할 수 阻 : 험할 조 窒 : 막을 질 惕 : 두려울 척

없으면 이는 무망(誣妄:속이고 망령됨)이니, 흉한 도이다. 괘가 중실(中實:가운데가 꽉 참)한 것은 유부(有孚)의 상이 된다. 송(訟)은 남과 더불어 쟁변(爭辯)하면서 남에게 결단해주기를 기다리는 것이니, 비록 성실함이 있으나 또한 모름지기 막혀서 통하지 못한다. 막히지 않았다면 이미 밝아서 다툼이 없을 것이다. 일이 이미 분별되지 않았다면 길 · 흉을 기필할 수 없다. 그러므로 두려움이 있는 것이다. '중길(中吉)'은 쟁송함에 중도(中道)를 얻으면 길한 것이요, '종흉(終凶)'은 그 일(쟁송하는 일)을 끝까지 하면 흉한 것이다.

利見大人이요 不利涉大川하니라

대인(大人)을 봄이 이롭고 대천(大川)을 건넘은 이롭지 않다.

傳 | 訟者는 求辯其曲直也라 故로 利見於大人이니 大人則能以其剛明中正으로 決所訟也라 訟非和平之事니 當擇安地而處요 不可陷於危險이라 故로 不利涉大川也라

송(訟)은 곡(曲) · 직(直)을 분별해주기를 구하는 것이다. 그러므로 대인(大人)을 만나봄이 이로우니, 대인이라면 그 강명(剛明)함과 중정(中正)함으로 쟁송하는 바를 판결해 줄 것이다. 쟁송은 화평한 일이 아니니, 마땅히 안전한 곳을 가려 처할 것이요, 위험한 곳에 빠져서는 안 된다. 그러므로 대천을 건넘은 이롭지 않은 것이다.

本義 | 訟은 爭辯也라 上乾下坎하니 乾剛坎險이라 上剛以制其下하고 下險以伺其上하며 又爲內險而外健하고 又爲己險而彼健하니 皆訟之道也라 九二中實호되 上无應與하고 又爲加憂[86]라 且於卦變에 自遯而來하니 爲剛來居二而當下卦之中하니 有有孚而見窒, 能懼而得中之象이라 上九過剛하여 居訟之極하니 有終極其訟之象이요 九五剛健中正하여 以居尊位하니 有大人之象이요 以剛乘險하고 以實

••••••

86 又爲加憂 : 가우(加憂)는 더 근심하는 것으로 〈설괘전(說卦傳)〉에 팔괘의 상(象)을 말하면서 "감은 더 근심함이 되고 마음의 병이 된다.〔坎爲加憂, 爲心病.〕"라 하였는데, 송괘(訟卦)는 하체(下體)에 감(坎)이 있으므로 말한 것이다.

••• 伺 : 엿볼 사

履陷하니 有不利涉大川之象[87]이라 故戒占者 必有爭辯之事로되 而隨其所處하여 爲吉凶也라

'송(訟)'은 쟁변(爭辯)하는 것이다. 위는 건(乾)이고 아래는 감(坎)이니, 건은 강(剛)하고 감은 험(險)하다. 위는 강함으로 그 아래를 제재하고 아래는 험함으로 그 위를 살피며, 또 안은 험하고 밖은 굳세며, 또 자기는 험하고 상대는 굳셈이 되니, 모두 쟁송하는 방도이다. 구이(九二)는 중실(中實)하나 위에 응여(應與)가 없고 또 감(坎)은 더 근심함이 된다. 또 괘변(卦變)에 있어 돈괘(遯卦 ䷠)로부터 왔으니, 강(剛)이 와서 이(二)에 처하여 하괘(下卦)의 중(中)에 당하였으니, 성실함이 있으나 막힘을 당하고 능히 두려워하여 중을 얻은 상이 있다. 상구(上九)는 지나치게 강하여 송(訟)의 극(極)에 처하였으니 송사(訟事)를 끝까지 하는 상이 있고, 구오(九五)는 강건(剛健)하고 중정(中正)하여 존위(尊位)에 거하였으니 대인의 상이 있으며, 강(剛)으로서 험(險)을 타고 실(實)로서 함(陷)을 밟았으니 대천을 건넘이 이롭지 않은 상이 있다. 그러므로 점치는 자에게 반드시 쟁변할 일이 있을 터인데 대처하는 바에 따라 길하거나 흉하다고 경계한 것이다.

彖曰 訟은 上剛下險하여 險而健이 訟이라

〈단전〉에 말하였다. "송(訟)은 위는 강하고 아래는 험하여 험하고 굳셈이 송이다.

傳 | 訟之爲卦 上剛下險하니 險而又健也라 又爲險健相接하고 內險外健하니 皆所以爲訟也라 若健而不險이면 不生訟也요 險而不健이면 不能訟也어늘 險而又健이라 是以訟也라

송(訟)은 괘됨이 위는 강하고 아래는 험하니, 험하고 또 굳센 것이다. 또 험(險)과 건(健)이 서로 접하며 안은 험하고 밖은 굳세니, 모두 쟁송함이 된다. 만일 굳세더라도 험하지 않다면 쟁송이 생기지 않을 것이요, 험하더라도 굳세지 않다면

87 以實履陷 有不利涉大川之象 : 실(實)은 가운데가 꽉 찬 것으로, 배에 비유하면 배 안에 물건이 꽉 차 있는 상이 된다. 그러므로 대천을 건넘이 이롭지 않은 상이 있는 것이다. 이와 반대로 가운데가 비어 있으면[中虛] 대천을 건넘이 이로운 것이다.

쟁송할 수가 없는데, 험하고 또 굳세기 때문에 쟁송하는 것이다.

本義 | 以卦德으로 釋卦名義라

괘덕(卦德)으로써 괘명(卦名)의 뜻을 해석하였다.

訟有孚窒惕中吉은 剛來而得中也요

'송유부질척 중길(訟有孚窒惕中吉)'은 강(剛)이 와서 중(中)을 얻은 것이요,

傳 | 訟之道固如是요 又據卦才而言하면 九二以剛自外來而成訟하니 則二乃訟之主也라 以剛處中은 中實之象이라 故爲有孚라 處訟之時하여 雖有孚信이나 亦必艱阻窒塞而有惕懼하리니 不窒則不成訟矣라 又居險陷之中하니 亦爲窒塞惕懼之義라 二以陽剛으로 自外來而得中하니 爲以剛來訟而不過之義니 是以吉也라 卦有更取成卦之由爲義者하니 此是也[88]니 卦義不取成卦之由면 則更不言所變之爻也라 據卦辭하면 二乃善也로되 而爻中엔 不見其善하니 蓋卦辭는 取其有孚得中而言하니 乃善也요 爻則以自下訟上爲義하니 所取不同也일새라

송(訟)의 도(道)가 진실로 이와 같고, 또 괘재(卦才)를 근거하여 말하면 구이(九二)가 강(剛)으로 밖에서 와서 송(訟)을 이루었으니, 이(二)는 바로 송(訟)의 주체이다. 강(剛)으로서 중(中)에 처함은 중실(中實)의 상이므로 '유부(有孚)'라 한 것이다. 송(訟)의 때에 처하여 비록 부신(孚信)이 있으나 또한 반드시 어렵고 막혀서 두려움이 있을 것이니, 막히지 않으면 송(訟)을 이루지 않을 것이다. 또 험함(險陷)의 가운데에 처하였으니, 이 또한 막히고 두려워하는 뜻이 된다. 이(二)가 양강(陽剛)으로 밖에서 와서 중(中)을 얻었으니, 강(剛)이 와서 쟁송을 하나 지나치게 하지 않는 뜻이 되니, 이 때문에 길한 것이다.

괘 중에 다시 성괘(成卦)의 이유를 취하여 뜻을 삼은 경우가 있으니, 이 괘가 바로 그러한 바, 괘의 뜻에 성괘(成卦)의 이유를 취하지 않았으면 다시는 변한 효

88 卦有更取成卦之由爲義者 此是也 : '성괘지유(成卦之由)'는 괘를 이룬 이유를 이른다. 이는 괘변(卦變)을 말한 것인데, 정이천은 괘가 건(乾)·곤(坤) 두 괘가 변함으로 말미암아 괘가 변하는 것으로 본 반면, 주자는 이 괘가 무슨 괘에서 왔다고 설명하여 정이천과 크게 다른바, 3권(하권)의 〈총목(總目)〉에 보이는 주자의 괘변도(卦變圖)를 참고하기 바란다.

(爻)를 말하지 않는다. 괘사를 근거하면 〈강(剛)이 와서 중(中)을 얻었으므로〉 이(二)는 바로 선(善)한 것이나 효(爻) 가운데에서는 선함을 볼 수 없다. 이는 괘사(卦辭)는 '유부 득중(有孚得中)'을 취하여 말했으니 바로 선한 것이요, 효사(爻辭)는 아랫사람으로서 윗사람과 쟁송함을 가지고 뜻을 삼았으니, 취한 바가 똑같지 않기 때문이다.

終凶은 訟不可成也요

끝까지 하면 흉함은 송사(訟事)를 끝까지 이루어서는 안 되기 때문이요,

傳| 訟은 非善事요 不得已也니 安可終極其事리오 極意於其事則凶矣라 故로 曰不可成也라하니 成은 謂窮盡其事也라

송(訟)은 좋은 일이 아니고 부득이해서 하는 것이니, 어찌 이 일을 끝까지 하겠는가. 다투는 일에 뜻을 다하면 흉하다. 그러므로 '이루어서는 안 된다.'고 하였으니, '성(成)'은 그(쟁송하는) 일을 끝까지 함을 이른다.

利見大人은 尙中正也요

대인(大人)을 봄이 이로움은 숭상함이 중정(中正)이기 때문이요,

傳| 訟者는 求辯其是非也니 辯之當이 乃中正也라 故利見大人이니 以所尙者中正也라 聽者〔一有或字〕非其人이면 則或不得其中正也리라 中正大人은 九五是也라

송(訟)은 그 옳고 그름을 분별해 주기를 구하는 것이니, 분별(판결)함의 합당함이 바로 중정(中正)이다. 그러므로 대인을 봄이 이로우니, 대인은 숭상하는 바가 중정이기 때문이다. 쟁송(爭訟)을 다스리는 자가 훌륭한 사람이 아니면 혹 중정함을 얻지 못할 것이다. 중정한 대인은 구오(九五)가 이것이다.

不利涉大川은 入于淵也라

대천(大川)을 건넘이 이롭지 않음은 못으로 들어가기 때문이다."

傳| 與人訟者는 必處其身於安平之地니 若蹈危險이면 則陷其身矣니 乃入于深

淵也라 卦中에 有中正險陷之象이라

남과 쟁송하는 자는 반드시 자신을 평안한 곳에 두어야 한다. 만일 위험한 곳을 밟는다면 그 몸을 빠뜨리게 되니, 이는 바로 깊은 못으로 들어가는 것이다. 괘(卦) 안에 중정(中正)이 험함에 빠지는 상(象)이 있다.

本義 | 以卦變卦體卦象으로 釋卦辭라

괘변(卦變)과 괘체(卦體)와 괘상(卦象)으로써 괘사(卦辭)를 해석하였다.

象曰 天與水違行이 訟이니 君子以하여 作事謀始하나니라

〈상전〉에 말하였다. "하늘과 물이 어긋나게 감이 송(訟)이니, 군자가 보고서 일을 하되 처음(시작)을 잘 도모한다."

傳 | 天上水下하여 相違而行하여 二體違戾하니 訟之由也라 若上下相順이면 訟何由興이리오 君子觀象하여 知人情有爭訟之道라 故凡所作事에 必謀其始하여 絕訟端於事之始하면 則訟无由生矣라 謀始之義廣矣니 若愼交結, 明契券之類 是也라

하늘은 위로 올라가고 물은 아래로 흘러가 서로 어긋나게 가서 두 체(體)가 어그러지니, 쟁송(爭訟)하는 이유이다. 만일 상 · 하가 서로 순하다면 쟁송이 어디로부터 일어나겠는가. 군자가 이 상(象)을 보고서 인정(人情)에 쟁송하는 방도가 있음을 알았다. 그러므로 무릇 일을 할 때에 반드시 그 처음을 잘 도모하여 분쟁의 발단을 일의 시초에서 끊어버리면, 쟁송이 말미암아 생길 수가 없는 것이다. 처음을 도모하는 뜻이 넓으니, 교결(交結;교제)을 신중히 하고 계권(契券;계약서 등의 문서)을 분명히 하는 따위와 같은 것이 이것이다.

本義 | 天上水下하여 其行相違하니 作事謀始면 訟端이 絕矣라

하늘은 위로 올라가고 물은 아래로 흘러가서 그 감이 서로 어긋나니, 일을 할 때에 처음을 잘 도모하면 분쟁의 발단이 없어질 것이다.

初六은 不永所事면 小有言하나 終吉이리라

초육(初六)은 다투는 일을 영구(장구)히 하지 않으면 다소 허물하는 말

··· 戾 : 어그러질 려 券 : 문서 권

이 있으나 끝내 길하리라.

本義 | 不永所事니

다투는 일을 영구히 하지 않으니,

傳 | 六以柔弱居下하여 不能終極其訟者也라 故로 於訟之初에 因六之才하여 爲之戒曰 若不長永其事면 則雖小有言이나 終得吉也라하니라 蓋訟非可長之事니 以陰柔之才而訟於下면 難以吉矣로되 以上有應援而能不永其事라 故로 雖小有言이나 終得吉也니 有言은 災之小者也라 不永其事而不至於凶은 乃訟之吉也라

육(六)은 유약함으로서 아래에 거하여 쟁송을 끝까지 하지 못하는 자이다. 그러므로 송(訟)의 초기에 육(六)의 재질로 인하여 경계하기를 "만약 다투는 일을 영구히 하지 않으면 비록 다소 허물하는 말이 있으나 끝내 길함을 얻을 것이다."라고 한 것이다. 쟁송은 장구히 할 만한 일이 아니니, 음유(陰柔)의 재질로 아래에서 쟁송하면 길하기가 어려우나 위에 구사(九四)의 응원(應援)이 있어 다투는 일을 영구히 하지 않을 수 있다. 이 때문에 비록 다소 말이 있으나 끝내 길함을 얻는 것이다. 말이 있음은 재앙 중에 작은 것이다. 다투는 일을 영구히 하지 아니하여 흉함에 이르지 않는 것은 바로 쟁송의 길함이다.

本義 | 陰柔居下하여 不能終訟이라 故其象占如此하니라

음유(陰柔)로 아래에 거하여 쟁송을 끝까지 하지 못한다. 그러므로 그 상(象)과 점(占)이 이와 같은 것이다.

象曰 不永所事는 訟不可長也니

〈상전〉에 말하였다. "다투는 일을 영구히 하지 않음은, 쟁송은 장구히 해서는 안 되는 것이니,

傳 | 六以柔弱而訟於下하니 其義固不可長永也니 永其訟이면 則不勝而禍難及矣라 又於訟之初에 卽戒訟非可長之事也라

육(六)이 유약함으로 아래에서 쟁송하니, 그 의(義)가 진실로 장구히 해서는 안

되니, 쟁송을 장구히 하면 이기지 못하여 화란(禍難)이 미칠 것이다. 또 송(訟)의 초기에 쟁송은 장구히 할 만한 일이 아님을 경계한 것이다.

雖小有言이나 **其辯**이 **明也**라
비록 다소 말이 있으나 분별함이 밝다."

傳 | 柔弱居下하여 才不能訟하니 雖不永所事나 旣訟矣면 必有小災라 故小有言也요 旣不永其事하고 又上有剛陽之正應하여 辯理之明이라 故終得其吉也라 不然이면 其能免乎아 在訟之義하여는 同位而相應이면 相與者也라 故初於四엔 爲獲其辯明이요 同位而不相得이면 相訟者也라 故로 二與五는 爲對敵也라

유약함으로 아래에 거하여 재질이 쟁송할 수 없으니 비록 다투는 일을 영구히 하지 않으나, 이미 쟁송을 하였다면 반드시 작은 재앙이 있게 되므로 다소 말이 있는 것이며, 이미 다투는 일을 영구히 하지 않고 또 위에 강양(剛陽)의 정응(正應)이 있어서 분별하고 다스려주기를 밝게 하므로 끝내 그 길함을 얻는 것이다. 그렇지 않다면 흉함을 면할 수 있겠는가. 송(訟)의 뜻에 있어서는 자리가 같으면서 서로 응하면 서로 도와주는 자이므로 초육(初六)이 구사(九四)에 있어서는 분별함이 밝음을 얻음이 되고, 자리〔位〕가 같으나 〈똑같은 양효여서〉 서로 맞지 않으면 서로 쟁송하는 자이므로 구이(九二)와 구오(九五)는 서로 대적(對敵)하는 것이다.

九二는 **不克訟**이니 **歸而逋**하여 **其邑人**이 **三百戶**면 **无眚**하리라
구이(九二)는 쟁송하지 못함이니, 돌아가 도망하여 자신의 읍(邑) 사람이 3백 호(戶)인 것처럼 자처하면 허물이 없으리라.

本義 | **不克訟**하여 **歸而逋**니
쟁송하지 못하여 돌아가 도망함이니,

傳 | 二、五는 相應之地로되 而兩剛不相與하니 相訟者也라 九二自外來하여 以剛處險하여 爲訟之主하여 乃與五爲敵이나 五以中正으로 處君位하니 其可敵乎아 是爲訟而義不克也라 若能知其義之不可하고 退歸而逋避하여 以寡約自處면 則得无過眚也라 必逋者는 避爲敵之地也라 三百戶는 邑之至小者니 若處强大면

··· 逋 : 달아날 포, 도망할 포 寡 : 적을 과 敵 : 맞설 적

是猶競也니 能无眚乎아 眚은 過也니 處不當也니 與知惡而爲로 有分也라

이(二)와 오(五)는 서로 응하는 자리이나 두 강(剛)이 서로 친하지 못하니, 서로 쟁송하는 자이다. 구이(九二)가 밖으로부터 와서 강(剛)으로 험(險)함에 처하여 송(訟)의 주체가 되어 마침내 오(五)와 대적하나, 오(五)는 중정(中正)으로 군위(君位)에 처했으니, 어찌 대적할 수 있겠는가. 이는 쟁송을 하나 의리상 이길 수 없는 것이다. 만일 의리에 불가함을 알고 물러나 돌아가서 피하여 과약(寡約)함으로써 자처하면 허물이 없을 것이다. 반드시 도망함은 적이 되는 자리를 피하는 것이다. 3백 호(戶)는 읍(邑) 중에 지극히 작은 것이니, 만일 강대(强大)함에 처한다면 이는 여전히 다투는 것이니, 허물이 없을 수 있겠는가. '생(眚)'은 허물이니, 처함이 합당하지 않은 것이니, 악한 줄을 알면서도 하는 것과는 분별이 있다.

本義 | 九二는 陽剛으로 爲險之主하여 本欲訟者也나 然以剛居柔하고 得下之中하고 而上應九五하니 陽剛居尊하여 勢不可敵이라 故其象占如此라 邑人三百戶는 邑之小者니 言自處卑約하여 以免災患이니 占者如是면 則无眚矣리라

구이(九二)는 양강(陽剛)으로 험(險)의 주체가 되어 본래 쟁송하고자 하는 자이나, 강효(剛爻)로서 유위(柔位)에 거하고 하괘(下卦)의 중(中)을 얻었으며 위로 구오(九五)와 응하니, 〈구오가〉 양강(陽剛)으로 존위(尊位)에 거하여 형세가 대적할 수 없으므로 그 상(象)과 점(占)이 이와 같은 것이다. 읍인(邑人) 3백 호는 읍 중에 작은 것이니, 자처하기를 낮고 겸손하게 하여 재환(災患)을 면함을 말한 것이니, 점치는 자가 이와 같이 하면 허물이 없을 것이다.

象曰 不克訟하여 歸逋竄(포찬)也니

〈상전〉에 말하였다. "능히 쟁송하지 못하여 돌아가 도망하여 숨는 것이니,

傳 | 義旣不敵이라 故不能訟하고 歸而逋竄하여 避去其所也라

의리상 이미 대적할 수 없으므로 쟁송하지 못하고 돌아가 숨어서 그 자리를 피하여 떠나가는 것이다.

··· 竄 : 숨을 찬

自下訟上이 **患至掇**(철)**也**리라

아랫사람으로서 윗사람과 쟁송함은 화환(禍患)의 이름(옴)이 주워 담듯 하리라."

본의 | 아랫사람으로서 윗사람과 쟁송함은, 화환을 스스로 취하는 것이다.

傳 | **自下而訟其上**이면 **義乖勢屈**하여 **禍患之至 猶拾掇而取之**리니 **言易得也**라

아랫사람으로서 윗사람과 쟁송하면 의리에 어긋나고 형세가 굽혀서 재앙의 옴이 마치 주워서 취하는 것과 같을 것이니, 이는 얻기 쉬움을 말한 것이다.

本義 | **掇**은 **自取也**라

'철(掇)'은 스스로 취하는 것이다.

六三은 **食舊德**하여 **貞**하면 **厲**하나 **終吉**이리니

육삼(六三)은 옛 덕(德)을 간직하여 정(貞)하면 위태로우나 끝내 길하리니,

傳 | **三雖居剛而應上**이나 **然質本陰柔**로 **處險而介二剛之間**하니 **危懼**하여 **非爲訟者也**라 **祿者**는 **稱德而受**하나니 **食舊德**은 **謂處其素分**이라 **貞**은 **謂堅固自守**요 **厲終吉**은 **謂雖處危地**나 **能知危懼**면 **則終必獲吉也**라 **守素分而无求**면 **則不訟矣**라 **處危**는 **謂在險而承乘皆剛**이요 **與居訟之時也**라

삼(三)이 비록 강위(剛位)에 거하고 상구(上九)와 응하나 자질이 본래 음유(陰柔)로서 험(險)에 처하고 구이(九二)와 구사(九四) 두 강(剛)의 사이에 끼어 있으니, 위태롭고 두려워 쟁송을 하는 자가 아니다. 녹(祿)은 덕에 걸맞게 받는 것이니, '식구덕(食舊德)'은 본래의 분수에 처함을 이른다. '정(貞)'은 견고히 스스로 지킴을 이르고, '여종길(厲終吉)'은 비록 위태로운 자리에 처했으나 능히 위태롭게 여기고 두려워할 줄을 알면 끝내 반드시 길함을 얻음을 이른다. 본래의 분수를 지키고 구함이 없으면 쟁송하지 않을 것이다. 위태로운 자리에 처했다는 것은 험에 있고 위의 승(承)과 아래의 승(乘)이 모두 강(剛)이며 또 송(訟)의 때에 처함을 이른다.

··· 掇 : 주울 철 拾 : 주울 습 介 : 낄 개

或從王事하여 **无成**이로다

혹 왕사(王事; 국사(國事))에 종사하여 자기가 이룸(성공)이 없도다.

本義 | **或從王事**라도 **无成**이리라

혹 왕사에 종사하더라도 이룸이 없으리라.

傳 | 柔는 從剛者也요 下는 從上者也라 三은 不爲訟而從上九所爲라 故曰或從王事无成이라하니 謂從上而成不在己也라 訟者는 剛健之事라 故初則不永하고 三則從上하니 皆非能訟者也라 二爻는 皆以陰〔一作處〕柔不終而得吉하고 四亦以不克而渝(투)로 得吉하니 訟은 以能止爲善也라

유(柔)는 강(剛)을 따르는 자이고 아래는 위를 따르는 자이다. 삼(三)은 쟁송하지 않고 상구(上九)가 하는 바를 따르므로 "혹 왕사(王事)에 종사하여 자기가 이룸이 없다."고 한 것이니, 위를 따라서 이룸이 자신에게 있지 않음을 이른다. 쟁송(爭訟)은 강건(剛健)한 일이다. 그러므로 초육(初六)은 영구히 하지 않고 육삼(六三)은 상구를 따르니, 모두 쟁송을 하는 자가 아니다. 〈초육(初六)과 육삼(六三)〉 두 효(爻)는 모두 음유(陰柔)로서 송(訟)을 끝까지 하지 아니하여 길함을 얻고, 구사(九四) 또한 쟁송하지 못하여 변함으로 말미암아 길함을 얻으니, 송(訟)은 능히 그침을 선(善)으로 여기는 것이다.

本義 | 食은 猶食邑之食이니 言所享也라 六三은 陰柔니 非能訟者라 故守舊居正이면 則雖危而終吉이라 然或出而從上之事라도 則亦必无成功이니 占者守常而不出則善也라

'식(食)'은 식읍(食邑)의 식(食)과 같으니, 누리는 바를 말한다. 육삼(六三)은 음유(陰柔)이니 쟁송할 수 있는 자가 아니다. 그러므로 옛것을 지키고 정(正)에 거하면 비록 위태로우나 끝내 길한 것이다. 그러나 혹 나와서 윗사람의 일에 종사하더라도 또한 반드시 성공함이 없을 것이니, 점치는 자가 떳떳함을 지키고 나가지 않으면 선(善)한 것이다.

··· 渝 : 변할 투

象曰 食舊德하니 從上이라도 吉也리라
〈상전〉에 말하였다. "옛 덕을 간직하니, 윗사람을 따르더라도 길하리라."
本義 | 食舊德은 從上이면
옛 덕을 간직함은 윗사람을 따르면

傳 | 守其素分하니 雖〔一無雖字〕從上之〔一无之字〕所爲라도 非由己也라 故无成而終得其吉也라
본래의 분수를 지키니, 비록 윗사람의 하는 바를 따르더라도 자기에게서 말미암는(연유한) 것이 아니므로 이룸이 없어 끝내 그 길함을 얻는 것이다.

本義 | 從上吉은 謂隨人則吉이니 明自主事則无成功也라
'종상길(從上吉)'은 남을 따르면 길함을 이르니, 스스로 일을 주장하면 성공함이 없음을 밝힌 것이다.

九四는 不克訟이라 復(복)卽命하여 渝(투)하여 安貞하면 吉하리라
구사(九四)는 쟁송하지 못한다. 돌아와 명(命;정리(正理))에 나아가 쟁송하는 마음을 바꾸어 편안하고 정(貞)하게 하면 길하리라.
本義 | 安貞이니
정(貞)에 편안함이니,

傳 | 四以陽剛而居健體하여 不得中正하니 本爲訟者也나 承五履三而應〔一有於字〕初하니 五는 君也니 義不克訟이요 三은 居下而柔하여 不與之訟이요 初는 正應而順從하니 非與訟者也라 四雖剛健欲訟이나 无與對敵하니 其訟이 无由而興이라 故不克訟也요 又居柔以應柔하니 亦爲能止之義라 旣義不克訟하니 若能克其剛忿欲訟之心하여 復卽就於命하여 革其心, 平其氣하여 變而爲安貞則吉矣라 命은 謂正理니 失正理면 爲方命이라 故로 以卽命爲復也라 方은 不順也니 書云方命圮

··· 卽 : 나아갈 즉 就 : 나아갈 취 方 : 거스를 방 圮 : 무너질 비

(비)族이라하고 孟子云方命虐民[89]이라하니라 夫剛健而不中正則躁動이라 故不安이요 處非中正이라 故不貞이니 不安貞은 所以好訟也라 若義不克訟而不訟하고 反就正理하여 變其不安貞하여 爲安貞이면 則吉矣리라

사(四)가 양강(陽剛)으로서 건체(健體)에 거하여 중정(中正)을 얻지 못하였으니 본래 쟁송을 하는 자이나, 오(五)를 받들고 삼(三)을 밟고 초(初)와 응한다. 오(五)는 군주이니 의리상 쟁송(爭訟)할 수 없고, 삼(三)은 아래에 거하고 유순하여 자기와 쟁송하지 않으며, 초(初)는 정응(正應)이어서 순종하니 쟁송하는 자가 아니다. 사(四)가 비록 강건(剛健)하여 쟁송하고자 하나 더불어 대적(상대)할 자가 없으니, 쟁송이 말미암아 일어날 수가 없으므로 능히 쟁송하지 못하며, 또 유위(柔位)에 거하여 유효(柔爻:초육)와 응하니, 또한 쟁송을 그만두는 뜻이 된다.

이미 의리상 쟁송을 할 수 없으니, 만일 강분(剛忿)하여 쟁송하고자 하는 마음을 극복하여 돌아가 천명(天命)에 나아가서 그 마음을 고치고 그 기운을 화평하게 하여, 변하여 안정(安貞:편안하고 바름)하면 길할 것이다. '명(命)'은 정리(正理)를 이르니, 정리를 잃으면 명을 어김이 된다. 그러므로 명(命)에 나아감을 '복(復)'이라 한 것이다. '방(方)'은 순종하지 않음이니, 《서경》에 "왕명을 거스르고 종족(宗族)을 무너뜨린다." 하였고, 《맹자》에 "왕명을 거스르고 백성을 학대한다." 하였다. 강건(剛健)하기만 하고 중정(中正)하지 못하면 조급히 동하므로 편안하지 못하고, 처함이 중정한 자리가 아니므로 정(貞)하지 못한 것이니, 편안하고 정(貞)하지 못함은 쟁송을 좋아하는 이유이다. 만일 의리상 쟁송할 수 없어 쟁송하지 않고, 돌아와 정리(正理)에 나아가서 안정하지 못함을 변하여 안정하게 하면 길할 것이다.

本義｜ 卽은 就也요 命은 正理也라 渝는 變也라 九四는 剛而不中故로 有訟象이요 以其居柔故로 又爲不克而復就正理하여 渝變其心하여 安處於正之象이니 占者如是則吉也라

'즉(卽)'은 나아감이요, '명(命)'은 정리(正理)이다. '투(渝)'는 변함이다. 구사

89 書云方命圮族 孟子云方命虐民 : 방명(方命)은 황제의 명을 거스르는 것이고 비족(圮族)은 족류(族類)를 해치는 것으로 이 내용은 《서경》〈요전(堯典)〉에 보이며, 학민(虐民)은 백성을 포학하게 대하는 것으로 이 내용은 《맹자》〈양혜왕 하(梁惠王下)〉에 보인다.

(九四)는 강(剛)하고 중(中)하지 못하므로 쟁송하는 상이 있으며, 유(柔)에 거했기 때문에 또 쟁송하지 못하고 돌아와 정리로 나아가서 그 마음을 변하여 정(正)에 편안히 처하는 상이 되니, 점치는 자가 이와 같이 하면 길하다.

象曰 復卽命渝安貞은 不失也라

〈상전〉에 말하였다. "'복즉명 투안정(復卽命渝安貞)'은 잘못이 없는 것이다."

傳 | 能如是則爲无失矣니 所以吉也라

능히 이와 같이 한다면 잘못이 없는 것이니, 이 때문에 길한 것이다.

九五는 訟에 元吉이라

구오(九五)는 쟁송함에 크게 선(善)하고 길하다.

本義 | 元吉이리라

크게 길하리라.

傳 | 以中正居尊位하니 治訟者也라 治訟에 得其中正하니 所以元吉也라 元吉은 大吉而盡善也니 吉大而不盡善者有矣니라

〈구오가〉 중정(中正)으로 존위(尊位)에 거하였으니, 쟁송을 다스리는 자이다. 쟁송을 다스림에 중정함을 얻었으니, 이 때문에 크게 선(善)하고 길한 것이다. '원길(元吉)'은 크게 길하고 극진히 선(善)한 것이니, 크게 길하나 극진히 선하지 않은 경우가 있다.

本義 | 陽剛中正으로 以居尊位하여 聽訟而得其平者也라 占者遇之면 訟而有理하여 必獲伸矣리라

〈구오가〉 양강 중정(陽剛中正)으로 존위(尊位)에 거하여, 쟁송을 다스려 그 공평함을 얻은 자이다. 점치는 자가 이 괘를 만나면 쟁송함에 조리가 있어서 반드시 억울함을 펼 수 있을 것이다.

象曰 訟元吉은 以中正也라

〈상전〉에 말하였다. "'송원길(訟元吉)'은 중정(中正)하기 때문이다."

傳 | 中正之道 何施而不元吉이리오

중정한 도는 어디에 베푼들 원길(元吉)하지 않겠는가.

本義 | 中則聽不偏하고 正則斷合理라

중(中)하면 다스림이 편벽되지 않고, 바르면 결단함이 이치에 합한다.

上九는 或錫之鞶帶라도 終朝三褫(체)之리라

상구(上九)는 혹 반대(鞶帶;관복)를 하사받더라도 하루아침에 세 번 빼앗기리라.

傳 | 九以陽居上하니 剛健之極이요 又處訟之終하니 極其訟者也라 人之肆其剛强하여 窮極於訟이면 取禍喪身이 固其理也라 設或使之善訟能勝하여 窮極不已하여 至於受服命之賞이라도 是亦與人仇爭所獲이니 其能安保之乎아 故終一朝而三見褫奪也라

구(九)가 양효(陽爻)로 상(上)에 거하였으니 강건(剛健)함이 지극하고, 또 송(訟)의 끝에 처하였으니 쟁송을 끝까지 하는 자이다. 사람이 강강(剛强)함을 부려서 쟁송을 끝까지 하면 화를 취하고 몸을 망침이 진실로 당연한 이치이다. 설령 쟁송을 잘하여 이겨서 끝까지 쟁송하고 그만두지 않아 복명(服命;관복)의 상(賞)을 받음에 이른다 하더라도, 이 또한 남과 원수가 되고 다투어 얻은 것이니, 편안히 보전할 수 있겠는가. 그러므로 하루아침에 세 번이나 빼앗김을 당하는 것이다.

本義 | 鞶帶는 命服之飾이요 褫는 奪也라 以剛居訟極하여 終訟而能勝之라 故有錫命受服之象이나 然以訟得之하니 豈能安久리오 故又有終朝三褫之象이라 其占이 爲終訟하여 无理而或取勝이나 然其所得을 終必失之리니 聖人爲戒之意 深矣로다

··· 錫 : 줄 석 鞶 : 큰띠 반 褫 : 빼앗을 체 肆 : 부릴 사 錫 : 하사할 석

'반대(鞶帶)'는 명복(命服)의 꾸밈이요, '체(褫)'는 빼앗김이다. 강(剛)으로서 송(訟)의 극에 거하여 쟁송을 끝까지 해서 승리한다. 그러므로 〈왕의〉 명이 내려져 관복을 받는 상이 있는 것이다. 그러나 쟁송으로 얻었으니, 어찌 편안하고 오래 갈 수 있겠는가. 그러므로 또 하루아침에 세 번 빼앗기는 상이 있는 것이다. 이 점괘는 쟁송을 끝까지 하여 무리(無理)하면서도 혹 이길 수 있으나 그 얻은 바를 끝내는 반드시 잃고 말 것이니, 성인(聖人)이 경계하신 뜻이 깊도다.

象曰 以訟受服이 亦不足敬也라

〈상전〉에 말하였다. "쟁송으로 관복을 받은 것은 또한 공경할 만한 것이 못된다."

傳ㅣ 窮極訟事하여 設使受服命之寵이라도 亦且不足敬而可賤惡(오)어든 況又禍患隨至乎아

송사(訟事)를 끝까지 하여 설사 복명(服命)의 영광을 받더라도 또한 공경할 만한 것이 못되어 천히 여기고 미워할 만한데, 하물며 또 재앙이 뒤따라 이름에랴.

7 지수 地水 사(師) ䷆ 감하곤상 坎下坤上

傳 | 師는 序卦에 訟必有衆起라 故受之以師라하니라 師之興은 由有爭也니 所以次訟也라 爲卦 坤上坎下하니 以二體言之하면 地中有水하니 爲衆聚之象이요 以二卦之義言之하면 內險外順하여 險道而以順하니 行師之義也요 以爻言之하면 一陽而爲衆陰之主하니 統衆之象也라 比는 以一陽으로 爲衆陰之主而在上하니 君之象也요 師는 以一陽으로 爲衆陰之主而在下하니 將帥之象也라

사괘(師卦)는 〈서괘전〉에 "쟁송은 반드시 여럿이 일어난다. 그러므로 사괘로 받았다." 하였다. 군대가 일어남은 분쟁이 있어서이니, 이 때문에 송괘(訟卦 ䷅)의 다음이 된 것이다. 괘됨이 곤(坤 ☷)이 위에 있고 감(坎 ☵)이 아래에 있으니, 두 체(體)로 말하면 땅 가운데 물이 있으니 여럿이 모이는 상이 되고, 두 괘의 뜻으로 말하면 안은 험하고 밖은 순하여 험한 방도이면서 순함으로써 하니 군대를 출동하는 뜻이고, 효(爻)로 말하면 한 양이 여러 음의 주장이 되었으니 여러 사람을 통솔하는 상이다. 비괘(比卦 ䷇)는 한 양으로 여러 음의 주장이 되어 위에 있으니 군주의 상이고, 사괘는 한 양으로 여러 음의 주장이 되어 아래에 있으니 장수(將帥)의 상이다.

師는 貞이니 丈人이라야 吉하고 无咎하리라

사(師)는 바르니, 〈장수가〉 장인(丈人)이라야 길하고 허물이 없으리라.

本義 | 貞하고

사(師)는 바르고

傳 | 師之道는 以正爲本이라 興師動衆하여 以毒天下而不以正이면 民弗從也요 强驅之耳라 故로 師以貞爲主라 其動雖正也나 帥(솔)之者必丈人이라야 則吉而无咎也라 蓋有吉而有咎者하고 有无咎而不吉者하니 吉且无咎라야 乃盡善也라 丈人者는 尊嚴之稱이라 帥師總衆은 非衆所尊信畏服이면 則安能得人心之從이리오

••• 師 : 군대 사 帥 : 장수 수, 통솔할 솔

故로 司馬穰苴[90]擢自微賤하여 授之以衆한대 乃以衆心未服이라하여 請莊賈爲將也하니 所謂丈人은 不必素居崇貴요 但其才謀德業이 衆所畏服〔一作嚴畏〕이면 則是也라 如穰苴旣誅莊賈에 則衆心畏服하니 乃丈人矣라 又如淮陰侯[91]는 起於微賤하여 遂爲大將하니 蓋其謀爲가 有以使人尊畏也라

사(師)의 도(道)는 정도(正道;바름)를 근본으로 삼는다. 군대를 일으켜 사람들을 동원하여 천하에 해독을 끼치면서 정도로써 하지 않으면 백성이 따르지 않고 강제로 몰 뿐이다. 그러므로 사(師)는 바름을 위주로 하는 것이다. 그 동(動)함이 비록 바르나 군대를 통솔하는 자가 반드시 장인(丈人)이라야 길하고 허물이 없는 것이다. 길하나 허물이 있는 경우가 있고, 허물이 없으나 길하지 않은 경우가 있으니, 길하고 또 허물이 없어야 진선(盡善)한 것이다.

장인은 존엄한 사람의 칭호이다. 군대를 통솔하고 무리를 거느림은 사람들이 존신(尊信)하고 외복(畏服)하는 자가 아니면 어찌 인심의 따름을 얻겠는가. 그러므로 사마양저(司馬穰苴)가 미천한 신분으로 발탁되어 군사들을 맡겨 주자, 마침내 군사들의 마음이 복종하지 않을 것이라 해서 장가(莊賈)를 청하여 장수로 삼았으니, 이른바 장인은 반드시 평소 높고 귀한 자리에 있는 자가 아니요, 다만 재주와 지모(智謀)와 덕업(德業)이 사람들에게 두려움과 복종을 받으면 된다. 사마양저가 이미 장가를 참수하자, 군사들이 두려워하고 복종하였으니, 〈사마양저가〉 바로 장인인 것이다. 또 예컨대 회음후(淮陰侯)는 미천한 신분으로 발신(發身)하여 마침내 대장(大將)이 되었으니, 그 지모(智謀)와 하는 일이 사람들로 하여금 존경하고 두려워하게 함이 있었던 것이다.

90 司馬穰苴 : 사마양저(司馬穰苴)는 춘추시대 제(齊)나라의 병략가(兵略家)로 본래의 성(姓)은 전씨(田氏)였는데, 사마(司馬)라는 군직(軍職)을 맡아 이렇게 불렸으며 후손들은 사마씨(司馬氏)가 되었다. 본래 미천한 신분으로 장군(將軍)에 임명되자 군주인 경공(景公)의 총애를 받고 있던 장가(莊賈)를 감군(監軍)으로 임명하고 다음날 정오(正午)까지 집결장소로 모이게 하였다. 장가가 군명(軍命)을 어기고 뒤늦게 도착하자, 즉시 참형(斬刑)에 처하고 군(軍)을 일사불란하게 지휘하여 명장(名將)으로 알려지게 되었다.

91 淮陰侯 : 한(漢)나라의 개국공신(開國功臣)인 한신(韓信)의 봉호(封號)이다. 미천한 신분으로 대장에 발탁되어 한 고조(漢高祖) 유방(劉邦)이 통일천하하는데 큰 역할을 하여 초왕(楚王)에 봉해졌다가 회음후(淮陰侯)로 강등되었다.

··· 穰 : 풍성할 양 苴 : 쌀 저 擢 : 뽑을 탁 賈 : 성 가 淮 : 물이름 회

本義 | 師는 兵衆也라 下坎上坤하니 坎險坤順이요 坎水坤地라 古者에 寓兵於農[92]하니 伏至險於大順이요 藏不測於至靜之中이라 又卦惟九二一陽이 居下卦之中하니 爲將之象이요 上下五陰이 順而從之하니 爲衆之象이며 九二以剛居下而用事하고 六五以柔居上而任之하니 爲人君命將出師之象이라 故로 其卦之名曰師라 丈人은 長老之稱이라 用師之道는 利於得正이요 而任老成之人이라야 乃得吉而无咎니 戒占者亦必如是也라

사(師)는 병중(兵衆:군사)이다. 아래는 감(坎 ☵)이고 위는 곤(坤 ☷)이니, 감은 험하고 곤은 순하며, 감은 물이고 곤은 땅이다. 옛날에 병(兵)을 농(農)에 붙여 두었으니, 지극히 험한 것을 크게 순한 데에 숨겨두고, 측량할 수 없는 것(전쟁)을 지극히 고요한 가운데에 감춰둔 것이다. 또 괘에 오직 구이(九二) 한 양이 하괘(下卦)의 가운데에 있으니 장수의 상이 되고, 위아래의 다섯 음이 순히 따르니 병중(兵衆)의 상이 되며, 구이(九二)가 강(剛)으로서 아래에 거하여 용사(用事)를 하고 육오(六五)가 유(柔)로서 위에 거하여 그에게 맡기니, 인군이 장수에게 명하여 군대를 출동하는 상이 된다. 그러므로 이 괘의 이름을 사(師)라 한 것이다. 장인(丈人)은 장로(長老)의 칭호이다. 군대를 운용하는 방도는 바름을 얻음이 이롭고, 노성(老成)한 사람에게 맡겨야 비로소 길하고 허물이 없을 수 있으니, 점치는 자 또한 반드시 이와 같이 하라고 경계한 것이다.

彖曰 師는 衆也요 貞은 正也니 能以衆正하면 可以王矣리라

〈단전〉에 말하였다. "사(師)는 무리이고 정(貞)은 바름이니, 무리로 하여금 바르게 하면 왕노릇 할 수 있으리라.

본의 | 무리를 좌지우지하여 바르게 하면

傳 | 能使衆人皆正이면 可以王天下矣라 得衆心服從而歸正이면 王道止於是也니라

······

92 古者 寓兵於農 : '우병어농(寓兵於農)'은 군대를 농민에 붙여둔 것이다. 옛날에는 농민으로 군대를 편성하여 봄·여름·가을에는 약식 훈련을 시키고, 농한기인 겨울에 대대적인 사냥을 하여 무예(武藝)를 익히다가 전란(戰亂)이 있으면 군대로 무장하여 출동시켰으므로 말한 것이다.

··· 寓 : 붙일 우

여러 사람들로 하여금 모두 바르게 하면 천하에 왕노릇할 수 있을 것이다. 여러 사람들의 마음이 복종하고 바름으로 돌아오면 왕도(王道)는 이에 그치는 것이다.

本義 | 此는 以卦體로 釋師貞之義라 以는 謂能左右之也라 一陽이 在下之中하여 而五陰이 皆爲所以也니 能以衆正이면 則王者之師矣라

이는 괘체(卦體)로써 '사정(師貞)'의 뜻을 해석한 것이다. '이(以)'는 능히 좌지우지함을 이른다. 한 양이 하괘(下卦)의 가운데에 있어서 다섯 음이 모두 좌지우지 당하니, 사람들을 좌지우지하여 바르게 하면 왕자(王者)의 군대인 것이다.

剛中而應하고 行險而順하니

강(剛)이 중(中)하고 응하며, 험함을 행하나 순함으로 하니,

본의 | 〈인심(人心)에〉 순하니,

傳 | 言二也라 以剛處中하니 剛而得中道也요 六五之君이 爲正應하니 信任之專也요 雖行險道나 而以順動하니 所謂義兵이니 王者之師也라 上順下險은 行險而順也라

이효(二爻)를 말한 것이다. 강(剛)으로 중(中)에 처하였으니 강하면서 중도를 얻은 것이요, 육오(六五)의 군주가 정응(正應)이 되니 신임이 전일한 것이요, 비록 험한 방도를 행하나 순함으로 동(動)하니 이른바 '의병(義兵:정의로운 군대)'이란 것이니, 왕자(王者)의 군대이다. 위가 순하고 아래가 험함은, 험함을 행하나 순함으로 하는 것이다.

以此毒天下而民從之하니 吉하고 又何咎矣리오

이로써 천하에 해독을 끼치나 백성들이 따르니, 길(吉)하고 또 무슨 허물이 있겠는가."

傳 | 師旅之興에 不无傷財害人하여 毒害天下나 然而民心從之者는 以其義動也

··· 旅 : 군대 려

일새라 古者에 東征西怨[93]은 民心이 從也니 如是故로 吉而无咎라 吉은 謂必克이요 无咎는 謂合義라 又何咎矣는 其義故〔一作固〕无咎也라

군대를 일으킴에 재물을 허비하고 인명(人命)을 해쳐서 천하에 해독을 끼침이 없지 않으나 민심(民心)이 따르는 것은 의(義)에 따라 출동하기 때문이다. 옛날에 동쪽을 정벌하면 서쪽의 나라가 원망함〔東征西怨〕은 민심이 따른 것이니, 이와 같기 때문에 길하고 허물이 없는 것이다. 길(吉)은 반드시 승리함을 이르고, 무구(无咎)는 반드시 의(義)에 합함을 이른다. '우하구의(又何咎矣)'는 의리상 진실로 허물이 없는 것이다.

本義 | 又以卦體卦德으로 釋丈人吉无咎之義라 剛中은 謂九二요 應은 謂六五應之요 行險은 謂行危道요 順은 謂順人心이니 此非有老成之德者면 不能也라 毒은 害也라 師旅之興에 不无害於天下나 然以其有是才德이라 是以로 民悅而從之也라

또 괘체(卦體)와 괘덕(卦德)으로써 '장인길 무구(丈人吉无咎)'의 뜻을 해석하였다. 강중(剛中)은 구이(九二)를 이르고 응(應)은 육오(六五)가 응함을 이르며, 행험(行險)은 위험한 방도를 행함을 이르고 순(順)은 인심에 순응함을 이르니, 이는 노성(老成)한 덕(德)이 있는 자가 아니면 능하지 못하다. 독(毒)은 해독이다. 군대를 일으킴에 천하에 해독이 없지 않으나 이러한 재주와 덕이 있기 때문에 백성들이 기뻐하여 따르는 것이다.

象曰 地中有水師니 君子以하여 容民畜(축)衆하나니라

〈상전〉에 말하였다. "땅 가운데 물이 있는 것이 사(師)이니, 군자가 보고서 백성을 용납하고 무리를 모은다."

本義 | 容民畜(휵)衆하나니라

백성을 용납하여 무리를 기른다.

······

93 東征西怨 : 동정서원(東征西怨)은 동쪽 나라를 정벌하면 서쪽 나라 백성들이 '자기 나라를 뒤에 공격한다'하여 원망하는 것으로 탕왕(湯王)의 고사(故事)를 든 것이다. 《서경》〈상서(商書) 중훼지고(仲虺之誥)〉에 "동쪽을 향하여 정벌하면 서쪽 오랑캐가 원망하고 북쪽을 향하여 정벌하면 남쪽 오랑캐가 원망하여 이르기를 '어찌하여 우리나라를 뒤에 정벌하는가' 했다.〔東面而征, 西夷怨, 南面而征, 北狄怨, 曰奚獨後我?〕" 하였다.

··· 畜 : 모을 축, 기를 휵

傳 | 地中有水는 水聚於地中이니 爲衆聚之象이라 故爲師也라 君子觀地中有水之象하여 以容保其民하고 畜聚其衆也라

땅 가운데 물이 있음은 물이 땅 가운데 모인 것이니, 무리가 모이는 상(象)이 된다. 그러므로 괘 이름을 사(師)라 한 것이다. 군자는 땅 가운데 물이 있는 상을 보고서 백성들을 용납하여 보호하고 무리들을 모은다.

本義 | 水不外於地하고 兵不外於民이라 故能養民則可以得衆矣라

물은 땅에서 벗어나지 않고 군대는 백성에게서 벗어나지 않는다. 그러므로 백성을 기르면 무리를 얻을 수 있는 것이다.

初六은 師出以律이니 否(부)면 臧이라도 凶하니라

초육(初六)은 군대를 출동하되 규율(規律)에 맞게 함이니, 그렇지 않으면 승리하더라도 흉하다.

本義 | 否(不)臧이면 凶하리라

선(善)하지 않으면 흉하리라

傳 | 初는 師之始也라 故言出師之義와 及行師之道라 在邦國興師〔一作動衆〕而言하면 合義理則是以律法也니 謂以禁亂誅暴而動이라 苟動不以義면 則雖善이나 亦凶道也니 善은 謂克勝이요 凶은 謂殃民害義也라 在行師而言하면 律은 謂號令節制니 行師之道는 以號令節制爲本이니 所以統制於衆이라 不以律이면 則雖善이나 亦凶이니 雖使勝捷이라도 猶凶道也라 制師无法이로되 幸而不敗且勝者 時有之矣니 聖人之所戒也라

초(初)는 사(師)의 시초이므로 군대를 출동하는 의(義)와 군대를 운용하는 방도를 말하였다. 국가가 군대를 일으키는 입장에서 말한다면, 의리에 합하면 이는 율법에 맞는 것이니, 난(亂)을 금하고 포악함을 주벌하기 위하여 출동함을 이른다. 만일 출동하기를 의리로써 하지 않는다면 비록 선(善)하더라도 또한 흉한 방도이니, 선은 승리함을 이르고, 흉은 백성에게 앙화(殃禍)를 끼치고 의(義)를 해침을 이른다. 군대를 운용하는 입장에서 말한다면 율(律)은 호령과 절제(통제)를 이르니, 군대를 운용하는 방도는 호령과 절제를 근본으로 삼는 바, 이 때문에 여러 사람을

••• 臧 : 착할 장, 성공할 장 捷 : 이길 첩

통제하는 것이다. 규율대로 하지 않으면 비록 선하더라도 또한 흉하니, 비록 승전(勝戰)을 하더라도 오히려 흉한 방도이다. 군대를 통제함에 법도가 없으면서도 요행히 패하지 않고 또 이긴 자가 때로 있으니, 성인(聖人)이 경계하신 것이다.

本義 | 律은 法也요 否臧은 謂不善也라 鼂氏曰 否字를 先儒多作不이라하니 是也라 在卦之初하니 爲師之始라 出師之道는 當謹其始니 以律則吉이요 不臧則凶이니 戒占者當謹始而守法也라

율(律)은 법이고, 불장(否臧)은 불선(不善)을 이른다. 조씨(鼂氏)가 말하기를 "부(否) 자를 선유(先儒)들이 불(不)로 많이 썼다." 하였으니, 그 말이 옳다. 괘의 초(初)에 있으니, 사(師:군대)의 시초가 된다. 군대를 출동하는 방도는 마땅히 그 시초를 삼가야 하니, 규율에 맞으면 길하고 불선(不善)하면 흉하니, 점치는 자에게 마땅히 시작을 삼가고 법을 지키라고 경계한 것이다.

象曰 師出以律이니 失律하면 凶也리라

〈상전〉에 말하였다. "군대를 출동하는데 규율에 맞게 함이니, 규율을 잃으면 흉하리라."

傳 | 師出은 當以律이니 失律則凶矣라 雖幸而勝이라도 亦凶道也라

군대를 출동함은 마땅히 규율에 맞아야 하니, 규율을 잃으면 흉하다. 비록 요행히 승리하더라도 또한 흉한 방도이다.

九二는 在師하여 中할새 吉하고 无咎하니 王三錫命이로다

구이(九二)는 사(師)에 있어서 중도에 맞으므로 길하고 허물이 없으니, 왕(王)이 총애하는 명령을 세 번이나 내리도다.

本義 | 在師中하여

사(師)의 가운데에 있어서

傳 | 師卦는 唯九二一陽이 爲衆陰所歸하고 五居君位하니 是其正應이니 二乃師之主로 專制其事者也라 居下而專制其事는 唯在師則可라 自古命將에 閫外之事

··· 鼂 : 아침 조(晁通) 閫 : 성문 곤

를 得專制之하니 在師에 專制而得中道라 故吉而无咎라 蓋恃專則失爲下之道요 不專則无成功之理라 故得中爲吉이니 凡師之道는 威和竝至則吉也라 旣處之盡其善이면 則能成功而安天下라 故王錫寵命하여 至于三也니 凡事至于三者는 極也라 六五在上하여 旣專倚任하고 復厚其寵數하니 蓋禮不稱이면 則威不重而下不信也라 他卦에도 九二爲六五所任者有矣나 唯師專主其事하고 而爲衆陰所歸라 故其義最大라 人臣之道는 於事에 无所敢專이로되 唯閫外之事則專制之니 雖制之在己나 然因師之力而能致者는 皆君所與而職當爲也라 世儒[94] 有論魯祀周公以天子禮樂하여 以爲周公能爲人臣不能爲之功하시니 則可用人臣不得用之禮樂이라하니 是는 不知人臣之道也라 夫居周公之位면 則〔一有能字〕爲周公之事니 由其位而能爲者는 皆所當爲也니 周公은 乃盡其職耳라 子道亦然하니 唯孟子爲知此義라 故曰 事親을 若曾子者可也[95]라하사 未嘗以曾子之孝로 爲有餘也하시니 蓋子之身에 所能爲者는 皆所當爲也니라

사괘(師卦)는 오직 구이(九二) 한 양(陽)이 여러 음(陰)의 귀의하는 바가 되었고 오(五)가 군위(君位)에 거했는데 바로 그의 정응(正應)이니, 이(二)는 바로 사(師)의 주체로 그 일을 전제(專制)하는 자이다. 아래에 있으면서 그 일을 전제함은 오직 사(師)에 있어서만 가능하다. 예로부터 장수에게 명할 적에 곤외(閫外;도성 밖)의 일을 전제하게 하였으니, 사(師)에 있어서 전제하고 중도(中道)를 얻었으므로 길하고 허물이 없는 것이다. 군주의 신임을 믿고 전제하면 아랫사람이 된 도리를 잃고, 전제하지 않으면 성공할 리(理)가 없다. 그러므로 중도를 얻음이 길한 것이니, 무릇 사(師)의 도(道)는 위엄과 온화함이 아울러 지극하면 길하다.

이미 처함에 그 선(善)을 극진히 하였으면 능히 성공하여 천하를 편안히 한다.

······

94 世儒 : 세유(世儒)는 세속의 학자란 뜻으로, 사계(沙溪)는 "세유는 왕안석(王安石)을 가리킨다." 하였다.

95 故曰 事親若曾子者可也 : 맹자는 "증자(曾子)가 그의 부친인 증석(曾晳;증점(曾點))을 봉양할 적에 밥상에 언제나 술과 고기를 장만하였고 밥상을 치울 적에 반드시 '이 남은 것을 누구에게 주시렵니까?' 하고 물었으며, 혹 부친이 '남은 것이 있느냐?' 하고 물으면 반드시 '있습니다.' 하고 대답하셨으니, 증자와 같이 한다면 어버이의 뜻을 봉양하였다고 이를 만하다. 그러므로 어버이 섬기기를 증자와 같이 하는 것이 가(可)하다." 하셨다. 《孟子》〈離婁上〉
원래 가(可)는 괜찮다는 뜻으로 극진하지 않은 뜻이 있는 바, "증자와 같이 하면 극진하다."고 말해야 할 것이나 극진하다고 말하지 않은 것은 자식이 되어서는 당연히 이렇게 해야 하는 것이요 유여(有餘)한 것이 아니기 때문이라 한다. 유여는 부족의 반대말로 남아넘치는 뜻이다.

··· 寵 : 총애할 총 倚 : 기댈 의 恃 : 믿을 시 稱 : 걸맞을 칭

그러므로 왕이 총애하는 명령을 내려서 세 번에 이른 것이니, 무릇 일이 세 번에 이름은 지극한 것이다. 육오(六五)가 위에 있어서 이미 의지하고 맡기기를 전일(專一)하게 하고, 다시 그 총애와 예수(禮數;예우)를 후하게 하니, 예(禮)가 걸맞지 않으면 위엄이 무겁지 못하여 아랫사람들이 믿지 않는다. 다른 괘에도 구이(九二)가 육오(六五)의 신임을 받는 경우가 있으나 오직 사괘(師卦)는 구이(九二)가 이 일을 전적으로 주관하고 여러 음의 귀의하는 바가 되기 때문에 그 의(義;뜻)가 가장 큰 것이다. 인신(人臣)의 도리는 일에 있어서 감히 전제할 것이 없으나 오직 곤외(閫外)의 일은 전제하니, 비록 통제함이 자신에게 달려 있으나 군사들의 힘을 인하여 이루는 것은 모두 군주가 주신 것으로 직분상 마땅히 해야 하는 것이다.

세상의 유자(儒者)는 노(魯)나라가 주공(周公)을 천자(天子)의 예악(禮樂)으로 제사함을 논하여 이르기를 "주공은 인신(人臣)이 세울 수 없는 큰 공을 세웠으니, 인신이 쓸 수 없는 예악을 쓸 만하다." 하는데, 이는 인신의 도리를 알지 못한 것이다. 주공의 지위에 있으면 주공의 일을 하여야 하니, 지위로 말미암아 할 수 있는 것은 모두 당연히 해야 할 것이니, 주공은 바로 그 직분을 다했을 뿐이다. 자식의 도리 또한 그러하니, 오직 맹자만이 이러한 의리를 아셨다. 그러므로 말씀하시기를 "어버이 섬기기를 증자(曾子)처럼 하는 것이 가(可)하다." 하시어, 일찍이 증자의 효(孝)를 유여(有餘)하다고 여기시지 않았으니, 자식의 몸에 할 수 있는 것은 모두 당연히 해야 할 바인 것이다.

本義 | 九二在下하여 爲衆陰所歸하고 而有剛中之德하며 上應於五而爲所寵任이라 故其象占如此하니라

구이(九二)가 아래에 있으면서 여러 음(陰)의 귀의하는 바가 되고 강중(剛中)의 덕(德)이 있으며 위로 오(五)와 응하여 총애와 신임을 받고 있다. 그러므로 그 상(象)과 점(占)이 이와 같은 것이다.

象曰 在師中吉은 承天寵也요 王三錫命은 懷萬邦也라

〈상전〉에 말하였다. "'재사중길(在師中吉)'은 하늘(왕)의 총애를 받는 것이요, '왕삼석명(王三錫命)'은 만방(萬邦)을 회유하는 것이다."

傳 | 在師中吉者는 以其承天之寵任也니 天은 謂王也라 人臣이 非君寵任之면 則安得專征之權而有成功之吉이리오 象은 以二專主其事라 故發此義하니 與前所云世儒之見으로 異矣라 王三錫以恩命하여 褒其成功하니 所以〔一有威字〕懷萬邦也라

'재사중길(在師中吉)'은 하늘의 총애와 신임을 받기 때문이니, 하늘〔天〕은 왕을 이른다. 인신(人臣)이 군주가 총애하고 신임하지 않으면 어찌 마음대로 정벌할 수 있는 권한을 얻어 성공의 길함이 있겠는가. 〈상전〉에서는 이(二)가 이 일을 전적으로 주장하므로 이 뜻을 발명하였으니, 앞에서 말한 세유(世儒)의 견해와는 다르다. 왕이 세 번이나 은혜로운 명령을 내려주어 그 성공을 표창하였으니, 이 때문에 만방을 회유하는 것이다.

六三은 師或輿尸[96]면 凶하리라

육삼(六三)은 군대를 혹 여러 사람이 주장하면 흉하리라.

本義 | 師或輿尸니 凶하니라

군대가 혹 시체를 수레에 싣고 옴이니, 흉하다.

傳 | 三이 居下卦之上하니 居位當任者也로되 不唯其才陰柔不中正이라 師旅之事는 任當專一이니 二旣以剛中之才로 爲上信倚하니 必專其事라야 乃有成功이어늘 若或更使衆人主之면 凶之道也라 輿尸는 衆主也니 蓋指三也라 以三居下之上이라 故發此義하니 軍旅之事는 任不專一이면 覆敗必矣니라

육삼(六三)이 하괘(下卦)의 위에 있으니 지위에 거하여 임무를 맡은 자이나, 그 재질이 음유(陰柔)로 중정(中正)하지 못할 뿐만 아니라, 군대의 일은 맡기기를 마땅히 전일하게 해야 하는데 이(二)가 이미 강중(剛中)의 재질로 윗사람의 신임과 의지하는 바가 되었으니, 반드시 그 일을 전제(專制)하여야 비로소 성공이 있을 것이다. 그런데 만일 혹 다시 여러 사람으로 하여금 주장하게 하면 흉한 도(道)이다. '여시(輿尸)'는 여러 사람이 주장함이니, 이는 삼(三)을 가리킨 것이다. 삼이 하

······

96 師或輿尸 : '여시(輿尸)'를 《정전》에서는 "여러 사람이 주장하는 것이다."라고 해석하고, 《본의》에서는 "시신을 수레에 싣고 돌아오는 것이다."라고 해석하여 각기 다른데, 사계(沙溪)는 "《정전》이 옳은 듯하다." 하였다.

··· 輿 : 수레 여 覆 : 뒤집힐 복

괘의 위에 있으므로 이 뜻을 발명하였으니, 군려(軍旅)의 일은 맡기기를 전일하게 하지 않으면 전복되고 패망함이 틀림없다.

本義 | 輿尸는 謂師徒撓敗하여 輿尸而歸也라 以陰居陽하여 才弱志剛하고 不中不正而犯非其分이라 故其象占如此하니라

'여시(輿尸)'는 군대의 무리가 동요되고 패하여 시신을 수레에 싣고 돌아옴을 이른다. 음효(陰爻)로서 양위(陽位)에 거하여 재주가 약하고 뜻이 강(剛)하며 중정(中正)하지 못하여 분수가 아닌 것을 범한다. 그러므로 그 상(象)과 점(占)이 이와 같은 것이다.

象曰 師或輿尸면 大无功也리라

〈상전〉에 말하였다. "군대를 혹 여러 사람이 주장하면 크게 공(功)이 없으리라."

本義 | 師或輿尸는 大无功也라

군대가 혹 시체를 수레에 싣고 돌아옴은 크게 공이 없는 것이다.

傳 | 倚付二三이면 安能成功이리오 豈唯无功이리오 所以致凶也라

맡기기를 두세 사람에게 하면 어찌 능히 성공하겠는가. 어찌 다만 공(功)이 없을 뿐이겠는가. 이 때문에 흉함을 이룬 것이다.

六四는 師左次니 无咎로다

육사(六四)는 군대가 후퇴하여 머무니, 허물이 없도다.

傳 | 師之進은 以强勇也라 四以柔居陰하여 非能進而克捷者也니 知不能進而退라 故左次니 左次는 退舍也라 量宜進退 乃所當也라 故无咎니 見可而進하고 知難而退[97]가 師之常也라 唯取其退之得宜요 不論其才之能否也라 度(탁)不能勝〔一作

97 見可而進 知難而退 :《춘추좌씨전》 선공(宣公) 12년과 《오자직해(吳子直解)》 등에 보이는 내용으로, 적을 공격하여 승리할 가능성을 보면 전진하고, 적과 싸워 승리하기 어려움을 보면 후퇴

··· 撓 : 흔들 뇨

進〕而完師以退면 愈於覆敗 遠矣니 可進而退는 乃爲咎也라 易之發此義하여 以示後世하니 其仁이 深矣로다

군대의 나아감은 강함과 용맹으로써 한다. 사(四)는 유효(柔爻)로서 음위(陰位)에 있어서 능히 전진하여 승리할 수 있는 자가 아니니, 전진할 수 없음을 알고 후퇴한다. 그러므로 좌차(左次)를 하는 것이니, 좌차는 후퇴하여 머무는 것이다. 마땅함을 헤아려 전진하고 후퇴함은 바로 마땅한 것이므로 허물이 없는 것이니, 가(可)함을 보고 전진하고 어려움을 알고 후퇴하는 것이 군대의 떳떳한 도이다. 오직 후퇴함이 마땅한 것만을 취하였고, 그 재질의 능하고 능하지 못함은 논하지 않았다. 승리할 수 없음을 헤아리고서 군대를 완전히 보존하여 후퇴한다면 〈전진하였다가〉 복패(覆敗)하는 것보다 훨씬 나으니, 전진할 수 있는데도 후퇴하는 것은 곧 허물이 된다. 역(易)에서 이 뜻을 발명하여 후세에 보여 주었으니, 그 인(仁)함이 깊도다.

本義 | 左次는 謂退舍也라 陰柔不中而居陰得正이라 故其象如此라 全師以退는 賢於六三이 遠矣라 故其占如此하니라

'좌차(左次)'는 후퇴하여 머묾을 이른다. 음유(陰柔)로서 중(中)하지 못하나 음위(陰位)에 거하여 정(正)을 얻었으므로 그 상(象)이 이와 같은 것이다. 군대를 완전히 보존하여 후퇴함은 육삼(六三)보다 나음이 크다. 그러므로 그 점(占)이 이와 같은 것이다.

象曰 左次无咎는 未失常也라

〈상전〉에 말하였다. "좌차(左次)하여 허물이 없음은 떳떳함을 잃은 것이 아니다."

본의 | 떳떳함을 잃지 않은 것이다.

傳 | 行師之道는 因時施宜 乃其常也라 故左次未必〔一无必字〕爲失也니 如四退

••••••

한다는 뜻이다.

次[98]라야 乃得其宜라 是以无咎라

군대를 운용하는 방도는 때에 따라 마땅하게 하는 것이 바로 떳떳한 도이다. 그러므로 후퇴하여 물러남이 반드시 잘못이 되지는 않는 것이니, 사(四)와 같이 후퇴하여 머물러야 비로소 그 마땅함을 얻는다. 이 때문에 허물이 없는 것이다.

本義 | 知難而退는 師之常也라

어려움을 알고 후퇴함은 군대의 떳떳한 도(道)이다.

六五는 田有禽이어든 利執言하니 无咎리라 長子帥師니 弟子輿尸하면 貞이라도 凶하리라

육오(六五)는 밭에 짐승이 있으면 말을 받들어(대의명분을 내세워) 토벌함이 이로우니, 허물이 없으리라. 장자(長子)가 군대를 거느렸으니, 자제(子弟)들이 여럿이 주장하면 정(貞)하더라도 흉하리라.

本義 | 田有禽이라 利執言이니 无咎리라 長子로 帥師요 弟子로 輿尸면

밭에 짐승이 있다. 잡는 것이 이로우니, 허물이 없으리라. 장자(長子)로 군대를 거느리게 하고 아우와 아들로 시체를 수레에 싣고 오게 하면

傳 | 五는 君位니 興師之主也라 故言興師任將之道라 師之興은 必以蠻〔一作戎〕夷猾夏하고 寇賊姦宄(귀)하여 爲生民之害하여 不可懷來然後에 奉辭以誅之니 若禽獸入于田中하여 侵害稼穡하여 於義宜獵取則獵取之니 如此而動이라야 乃得无咎라 若輕動以毒天下면 其咎大矣리라 執言은 奉辭也니 明其罪而討之也라 若秦皇, 漢武는 皆窮山林以索禽獸者也요 非田有禽也라 任將授師之道는 當以長子帥(솔)師니 二在下而爲師之主하니 長子也라 若以弟子衆主之면 則所爲雖正이나 亦凶也라 弟子는 凡非長〔一有子字〕者也라 自古로 任將不專하여 而致覆敗者는 如晉

98 如四退次 : 사계(沙溪)는 "여(如)는 발어사(發語辭)이다." 하여 '사(四)가 퇴차(退次)하여야'로 해석하였음을 밝혀둔다.

… 蠻 : 남쪽오랑캐 만 猾 : 어지러울 활 宄 : 간사할 귀(궤) 稼 : 심을 가 穡 : 거둘 색 獵 : 사냥할 렵

荀林父(보)邲之戰과 唐郭子儀相州之敗[99]是也라

오(五)는 군주의 자리이니 군대를 일으키는 주체이므로, 군대를 일으키고 장수를 임명하는 방도를 말하였다. 군대를 일으킴은 반드시 오랑캐가 중국(中國)을 어지럽히고 도적들이 간악한 짓을 하여 생민(生民)의 폐해가 되어서 회유하여 오게 할 수 없는 뒤에야 말을 받들어 토벌해야 한다. 마치 금수(禽獸)가 밭 가운데 들어와 농작물을 침해해서 의리에 마땅히 사냥하여 잡아야 하면 사냥해서 잡는 것과 같으니, 이렇게 출동하여야 비로소 허물이 없을 수 있다. 만일 가볍게 출동하여 천하에 해독을 끼친다면 허물이 클 것이다. '집언(執言)'은 말을 받드는 것이니, 그의 죄를 밝혀 토벌하는 것이다. 진 시황(秦始皇)과 한 무제(漢武帝) 같은 이는 모두 산림을 뒤져서 금수(禽獸)를 찾은 자이며, 밭에 짐승이 있어서 사냥한 것이 아니다.

장수를 임명하여 군대를 맡겨주는 방도는 마땅히 장자(長子)로 군대를 거느리게 하여야 하니, 이효(二爻)가 아래에 있어 사(師)의 주체가 되었으니, 장자이다. 만일 아우와 아들로 하여금 여럿이 주장하게 하면 하는 바가 비록 바르더라도 또한 흉할 것이다. 아우와 아들은 장자가 아닌 모든 사람이다. 예로부터 장수를 임명함에 전일하지 않아 복패(覆敗)를 이룬 경우는 진(晉)나라 순림보(荀林父)가 필(邲) 땅에서 싸운 것과 당(唐)나라 곽자의(郭子儀)가 상주(相州)에서 패전한 것이 이것이다.

本義 | 六五는 用師之主로되 柔順而中하여 不爲兵端者也요 敵加於己면 不得已而應之라 故爲田有禽之象이요 而其占은 利以搏執而无咎也라 言은 語辭也라 長子는 九二也요 弟子는 三、四也라 又戒占者專於委任이니 若使君子任事하고 而又使小人參之면 則是使之輿尸而歸라 故雖貞이나 而亦不免於凶也라

육오(六五)는 군대를 운용하는 주체이나 유순하면서 중도에 맞아 전쟁의 단서

99 晉荀林父邲之戰 唐郭子儀相州之敗 : 순림보(荀林父)는 춘추시대 진(晉)나라의 대부(大夫)로, 중군장(中軍將)이 되어 초(楚)나라와 필(邲) 땅에서 싸웠으나 명령이 통일되지 못하여 패하였는바, 이 내용이 《춘추좌씨전》 선공(宣公) 12년에 보인다. 순림보는 시호가 환자(桓子)인데, 이후 후손들이 중항씨(中行氏)가 되었다. 곽자의(郭子儀)는 당나라의 명장이었는데, 숙종(肅宗) 건원(建元) 2년 안록산(安祿山)의 잔당인 사사명(史思明)과 상주(相州)에서 싸울 적에 9명의 절도사(節度使)와 함께 출동하였으나 환관인 어조은(魚朝恩)이 군대를 주관함으로 인해 기율이 없어 패하였다.

··· 邲 : 땅이름 필 搏 : 포박할 박

를 만들지 않는 자이며, 적이 자기를 침범하면 부득이 대응한다. 그러므로 밭에 짐승이 있는 상이 되며, 그 점괘는 잡는 것이 이로워 허물이 없는 것이다. '언(言)'은 어조사이다. 장자는 구이(九二)이고 자제는 삼효(三爻)와 사효(四爻)이다. 또 점치는 자에게, 위임하기를 전일(專一)하게 해야 함을 경계하였으니, 만일 군자로 하여금 일을 맡기고 또 소인으로 하여금 참여하게 하면 이는 시신을 수레에 싣고 되돌아오게 하는 것이다. 그러므로 비록 정(貞)하더라도 또한 흉함을 면치 못하는 것이다.

象曰 長子帥師는 **以中行也**요 **弟子輿尸**는 **使不當也**라

〈상전〉에 말하였다. "'장자솔사(長子帥師)'는 중도(中道)로써 행하는 것이요 '제자여시(弟子輿尸)'는 부림이 합당하지 않은 것이다."

傳 | 長子는 謂二니 以中正之德으로 合於上而受任以行이어늘 若復使其餘者로 衆尸其事면 是는 任使之不當也니 其凶宜矣라

장자는 이효(二爻)를 이르니, 중정(中正)한 덕(德)으로 육오(六五)인 상(上)과 뜻이 합하여 임무를 받고 떠났는데, 만일 다시 남은 자들로 하여금 여럿이 그 일을 주장하게 하면 이는 맡기고 부림이 합당하지 않은 것이니, 그 흉함이 당연하다.

上六은 **大君**이 **有命**이니 **開國承家**에 **小人勿用**이니라

상육(上六)은 대군(大君)이 〈논공행상(論功行賞)의〉 명(命)을 둠이니, 제후를 봉하고 경대부를 삼을 적에 소인은 등용하지 말아야 한다.

本義 | **大君有命**하여 **開國承家**니

대군(大君)이 명(命)을 두어 제후를 봉하고 경대부를 삼음이니,

傳 | 上은 師之終也요 功之成也니 大君이 以爵命賞有功也라 開國은 封之爲諸侯也요 承家는 以爲卿大夫也니 承은 受也라 小人者는 雖有功이나 不可用也라 故戒使勿用이라 師旅之興은 成功非一道니 不必皆君子也라 故戒以小人有功이라도 不可用也니 賞之以金帛祿位는 可也어니와 不可使有國、家而爲政也라 小人은

平時에 易致驕盈이어든 況挾其功乎아 漢之英、彭[100]이 所以亡也니 聖人之深慮遠戒也라 此는 專言師終之義하고 不取爻義하니 蓋以其大者라 若以爻言이면 則六以柔居順之極하니 師旣終而在无位之地하여 善處而无咎者也라

상(上)은 사(師)의 끝이고 공이 이루어진 것이니, 대군(大君:군주)이 작명(爵命)으로 공이 있는 자에게 상을 내리는 것이다. '개국(開國)'은 봉하여 제후를 삼는 것이요, '승가(承家)'는 경대부(卿大夫)를 삼는 것이니, 승(承)은 받음이다. 소인은 비록 공이 있으나 등용해서는 안 된다. 그러므로 쓰지 말라고 경계한 것이다.

군대를 일으킴은 성공함이 한 가지 길이 아니니, 반드시 모두 군자인 것은 아니다. 그러므로 소인은 공이 있더라도 쓰지 말라고 경계하였으니, 금백(金帛)과 녹위(祿位)로써 상을 줌은 가(可)하나, 〈제후를 삼아〉 나라를 소유하고 〈대부를 삼아〉 집안을 소유하여 정사를 하게 해서는 안 된다. 소인은 평시에도 교만함과 가득참을 이루기 쉬운데, 하물며 그 공을 자세(藉勢)함에 있어서랴! 한(漢)나라의 영포(英布)와 팽월(彭越)이 이 때문에 망한 것이니, 성인의 깊은 생각과 원대(遠大)한 경계이다. 이는 오로지 사(師)가 끝나는 뜻만을 말하였고 효(爻)의 뜻은 취하지 않았으니, 큰 것으로써 말한 것이다. 만일 효로써 말한다면 육(六)이 유효(柔爻)로서 순(順)의 극에 처하였으니, 사(師)가 이미 끝남에 지위가 없는 곳에 있어서 잘 대처하여 허물이 없는 자이다.

本義 | 師之終이요 順之極이니 論功行賞之時也라 坤爲土라 故有開國承家之象이라 然小人則雖有功이라도 亦不可使之得有爵土요 但優以金帛이 可也라 戒行賞之人은 於小人則不可用此占이요 而小人遇之라도 亦不得用此爻也라

〈상육은〉 사(師)의 끝이요 순(順)의 극(極)이니, 논공행상할 때이다. 곤(坤)은 땅이 되므로 개국 승가(開國承家)의 상이 있는 것이다. 그러나 소인은 비록 공이 있더라도 작위와 토지를 소유하게 해서는 안 되고, 단지 금과 비단으로써 우대함이 가(可)하다. 상을 시행하는 사람은 소인에게는 이 점괘를 쓰지 말 것이요, 소인이

100 漢之英彭 : 영팽(英彭)은 영포(英布)와 팽월(彭越)로 한 고조(漢高祖)인 유방(劉邦)이 천하를 통일하는데 큰 공을 세워 구강왕(九江王)과 위왕(魏王)에 각각 봉해졌으나 고조(高祖)가 배반한 제후들을 토벌할 적에 원병(援兵)을 이끌고 가지 않았으며 뒤에 반란을 도모하다가 모두 죽임을 당하였다.

挾 : 藉勢(자세)할 협 彭 : 성 팽 優 : 우대할 우

이 점괘를 만났더라도 또한 이 효를 쓸 수 없음을 경계한 것이다.

象曰 大君有命은 **以正功也**요 **小人勿用**은 **必亂邦也**일새라

〈상전〉에 말하였다. "'대군유명(大君有命)'은 공(功)을 바르게 하는 것이요 '소인물용(小人勿用)'은 반드시 나라를 어지럽히기 때문이다."

傳| 大君은 持恩賞之柄하여 以正軍旅之功이라 師之終也에 雖賞其功이나 小人則不可以有功而任用之니 用之면 必亂邦이라 小人恃功而亂邦者 古有之矣니라

대군(大君)은 은혜로 상을 내리는 권병(權柄)을 잡아서 군려(軍旅)의 공을 바르게 한다. 군대의 일이 끝났을 때에 비록 공이 있는 자에게 상을 내려야 하나 소인은 공이 있다고 해서 임용해서는 안 되니, 소인을 임용하면 반드시 나라를 어지럽힌다. 소인이 공을 믿고서 나라를 어지럽힌 경우가 예로부터 있었다.

本義| 聖人之戒深矣로다

성인(聖人)의 경계가 깊도다.

8 수지 水地 비(比) ䷇ 곤하감상 坤下坎上

傳 | 比는 序卦에 衆必有所比라 故受之以比라하니라 比는 親輔也(一作比輔比也, 一作比輔也)니 人之類는 必相親輔然後能安이라 故旣有衆則必有所比하니 比所以次師也라 爲卦 上坎下坤하니 以二體言之하면 水在地上하니 物之相切比无間이 莫如水之在地上이라 故爲比也요 又衆爻皆陰이요 獨五以陽剛으로 居君位하여 衆所親附하고 而上亦親下라 故爲比也라

비괘(比卦)는 〈서괘전〉에 "여러 사람은 반드시 친한 바가 있다. 그러므로 비괘로 받았다." 하였다. '비(比)'는 친보(親輔: 친하고 도와줌)하는 것이니, 사람의 무리는 반드시 서로 친보한 뒤에 편안할 수 있다. 그러므로 이미 무리가 있으면 반드시 친비(親比)하는 바가 있는 것이니, 비괘가 이 때문에 사괘(師卦 ䷆)의 다음이 된 것이다. 괘됨이 위는 감(坎 ☵)이고 아래는 곤(坤 ☷)이니, 두 체(體)로써 말하면 물이 땅 위에 있으니, 물건이 서로 지극히 가까워 간격이 없음은 물이 땅 위에 있는 것보다 더함이 없으므로 비(比)라 한 것이요, 또 여러 효(爻)가 모두 음(陰)이고 홀로 오(五)가 양강(陽剛)으로 군위(君位)에 거해서 무리가 친애하여 따르며 위 또한 아래를 친애하므로 비괘라 한 것이다.

比는 吉하니 原筮하되 元永貞이면 无咎리라

비(比)는 길하니, 근원하여 점치되 원(元)·영(永)·정(貞)하면 허물이 없으리라.

本義 | 比는 吉하나 原筮하여 元永貞이라야 无咎리라

비(比)는 길하나 다시 점쳐 원·영·정하여야 허물이 없으리라.

傳 | 比는 吉道也라 人相親比는 自爲吉道라 故雜卦云 比樂師憂라하니라 人相親比는 必有其道하니 苟非其道면 則有悔咎라 故必推原占決其可比者而比之라 筮는 謂占決卜度(탁)이요 非謂以蓍龜也라 所比 得元永貞則无咎리니 元은 謂有君

··· 比 : 친할 비, 가까울 비 蓍 : 시초 시 龜 : 거북껍질 귀

長之道요 永은 謂可(하)以常久요 貞은 謂得正道라 上之比下에 必有此三者하고 下之從上에 必求此三者하면 則无咎也라

비(比)는 길한 방도이다. 사람이 서로 친비(親比)함은 본래 길한 방도가 된다. 그러므로 〈잡괘전〉에 "비(比)는 즐겁고 사(師)는 근심스럽다." 하였다. 사람이 서로 친비함은 반드시 그 도가 있으니, 만일 그 도가 아니면 후회와 허물이 있을 것이다. 그러므로 반드시 친비할 만한 자를 미루어 근원하여 점쳐 결단해서 친비하는 것이다. 서(筮)는 마음 속으로 점쳐서 결단하고 헤아림을 이른 것이요, 시초점과 거북점을 말한 것이 아니다.

친비하는 바가 원(元)·영(永)·정(貞)을 얻으면 허물이 없을 것이니, '원(元)'은 군장(君長)의 도리가 있음을 이르고, '영(永)'은 항상하고 오래함을 이르고, '정(貞)'은 정도(正道)를 얻음을 이른다. 윗사람이 아랫사람을 친비할 적에는 반드시 이 세 가지가 있어야 하고, 아랫사람이 윗사람을 따를 적에는 반드시 이 세 가지가 있는 자를 구하면 허물이 없을 것이다.

不寧이어야 方來니 後면 夫라도 凶이리라

편안하지 못하여야 비로소 올 것이니, 뒤늦으면 강한 남자라도 흉하리라.

本義 | 不寧이 方來니 後夫는 凶하리라

편안하지 못한 이가 비로소 올 것이니, 뒤늦게 오는 사람은 흉하리라.

傳 | 人之不能自保其安寧이라야 方且來求親比하나니 得所比면 則能保其安이라 當其不寧之時하여는 固宜汲汲以求比니 若獨立自恃하여 求比之志 不速而後면 則雖夫라도 亦凶矣라 夫猶凶이어든 況柔弱者乎아 夫는 剛立之稱이니 傳曰 子南은 夫也[101]라하고 又曰 是謂我非夫[102]라하니라 凡生天地之間者는 未有不相親比而能自存者也니 雖剛强之至라도 未有能獨立者也라 比之道는 由兩志相求하니 兩

101 傳曰 子南夫也 : 전(傳)은 옛책을 이르며 자남(子男)은 춘추시대 정(鄭)나라 유초(游楚)의 자(字)인 바, 이 내용은 《춘추좌씨전》 소공(昭公) 원년(元年)에 보인다.

102 又曰 是謂我非夫 : 이 내용은 이대로는 보이지는 않고 《춘추좌씨전》 애공(哀公) 11년에 "是謂我不丈夫也"라고 약간 변형되어 있다.

… 汲 : 힘쓰는모양 급

志不相求면 則睽(규)矣라 君懷撫其下하고 下親輔〔一作附〕於上하니 親戚、朋友、鄕黨이 皆然이라 故當上下合志以相從이니 苟无相求之意면 則離而凶矣라 大抵人情이 相求則合하고 相持則睽하나니 相持는 相待莫先也라 人之相親이 固有道나 然而欲比之志를 不可緩也라

사람이 능히 스스로 안녕함을 보존하지 못하여야 비로소 와서 친비(親比)하기를 구하니, 친비할 사람을 얻으면 편안함을 보존할 수 있다. 편안하지 못할 때를 당해서는 진실로 마땅히 급급히 친비함을 구하여야 하니, 만일 홀로 서고 스스로 믿어 친비하기를 구하는 뜻이 빠르지 못하여 뒤늦으면 비록 강한 남자라도 흉한 것이다. 강한 남자도 오히려 흉한데 하물며 유약한 자에 있어서랴. '부(夫)'는 강립(剛立)한 자의 칭호이니, 전(傳)에 이르기를 "자남(子南)은 부(夫;남자 대장부)이다."라고 하였고, 또 이르기를 "이는 나를 남자가 아니라고 여기는 것이다."라고 하였다.

무릇 천지(天地)의 사이에 사는 자는 서로 친비하지 않고서 스스로 보존하는 자가 없으니, 비록 강강(剛强)함이 지극하더라도 능히 독립할 수 있는 자는 있지 않다. 친비하는 방도는 두 사람의 뜻이 서로 구함으로 말미암으니, 두 뜻이 서로 구하지 않으면 반목(反目)하여 헤어질〔睽〕 것이다. 군주는 아랫사람을 품어주고 어루만지며, 아랫사람은 윗사람을 친보(親輔)하니, 친척과 붕우와 향당(鄕黨)이 모두 그러하다. 그러므로 마땅히 상(上)·하(下)가 뜻을 합하여 서로 따라야 하니, 만약 서로 구하는 뜻이 없으면 헤어져서 흉할 것이다. 대저 인정은 서로 구하면 합하고 서로 버티면 헤어지니, 서로 버틴다는 것은 서로 기다리고 먼저 하지 않는 것이다. 사람이 서로 친비함이 진실로 방도가 있으나 친비하고자 하는 뜻을 늦춰서는 안 되는 것이다.

本義｜ 比는 親輔也라 九五以陽剛으로 居上之中而得其正하고 上下五陰이 比而從之하니 以一人而撫萬邦하고 以四海而仰一人之象이라 故筮者得之면 則當爲人所親輔라 然必再筮以自審하여 有元善、長永、正固之德然後에 可以當衆之歸而无咎요 其未比而有所不安者도 亦將皆來歸之라 若又遲而後至면 則此交已固하고 彼來已晩하여 而得凶矣라 若欲比人이면 則亦以是而反觀之耳니라

'비(比)'는 친보(親輔)하는 것이다. 구오(九五)가 양강(陽剛)으로 상괘(上卦)의 가운데에 거하여 정(正)을 얻었고 상·하의 다섯 음이 친비하여 따르니, 한 사람으

••• 睽 : 어그러질 규, 반목할 규 遲 : 더딜 지

로서 만방(萬邦)을 어루만지고 사해(四海)로서 군주 한 사람을 우러러보는 상이다. 그러므로 점친 자가 이 괘효를 얻으면 마땅히 남에게 친보하는 바가 되는 것이다. 그러나 반드시 두세 번 점쳐서 스스로 살펴 원선(元善)·장영(長永)·정고(正固)의 덕(德)이 있은 뒤에야 사람들의 귀의함을 감당하여 허물이 없을 것이요, 친하지 못하고 불안하게 여기는 바가 있는 자들도 또한 장차 모두 와서 귀의할 것이다. 만일 또 머뭇거려 뒤늦게 오면 이 사귐이 이미 견고하고 저 옴이 이미 늦어서 흉함을 얻을 것이다. 만일 남과 친비하고자 한다면 또한 이로써 되돌아볼 뿐이다.

彖曰 比는 吉也며

〈단전〉에 말하였다. "비(比)는 길하며

本義 | 此三字는 疑衍文이라

이 세 글자는 연문(衍文)인 듯하다.

比는 輔也니 下順從也라

'비(比)'는 돕는 것이니, 아래가 순히 따르는 것이다.

傳 | 比吉也는 比者는 吉之道也니 物相親比는 乃吉道也라 比輔也는 釋比之義니 比者相親輔也라 下順從也는 解卦所以爲比也라 五以陽居尊位하고 羣下順從以親輔之하니 所以爲比也라

'비길야(比吉也)'는 비(比)는 길한 방도이니, 물건(사람)이 서로 친비(親比)함은 바로 길한 방도이다. '비보야(比輔也)'는 비(比)의 뜻을 해석한 것이니, 비(比)는 서로 친비하고 돕는 것이다. '하순종야(下順從也)'는 괘를 비(比)라 한 이유를 해석한 것이다. 오(五)가 양으로서 존위(尊位)에 거하고 여러 아랫사람들이 순종하여 친보(親輔)하니, 이 때문에 괘 이름을 비(比)라 한 것이다.

本義 | 此는 以卦體로 釋卦名義라

이는 괘체(卦體)로써 괘명(卦名)의 뜻을 해석한 것이다.

原筮元永貞无咎는 以剛中也요

'원서원영정무구(原筮元永貞無咎)'는 강중(剛中)하기 때문이요,

傳 | 推原筮〔一作占〕決相比之道하여 得元永貞而後에 可以无咎니 所謂元永貞은 如五是也라 以陽剛居中正하여 盡比道之善者也니 以陽剛當尊位하여 爲君德은 元也요 居中得正은 能永而貞也라 卦辭는 本泛言比道어늘 彖言元永貞者는 九五以剛處中正이 是也라

서로 친비하는 방도를 미루어 근원하고 점쳐 결단해서 원(元)·영(永)·정(貞)을 얻은 뒤에야 허물이 없을 수 있으니, 이른바 원·영·정은 오(五)와 같은 것이 이것이다. 오는 양강(陽剛)으로 중정(中正)에 처하여 친비하는 방도의 좋음을 다한 자이니, 양강으로 존위(尊位)에 거하여 군덕(君德)이 됨은 원(元)이요, 중(中)에 거하고 정(正)을 얻음은 능히 영구(永久)하고 정고(貞固)한 것이다. 괘사(卦辭)는 본래 친비하는 방도를 범연히 말하였는데, 〈단전〉에서는 원·영·정은 구오(九五)가 강(剛)으로서 중정에 처함이 이것임을 말한 것이다.

不寧方來는 上下應也요

'불녕방래(不寧方來)'는 상·하가 응함이요,

傳 | 人之生이 不能保其安寧이라야 方且來求附比하나니 民不能自保라 故戴君以求寧이요 君不能獨立이라 故保民以爲安이라 不寧而來比者는 上下相應也니 以聖人之公言之하면 固至誠求天下之比하여 以安民也요 以後王之私言之하면 不求下民之附면 則危亡至矣라 故上下之志 必相應也라 在卦言之하면 上下羣陰이 比於五하고 五比其衆하니 乃上下應也라

사람의 삶이 안녕함을 보존하지 못하여야 비로소 와서 따르고 친비(親比)하기를 구하니, 백성들이 스스로 보존할 수 없으므로 군주를 추대하여 편안하기를 구하고, 군주가 홀로 설 수 없으므로 백성을 보존하여 편안함으로 삼는 것이다. 편안하지 못하여 와서 친비하는 것은 상·하가 서로 응함이니, 성인(聖人)의 공(公)으로써 말하면 진실로 지성(至誠)으로 천하가 친비하기를 구하여 백성들을 편안히 하는 것이요, 후왕(後王)의 사(私;개인적)로써 말하면 하민(下民)들이 친부(親附)

하기를 구하지 않으면 위망(危亡)이 닥친다. 그러므로 상·하의 뜻이 반드시 서로 응하는 것이다. 괘에 있어 말하면 위아래의 여러 음(陰)이 오(五)를 친비하고 오(五)가 무리를 친비하니, 이것이 바로 상·하가 응하는 것이다.

後夫凶은 其道窮也라

'후부흉(後夫凶)'은 그 도가 곤궁한 것이다."

傳 | 衆必相比而後에 能遂其生이니 天地之間에 未有不相親比而能遂者也라 若相從之志 不疾而後면 則不能成比하니 雖夫라도 亦凶矣라 无所親比하여 困屈以致凶은 窮之道也라

무리는 반드시 서로 친비한 뒤에 그 삶을 이룰 수 있으니, 천지의 사이에 서로 친비하지 않고서 능히 이루는 자는 있지 않다. 만일 서로 따르는 뜻이 빠르지 못하여 뒤늦으면 친비함을 이루지 못하니, 비록 남자라도 흉하다. 친비하는 바가 없어서 곤궁하고 굽혀 흉함을 이룸은 곤궁한 방도이다.

本義 | 亦以卦體로 釋卦辭라 剛中은 謂五요 上下는 謂五陰이라

또한 괘체(卦體)로써 괘사(卦辭)를 해석하였다. 강중(剛中)은 오(五)를 이르고, 상·하는 다섯 음(陰)을 이른다.

象曰 地上有水比니 先王이 以하여 建萬國하고 親諸侯하니라

〈상전〉에 말하였다. "땅 위에 물이 있는 것이 비(比)이니, 선왕(先王)이 이것을 보고서 만국(萬國)을 세우고 제후(諸侯)들을 친비한다."

傳 | 夫物相親比而无間者는 莫如水在地上하니 所以爲比也라 先王이 觀比之象하여 以建萬國, 親諸侯하시니 建立萬國은 所以比民也요 親撫諸侯는 所以比天下也라

물건이 서로 친비(親比)하여 간격이 없는 것은 물이 땅 위에 있는 것보다 더함이 없으니, 이 때문에 비(比)라 한 것이다. 선왕이 비(比)의 상(象)을 보고서 만국을 세우고 제후를 친비하였으니, 만국을 세움은 백성을 친비하는 것이요, 제후를 친

비하고 어루만짐은 천하를 친비하는 것이다.

本義 | 地上有水하니 水比於地하여 不容有間하니 建國、親侯는 亦先王所以比於天下而無間者也라 彖意는 人來比我요 此는 取我往比人이라

땅 위에 물이 있으니, 물이 땅과 가까워서 간격이 있을 수 없으니, 나라를 세우고 제후를 친비함은 또한 선왕이 천하를 친비하여 간격이 없게 하는 것이다. 〈단전〉의 뜻은 남이 와서 나를 친비하는 것이요, 여기서는 내가 가서 남을 친비함을 취한 것이다.

初六은 有孚比之라야 无咎리니

초육(初六)은 성신(誠信)을 두어 친비하여야 허물이 없으리니,

本義 | **有孚比之**라

성신(誠信)을 두어 친비함이다.

傳 | 初六은 比之始也라 相比之道는 以誠信爲本이니 中心不信而親人이면 人誰與之리오 故比之始에 必有孚誠이라야 乃无咎也라 孚는 信之在中也라

초육(初六)은 비(比)의 시초이다. 서로 친비(親比)하는 방도는 성신(誠信;진실함)을 근본으로 삼으니, 중심이 진실하지 못하면서 남을 친비하려 하면 사람들이 그 누가 더불겠는가. 그러므로 비(比)의 초기에 반드시 부성(孚誠)이 있어야 허물이 없는 것이다. 부(孚)는 신(信)이 심중(心中)에 있는 것이다.

有孚盈缶면 終에 來有他吉하리라

부(孚;성신)를 둠이 질장구에 가득하듯 하면 종말에 와서 다른 길함이 있으리라.

本義 | **終來有他吉**하리라

종래(종말)에 다른 길함이 있으리라.

傳 | 誠信이 充實於內하여 若物之盈滿於缶中也라 缶는 質素之器니 言若缶之盈實其中하여 外不加文飾이면 則終能來有他吉也라 他는 非此也요 外也라 若誠實

··· 盈 : 가득찰 영 缶 : 질장구 부 飾 : 꾸밀 식

充於內하면 物无不信하니 豈用飾外以求比乎아 誠信中實하면 雖他外라도 皆當感而來從이니 孚信은 比之本也라

성신(誠信)이 안에 충실하여 물건이 질장구〔缶〕 속에 가득한 것과 같은 것이다. '부(缶)'는 질박한 기물이니, 질장구가 속이 꽉 차 있어서 밖에 문식(文飾)을 가(加)하지 않음과 같이 하면 종말에 와서 다른 길함이 있음을 말한 것이다. '타(他)'는 이것이 아니요 밖인 것이다. 만일 성실(진실)이 내면에 충실하면 남이 믿지 않음이 없을 것이니, 어찌 외면을 꾸며 친비하기를 구하겠는가. 성신이 가운데에 꽉 차 있으면 비록 다른 외인(外人)이라도 모두 감동하여 와서 따를 것이니, 부신(孚信)은 친비하는 근본이다.

本義 | 比之初엔 貴乎有信하니 則可以无咎矣요 若其充實이면 則又有他吉也라

비(比)의 초기에는 성신(誠信)이 있음을 귀하게 여기니, 〈성신이 있으면〉 허물이 없을 것이요, 만일 성신이 충실하면 또 딴(예상하지 못한) 길함이 있을 것이다.

象曰 比之初六은 有他吉也니라

〈상전〉에 말하였다. "비괘(比卦)의 초육(初六)은 딴 길함이 있는 것이다."

傳 | 言比之初六者는 比之道在乎始也니 始能有孚면 則終致有他之吉이라 其始不誠이면 終焉得吉이리오 上六之凶은 由无首也라

비괘(比卦)의 초육(初六)이라고 말한 것은 친비(親比)하는 방도가 처음(시초)에 있기 때문이니, 처음에 능히 성신이 있으면 종말에 다른 길함을 이룰 것이다. 그 처음에 성실하지 않으면 종말에 어찌 길함을 얻겠는가. 상육(上六)의 흉함은 머리(처음)가 없기 때문이다.

六二는 比之自內니 貞하여 吉하도다

육이(六二)는 친비(親比)하기를 안으로부터 하니, 정(貞)하여 길하도다.

本義 | 貞이라 吉하리라

정(貞)한지라(정하므로) 길하리라.

傳｜ 二與五爲正應이요 皆得中正하니 以中正之道로 相比者也라 二處於內하니 自內는 謂由己也라 擇才而用은 雖在乎上이나 而以身許國은 必由於己니 己以得君하여 道合而進이라야 乃得正而吉也라 以中正之道로 應上之求는 乃自內也니 不自失也요 汲汲以求比者는 非君子自重之道니 乃自失也라

이(二)는 오(五)와 정응(正應)이 되고 모두 중정(中正)을 얻었으니, 중정한 도로써 서로 친비(親比)하는 자이다. 이(二)는 안에 처하였으니, 안으로부터 한다는 것은 자기로 말미암음을 이른다. 인재를 가려 등용함은 비록 윗사람에게 달려 있으나 몸을 나라에 허락함은 반드시 자신에게 달려 있으니, 자기가 군주를 만나 도(道)가 합하여 나아가야 비로소 바름을 얻어 길한 것이다. 중정한 도로써 윗사람의 구함에 응함은 바로 안으로부터 하는 것이니, 이는 스스로 실신(失身;자신의 지조를 잃음)하지 않는 것이요, 급급히 윗사람에게 친비하기를 구함은 군자의 자중(自重)하는 도리가 아니니, 이는 스스로 실신하는 것이다.

本義｜ 柔順中正으로 上應九五하여 自內比外而得其貞하니 吉之道也라 占者如是면 則正而吉矣리라

유순 중정(柔順中正)으로 위로 구오(九五)에 응해서 안으로부터 밖을 친비하여 그 바름을 얻었으니, 길한 방도이다. 점치는 자가 이와 같이 하면 바루어 길할 것이다.

象曰 比之自內는 不自失也라

〈상전〉에 말하였다. "친(親)하기를 안으로부터 함은 스스로 실신(失身)하지 않는 것이다."

傳｜ 守己中正之道하여 以待上之求하니 乃不自失也라 易之爲戒嚴密하니 二雖中正이나 質柔體順이라 故有貞吉自失之戒라 戒之自守以待上之求하니 无乃涉後凶乎아 曰 士之修己는 乃求上之道니 降志辱身은 非自重之道也라 故伊尹, 武侯[103] 救天下之心이 非不切이나 必待禮至然後出也니라

103 伊尹武侯 : 이윤(伊尹)은 상(商)나라의 명재상으로 이름은 지(摯)인데, 처음에는 신야(莘野)

자기의 중정(中正)한 도(道)를 지켜서 윗사람이 구하기를 기다리니, 이는 스스로 실신(失身)하지 않은 것이다. 역(易)의 경계함이 엄밀하니, 이(二)가 비록 중정하나 질(質)이 유(柔)이고 체(體)가 순(順)이므로 '정길자실(貞吉自失)'의 경계가 있는 것이다.

"스스로 지켜서 윗사람이 구하기를 기다리라고 경계하였으니, 이는 뒤늦으면 흉함에 해당되지 않는가?" "선비가 자기 몸을 닦음은 바로 윗사람을 구하는 방도이니, 뜻을 낮추고 몸을 욕되게 함은 자중(自重)하는 방도가 아니다. 그러므로 이윤(伊尹)과 제갈무후(諸葛武侯)가 천하를 구제하려는 마음이 간절하지 않은 것이 아니었으나 반드시 임금의 예(禮)가 지극하기를 기다린 뒤에야 나갔던 것이다."

本義 | 得正則不自失矣라

정도(正道)를 얻으면 스스로 실신(失身)하지 않는다.

六三은 比之匪人이라

육삼(六三)은 비인(匪人 ; 나쁜 사람)과 친비하는 것이다.

本義 | **比之匪人**이로다

가까이 있는 바가 좋은 사람이 아니로다.

傳 | 三不中正而所比皆不中正이라 四는 陰柔而不中하고 二는 存應而比初하여 皆不中正하니 匪人也라 比於匪人이면 其失可知니 悔吝[一作咎]을 不假言也라 故可傷이라 二之中正而謂之匪人은 隨時取義 各不同也일새라

삼(三)은 중정(中正)하지 못하고 가까이 있는 바가 모두 중정하지 못하다. 사(四)는 음유(陰柔)로서 중(中)하지 못하고, 이(二)는 응이 있으나 초(初)를 가까이 하여 모두 중정하지 못하니, 비인(匪人)이다. 비인을 가까이 하면 그 잘못을 알 수

••••••

에 은둔하였으나 탕왕(湯王)으로부터 세 차례의 초빙을 받고 세상에 나와 하(夏)나라의 포악한 군주인 걸(桀)을 추방하고 상나라를 천자국으로 만들었다. 무후(武侯)는 삼국시대 제갈량(諸葛亮)의 봉호로 자는 공명(孔明), 호는 와룡(臥龍)인데, 남양(南陽)의 융중(隆中)에 은거하였다가, 유비(劉備)의 삼고초려(三顧草廬)의 예우를 받고 세상에 나와 삼분천하(三分天下)의 형세를 이룩하였다.

••• 匪 : 아닐 비, 나쁠 비

있으니, 후회와 부끄러움을 굳이 말할 것이 없다. 그러므로 해로운 것이다. 이(二)는 중정한데도 비인이라고 말한 것은 때에 따라 의(義;뜻)를 취함이 각기 똑같지 않기 때문이다.

本義 | 陰柔不中正하고 承、乘、應이 皆陰[104]이니 所比 皆非其人之象이라 其占大凶을 不言可知라

음유(陰柔)로 중정하지 못하고, 승(承)과 승(乘)과 응(應)이 모두 음(陰)이니, 가까이 있는 바가 모두 좋은 사람이 아닌 상이다. 그 점(占)이 대흉(大凶)임을 말하지 않아도 알 수 있다.

象曰 比之匪人이 不亦傷乎아

〈상전〉에 말하였다. "비인(匪人)을 친비함이 해롭지 않겠는가."

傳 | 人之相比는 求安吉也어늘 乃比於匪人이면 必將〔一无必將字〕反得悔吝이니 其亦可傷矣라 深戒失所比也라

사람이 서로 친비(親比)함은 편안함과 길함을 구하기 위한 것인데 마침내 비인(匪人)을 가까이 한다면 반드시 장차 도리어 후회와 부끄러움을 얻을 것이니, 이 또한 해로울 만한 것이다. 이는 친비할 바를 잃음을 깊이 경계한 것이다.

六四는 外比之하니 貞하여 吉하도다

육사(六四)는 밖으로 친비하니, 정(貞)하여 길하다.

本義 | 外比之니 貞이라 吉하리라

밖으로 친비함이니, 정하여 길하리라.

傳 | 四與初不相應而五比之하니 外比於五는 乃得貞正而吉也라 君臣相比는 正

······

104 承乘應皆陰 : 승(承)은 받드는 것으로 위에 있는 육사(六四)를 이르고 승(乘)은 타는 것으로 아래에 있는 육이(六二)를 이르고 응(應)은 응하는 자리에 있는 초육(初六)을 이르는 바, 모두 음효이므로 말한 것이다.

也니 相比相與 宜也라 五剛陽中正은 賢也요 居尊位는 在上也니 親賢從上은 比之正也라 故爲貞吉이요 以六居四하니 亦爲得正之義라 又陰柔不中之人이 能比於剛明中正之賢은 乃得正而吉也요 又比賢從上은 必以正道則吉也니 數說相須라야 其義始備니라

사(四)가 초(初)와 서로 응하지 않고 오(五)가 가까이 있으니, 밖으로 오(五)와 친비함은 바로 정정(貞正)함을 얻어 길한 것이다. 군신(君臣)이 서로 친비함은 정도(正道)이니, 서로 친비하고 서로 더부는 것이 당연하다. 오(五)가 양강 중정(陽剛中正)임은 현자(賢者)이고 존위(尊位)에 거함은 위에 있는 자이니, 현자를 친비하고 윗사람을 따름은 친비의 정도(正道)이므로 정길(貞吉)이 된 것이요, 육(六)으로서 사(四)에 거했으니 이 또한 정(正)을 얻은 뜻이 된다. 또 음유(陰柔)로서 중도에 맞지 못하는 사람이 강명 중정(剛明中正)한 현자를 친비함은 바로 정(正)을 얻어 길한 것이요, 또 현자를 친비하고 윗사람을 따름은 반드시 정도로써 하면 길한 것이니, 여러 설이 서로 있어야 그 뜻이 비로소 갖춰진다.

本義 | 以柔居柔하여 外比九五하니 爲得其正이니 吉之道也라 占者如是면 則正而吉矣리라

유(柔:음효)로서 유(柔:음위(陰位))에 거하여 밖으로 구오(九五)와 친하니, 바름을 얻음이 되니, 길한 방도이다. 점치는 자가 이와 같이 하면 바루어 길할 것이다.

象曰 外比於賢은 以從上也라

〈상전〉에 말하였다. "밖으로 현자를 친비함은 윗사람을 따르는 것이다."

傳 | 外比는 謂從五也라 五는 剛明中正之賢이요 又居君位어늘 四比之하니 是는 比賢이요 且從上이니 所以吉也라

'외비(外比)'는 오(五)를 따름을 이른다. 오(五)는 강명 중정(剛明中正)한 현자이고 또 군위(君位)에 거했는데 사(四)가 그와 가까이 있으니, 이는 현자를 가까이 하고 또 윗사람을 따르는 것이니, 이 때문에 길한 것이다.

九五는 **顯比**니 **王用三驅**에 **失前禽**하며 **邑人不誡**니 **吉**하도다

구오(九五)는 친비함을 드러나게 함이니, 왕이 삼면(三面)에서 몰이함에 앞에 있는 짐승을 잃으며 읍인(邑人)을 경계하지 않으니, 길하도다.

本義 | **失前禽**하고 **邑人**도 **不誡**니 **吉**하리라

앞에 있는 짐승을 잃고 읍인도 경계하지 않음이니, 길하리라.

傳 | 五居君位하여 處中得正하니 盡比道之善者也라 人君比天下之道는 當顯明其比道而已니 如誠意以待物하고 恕己以及人하며 發政施仁하여 使天下蒙其惠澤은 是人君親比天下之道也라 如是면 天下孰不親比於上이리오 若乃暴(폭)其小仁하고 違道干譽하여 欲以求下之比면 其道亦狹矣니 其能得天下之比乎아 故聖人以九五盡比道之正이라하사 取三驅爲喩曰 王用三驅에 失前禽하며 邑人不誡하니 吉이라하니 先王이 以四時之畋(전)을 不可廢也라 故推其仁心하여 爲三驅之禮하니 乃禮所謂天子不合圍也요 成湯祝網[105]이 是其義也라 天子之畋에 圍合其三面하고 前開一路하여 使之可去하여 不忍盡物하니 好生之仁也라 只取其不用命者하니 不出而反入者也요 禽獸前去者는 皆免矣라 故曰 失前禽也라 王者顯明其比道면 天下自然來比하나니 來者撫之호되 固不煦煦〔一作呴呴〕然求比於物하니 若田之三驅에 禽之去者를 從而不追하고 來者則取之也라 此王道之大니 所以其民皞皞而莫知爲之者也니라

오(五)가 군위(君位)에 거하여 중(中)에 처하고 정(正)을 얻었으니, 친비(親比)하는 방도의 선(善)함을 극진히 한 자이다. 인군이 천하를 친비하는 도는 마땅히 그 친비하는 도를 드러내고 분명하게 할 뿐이니, 예컨대 성의(誠意)로 남을 대하고 자기 마음을 미루어 남에게 미치며 훌륭한 정사를 펴고 인정(仁政)을 베풀어 천하로 하여금 그 혜택을 입게 하는 것은 인군이 천하를 친비하는 방도이다. 이와 같

105 成湯祝網 : 축망(祝網)은 사냥하기 위하여 그물을 쳐놓고 축원함을 이른다. 성탕(成湯)이 일찍이 밖에 나갔다가 사면(四面)에 그물을 쳐놓고 짐승을 모두 잡으려는 자가 있음을 보고는 마침내 삼면(三面;좌·우와 전면)을 풀어주고 축원하기를 "짐승들아! 왼쪽으로 도망하려거든 왼쪽으로 도망하고 오른쪽으로 도망하려거든 오른쪽으로 도망하고, 내 명령을 따르지 않는 자들은 내 그물로 들어오라." 하였다. 제후들은 이 말을 듣고 "성탕의 덕이 금수(禽獸)에게까지 미친다." 하였다. 《史記 殷本紀》 성탕은 탕왕(湯王)을 높여 칭한 것이다.

··· 暴 : 드러낼 폭　干 : 구할 간　喩 : 비유할 유　畋 : 사냥할 전　網 : 그물 망　煦 : 작은은혜 후　皞 : 화락할 호

이 하면 천하에 그 누가 윗사람을 친비하지 않겠는가. 만일 작은 인(仁)을 드러내며 도(道)를 어기고 명예를 요구하여 아랫사람이 친비하기를 구하려 한다면 그 도가 또한 좁으니, 어찌 천하의 친비함을 얻겠는가.

그러므로 성인(聖人)은 구오(九五)가 친비하는 도의 바름을 극진히 했다 하여, 삼구(三驅)를 취하여 비유하시기를 "왕(王)이 삼면(三面)에서 몰이함에 앞에 있는 짐승을 잃으며 읍인(邑人)을 경계하지 않으니, 길하다." 한 것이다. 선왕은 사시(四時)의 사냥을 폐할 수 없으므로 인자한 마음을 미루어 삼구의 예(禮)를 만들었으니, 예(禮)에 이른바 "천자(天子)는 완전히 포위하지 않는다."는 것이요, 성탕(成湯)이 그물을 치고 축원한 것이 바로 그 뜻이다. 천자의 사냥에 삼면만을 포위하고 앞의 한 길은 열어 주어 짐승들로 하여금 도망가게 하여 차마 짐승을 모두 잡지 않으니, 이는 살려주기를 좋아하는 인(仁)이다. 다만 명령을 따르지 않는 자를 잡으니 이는 나가지 않고 도로 들어오는 자이며, 앞으로 도망가는 짐승들은 모두 죽음을 면한다. 그러므로 '앞에 있는 짐승을 잃는다.'고 말한 것이다.

왕자가 친비하는 도를 드러내고 분명하게 하면 천하가 자연히 와서 친비할 것이니, 오는 자를 어루만지되 진실로 작은 은혜를 베풀어 남에게 친비하기를 구하지 않는다. 이는 마치 사냥에 삼면에서 몰이함에 짐승 중에 도망가는 놈을 따라가서 잡지 않고 오는 놈만을 잡는 것과 같으니, 이는 왕도(王道)의 큰 것이니, 이 때문에 백성들이 호호(皞皞 ; 광대자득(廣大自得)함)하여 누가 이렇게 하는지를 알지 못하는 것이다.

邑人不誡吉은 言其至公不私하여 无遠邇親疎之別也라 邑者는 居邑이니 易中所言邑이 皆同하니 王者所都와 諸侯國中也라 誡는 期約也니 待物之一하여 不期誡於居邑이니 如是則吉也라 聖人以大公无私로 治天下를 於顯比見之矣니 非唯人君比天下之道如此라 大率人之相比莫不然하니 以臣於君言之하면 竭其忠誠하고 致其才力이 乃顯其比〔一作比其〕君之道也라 用之與否는 在君而已니 不可阿諛逢迎하여 求其比己也라 在朋友에도 亦然하니 修身誠意以待之요 親己與否는 在人而已니 不可巧言令色하고 曲從苟合하여 以求人之比己也라 於鄕黨、親戚과 於衆人에 莫不皆然하니 三驅失前禽之義也라

'읍인불계길(邑人不誡吉)'은 지공무사(至公無私)하여 원근과 친소의 구별이 없음

••• 邇 : 가까울 이 疎 : 소원할 소 諛 : 아첨할 유 竭 : 다할 갈 阿 : 아첨할 아 苟 : 구차할 구

을 말한 것이다. '읍(邑)'은 거주하는 읍이니, 역(易) 가운데 말한 읍은 모두 똑같으니, 왕자(王者)가 도읍하는 곳과 제후의 국중(國中;수도(首都))이다. '계(誡)'는 기약함이니, 남을 대하기를 똑같이 하여 거주하는 읍에만 약속하고 경계하지 않는 것이니, 이와 같이 하면 길하다.

성인이 대공무사(大公无私)함으로 천하를 다스림을 현비(顯比)에서 볼 수 있으니, 이는 단지 인군이 천하를 친비하는 방도가 이와 같을 뿐만 아니라, 대체로 사람이 서로 친비하는 것도 모두 그러하다. 신하가 인군에게 있어서의 경우로 말하면 충성을 다하고 재주와 힘을 바침이 바로 군주를 친비하는 방도를 드러내는 것이요, 등용의 여부는 군주에게 달려 있을 뿐이니, 아첨하고 봉영(逢迎; 임금의 나쁜 마음을 유도하고 영합함)하여 자기를 친비해 주기를 구해서는 안 된다. 붕우(朋友)에 있어서도 또한 그러하니, 몸을 닦고 뜻을 성실히 하여 붕우를 대할 것이요, 자기를 친비하는가의 여부는 상대에게 달려 있을 뿐이니, 말을 잘하고 얼굴빛을 좋게 하며 굽혀 따르고 구차히 영합하여 상대가 자기를 친비하기를 구해서는 안 된다. 향당(鄕黨)과 친척, 중인(衆人)에 있어서도 모두 그렇지 않음이 없으니, 이는 삼면에서 몰이함에 앞에 달아나는 짐승을 잃는 의(義)이다.

本義 | 一陽居尊하여 剛健中正하고 卦之羣陰이 皆來比己하여 顯其比而无私하니 如天子不合圍하고 開一面之網하여 來者不拒하고 去者不追라 故爲用三驅失前禽而邑人不誡之象이라 蓋雖私屬이나 亦喩上意하여 不相警備以求必得也니 凡此皆吉之道라 占者如是則吉也라

한 양(陽)이 존위(尊位)에 거하여 강건 중정(剛健中正)하고 괘의 여러 음이 모두 와서 자기에게 친비(親比)하여, 그 친비함을 드러내어 사(私)가 없으니, 이는 마치 천자가 사면(四面)을 완전히 포위하지 않고 그물의 일면(一面)을 열어 주어 오는 자를 막지 않고 가는 자를 쫓지 않는 것과 같다. 그러므로 삼구(三驅)의 예(禮)를 써서 앞에 달아나는 짐승을 잃고 읍인(邑人)도 경계하지 않는 상(象)이 되는 것이다. 비록 사속(私屬;사읍(私邑)의 직속 부하)이라 하더라도 또한 윗사람의 뜻을 깨달아서 서로 경계하고 대비하여 반드시 얻기를 구하지 않으니, 이것은 모두 길한 방도이다. 점치는 자가 이와 같이 하면 길할 것이다.

••• 網 : 그물 망 喩 : 깨달을 유

象曰 顯比之吉은 位正中也[106]요

〈상전〉에 말하였다. "현비(顯比)의 길함은 자리가 바르고 중(中)하기 때문이요,

傳| 顯比所以吉者는 以其所居之位得正中也니 處正中之地는 乃由正中之道也라 比以不偏爲善일새 故云正中이라 凡言正中者는 其處正得中也니 比與隨是也요 言中正者는 得中與正也니 訟與需是也라

현비(顯比)가 길한 까닭은 그 처한 바의 자리가 정중(正中)을 얻었기 때문이니, 정중한 자리에 처함은 바로 정중(正中)한 도(道)를 행하는 것이다. 비(比)는 편벽되지 않음을 선(善)으로 여기므로 정중이라 말하였다. 무릇 정중이라 말한 것은 그 처함에 바로 중(中)을 얻은 것이니 비괘(比卦)와 수괘(隨卦)가 이것이요, 중정(中正)이라 말한 것은 중(中)과 정(正)을 얻은 것이니 송괘(訟卦)와 수괘(需卦)가 이것이다.

舍逆取順이 失前禽也요

거역하는 자를 버리고 순종하는 자를 취함이 앞의 짐승을 잃는 것이요,

傳| 禮에 取不用命者하니 乃是舍順取逆也니 順命而去者는 皆免矣라 比는 以向背而言하니 謂去者爲逆이요 來者爲順也라 故로 所失者는 前去之禽也라 言來者撫之하고 去者不追也라

예(禮)에 '명령을 따르지 않는 자를 취한다.' 하였으니, 이것은 바로 순종하는 자를 버리고 거역하는 자를 취하는 것이니, 명에 순종하여 도망가는 자는 모두 잡힘을 면하는 것이다. 비(比)는 향배(向背)로써 말하였으니, 도망가는 자를 역(逆)이라 하고 오는 자를 순(順)이라 하였다. 그러므로 잃는 것은 앞으로 도망가는 짐승인 것이다. 이는 오는 자를 어루만지고 가는 자를 쫓지 않음을 말한 것이다.

106 位正中也 : 정중(正中)을 《언해(諺解)》에는 '정(正)히 중(中)하고'로 해석하였는바, 사계(沙溪)는 "'정하고 중하다[正以中]'로 해석해야 한다." 하였다. 《經書辨疑》《주역》에서 일반적으로 정중(正中)은 정은 아니고 중만 해당하는 경우로 '정히 중하다.'로 해석하는 것이 원칙이다. 《정전》에서도 이렇게 해석하였으나 이 구오(九五)효는 정과 중을 겸하였으므로 특별히 '정하고 중한 것'으로 해석해야 하는 것이다.

邑人不誡는 **上使**가 **中也**일새라

읍인(邑人)을 경계하지 않음은 윗사람의 부림이 중도이기 때문이다."

本義 | **上使中也**일새라

윗사람이 그로 하여금 중도에 맞게 하기 때문이다.

傳 | 不期誡於親近하니 上之使下 中平不偏하여 遠近如一也라

친근한 이에게 기약하거나 경계하지 않으니, 윗사람이 아랫사람을 부림이 중평(中平)하고 편벽되지 않아 원근을 한결같이 대하는 것이다.

本義 | 由上之德이 使不偏也라

윗사람의 덕(德)이 편벽되지 않게 하기 때문이다.

上六은 **比之无首**[107]니 **凶**하니라

상육(上六)은 친비함에 시작(처음)이 없는 것이니, 흉(凶)하다.

傳 | 六居上하니 比之終也라 首는 謂始也라 凡比之道는 其始善則其終善矣니 有其始而无其終者는 或有矣어니와 未有无其始而有其終者也라 故로 比之无首는 至終則凶也라 此는 據比終而言이나 然上六이 陰柔不中하여 處險之極하니 固非克終者也라 始比에 不以道하여 隙於終者 天下多矣니라

육(六)이 상(上)에 거하였으니, 비(比)의 종(終;끝)이다. '수(首)'는 시작(처음)을 이른다. 무릇 친비하는 방도는 처음이 좋으면 끝도 좋은 것이니, 시작이 있고서 끝이 없는 자는 혹 있으나 시작이 없고서 끝이 있는 자는 있지 않다. 그러므로 친비함에 시작이 없음은 종말에 이르면 흉한 것이다. 이는 비(比)의 종(終)을 근거하여 말하였으나 상육(上六)이 음유(陰柔)로 중(中)하지 못하면서 험(險)의 극에 처하였으니, 능히 끝을 잘 마치는 자가 아니다. 처음 친비할 때에 도(道)로써 하지 않

------

107 无首 : 사계(沙溪)는 무수(无首)를 해석함에 《정전》과 《본의》가 각기 다름을 지적하고, "'수(首)'를 《정전》에서는 초육(初六)을 가리켜 말한 반면, 《본의》는 상육(上六)을 가리켜 말했다." 하였다. 《經書辨疑》

··· 誡 : 경계할 계 據 : 의거할 거 隙 : 틈 극

아 종말에 틈이 벌어지는 자가 천하에 많다.

本義 | 陰柔居上하여 无以比下하니 凶之道也라 故爲无首之象이요 而其占則凶也라

음유(陰柔)로 상(上)에 거하여 아래를 친비함이 없으니, 흉한 방도이다. 그러므로 '무수(无首)'의 상이 되고 그 점괘가 흉한 것이다.

象曰 比之无首 无所終也니라

〈상전〉에 말하였다. "친비함에 시작이 없음은 끝마칠 바가 없는 것이다."

傳 | 比旣无首하니 何所終乎아 相比有首라도 猶或終違어든 始不以道면 終復何保리오 故曰无所終也라하니라

친비함에 이미 시작이 없었으니, 어찌 끝마침이 있겠는가. 서로 친비함은 시작이 있더라도 오히려 혹 종말에 어그러지는데, 시작을 도로써 하지 않았다면 종말을 어찌 다시 보존하겠는가. 그러므로 끝마칠 바가 없다고 한 것이다.

本義 | 以上下之象言之하면 則爲无首요 以終始之象言之하면 則爲无終이니 无首則无終矣라

상·하의 상(象)으로 말하면 시작이 없음이 되고, 종(終)·시(始)의 상(象)으로 말하면 종말이 없음이 되니, 시작이 없으면 종말이 없는 것이다.

9 풍천 風天 소축(小畜) ䷈ 건하손상 乾下巽上

傳 | 小畜은 序卦에 比必有所畜이라 故受之以小畜이라하니라 物相比附則爲聚니 聚는 畜也요 又相親比則志相畜하니 小畜所以次比也라 畜은 止也니 止則聚矣라 爲卦 巽上乾下하니 乾은 在上之物이어늘 乃居巽下하니 夫畜止剛健은 莫如巽順이니 爲巽所畜이라 故爲畜也라 然巽은 陰也라 其體柔順하니 唯能以巽順柔其剛健이요 非能力止之也니 畜道之小者也라 又四以一陰得位하여 爲五陽所說(열)하니 得位는 得柔巽之道也니 能畜羣陽之志라 是以爲畜也라 小畜은 謂以小畜大하여 所畜聚者小니 所畜之事小는 以陰故也라 彖은 專以六四畜諸陽으로 爲成卦之義하고 不言二體하니 蓋擧其重者라

소축괘(小畜卦)는 〈서괘전〉에 "친비(親比)하면 반드시 모이는 바가 있다. 그러므로 소축괘로 받았다." 하였다. 물건(사람)이 서로 친하고 따르면 모이게 되니 모임은 축(畜)이요, 또 서로 친비하면 뜻이 서로 모이니, 소축괘가 비괘(比卦 ䷇)의 다음이 된 이유이다. '축(畜)'은 그침이니, 그치면 모인다.

괘됨이 손(巽 ☴)이 위에 있고 건(乾 ☰)이 아래에 있으니, 건은 위에 있는 물건인데 마침내 손(巽)의 아래에 있으니, 강건(剛健)함을 저지함은 손순(巽順)함보다 더한 것이 없으니, 손(巽)에게 저지당하였으므로 축(畜)이라 한다. 그러나 손(巽)은 음이어서 그 체(體)가 유순하니, 오직 손순(巽順)함으로 강건함을 회유한 것이요 능히 힘으로 저지한 것은 아니니, 축(畜)의 도(道)에 작은 것이다.

또 육사(六四)가 한 음으로서 지위(대신(大臣)의 자리)를 얻어 다섯 양에게 좋아하는 바가 되었으니, 자리를 얻음은 유손(柔巽)의 도를 얻음이 되니, 능히 여러 양의 뜻을 저지한다. 이 때문에 축(畜)이라 한 것이다. 소축(小畜)은 소(小;음)로서 대(大;양)를 저지하여 모인 것이 작으니, 모인 일이 작음은 음이기 때문이다. 〈단전〉은 오로지 육사(六四)가 여러 양을 저지하는 것으로 성괘(成卦)의 뜻을 삼고 두 체(體)를 말하지 않았으니, 이는 그 중한 것을 든 것이다.

··· 畜 : 모을 축, 저지할 축 巽 : 공손할 손

小畜은 **亨**하니 **密雲不雨**는 **自我西郊**일새니라

소축(小畜)은 형통하니, 구름이 빽빽이 끼었으나 비가 내리지 않음은 나의 서교(西郊;서쪽 교외)로부터 구름이 왔기 때문이다.

本義 | **小畜**은 **亨**하나 **密雲不雨 自我西郊**로다

소축은 형통하나 구름이 빽빽이 끼고 비가 내리지 않음이 우리 서교에 하도다.

傳 | 雲은 陰陽之氣니 二氣交而和면 則相畜固而成雨라 陽倡而陰和는 順也라 故和요 若陰先陽倡이면 不順也라 故不和니 不和則不能成雨라 雲之畜聚雖密이나 而不〔一有能字〕成雨者는 自西郊故也라 東北은 陽方이요 西南은 陰方이니 自陰倡이라 故不和而不能成雨라 以人觀之하면 雲氣之興이 皆自四遠이라 故云郊요 據四而言이라 故云自我라 畜陽者는 四니 畜之主也라

구름은 음·양의 기운이니, 두 기운이 사귀어 화(和)하면 서로 쌓이고 굳어져 비를 이룬다. 양이 선창하면 음이 화답함은 순리이므로 화하고, 만일 음이 양보다 먼저 선창하면 순리가 아니므로 화하지 못하니, 화하지 못하면 비를 이루지 못한다. 구름이 모인 것이 비록 빽빽하나 비를 이루지 못함은 구름이 서교(西郊)로부터 왔기 때문이다. 동북(東北)은 양의 방위이고 서남(西南)은 음의 방위이니, 음으로부터 선창하였으므로 화하지 못하여 비를 이루지 못한 것이다. 사람의 입장에서 보면 구름 기운의 일어남이 모두 사방의 먼 곳에서 일어나므로 '교(郊)'라 한 것이고, 육사(六四)를 근거하여 말하였으므로 '자아(自我)'라고 한 것이다. 양을 저지하는 것은 육사이니, 축(畜)의 주체이다.

本義 | 巽亦三畫卦之名이라 一陰이 伏於二陽之下라 故其德이 爲巽, 爲入이요 其象이 爲風, 爲木이라 小는 陰也요 畜은 止之之義也라 上巽下乾하여 以陰畜陽하고 又卦唯六四一陰에 上下五陽이 皆爲所畜이라 故爲小畜이라 又以陰畜陽하여 能係而不能固하니 亦爲所畜者小之象이요 內健外巽이며 二、五皆陽으로 各居一卦之中而用事하니 有剛而能中, 其志得行之象이라 故其占이 當得亨通이라 然畜未極而施未行이라 故有密雲不雨自我西郊之象이라 蓋密雲은 陰物이요 西郊는 陰方이요 我者는 文王自我也라 文王이 演易於羑(유)里에 視岐周爲西方이니 正小

··· 倡 : 부를 창 演 : 부연 연 羑 : 인도할 유

畜之時也라 筮者得之면 則占亦如其象云이라

손(巽 ☴) 또한 3획괘의 이름이다. 손(巽)은 한 음이 두 양의 아래에 엎드려 있다. 그러므로 그 덕(德)이 공손함이 되고 들어감이 되며, 그 상(象)이 바람이 되고 나무가 된다. 소(小)는 음이고 축(畜)은 그치는(저지하는) 뜻이다. 위는 손(巽)이고 아래는 건(乾)이어서 음으로서 양을 저지하고, 또 괘가 오직 육사(六四) 한 음에게 위아래의 다섯 양이 모두 저지를 당한다. 그러므로 소축(小畜)이라 한 것이다. 또 음으로서 양을 저지하여 능히 매어 놓았으나 견고하지 못하니, 또한 저지함이 작은 상이 되며, 안은 건(健)이고 밖은 손(巽)이며 구이(九二)와 구오(九五)가 모두 양으로 각각 한 괘의 가운데에 거하여 용사(用事)하니, 강(剛)하나 능히 중도(中道)에 맞고 그 뜻이 행해지는 상이 있다. 그러므로 그 점(占)이 마땅히 형통함을 얻는 것이다.

그러나 모임이 지극하지 못하여 베풂이 행해지지 못하므로 '밀운불우 자아서교(密雲不雨自我西郊)'의 상이 있는 것이다. 빽빽한 구름은 음물(陰物)이고 '서교(西郊)'는 음의 방위이며 '아(我)'는 문왕(文王) 자신이다. 문왕이 역(易)을 유리(羑里)의 옥(獄)에서 연역(演繹)할 때에 기주(岐周)를 보면 서방(西方)이 되니, 바로 소축(小畜:조금 저지당함)의 때였다. 점치는 자가 이 괘를 얻으면 점괘 또한 이 상(象)과 같을 것이다.

彖曰 小畜은 柔得位而上下應之할새 曰小畜이라

〈단전〉에 말하였다. "소축(小畜)은 유(柔)가 지위를 얻고 상·하가 응하므로 소축이라 한 것이다.

傳 | 言成卦之義也라 以陰居四하고 又處上位하니 柔得位也요 上下五陽이 皆應之하니 爲所畜也라 以一陰而畜五陽하여 能係而不能固라 是以爲小畜也라 彖解成卦之義而加曰字者는 皆重卦名[108]이니 文勢當然이라 單名卦엔 惟革에 有曰字

108 皆重卦名: 중괘(重卦)는 64괘 중 소축(小畜)·동인(同人)·대유(大有)처럼 두 글자로 된 괘의 이름을 이르는 바, 이들 괘의 〈단전〉에는 모두 왈(曰) 자가 들어 있다. 예컨대 동인괘(同人卦)에는 "同人柔得位得中而應乎乾 曰同人"이라 하였고, 대유괘(大有卦)에는 "大有柔得尊位 大中而上下應之 曰大有"라 한 것이 그것이다. 뒤에 보이는 단명괘(單名卦)는 한 글자로 된 괘를 이르는 바, 여기

하니 亦文勢然也라

성괘(成卦)의 뜻을 말하였다. 음효(陰爻)로서 사(四)에 거하고 또 상위(上位)에 처하였으니 유(柔)가 높은 지위를 얻은 것이요, 상 · 하의 다섯 양이 모두 응하니 저지당함이 된다. 한 음으로서 다섯 양을 저지하여 능히 매어 놓았으나 견고하지 못하다. 그러므로 소축(小畜)이라 한 것이다. 〈단전〉에 성괘(成卦;괘를 이룸)의 뜻을 해석하면서 '왈(曰)' 자를 가(加)한 것은 모두 중괘(重卦)의 이름이니, 문세(文勢)가 당연하다. 단명(單名)의 괘에는 오직 혁괘(革卦)에만 '왈(曰)' 자가 있으니, 또한 문세가 그러해서이다.

本義 | 以卦體로 釋卦名義라 柔得位는 指六居四요 上下는 謂五陽이라

괘체(卦體)로써 괘명(卦名)의 뜻을 해석하였다. '유득위(柔得位)'는 육(六)이 사(四)에 거함을 가리키고, '상 · 하'는 〈위아래의〉 다섯 양을 이른다.

健而巽하며 剛中而志行하여 乃亨하니라

굳세고 공손하며 강(剛)이 중(中)에 있고 행함에 뜻을 두어 마침내 형통한 것이다.

本義 | 剛中而志行이라 乃亨하리라

강(剛)이 중도에 맞고 뜻이 행해지므로 마침내 형통하리라.

傳 | 以卦才言也라 內健而外巽하니 健而能巽也요 二、五居中하니 剛中也요 陽性上進하고 下復乾體니 志在於行也라 剛居中은 爲剛而得中이요 又爲中剛이라 言畜陽則以柔巽이요 言能亨則由剛中이며 以成卦之義言하면 則爲陰畜陽이요 以卦才言하면 則陽爲剛中이니 才如是라 故畜雖小而能亨也라

괘재(卦才)로써 말하였다. 안은 건(健)이고 밖은 손(巽)이니 굳세고 공손한 것이요, 이(二)와 오(五)가 중(中)에 거하였으니 강(剛)이 중에 있는 것이요, 양의 성질은 위로 나아가고 아래는 다시 건체(乾體)이니 뜻이 행함에 있는 것이다. 강(剛)이

••••••

에는 오직 혁괘(革卦)만이 "革水火相息 二女同居 其志不相得 曰革"이라 하였다.

중(中)에 거함은 강(剛)하면서 중(中)을 얻음이 되고 또 중(中)이 강(剛)한 것이 된다. 양을 저지함을 말하면 유순하기 때문이요, 능히 형통함을 말하면 강중(剛中)이기 때문이며, 성괘(成卦)의 뜻으로 말하면 음이 양을 저지한 것이고, 괘재로 말하면 양이 강중(剛中)이 되니, 재질이 이와 같기 때문에 모임이 비록 작으나 형통한 것이다.

本義 | 以卦德卦體而言陽猶可亨也라

괘덕(卦德)과 괘체(卦體)로써 양이 오히려 형통할 수 있음을 말한 것이다.

密雲不雨는 **尙往也**요 **自我西郊**는 **施未行也**라

'밀운불우(密雲不雨)'는 오히려 가기 때문이요, '자아서교(自我西郊)'는 베풂이 행해지지 못하는 것이다."

본의 | 위로 올라가기 때문이요,

傳 | 畜道不能成大는 如密雲而不成雨라 陰陽交而和하면 則相固而成雨하나니 二氣不和어늘 陽尙往而上이라 故不成雨라 蓋自我陰方之氣先倡이라 故不和而不能成雨하니 其功施未行也라 小畜之不能成大는 猶西郊之雲이 不能成雨也라

축(畜)의 도(道)가 큼을 이루지 못함은 마치 구름이 빽빽하나 비를 이루지 못함과 같다. 음·양이 사귀어 화(和)하면 서로 견고해져서 비를 이루니, 음과 양 두 기운이 화하지 못한데도 양이 오히려 가서 올라가므로 비를 이루지 못한 것이다. 나의 음방(陰方)의 기(氣)가 선창하였기 때문에 화하지 못하여 비를 이루지 못하였으니, 이는 그 공(功)의 베풂이 행해지지 못한 것이다. 소축(小畜)이 큼을 이루지 못함은 서교(西郊)의 구름이 비를 이루지 못함과 같은 것이다.

本義 | 尙往은 言畜之未極하여 其氣猶上進也라

'상왕(尙往)'은 저지함이 지극하지 못하여 그 기운이 아직도 위로 나아감을 말한 것이다.

象曰 風行天上이 **小畜**이니 **君子以**하여 **懿文德**하나니라

〈상전〉에 말하였다. "바람이 하늘 위에 행함이 소축(小畜)이니, 군자가 보고서 문덕(文德:문장과 재예(才藝))을 아름답게 한다."

傳 | **乾之剛健而爲巽所畜**하니 **夫剛健之性**은 **惟柔順爲能畜止之**라 **雖可以畜止之**나 **然非能固制其剛健也**요 **但柔順以擾係之耳**라 **故爲小畜也**라 **君子觀小畜之義**하여 **以懿美其文德**하나니 **畜聚**는 **爲蘊畜之義**라 **君子所蘊畜者**는 **大則道德經綸之業**이요 **小則文章才藝**니 **君子觀小畜之象**하여 **以懿美其文德**이라 **文德**을 **方之道義**하면 **爲小也**라

건(乾)은 강건(剛健)한데 손(巽)에게 저지당하니, 강건한 성질은 오직 유순함만이 저지할 수 있다. 비록 저지할 수는 있으나 그 강건함을 굳게 제어한 것은 아니요, 다만 유순함으로써 길들이고 매어 놓았을 뿐이다. 그러므로 소축(小畜)이라 한 것이다. 군자는 소축의 뜻을 보고서 문덕(文德)을 아름답게 하니, 모음〔畜聚〕은 온축(蘊畜)의 뜻이 된다. 군자가 온축하는 것은 큰 것은 도덕(道德)과 경륜(經綸)의 사업이고 작은 것은 문장(文章)과 재예(才藝)이니, 군자가 소축의 상(象)을 보고서 문덕을 아름답게 한다. 문덕을 도의(도덕)에 비교하면 작은 것이 된다.

本義 | **風**은 **有氣而无質**하니 **能畜而不能久**라 **故爲小畜之象**이라 **懿文德**은 **言未能厚積而遠施也**라

바람은 기운은 있으나 형질(形質)이 없으니, 능히 쌓으나 오래가지 못한다. 그러므로 소축(小畜)의 상이 된 것이다. 문덕을 아름답게 함은 후하게 쌓으나 멀리 베풀지는 못함을 말한 것이다.

初九는 **復**(복)이 **自道**[109]어니 **何其咎**리오 **吉**하니라

초구(初九)는 돌아옴이 도(道)를 따르니, 어찌 허물이 있겠는가. 길하다.

109 復自道 : 자(自)는 유(由)·종(從)과 같이 따르다, 행하다의 뜻이 있는바, 자도(自道)는 "도를 따르다." 또는 "도대로 하다."이다.

··· 懿 : 아름다울 의 擾 : 길들일 요 係 : 맬 계 蘊 : 쌓을 온

傳 | 初九는 陽爻而乾體라 陽은 在上之物이요 又剛健之才니 足以上進이요 而復(부)與在上同志하니 其進復(복)於上이 乃其道也라 故云復自道라 復旣自道어니 何過咎之有리오 无咎而又有吉也라 諸爻에 言无咎者는 如是則无咎矣라 故云 无咎者善補過也[110]라하니라 雖使爻義本善이나 亦不害於不如是則有咎之義라 初九乃由其道而行하니 无有過咎라 故云何其咎리오하니 无咎之甚明也라

초구(初九)는 양효(陽爻)이고 건체(乾體)이다. 양(陽)은 위에 있는 물건이고 또 강건(剛健)한 재주이니 충분히 위로 나아갈 수 있고, 또 위에 있는 자와 뜻을 함께 하니 위로 나아가 돌아옴이 바로 그 도이므로 '복자도(復自道)'라고 말한 것이다. 돌아오기를 이미 도를 따랐으니, 무슨 허물이 있겠는가. 허물이 없고 또 길함이 있다. 여러 효(爻)에 무구(无咎)라고 말한 것은 이와 같이 하면 허물이 없다는 것이다. 그러므로 "무구(无咎)란 허물을 잘 보충(보전)하는 것이다."라고 말한 것이다. 가령 효의 뜻이 본래 좋다 하더라도 또한 이와 같이 하지 않으면 허물이 있다는 뜻에 무방하다. 초구(初九)는 바로 도(道)를 따라 행하였으니, 허물이 없다. 그러므로 '어찌 그 허물이 있겠는가.' 하였으니, 허물이 없음이 매우 분명한 것이다.

本義 | 下卦乾體라 本皆在上之物이니 志欲上進而爲陰所畜이라 然初九體乾이요 居下得正하고 前遠於陰하여 雖與四爲正應이나 而能自守以正하여 不爲所畜이라 故로 有進復自道之象이라 占者如是면 則无咎而吉也라

하괘(下卦)는 건체(乾體)로서 본래 모두 위에 있는 물건이니, 뜻이 위로 나아가고자 하나 음(陰)에게 저지당하였다. 그러나 초구(初九)는 건체이고 아래에 거하고 정(正)을 얻었으며, 앞에 음과 멀리 떨어져 있어서 비록 육사(六四)와 정응(正應)이 되나 스스로 정도(正道)로써 지켜 저지당하지 않는다. 그러므로 위로 나아가 돌아오기를 도(道)대로 하는 상이 있는 것이다. 점치는 자가 이와 같이 하면 허물이 없고 길할 것이다.

······

110 无咎者善補過也 : 〈계사전 상(繫辭傳上)〉에 "길(吉)·흉(凶)이란 그 잘잘못을 말한 것이요, 회(悔)·린(吝)이란 그 작은 하자를 말한 것이요, 무구란 허물을 잘 보충하는 것이다. 〔吉凶者, 言乎其失得也; 悔吝者, 言乎其小疵也; 无咎者, 善補過也.〕"라고 보인다.

象曰 復自道는 **其義吉也**라

〈상전〉에 말하였다. "돌아오기를 도대로 함은 의리상 길한 것이다."

傳 | 陽剛之才 由其道而復하니 其義吉也라 初與四爲正應이로되 在畜時엔 乃相畜者也라

양강(陽剛)의 재질이 도(道)를 따라 돌아오니, 의리상 길하다. 초(初)는 사(四)와 정응(正應)이 되나 축(畜)의 때에 있어서는 바로 서로 저지하는 자이다.

九二는 **牽復**[111]이니 **吉**하니라

구이(九二)는 연결하여 회복함이니, 길하다.

傳 | 二는 以陽居下體之中하고 五는 以陽居上體之中하여 皆以陽剛居中하여 爲陰所畜하여 俱欲上復이라 五雖在四上이나 而爲其所畜則同하니 是同志者也라 夫同患相憂하나니 二、五同志라 故相牽連而復이라 二陽竝進이면 則陰不能勝하여 得遂其復矣라 故吉也라 曰 遂其復則離畜矣乎아 曰 凡爻之辭는 皆謂如是則可以如是라 若已然則時已變矣니 尙何敎誡乎아 五爲巽體니 巽畜於乾而反與二相牽은 何也오 曰 擧二體而言이면 則巽畜乎乾이요 全卦而言이면 則一陰畜五陽也니 在易에 隨時取義 皆如此也니라

이(二)는 양효(陽爻)로서 하체(下體)의 가운데에 거하고 오(五)는 양효로서 상체(上體)의 가운데에 거하여, 모두 양강(陽剛)으로 중(中)에 거하여 음에게 저지당해서 함께 위로 올라가 회복하고자 한다. 오(五)는 비록 사(四)의 위에 있으나 저지당함은 똑같으니, 이는 오(五)가 이(二)와 뜻이 같은 자이다. 환난을 함께 당하면 서로 근심해주니, 이(二)와 오(五)는 뜻이 같기 때문에 서로 연결하여 회복하는 것이다. 두 양이 함께 나아가면 음이 이겨내지 못하여 회복함을 이루게 될 것이다. 그러므로 길한 것이다.

"그 회복함을 이루면 축(畜)에서 떠나는 것인가?" "무릇 효(爻)의 말은 모두 이

••••••

111 九二牽復 : 사계(沙溪)는 《정전》은 이(二)와 오(五)가 견련(牽連)하여 회복하는 것으로 본 반면, 《본의》는 이(二)와 초(初)가 견련하는 것으로 보아 두 해석이 각기 다름을 지적하였다.

••• 牽 : 끌 견

와 같이 하면 이와 같다고 말한 것이다. 만일 이미 그렇게 되었다면 때가 이미 변한 것이니, 오히려 무슨 가르침과 경계가 되겠는가?"

"오(五)는 손(巽)의 체(體)이니, 손(巽)이 건(乾)을 저지하는데 도리어 이(二)와 함께 서로 연결함은 어째서인가?" "두 체(體)를 들어 말하면 손(巽)이 건(乾)을 저지하는 것이고, 괘의 전체를 들어 말하면 한 음이 다섯 양을 저지하는 것이니, 역(易)에 있어 때에 따라 뜻을 취함이 모두 이와 같다."

本義 | 三陽志同而九二漸近於陰이로되 以其剛中이라 故能與初九로 牽連而復하니 亦吉道也라 占者如是則吉矣라

건(乾)의 세 양이 뜻이 같으며, 구이(九二)가 점점 음과 가까워지나 강중(剛中)이기 때문에 초구(初九)와 연결하여 회복하는 것이니, 또한 길한 방도이다. 점치는 자가 이와 같이 하면 길할 것이다.

象曰 牽復은 在中이라 亦不自失也라

〈상전〉에 말하였다. "연결하여 회복함은 중(中)에 있어서 또한 스스로 지조를 잃지 않기 때문이다."

傳 | 二는 居中得正者也니 剛柔、進退를 不失乎中道也라 陽之復에 其勢必强이나 二以處中故로 雖强於進이나 亦不至於過剛이니 過剛은 乃自失也라 爻는 止言牽復而吉之義하고 象은 復(부)發明其在中之美하니라

이(二)는 중(中)에 거하고 정(正)을 얻은 자이니, 강(剛)·유(柔)와 진(進)·퇴(退)에 중도를 잃지 않는다. 양이 회복됨에 그 형세가 반드시 강할 것이나 이(二)는 중에 처하였으므로 비록 나아감에 강하더라도 또한 지나치게 강함에는 이르지 않으니, 지나치게 강함은 바로 스스로 지조를 잃는 것이다. 효(爻)에서는 다만 견복(牽復)하여 길한 뜻만을 말하였고, 〈상전〉에서는 다시 그 중(中)에 있는 아름다움을 발명하였다.

本義 | 亦者는 承上爻義라

역(亦)이란 위(초구) 효(爻)의 뜻을 이은 것이다.

九三은 輿說(脫)輻이며 夫妻反目이로다

구삼(九三)은 수레에 바퀴통이 빠지며 부부간에 반목하도다.

傳 | 三以陽爻로 居不得中하고 而密比於四라 陰陽之情은 相求也요 又暱(닐)比而不中하니 爲陰畜制者也라 故不能前進하니 猶車輿說去輪輻이니 言不能行也라 夫妻反目은 陰은 制於陽者也어늘 今反制陽하니 如夫妻之反目也라 反目은 謂怒目相視니 不順其夫而反制之也라 婦人이 爲夫寵惑이면 旣而遂反制其夫하나니 未有夫不失道而妻能制之者也라 故說輻、反目은 三自爲也니라

삼(三)이 양효(陽爻)로서 거함이 중(中)을 얻지 못하였고 사(四)와 매우 가깝다. 음·양의 정(情)은 서로 구하고 또 가까이 있으면서 중(中)하지 못하니, 음에게 저지당하는 자이다. 그러므로 전진하지 못하니, 수레에 바퀴통이 빠진 것과 같으니, 능히 가지 못함을 말한 것이다. '부처반목(夫妻反目)'은 음은 양에게 제재당하는 자인데 지금 도리어 양을 제재하니, 부부간에 반목하는 것과 같다. '반목'은 눈을 부릅뜨고 서로 보는 것이니, 부인이 남편에게 순종하지 않고 도리어 제재하는 것이다. 부인이 남편에게 총애받고 미혹되면 이윽고 마침내 도리어 그 남편을 제재하니, 남편이 남편으로서의 도를 잃지 않고서 아내가 남편을 제재하는 경우는 있지 않다. 그러므로 수레에 바퀴통이 빠지고 부부간에 반목함은 구삼(九三)이 제 스스로 한 것이다.

本義 | 九三이 亦欲上進이나 然剛而不中하고 迫近於陰而又非正應이요 但以陰陽相說而爲所係畜하여 不能自進이라 故有輿說輻之象이라 然以志剛이라 故又不能平하여 而與之爭이라 故又爲夫妻反目之象이니 戒占者如是면 則不得進而有所爭也라

구삼(九三) 또한 위로 나아가고자 하나 강(剛)하고 중(中)하지 못하며, 음과 매우 가까이 있으나 또 정응(正應)이 아니고, 다만 음과 양이 서로 좋아하여 매이고 저지당해서 스스로 전진하지 못한다. 그러므로 수레에 바퀴통이 빠진 상이 있는 것이다. 그러나 뜻이 강(剛)하기 때문에 또 화평하지 못하여 음과 다툰다. 그러므로 또 부부간에 반목하는 상이 되니, 점치는 자가 이와 같으면 나아가지 못하고 다투는 바가 있다고 경계한 것이다.

··· 輻 : 수레바퀴살 복 暱 : 친할 닐 係 : 맬 계

象曰 夫妻反目은 不能正室也라

〈상전〉에 말하였다. "'부처반목(夫妻反目)'은 남편이 집안을 바로잡지 못하기 때문이다."

傳 | 夫妻反目은 蓋由不能正其室家也라 三이 自處를 不以道라 故四得制之하여 不使進하니 猶夫不能正其室家라 故致反目也라

부부간에 반목함은 남편이 집안을 바로잡지 못했기 때문이다. 삼(三)이 자처하기를 도리대로 하지 못하므로 육사(六四)가 제재하여 육삼(六三)을 나아가지 못하게 하니, 남편이 집안을 바로잡지 못하기 때문에 반목을 이루는 것과 같다.

本義 | 程子曰 說輻、反目은 三自爲也라하시니라

정자(程子)가 말씀하기를 "수레에 바퀴통이 빠지고 부부간에 반목함은 삼(三)이 제 스스로 한 것이다." 하셨다.

六四는 有孚면 血去하고 惕出하여 无咎리라

육사(六四)는 부성(孚誠;정성)을 두면 상해(傷害;피)가 제거되고 두려움에서 벗어나 허물이 없으리라.

本義 | 有孚하여 血去하고 惕出이니

정성이 있어 피가 제거되고 두려움에서 벗어나니,

傳 | 四於畜時에 處近君之位하여 畜君者也니 若內有孚誠이면 則五志信之하여 從其畜也라 卦獨一陰이 畜衆陽者也라 諸陽之志 係于四하니 四苟欲以力畜之면 則一柔敵衆剛하여 必見傷害요 惟盡其孚誠以應之면 則可以感之矣라 故로 其傷害遠하고 其危懼免也라 如此則可以无咎요 不然則不免乎害矣니 此는 以柔畜剛之道也라 以人君之威嚴으로도 而微細之臣이 有能畜止其欲者는 蓋有孚信以感之也일새라

육사(六四)가 축(畜)의 때에 군주와 가까운 자리에 있어서 군주의 욕망을 저지하는 자이니, 만약 안에 부성(孚誠)이 있으면 오(五)가 마음으로 믿어서 그의 저지를 따를 것이다. 이 괘는 홀로 한 음이 여러 양을 저지하는 자이다. 여러 양의 뜻

이 사(四)에게 매여 있으니, 사(四)가 만일 힘으로 저지하려고 한다면 한 유(柔)가 여러 강(剛)을 상대하여 반드시 상해를 당할 것이요, 오직 부성을 다하여 응하면 감동시킬 수 있다. 그러므로 그 상해(傷害)가 멀어지고 위태로움과 두려움을 면하는 것이다. 이와 같이 하면 허물이 없을 것이고 그렇지 않으면 해를 면치 못할 것이니, 이는 유(柔)로서 강(剛)을 제재하는 방도이다. 임금의 위엄으로도 미천한 신하가 군주의 욕망을 저지함이 있는 것은 부신(孚信)이 있어 군주를 감동시키기 때문이다.

本義 | 以一陰畜衆陽하여 本有傷害憂懼로되 以其柔順得正하고 虛中巽體[112]로 二陽助之하니 是는 有孚而血去惕出之象也니 无咎宜矣라 故로 戒占者亦有其德則无咎也라

한 음이 여러 양을 저지하여 본래 상해(傷害)와 우구(憂懼)가 있을 것이나 유순함으로 정(正)을 얻고 중심(마음)을 비우며 손(巽)의 체(體)로서 두 양이 도우니, 이는 정성이 있어서 상해가 제거되고 두려움에서 벗어나는 상이니, 허물이 없음이 당연하다. 그러므로 점치는 자가 또한 이러한 덕이 있으면 허물이 없다고 경계한 것이다.

象曰 有孚惕出은 上合志也라

〈상전〉에 말하였다. "'유부척출(有孚惕出)'은 위와 뜻이 합하기 때문이다."

傳 | 四旣有孚면 則五信任之하여 與之合志리니 所以得惕出而无咎也라 惕出則血去를 可知니 擧其輕者也라 五旣合志하면 衆陽皆從之矣리라

사(四)가 이미 부성(孚誠)이 있으면 오(五)가 그를 신임하여 더불어 뜻이 합할 것이니, 이 때문에 두려움에서 벗어나 허물이 없는 것이다. 두려움에서 벗어나면 상해가 제거됨을 알 수 있으니, 그 가벼운 것을 든 것이다. 오(五)가 이미 뜻을 합

112 虛中巽體 : 사계는 "손(巽)을 어찌하여 허중(虛中)이라 하였는가? 손의 아래 효(爻)가 음인데 가운데가 통하였으므로 허중이라 한 것이다." 하였다. 이는 소축괘의 호체(互體) 전체로 볼 때 위에 리(離 ☲)의 상(象)이 있으므로 말한 것이다.

하였다면 여러 양(陽)이 모두 따를 것이다.

九五는 **有孚**라 **攣如**하여 **富以其隣**이로다

구오(九五)는 부신(孚信)이 있는지라 연결하여 부자가 그 이웃들을 도와주도다.

本義 | **有孚攣如**하여

부신이 있어서 연결하여 부유함으로 그 이웃들을 좌지우지하도다.

傳 | 小畜은 衆陽이 爲陰所畜之時也라 五以中正으로 居尊位而有孚信하니 則其類皆應之矣라 故曰攣如라하니 謂牽連相從也라 五必援挽하여 與之相濟리니 是富以其隣也라 五以居尊位之勢하니 如富者推其財力하여 與隣比共之也라 君子爲小人所困하고 正人爲羣邪所厄이면 則在下者必攀挽於上하여 期於同進하고 在上者必援引於下하여 與之戮力이니 非獨推己力以及人也라 固資在下之助以成其力耳니라

소축(小畜)은 여러 양이 음에게 저지당하는 때이다. 오(五)가 중정(中正)으로 존위(尊位)에 거하고 부신(孚信)이 있으니, 그 동류들이 모두 응한다. 그러므로 '연여(攣如)'라 하였으니, 견련(牽連)하여 서로 따름을 이른다. 오(五)가 반드시 끌어당기고 이끌어 주어서 더불어 함께 구제할 것이니, 이것이 부자가 그 이웃을 도와주는 것이다. 오(五)가 존위의 권세에 거하였으니, 이는 마치 부자가 그 재력(財力)을 미루어 이웃[隣比]과 함께 하는 것과 같다.

군자가 소인에게 곤궁을 당하고 정인(正人)이 여러 간사한 자에게 곤액을 당하면 아래에 있는 자는 반드시 윗사람을 끌어당겨 나아가기를 기약하고, 위에 있는 자는 반드시 아랫사람을 이끌어 주어 더불어 힘을 다해야 하니, 이는 비단 자기의 힘을 미루어 남에게 미칠 뿐만 아니라, 진실로 아래에 있는 자의 도움을 의뢰하여 그 힘을 이루는 것이다.

本義 | 巽體三爻 同力畜乾하니 隣之象也요 而九五居中處尊하여 勢能有爲하여 以兼乎上下라 故爲有孚攣固하여 用富厚之力而以其隣之象이라 以는 猶春秋以

··· 隣 : 이웃 린 攣 : 매일 련 厄 : 곤궁할 액 挽 : 당길 만 攀 : 잡아당길 반 戮 : 힘쓸 륙 資 : 의뢰할 자

某師之以[113]니 言能左右之也라 占者有孚면 則能如是也라

손체(巽體)의 세 효가 힘을 함께 하여 건(乾)을 저지하니 이웃의 상이요, 구오(九五)가 중(中)에 거하고 존위(尊位)에 처하여 세력이 능히 훌륭한 일을 할 수 있어서 상·하를 겸한다. 그러므로 부신(孚信)이 있어 견련(牽連)함이 견고하여, 부후(富厚)한 힘을 써서 그 이웃을 좌지우지하는 상이 되는 것이다. '이(以)'는《춘추좌씨전》에 '이모사(以某師)'의 이(以)와 같으니, 좌지우지(左之右之)함을 말한다. 점치는 자가 성실함이 있으면 이와 같을 것이다.

象曰 有孚攣如는 不獨富也라

〈상전〉에 말하였다. "'부신이 있어서 연결함〔有孚攣如〕'은 홀로 부유하지 않은 것이다."

傳 | 有孚〔一有而字〕攣如는 蓋其隣類 皆牽攣而〔一无而字〕從之니 與衆同欲하고 不獨有其富也라 君子之處難厄에 惟其至誠이라 故得衆力之助하여 而能濟其衆也니라

'유부련여(有孚攣如)'는 그 이웃과 동류들이 모두 끌려서 따름이니, 사람들과 하고자 함을 함께 하고 홀로 그 부유함을 소유하지 않는 것이다. 군자가 어려움과 곤액에 처함에 오직 그 지성(至誠)으로 한다. 이 때문에 여러 힘의 도움을 얻어 사람들을 구제하는 것이다.

上九는 旣雨旣處는 尙德하여 載니 婦貞이면 厲하리라

상구(上九)는 이미 비가 오고 이미 그침은 〈음의〉 덕(德)을 숭상하여 쌓아서 가득한 것이니, 부인이 견고하게 이것을 지키면 위태로우리라.

本義 | 婦貞이라도 厲하리니

부인은 바르더라도 위태로우리니,

……

113 春秋以某師之以:《춘추좌씨전》희공(僖公) 26년 경문(經文)에 "公以楚師伐齊取穀"이라고 보이는데, 전문(傳文)에 "희공이 초나라 군대를 좌지우지하여 제나라를 공격해서 곡 땅을 취하였으니, 모든 군대는 능히 좌지우지함을 이(以)라고 한다.〔公以楚師伐齊, 取穀, 凡師能左右之曰以.〕"라고 보인다.

傳 | 九以巽順之極으로 居卦之上하고 處畜之終하니 從畜而止者也니 爲四所止也라 旣雨는 和也요 旣處는 止也라 陰之畜陽에 不和則不能止하니 旣和而止면 畜之道成矣〔一作畜道之成也〕라 大畜은 畜之大라 故極而散하고 小畜은 畜之小라 故極而成이라 尙德載는 四用柔巽之德하여 積滿而至於成也라 陰柔之畜剛은 非一朝一夕能成이요 由積累而至니 可不戒乎아 載는 積滿也니 詩云 厥聲載路[114]라하니라 婦貞厲는 婦는 謂陰이니 以陰而畜陽하고 以柔而制剛은 婦若貞固守此면 危厲之道也라 安有婦制其夫, 臣制其君而能安者乎아

구(九)가 손순(巽順)의 극(極)으로서 괘의 위에 거하고 축(畜)의 종(終)에 처했으니, 저지함을 따라 그친 자이니, 사(四)에게 저지당한 것이다. '기우(旣雨)'는 화(和)함이요, '기처(旣處)'는 그침이다. 음이 양을 저지할 적에 화(和)하지 못하면 저지하지 못하니, 이미 화하여 그치면 축(畜)의 도가 이루어진 것이다. 대축(大畜 ☶☰)은 쌓인 것이 크므로 극(極)에 이르면 흩어지고, 소축(小畜)은 쌓인 것이 작으므로 극에 이르면 이루어지는 것이다.

'상덕재(尙德載)'는 사(四)가 유손(柔巽)의 덕(德)을 사용하여 가득 쌓아서 이룸에 이른 것이다. 음유(陰柔)가 양강(陽剛)을 지지함은 하루아침이나 하루저녁에 이룰 수 있는 것이 아니요, 많이 쌓음으로 말미암아 이르는 것이니, 경계하지 않아서야 되겠는가. '재(載)'는 쌓여 가득함이니, 《시경》에 "그 우는 소리가 길에 가득하다.〔厥聲載路〕" 하였다. '부정려(婦貞厲)'는 부(婦)는 음을 이르니, 음으로서 양을 저지하고 유(柔)로서 강(剛)을 제재함은 부인이 만약 정고(貞固)하게 이것을 지키면 위태로운 방도이다. 부인이 남편을 제재하고 신하가 군주를 제재하고서 편안한 경우가 어찌 있겠는가.

月幾望이니 君子征이면 凶하리라

달이 기망(幾望;거의 보름이 됨)이니, 군자가 동(動)하면 흉하리라.

傳 | 月望則與日敵矣니 幾望은 言其盛將敵也라 陰이 已能畜陽이어늘 而云幾望

••••••

114 詩云 厥聲載路 : 《시경》〈대아(大雅) 생민(生民)〉에 "후직이 고고히 우시니 울음소리가 실로 길고 커서 그 소리가 길에 가득하였다.〔后稷呱矣, 實覃實訏, 厥聲載路.〕"라고 보인다.

••• 望 : 보름 망 敵 : 대등할 적

은 何也오 此는 以柔巽畜其志也요 非力能制也일새라 然不已則將盛於陽而凶矣니 於幾望而爲之戒曰 婦將敵矣니 君子動則凶也라하니라 君子는 謂陽이요 征은 動也라 幾望은 將盈之時니 若已望이면 則陽已消矣리니 尙何戒乎아

달이 보름이 되면 해와 대등해지니, '기망(幾望)'은 그 성함이 장차 해와 대등해짐을 말한 것이다. 음이 이미 양을 저지하였는데 '기망(幾望)'이라고 말한 것은 어째서인가? 이는 유손함으로써 그 뜻을 저지한 것이요, 힘이 능히 억제한 것이 아니기 때문이다. 그러나 그치지 않으면 장차 양보다 성해져서 흉할 것이니, 기망에서 이를 경계하기를 "부인이 장차 대등하게 되었으니, 군자가 동하면 흉하다."고 한 것이다. '군자'는 양을 이르고 '정(征)'은 동함이다. 기망은 달빛이 장차 가득해질 때이다. 만일 이미 보름이 되었다면 양이 이미 사라졌을 것이니, 오히려 무엇을 경계하겠는가.

本義 | 畜極而成하여 陰陽和矣라 故로 爲旣雨旣處之象이니 蓋尊尙陰德하여 至於積滿而然也라 陰加於陽이라 故로 雖正亦厲라 然陰旣盛而抗陽하니 則君子亦不可以有行矣라 其占如此하니 爲戒深矣로다

쌓임이 지극하여 이루어져서 음·양이 화합하다. 그러므로 이미 비가 내리고 이미 그치는 상이 되었으니, 음의 덕을 높이고 숭상하여 가득히 쌓임에 이르러 그러한 것이다. 음이 양을 침범하였으므로 비록 바르나 또한 위태로운 것이다. 그러나 음이 이미 성하여 양에 대항하니, 군자가 또한 감을 두어서는 안 된다. 그 점(占)이 이와 같으니, 경계함이 깊다.

象曰 旣雨旣處는 德이 積載也요 君子征凶은 有所疑也니라

〈상전〉에 말하였다. "'기우기처(旣雨旣處)'는 〈음의〉 덕(德)이 쌓여 가득한 것이요 '군자정흉(君子征凶)'은 의심하는 바가 있는 것이다."

傳 | 旣雨旣處는 言畜道積滿而成也라 陰將〔一作旣〕盛極하니 君子動則有凶也라 陰敵陽則必消陽하고 小人抗君子則必害君子하나니 安得不疑慮乎아 若前知疑慮而警懼하여 求所以制之면 則不至於凶矣리라

'기우기처(旣雨旣處)'는 축(畜)의 도가 쌓여 가득해서 이루어짐을 말한 것이다.

음이 장차 성(盛)하여 지극하게 되었으니, 군자가 동하면 흉함이 있는 것이다. 음이 양과 대등하면 반드시 양을 사라지게 하고, 소인이 군자에게 항거하면 반드시 군자를 해치니, 어찌 의심하고 염려하지 않을 수 있겠는가. 만일 미리 의심하고 염려할 줄을 알아 경계하고 두려워해서 제재할 방법을 찾는다면 흉함에 이르지 않을 것이다.

10 천택 天澤 리(履) ䷉ 태하건상 兌下乾上

傳 | 履는 序卦에 物畜然後有禮라 故受之以履라하니라 夫物之聚면 則有大小之別, 高下之等, 美惡之分하니 是物畜然後有禮니 履所以繼畜也라 履는 禮也니 禮는 人之所履也라 爲卦 天上澤下하니 天而在上하고 澤而處下는 上下之分과 尊卑之義니 理之當也요 禮之本也요 常履之道也라 故爲履라 履는 踐也, 藉也니 履物爲踐이요 履於物爲藉니 以柔藉剛이라 故爲履也라 不曰剛履柔而曰柔履剛者는 剛乘柔는 常理니 不足道라 故로 易中에 唯言柔乘剛하고 不言剛乘柔也라 言履藉於剛하니 乃見卑順說應之義라

리괘(履卦)는 〈서괘전〉에 "물건이 모인 뒤에 예(禮)가 있다. 그러므로 리괘로 받았다." 하였다. 물건이 모이면 대소(大小)의 구별과 고하(高下)의 등급과 미악(美惡)의 구분이 있으니, 이는 물건이 모인 뒤에 예가 있는 것이니, 리괘가 이 때문에 소축괘(小畜卦 ䷈)의 뒤를 이은 것이다. '리(履)'는 예이니, 예는 사람이 행하는 것이다. 괘됨이 하늘(☰)이 위에 있고 못(☱)이 아래에 있으니, 하늘이 위에 있고 못이 아래에 처함은 상하(上下)의 구분과 존비(尊卑)의 의(義)이니, 이치의 마땅함이요 예의 근본이요 떳떳이 행하여야 할 도이다. 그러므로 리(履)라 한 것이다. '리(履)'는 밟음〔踐〕이요 깔림〔藉〕이니, 물건을 밟음이 천(踐)이고 물건에게 밟힘이 자(藉)이니, 유(柔)로서 강(剛)에게 깔렸으므로 리(履)라고 한 것이다. 강(剛)이 유(柔)를 밟았다고 말하지 않고 유(柔)가 강(剛)에게 밟혔다고 말한 것은, 강이 유를 타는 것은 떳떳한 이치이니 굳이 말할 것이 없다. 그러므로 역(易) 가운데 오직 유(柔)가 강(剛)을 탄 것만을 말하였고, 강이 유를 탄 것은 말하지 않았다. 강(剛)에게 밟히고 깔렸으니, 바로 몸을 낮추고 순히 하며 기뻐하여 응하는 뜻을 나타낸 것이다.

履虎尾라도 不咥(질)人이라 亨하니라

범의 꼬리를 밟더라도 사람을 물지 않으니, 형통하다.

··· 履 : 밟을 리, 예절 리 踐 : 밟을 천 藉 : 깔 자, 깔릴 자 咥 : 깨물 질

傳 | 履는 人所履之道也라 天在上而澤處下하니 以柔履藉於剛하여 上下各得其義하니 事之至順이요 理之至當也라 人之履行이 如此면 雖履至危之地나 亦无所害라 故履虎尾而不見咥嚙(질요)하니 所以能亨也라

'리(履)'는 사람이 행하는 도이다. 하늘은 위에 있고 못은 아래에 처하였으니, 유(柔)가 강(剛)에게 밟히고 깔려서 상 · 하가 각각 그 의(義)를 얻었는바, 일에 지극히 순한 것이요 이치에 지극히 마땅한 것이다. 사람의 리행(履行)이 이와 같으면 비록 지극히 위험한 곳을 밟더라도 또한 해로운 바가 없다. 그러므로 범의 꼬리를 밟더라도 물림을 당하지 않으니, 이 때문에 형통한 것이다.

本義 | 兌亦三畫卦之名이니 一陰이 見(현)於二陽之上이라 故其德爲說이요 其象爲澤이라 履有所躡而進之義也하니 以兌遇乾하여 和說以躡剛强之後하니 有履虎尾而不見傷之象이라 故其卦爲履요 而占如是也라 人能如是면 則處危而不傷矣리라

태(兌 ☱) 또한 3획괘의 이름이니, 한 음이 두 양의 위에 나타났다. 그러므로 그 덕이 기뻐함이 되고 그 상이 못이 된 것이다. 리(履)는 밟아 나아가는 뜻이 있으니, 태(兌)로서 건(乾 ☰)을 만나 화열(和悅)함으로써 강강(剛强)의 뒤를 밟았으니, 범의 꼬리를 밟더라도 상해를 당하지 않는 상이 있다. 그러므로 이 괘를 리(履)라 하고 그 점(占)이 이와 같은 것이다. 사람이 이와 같이 하면 위험에 처해도 상해를 당하지 않을 것이다.

彖曰 履는 柔履剛也니

〈단전(彖傳)〉에 말하였다. "리(履)는 유(柔)가 강(剛)에게 밟힘이니,

本義 | 以二體로 釋卦名義라

상 · 하 두 체(體)로써 괘명(卦名)의 뜻을 해석하였다.

說而應乎乾이라 是以履虎尾不咥人亨이라

기뻐함으로써 건(乾)에게 응한다. 이 때문에 범의 꼬리를 밟더라도 사람을 물지 않아 형통한 것이다.

··· 嚙 : 깨물 요(교) 躡 : 밟을 섭

傳 | 兌以陰柔로 履藉乾之陽剛은 柔履剛也요 兌以說順으로 應乎乾剛而履藉之는 下順乎上、陰承乎陽이니 天下之至〔一作正〕理也라 所履如此면 至順至當하니 雖履虎尾나 亦不見傷害라 以此履行이면 其亨을 可知라

태(兌)가 음유(陰柔)로서 건(乾)의 양강(陽剛)에게 밟히고 깔림은 유(柔)가 강(剛)에게 밟힌 것이요, 태(兌)가 기뻐하고 순함으로써 건강(乾剛)에게 응하여 밟히고 깔림은 아래가 위에게 순종하고 음이 양을 받드는 것이니, 천하의 지극한 이치이다. 행하는 바가 이와 같으면 지극히 순하고 지극히 마땅하니, 비록 범의 꼬리를 밟더라도 또한 상해를 당하지 않는다. 이러한 방식으로 리행하면 그 형통함을 알 수 있다.

本義 | 以卦德으로 釋彖辭라

괘덕(卦德)으로써 단사(彖辭)를 해석하였다.

剛中正으로 履帝位하여 而不疚면 光明也라

강(剛)하고 중정(中正)함으로 제위(帝位)를 밟아 하자가 없으면 광명하다."

本義 | **而不疚니 光明也라**

하자가 없으니, 광명하다.

傳 | 九五以陽剛中正으로 尊履帝位하여 苟无疚病이면 得履道之至善光明者也라 疚는 謂疵病이니 夬履是也라 光明은 德盛而輝光也라

구오(九五)가 양강 중정(陽剛中正)으로서 높이 제위(帝位)를 밟아 진실로 하자가 없다면 리행하는 도에 지극히 선(善)하고 광명함을 얻은 것이다. '구(疚)'는 자병(疵病)을 이르니, 쾌리(夬履:구오(九五)의 쾌하게 행함)가 이것이다. '광명'은 덕이 성하여 빛나는 것이다.

本義 | 又以卦體明之하니 指九五也라

또 괘체(卦體)로써 밝혔으니, 구오(九五)를 가리킨 것이다.

··· 疚 : 해칠 구 疵 : 병들 자, 하자 자 夬 : 결단할 쾌 輝 : 빛날 휘

象曰 上天下澤이 **履**니 **君子以**하여 **辨上下**하여 **定民志**하나니라
〈상전〉에 말하였다. "위는 하늘이고 아래는 못인 것이 리(履)이니, 군자가 보고서 상·하를 분별하여 백성의 마음을 안정시킨다."

傳｜ 天在上하고 澤居下는 上〔一作天〕下之正理也니 人之所履 當如是라 故取其象而爲履라 君子觀履之象하여 以辨別上下之分하여 以定其民志하나니 夫上下之分明然後에 民志有定하고 民志定然後에 可以言治니 民志不定이면 天下를 不可得而治也리라 古之時에 公卿大夫而下 位各稱其德하여 終身居之하니 得其分也라 位未稱德이면 則君擧而進之하나니 士修其學하여 學至而君求之요 皆非有預於己也라 農工商賈 勤其事而所享有限이라 故로 皆有定志하여 而天下之心을 可一이러니 後世엔 自庶士로 至于公卿히 日志于尊榮하고 農工商賈 日志于富侈하여 億兆之心이 交騖於利하여 天下紛然하니 如之何其可一也리오 欲其不亂이나 難矣니 此는 由上下无定志也라 君子觀履之象하여 而分辨上下하여 使各當其分하여 以定民之心志也하나니라

하늘이 위에 있고 못이 아래에 있음은 상·하의 바른 이치이니, 사람의 행하는 바가 마땅히 이와 같아야 한다. 그러므로 그 상(象)을 취하여 리(履)라 한 것이다. 군자가 리(履)의 상(象)을 보고서 상·하의 구분을 분별하여 백성의 마음을 안정시키니, 상·하의 구분이 분명한 뒤에야 백성의 마음이 안정됨이 있고, 백성의 마음이 안정된 뒤에야 다스림을 말할 수 있으니, 백성의 마음이 안정되지 못하면 천하를 다스릴 수 없다.

옛날에는 공(公)·경(卿)·대부(大夫) 이하가 지위가 각각 그 덕에 걸맞아서 종신토록 거하였으니, 이는 제 분수를 얻은 것이다. 지위가 덕에 걸맞지 않으면(덕이 높아도 지위가 낮으면) 군주가 들어 올려 주었으니, 선비가 학문을 닦아 학문이 지극해지면 군주가 그를 구하는 것이요, 모두 선비 자신에게 관예되는 것이 아니었다. 농(農)·공(工)·상고(商賈)는 자기 일을 부지런히 하나 누리는 바가 한계가 있으므로 모두 정해진 마음이 있어서 천하의 마음을 하나로 통일시킬 수 있었다. 그런데 후세에는 서사(庶士)로부터 공(公)·경(卿)에 이르기까지 날로 존귀함과 영화로움에 뜻을 두고 농·공·상고들은 날로 부유함과 사치함에 뜻을 두어, 억조 백성의 마음이 서로 이(利)에 치달려서 천하가 분분하니, 어떻게 통일시키겠는가. 혼

··· 稱 : 걸맞을 칭 預 : 관예할 예 賈 : 장사꾼 고 騖 : 달릴 무 侈 : 사치할 치

란하지 않기를 바라나 어려우니, 이는 윗사람과 아랫사람이 안정된 마음이 없기 때문이다. 군자가 리(履)의 상을 보고서 상·하를 분별해서 각기 그 분수에 마땅하게 하여 백성들의 심지(心志)를 안정시킨다.

本義 | 程傳備矣라

《정전》에 구비되었다.

初九는 素履로 往하면 无咎리라

초구(初九)는 본래의 행함으로 가면 허물이 없으리라.

本義 | 素履니 往하여

평소대로 행함이니, 가서

傳 | 履不處者는 行之義라 初處至下하니 素在下者也로되 而陽剛之才로 可以上進하니 若安其卑下之素而往이면 則无咎矣라 夫人이 不能自安於貧賤之素면 則其進也 乃貪躁而動하여 求去乎貧賤耳요 非欲有爲也니 旣得其進이면 驕溢必矣라 故往則有咎라 賢者則安履其素하여 其處也樂하고 其進也將有爲也라 故得其進이면 則有爲而无不善하니 乃守其素履者也라

가고 머물지 않는 것은 행(行)의 뜻이다. 초(初)는 지극히 낮은 곳에 처했으니 본래 아래에 있는 자이나, 양강(陽剛)의 재질로 위로 나아갈 수 있으니, 만약 비하(卑下)한 본래의 신분을 편안히 여기고 가면 허물이 없을 것이다. 사람이 빈천한 본분에 스스로 편안히 여기지 못하면 그 나아감은 바로 탐하고 조급하게 동하여 빈천에서 떠나기를 구할 뿐이요 훌륭한 일을 하고자 하는 것이 아니니, 이미 그 나아감을 얻으면 교만하고 넘칠 것이 틀림없다. 그러므로 가면 허물이 있는 것이다. 현자(賢者)는 그 본분을 편안히 행하여 그 처함(운둔함)에 즐겁고 그 나아감은 장차 훌륭한 일을 하려 해서이다. 그러므로 그 나아감을 얻으면 훌륭한 일을 함이 있어서 선(善)하지 않음이 없으니, 이는 바로 그 평소의 행함을 지키는 것이다.

本義 | 以陽在下하고 居履之初하여 未爲物遷하니 率其素履者也라 占者如是면 則往而无咎也라

··· 素 : 평소 소 躁 : 조급할 조 溢 : 넘칠 일

양(陽)으로서 아래에 있고 리(履)의 초(初)에 거하여 외물(外物)에게 옮겨가지 않으니, 평소의 행실을 따르는 자이다. 점치는 자가 이와 같이 하면 가서 허물이 없을 것이다.

象曰 素履之往은 獨行願也라

〈상전〉에 말하였다. "평소의 본분을 편안히 행하여 감은 오로지 마음에 원함을 행하는 것이다."

傳 | 安履其素而往者는 非苟利也요 獨行其志願耳라 獨은 專也니 若欲貴之心與行道之心이 交戰于中이면 豈能安履其素也리오

평소의 본분을 편안히 행하여 감은 구차히 이롭고자 해서가 아니요, 오로지 그 뜻에 원함을 행할 뿐이다. '독(獨)'은 오로지이니, 만일 귀해지고자 하는 마음과 도(道)를 행하고자 하는 마음이 서로 마음속에서 싸운다면 어떻게 평소의 본분을 편안히 행하겠는가.

九二는 履道坦坦하니 幽人이라야 貞하고 吉하리라

구이(九二)는 행하는 도가 탄탄(坦坦;평탄)하니, 그윽한 사람(조용하고 편안한 은자(隱者))라야 정(貞)하고 길하리라.

本義 | 幽人이라

그윽한 사람이다.

傳 | 九二居柔하여 寬裕得中하니 其所履 坦坦然平易之道也라 雖所履 得坦易之道나 亦必幽靜安恬(념)之人處之라야 則能貞固而吉也라 九二는 陽志上進이라 故有幽人之戒라

구이(九二)가 유(柔)에 거하여 관유(寬裕)함이 중(中)을 얻었으니, 그 리행하는 바가 평탄하게 평이한 도이다. 비록 행하는 바가 평이한 도를 얻었으나 또한 반드시 그윽하고 고요하고 편안한 사람이 처하여야 정고(貞固)하고 길할 것이다. 구이(九二)는 양의 뜻이 위로 나아가므로 유인(幽人)의 경계가 있는 것이다.

··· 坦 : 평탄할 탄 幽 : 그윽할 유 恬 : 편안할 념

本義 | 剛中在下하여 无應於上이라 故爲履道平坦幽獨守貞之象이니 幽人履道而遇其占이면 則貞而吉矣리라

강중(剛中)으로 아래에 있으면서 위에 응(應)이 없다. 그러므로 행하는 도가 평탄하고 조용히 홀로 정(貞)을 지키는 상(象)이 되니, 유인(幽人)이 도를 행하면서 이 점(占)을 만나면 정(貞)하고 길할 것이다.

象曰 幽人貞吉은 中不自亂也라

〈상전〉에 말하였다. "'유인정길(幽人貞吉)'은 마음속이 스스로 어지럽히지 않는 것이다."

傳 | 履道在於安靜하니 其中恬正이면 則所履安裕어니와 中若躁動이면 豈能安其所履리오 故로 必幽人則能堅固而吉이니 蓋其中心安靜하여 不以利欲自亂也라

행하는 도(道)는 안정함에 있으니, 마음속이 편안하고 바르면 행하는 바가 편안하고 여유가 있으나, 마음속이 만일 조급히 움직이면 어찌 행하는 바를 편안히 하겠는가. 그러므로 반드시 유인(幽人)이면 견고하여 길한 것이니, 중심〔마음속〕이 안정되어 이욕(利欲)으로써 스스로 어지럽히지 않는 것이다.

六三은 眇能視며 跛能履라 履虎尾하여 咥(질)人이니 凶하고 武人이 爲于大君이로다

육삼(六三)은 애꾸눈이 보며 절름발이가 걷는 것이다. 범의 꼬리를 밟아 사람을 무니 흉하고, 무인(武人)이 대군(大君)이 되었도다.

傳 | 三은 以陰居陽하여 志欲剛而體本陰柔하니 安能堅其所履리오 故로 如盲眇之視하여 其見不明하고 跛躄(피벽)之履하여 其行不遠이라 才既不足이요 而又處不得中하고 履非其正이며 以柔而務〔一作勝〕剛하니 其履如此면 是는 履於危地라 故曰履虎尾요 以不善履로 履危地하면 必及禍患이라 故曰咥人凶이라 武人爲于大君은 如武暴之人而居人上하여 肆其躁率而已요 非能順履而遠到也라 不中正而志剛하여 乃爲羣陽所〔一有不字〕與라 是以로 剛躁蹈危而得凶也라

삼(三)은 음효(陰爻)로서 양위(陽位)에 거하여 뜻은 강(剛)하고자 하나 체(體)가

••• 眇 : 애꾸눈 묘 跛 : 절름발이 파(피) 盲 : 소경 맹 躄 : 절뚝거릴 벽 蹈 : 밟을 도 肆 : 부릴 사

본래 음유(陰柔)이니, 어찌 그 행하는 바를 굳게 지키겠는가. 그러므로 장님과 애꾸눈이 보아서 그 봄이 밝지 못한 것과 같고, 절름발이가 걸어가서 그 감이 멀지 못함과 같은 것이다. 재질이 이미 부족한데 또 처함이 중(中)을 얻지 못하고 행함이 정도(正道)가 아니며 유(柔)로서 강(剛)을 힘쓰니, 그 행함이 이와 같으면 이는 위험한 곳을 밟는 것이다. 그러므로 "범의 꼬리를 밟는다."고 말한 것이요, 잘 행하지 못하는 재질로 위험한 곳을 밟으니 반드시 화환(禍患)에 미칠 것이므로 "사람을 물어 흉하다."고 말한 것이다.

'무인위우대군(武人爲于大君)'은 무력을 행사하는 포악한 사람이 사람들의 위에 거하여 그 조급함과 경솔함을 부릴 뿐이요, 순히 행하여 멀리 이를 수 있는 자가 아닌 것과 같다. 중정(中正)하지 못하면서 뜻이 강(剛)하여 마침내 여러 양에게 더부는(친애하는) 바가 되었다. 이 때문에 강(剛)하고 조급하여 위험한 곳을 밟아서 흉함을 얻는 것이다.

本義 | 六三이 不中不正하고 柔而志剛하니 以此履乾이면 必見傷害라 故其象如此而占者凶이요 又爲剛武之人得志而肆暴之象이니 如秦政, 項籍[115]이 豈能久也리오

육삼(六三)이 중정(中正)하지 못하고 유(柔)이면서 뜻만 강(剛)하니, 이로써 건(乾)을 밟으면 반드시 상해를 당한다. 그러므로 그 상이 이와 같고 점치는 자가 흉하며, 또 강무(剛武)한 사람이 뜻을 얻어 포악함을 부리는 상이 되니, 진(秦)나라의 정(政)과 항적(項籍)과 같은 이가 어찌 장구(長久)하겠는가.

象曰 眇能視는 不足以有明也요 跛能履는 不足以與行也요

〈상전〉에 말하였다. "애꾸눈이 봄은 밝게 볼 수 없고, 절름발이가 감은 더불어 갈 수 없는 것이요,

115 秦政項籍 : 진정(秦政)은 진(秦)나라의 시황제(始皇帝)로 정(政)은 그의 이름이며, 항적(項籍)은 항우(項羽)의 이름인데, 항우로 행세하였다. 두 사람은 성질이 강포(强暴)하여 사람을 마구 죽였으므로 말한 것이다.

傳 | 陰柔之人은 其才不足하여 視不能明하고 行不能遠이어늘 而乃務剛하니 所履如此면 其能免於害乎아

음유(陰柔)의 사람은 그 재주가 부족하여 봄이 밝지 못하고 감이 멀지 못한데 마침내 강(剛)함을 힘쓰니, 행하는 바가 이와 같으면 해로움을 면할 수 있겠는가.

咥人之凶은 位不當也요 武人爲于大君은 志剛也라

사람을 물어 흉함은 자리가 합당하지 않기 때문이요, 무인(武人)이 대군(大君;제왕)이 됨은 뜻이 강하기 때문이다."

傳 | 以柔居三하여 履非其正이니 所以致禍害하여 被咥而凶也라 以武人爲喩者는 以其處陽하여 才弱而志剛也일새라 志剛則妄動하여 所履不由其道하니 如武人而爲大君也라

유(柔;음효)로서 삼(三;양위)에 거하여 행하고 있는 것이 바른 자리가 아니니, 이 때문에 화해(禍害)를 초래하여 범에게 물림을 당해서 흉한 것이다. 무인(武人)으로 비유한 것은 양위(陽位)에 처하여 재질은 약한데 뜻만 강하기 때문이다. 뜻이 강하면 망동하여 행하는 바가 도(道)를 따르지 않으니, 이는 마치 무인이 대군(大君)이 된 것과 같은 것이다.

九四는 履虎尾니 愬(색)愬이면 終吉이리라

구사(九四)는 범의 꼬리를 밟으니, 두려워하고 두려워하면 마침내 길하리라.

本義 | **履虎尾나 愬愬하여**

범의 꼬리를 밟으나 두려워하고 두려워하여

傳 | 九四陽剛而乾體니 雖居四나 剛勝者也라 在近君多懼之地하여 无相得之義[116]하고 五復剛決之過라 故爲履虎尾라 愬愬은 畏懼之貌니 若能畏懼則當終吉

······

116 无相得之義 : 상득(相得)은 위아래의 효가 뜻이 서로 맞는 것이며, '무상득(无相得)'은 이와 반대로 위아래의 두 효가 모두 양강(陽剛)일 경우를 이르며, 특히 대신(大臣)의 자리인 구사

··· 愬 : 두려울 색(삭)

이라 蓋九雖剛而志柔하고 四雖近而不處[117]라 故能兢愼畏懼면 則終免於危而獲吉也라

구사(九四)가 양강(陽剛)이면서 건체(乾體)이니, 비록 사(四)에 거하였으나 강(剛)이 우세한 자이다. 군주와 가까워 두려움이 많은 자리에 있어서 서로 맞는 의(義;뜻)가 없고, 오(五)가 다시 강결(剛決)함이 과(過)하므로 범의 꼬리를 밟음이 되는 것이다. '색색(愬愬)'은 두려워하는 모양이니, 만일 능히 두려워하면 종말에는 길할 것이다. 구(九)가 비록 강(剛)이나 뜻이 유순하고 사(四)가 비록 구오(九五)와 가까우나 머물지(자처하지) 않으므로, 능히 조심하고 두려워하면 마침내 위태로움을 면하여 길함을 얻는 것이다.

本義 | 九四亦以不中不正으로 履九五之剛이나 然以剛居柔라 故能戒懼而得終吉이라

구사(九四) 또한 중정(中正)하지 못하면서 구오(九五)의 강함에게 밟혔으나 강(剛)으로서 유위(柔位)에 거하였으므로 경계하고 두려워하여 종말에 길함을 얻는 것이다.

象曰 愬愬終吉은 志行也라

〈상전〉에 말하였다. "두려워하고 두려워하여 종말에 길함은 뜻이 행해지는 것이다."

傳 | 能愬愬畏懼則終得其吉者는 志在於行而不處也니 去危則獲吉矣라 陽剛은 能行者也요 居柔는 以順自處者也라

능히 색색(愬愬)하여 두려워하면 종말에 길함을 얻는 것은 뜻이 떠나가고 머물지 않음에 있는 것이니, 위험한 곳을 떠나가면 길함을 얻는다. 양강(陽剛)은 능히 가는 자이고, 유위(柔位)에 거함은 순함으로써 자처하는 자이다.

(九四)와 제왕의 자리인 구오(九五)일 경우에 자주 쓰는 말이다.

117 四雖近而不處 : 사계는 "리(履)에는 걸어가는 뜻이 있으므로 불처(不處;머물지 않음)라 했다." 하였다.《經書辨疑》

兢 : 조심할 긍

九五는 夬履니 貞이라도 厲하리라

구오(九五)는 쾌(夬)하게 행함이니, 정(貞)하더라도 위태로우리라.

傳 | 夬는 剛決也라 五以陽剛乾體로 居至尊之位하여 任其剛決而行者也니 如此則雖得正이나 猶危厲也라 古之聖人이 居天下之尊하여 明足以照하고 剛足以決하고 勢足以專이나 然而未嘗不盡天下之議하여 雖芻蕘(추요)之微라도 必取하니 乃其所以爲聖也니 履帝位而光明者也라 若自任剛明하여 決行不顧하면 雖使得正이나 亦危道也니 可固守乎아 有剛明之才라도 苟專自任이면 猶爲危道어든 況剛明不足者乎아 易中云貞厲는 義各不同하니 隨卦可見이니라

'쾌(夬)'는 강하게 결단함이다. 오(五)는 양강(陽剛)의 건체(乾體)로서 지극히 높은 지위에 거하여 강결(剛決)에 맡겨 행하는 자이니, 이와 같이하면 비록 바름을 얻더라도 오히려 위태롭다. 옛 성인(聖人)이 천하의 높은 지위에 거하여, 밝음은 충분히 비출 수 있고 강함은 충분히 결단할 수 있고 세력(권세)은 충분히 마음대로 할 수 있었으나, 일찍이 천하의 의논을 다 받아들이지 않은 적이 없어서 비록 꼴 베고 나무하는 미천한 자라도 반드시 그의 의견을 취했으니, 이것이 성인이 된 이유이니, 제위(帝位)를 밟아 광명(光明)한 자이다.

만일 강명(剛明)함을 자임하여 결행하고 돌아보지 않는다면, 비록 가령 바름을 얻었다 하더라도 위험한 방도이니, 굳게 지킬 수 있겠는가. 강명(剛明)한 재주가 있더라도 만일 자임하기를 오로지하면 오히려 위험한 방도가 되는데, 하물며 강명이 부족한 자에 있어서랴. 역(易) 가운데 '정려(貞厲)'라고 이른 것은 뜻이 각기 똑같지 않으니, 괘에 따라 보아야 한다.

本義 | 九五以剛中正으로 履帝位하고 而下以兌說應之하니 凡事必行하여 无所疑礙라 故其象이 爲夬決其履니 雖使得正이나 亦危道也라 故其占이 爲雖正而危하니 爲戒深矣로다

구오(九五)가 강중정(剛中正)으로서 제위(帝位)를 밟고 아래가 태열(兌說)로 응하니, 모든 일을 기필코 행하여 의심하고 막히는 바가 없다. 그러므로 그 상이 행함을 쾌히 결단함이 되니, 비록 가령 바름을 얻었다 하더라도 위험한 방도이다. 그러므로 그 점이 비록 바르더라도 위태로우니, 경계함이 깊도다.

··· 芻 : 꼴벨 추 蕘 : 나무꾼 요 顧 : 돌아볼 고 礙 : 막힐 애

象曰 夬履貞厲는 **位正當也**일새라

〈상전〉에 말하였다. "'쾌리정려(夬履貞厲)'는 자리가 바로 제왕의 자리에 당하였기 때문이다."

傳 | 戒夬履者는 以其正當尊位也라 居至尊之位하고 據能專之勢하여 而自任剛決하고 不復畏懼하면 雖使得正이나 亦危道也라

쾌리(夬履)를 경계한 것은 바로 존위(尊位)에 당했기 때문이다. 지극히 높은 지위에 거하고 전제(專制)할 수 있는 권세를 점거하여 강결(剛決)함을 자임하고 다시 두려워하지 않는다면 비록 가령 바름을 얻었다 하더라도 위험한 방도이다.

本義 | 傷於所恃라

믿는 바에 상(傷)한다.

上九는 **視履**하여 **考祥**하되 **其旋**이면 **元吉**이리라

상구(上九)는 행한 것을 보아 〈길·흉을〉 상고하되 그 주선함이 완벽(완비)하면 크게 선(善)하고 길하리라.

본의 | 크게 길하리라.

傳 | 上處履之終하니 於其終에 視其所履行하여 以考其善惡禍福호되 若其旋이면 則善且吉也라 旋은 謂周旋完備하여 无不至也라 人之所履 考視其終하여 若終始周完无疚면 善之至也라 是以元吉이라 人之吉凶은 係其所履하니 善惡之多寡는 吉凶之小大也라

상(上)은 리(履)의 종(終)에 처했으니, 그 종말에 행한 것을 살펴보아 선악(善惡)과 화복(禍福)을 상고하되 만일 그 주선함이 완비하면 선(善)하고 또 길할 것이다. '선(旋)'은 주선함이 완비하여 지극하지 않음이 없음을 이른다. 사람이 행한 것은 그 종말을 상고하여 보아서 만일 종(終)과 시(始)가 두루하고 완비하여 하자가 없다면 선(善)이 지극한 것이다. 이 때문에 크게 선하고 길한 것이다. 사람의 길흉은 그 행한 바에 달려 있으니, 선악의 많고 적음은 바로 길흉의 작고 큼이다.

本義 | 視履之終하여 以考其祥호되 周旋无虧면 則得元吉이라 占者禍福은 視其所履而未定也라

리행함의 종말을 보아 그 길흉을 상고하되 주선함에 이지러짐(결함)이 없으면 '원길(元吉)'을 얻을 것이다. 점치는 자의 화복(禍福)은 그 행한 바를 살펴보아야 하니, 아직 정해지지 않은 것이다.

象曰 元吉在上이 大有慶也니라

〈상전〉에 말하였다. "원길(元吉)로 위에 있음이 크게 복경(福慶)이 있는 것이다."

傳 | 上은 履之終也라 人之所履 善而吉하고 至其終하여 周旋无虧면 乃大有福慶之人也니 人之行은 貴乎有終이라

상(上)은 리(履)의 종(終)이다. 사람이 리행한 바가 선하여 길하고 그 종말에 이르러 주선함에 이지러짐이 없다면 이는 크게 복경(福慶)이 있는 사람이니, 사람의 행실은 끝이 있음을 귀하게 여긴다.

本義 | 若得元吉이면 則大有福慶也라

만약 원길(元吉)을 얻으면 크게 복경이 있는 것이다.

11 지천 地天 태(泰) ䷊ 건하곤상 乾下坤上

傳 | 泰는 序卦에 履而泰然後安이라 故受之以泰라하니라 履得其所則舒泰하고 泰則安矣니 泰所以次履也라 爲卦 坤陰在上하고 乾陽居下하니 天地陰陽之氣 相交而和면 則萬物生成이라 故爲通泰라

태괘(泰卦)는 〈서괘전〉에 "행하여 서태(舒泰;펴지고 태연함)한 뒤에 편안하다. 그러므로 태괘로 받았다." 하였다. 행함이 제자리를 얻으면 서태(舒泰)하고 서태하면 편안하니, 태괘가 이 때문에 리괘(履卦 ☰)의 다음이 된 것이다. 괘됨이 곤음(坤陰 ☷)이 위에 있고 건양(乾陽 ☰)이 아래에 있으니, 천지 음·양의 기운이 서로 사귀어 화(和)하면 만물이 생성된다. 그러므로 통태(通泰;통창함)가 된 것이다.

泰는 小往하고 大來하니 吉하여 亨하니라

태(泰)는 소(小;음)가 가고 대(大;양)가 오니, 길하여 형통하다.

傳 | 小는 謂陰이요 大는 謂陽이며 往은 往之〔一作居〕於外也요 來는 來居於內也니 陽氣下降하고 陰氣上交也하여 陰陽和暢이면 則萬物生遂하니 天地之泰也라 以人事言之하면 大則君上이요 小則臣下니 君推誠以任下하고 臣盡誠以事君하여 上下之志通은 朝廷之泰也며 陽爲君子요 陰爲小人이니 君子來處於內하고 小人往處於外는 是君子得位요 小人在下니 天下之泰也라 泰之道는 吉而且亨也라 不云元吉、元亨者는 時有汚隆하고 治有小大하니 雖泰나 豈一概哉아 言吉亨則可包矣라

'소(小)'는 음을 이르고 '대(大)'는 양을 이르며, '왕(往)'은 밖으로 감이고 '내(來)'는 와서 안에 거함이니, 양기(陽氣)가 아래로 내려오고 음기(陰氣)가 위로 올라가 사귀어서 음·양이 화창하면 만물이 생성되니, 이는 천지의 통태(通泰)함이다. 인간의 일로써 말하면 '대(大)'는 군상(君上)이고 '소(小)'는 신하이니, 군주가 정성을 미루어 아랫사람에게 맡기고 신하가 정성을 다하여 군주를 섬겨서 상·하의 뜻이 통함은 조정의 통태(通泰)함이며, 양은 군자가 되고 음은 소인이 되니, 군자가

··· 泰 : 통할 태, 편안할 태 舒 : 펼 서 暢 : 통할 창 遂 : 이룰 수 汚 : 낮을 오 概 : 고를 개

와서 안에 처하고 소인이 가서 밖에 처함은 군자가 지위를 얻고 소인이 낮은 자리에 있는 것이니, 이는 천하가 통태한 것이다. 태(泰)의 도는 길하고 또 형통하다. 원길(元吉), 원형(元亨)이라고 말하지 않은 것은 때에는 낮음과 높음이 있고 다스림에는 작음과 큼이 있으니, 비록 통태하더라도 어찌 한결같겠는가. '길형(吉亨)'이라고 말했으면 이 모두를 포함한 것이다.

本義 | 泰는 通也라 爲卦 天地交而二氣通이라 故爲泰하니 正月之卦也[118]라 小는 謂陰이요 大는 謂陽이니 言坤往居外하고 乾來居內하며 又自歸妹來하니 則六往居四하고 九來居三也라 占者有剛陽之德이면 則吉而亨矣라

'태(泰)'는 통함이다. 괘됨이 하늘과 땅이 사귀어 음·양의 두 기운이 통한다. 그러므로 태(泰)라 하였으니, 정월(正月)의 괘이다. '소(小)'는 음을 이르고 '대(大)'는 양을 이르니, 곤(坤)이 가서 밖에 거하고 건(乾)이 와서 안에 거하며 또 귀매괘(歸妹卦 ䷵)로부터 왔으니, 육(六)이 가서 사(四)에 거하고 구(九)가 와서 삼(三)에 거하였다. 점치는 자가 강양(剛陽)의 덕(德)이 있으면 길하여 형통할 것이다.

彖曰 泰小往大來吉亨은 則是天地交而萬物通也며 上下交而其志同也라

〈단전〉에 말하였다. "'태소왕대래 길형(泰小往大來吉亨)'은 하늘과 땅이 사귀어 만물이 통태하고, 상·하가 사귀어 그 뜻이 같아지는 것이다.

傳 | 小往大來는 陰往而陽來也니 則是天地陰陽之氣相交하여 而萬物得遂其通泰也라 在人則上下之情交通하여 而其志意同也라

'소왕대래(小往大來)'는 음이 가고 양이 온 것이니, 이는 천지 음·양의 기운이

······

118 泰……正月之卦也 : 십이벽괘(十二辟卦)를 말한 것으로 열두 괘를 12개월에 배합한 것이다. 양획(陽畫) 하나가 처음 생기는 동짓달(11월)은 복괘(復卦 ䷗), 12월은 림괘(臨卦 ䷒), 정월은 태괘(泰卦 ䷊), 2월은 대장괘(大壯卦 ䷡), 3월은 쾌괘(夬卦 ䷪), 4월은 건괘(乾卦 ䷀)이며, 하지(夏至)가 있는 5월은 음획(陰畫) 하나가 처음 생기는 구괘(姤卦 ䷫), 6월은 돈괘(遯卦 ䷠), 7월은 비괘(否卦 ䷋), 8월은 관괘(觀卦 ䷓), 9월은 박괘(剝卦 ䷖), 10월은 곤괘(坤卦 ䷁)이다. 벽(辟)은 군주라는 뜻으로 벽괘는 그 달을 주관하는 괘를 이른다. '십이벽괘'는 한대(漢代)에 맹희(孟喜)가 처음 지은 것이라 한다.

서로 사귀어 만물이 통태함을 이룬 것이다. 사람에게 있어서는 상 · 하의 정(情)이 서로 통하여 그 뜻이 같아지는 것이다.

內陽而外陰하며 **內健而外順**하며 **內君子而外小人**하니 **君子道長**하고 **小人道消也**라

양(陽)이 안에 있고 음(陰)이 밖에 있으며 굳셈이 안에 있고 순함이 밖에 있으며 군자가 안에 있고 소인이 밖에 있으니, 군자의 도(道)가 자라나고 소인의 도가 사라지는 것이다."

傳 | 陽來居內하고 陰往居外는 陽進而陰退也요 乾健在內하고 坤順在外는 爲內健而外順이니 君子之道也며 君子在內하고 小人在外는 是君子道長이요 小人道消니 所以爲泰也라 旣取陰陽交和하고 又取君子道長하니 陰陽交和는 乃君子之〔一无之字〕道長也라

양이 와서 안에 거하고 음이 가서 밖에 거함은 양이 나오고 음이 물러간 것이고, 건건(乾健)이 안에 있고 곤순(坤順)이 밖에 있음은 건(健)이 안에 있고 순(順)이 밖에 있음이 되니 군자의 도이며, 군자가 안에 있고 소인이 밖에 있음은 군자의 도가 자라나고 소인의 도가 사라지는 것이니, 이 때문에 괘의 이름을 태(泰)라 한 것이다. 이미 음 · 양이 사귀어 화함을 취하였고 또 군자의 도가 자라남을 취하였으니, 음 · 양이 사귀어 화함은 바로 군자의 도가 자라나는 것이다.

象曰 天地交泰니 **后以**하여 **財(裁)成天地之道**하며 **輔相天地之宜**하여 **以左右(佐佑)民**하나니라

〈상전〉에 말하였다. "하늘과 땅이 사귐이 태(泰)이니, 군주가 보고서 천지의 도(道)를 재성(財成)하며 천지의 마땅함을 보상(輔相)하여 백성을 좌우(佐佑;도와줌)한다."

傳 | 天地交而陰陽和면 則萬物茂遂하니 所以泰也라 人君이 當體天地通泰之象하여 而以財成天地之道하고 輔相天地之宜하여 以左右生民也라 財成은 謂體天地交泰之道而財制하여 成其施爲之方也라 輔相天地之宜는 天地通泰면 則萬物

··· 后 : 임금 후 財 : 재단할 재(裁通) 相 : 도울 상

茂遂하나니 人君이 體之而爲法制하여 使民用天時하고 因地利하여 輔助化育之功하여 成其豐美之利也라 如春氣發生萬物이면 則爲播植之法하고 秋氣成實萬物이면 則爲收斂之法이니 乃輔相天地之宜하여 以左右輔助於民也라 民之生에 必賴君上爲之法制하여 以敎率輔翼之라야 乃得遂其生養하니 是左右之也라

하늘과 땅이 사귀어 음·양이 화합하면 만물이 무성하게 이루어지니, 이 때문에 태(泰)라 한 것이다. 인군은 천지가 통태(通泰)하는 상(象)을 체행하여 천지의 도를 재성(裁成)하고 천지의 마땅함을 보상(輔相)하여 생민(生民)을 좌우(佐佑)해야 한다. '재성(裁成)'은 천지가 사귀어 통태하는 도를 체행하여 재제(裁制)해서 시행하는 방법을 이루는 것이다. 천지의 마땅함을 보상(輔相)함은 천지가 통태하면 만물이 무성하게 이루어지니, 인군이 이것을 체행하여 법제(法制)를 만들어서 백성들로 하여금 천시(天時)를 이용하고 지리(地利)를 따라서 화육(化育)의 공(功)을 보조하여 풍성하고 아름다운 이로움을 이루게 하는 것이다.

예컨대 봄 기운이 만물을 발생시키면 파종(播種)하고 심는 법을 만들고, 가을 기운이 만물을 성숙하고 영글게 하면 수렴(收斂;수확)하는 법을 만드는 것과 같은 것이니, 바로 천지의 마땅함을 보상(輔相)하여 백성들을 좌우(佐佑)하고 보조하는 것이다. 백성들이 살아감은 반드시 군상(君上)이 법제를 만들어서 가르치고 인도하고 보익(輔翼)함을 의뢰하여야 비로소 생양(生養;낳고 기름)을 이룰 수 있으니, 이 것이 좌우하는 것이다.

本義 | 財成以制其過하고 輔相以補其不及이라

재성(裁成)하여 과(過)함을 억제하고, 보상(輔相)하여 불급(不及)함을 보충하는 것이다.

初九는 拔茅茹라 以其彙征이니 吉하니라

초구(初九)는 띠풀의 엉켜있는 뿌리를 뽑는 것과 같아 동류들과 함께 감이니, 길하다.

本義 | 拔茅茹니 以其彙면 征이 吉하리라

띠풀의 엉켜있는 뿌리를 뽑는 것과 같으니, 동류들과 함께 하면 감이 길하리라.

··· 翼 : 도울 익 播 : 뿌릴 파 斂 : 거둘 렴 茅 : 띠 모 茹 : 뿌리뒤얽힐 여 彙 : 무리 휘

傳 | 初以陽爻居下하니 是는 有剛明之才而在下者也라 時之否(비)면 則君子退而窮處로되 時旣〔一作將〕泰면 則志在上進也라 君子之進에 必與其朋類相牽援하여 如茅之根然하여 拔其一이면 則牽連而起矣라 茹는 根之相牽連者라 故以爲象이라 彙는 類也니 賢者以其類進하여 同志以行其道라 是以吉也라 君子之進에 必以其類니 不唯志在相先하여 樂於與善이요 實乃相賴以濟라 故君子、小人이 未有能獨立不賴朋友之助者也라 自古로 君子得位면 則天下之賢이 萃於朝廷하여 同志協力하여 以成天下之泰하고 小人在位면 則不肖者竝進이니 然後에 其黨勝而天下否矣니 蓋各從其類也라

초(初)가 양효(陽爻)로서 아래에 거하였으니, 이는 강명(剛明)한 재질이 있으면서 아랫자리에 있는 자이다. 때가 비색(否塞)하면 군자가 물러나 곤궁하게 처하나 때가 이미 통태(通泰)하면 뜻이 위로 나아감에 있는 것이다. 군자가 나아갈 때에는 반드시 붕류(朋類)들과 서로 끌어당겨 마치 띠풀의 뿌리처럼 하나를 뽑으면 연결되어 일어나는 것과 같다. '여(茹)'는 뿌리가 서로 연결된 것이므로 상(象)으로 삼은 것이다. '휘(彙)'는 동류이니, 현자(賢者)가 동류들을 데리고 나아가서 뜻을 함께하여 도(道)를 행하니, 이 때문에 길한 것이다.

군자가 나아갈 때에는 반드시 동류들을 데리고 가니, 다만 서로 먼저 하여 함께 선(善)을 행함을 즐거워하는 데에 뜻이 있을 뿐만 아니요, 실로 서로 의뢰하여 이룬다. 그러므로 군자와 소인이 홀로 서서 붕우(朋友)의 도움을 의뢰하지 않는 자가 있지 않은 것이다. 예로부터 군자가 지위를 얻으면 천하의 현자가 조정에 모여서 마음을 함께 하고 힘을 합하여 천하의 통태함을 이루고, 소인이 지위에 있으면 불초(不肖)한 자가 함께 나오니, 그런 뒤에 그 당(黨)이 우세하여 천하가 비색해지는 것이니, 각각 그 류(類)를 따르는 것이다.

本義 | 三陽在下하여 相連而進은 拔茅連茹之象이니 征行之吉也라 占者陽剛이면 則其征吉矣라 郭璞洞林[119]에 讀至彙字하여 絕句하니 下卦放此하니라

세 양이 아래에 있어서 서로 연결하여 나아감은, 띠풀의 엉켜있는 뿌리를 뽑

119 郭璞洞林 : 곽박(郭璞)은 동진(東晉)의 역술가(易術家)이며, 《동림(洞林)》은 《주역》 점을 쳐서 응험(應驗)이 있는 사례들을 모아 엮은 책이다.

••• 否 : 막힐 비 牽 : 끌 견, 관련될 견 萃 : 모일 췌(취) 璞 : 옥덩어리 박

는 상이니, 가는 것이 길하다. 점치는 자가 양강(陽剛)이면 가는 것이 길할 것이다. 곽박(郭璞)의 《동림(洞林)》에 휘(彙) 자에 이르러 구(句)를 끊었으니, 아래의 비괘(否卦)도 이와 같다.

象曰 拔茅征吉은 **志在外也**라

〈상전〉에 말하였다. "'발모정길(拔茅征吉)'은 뜻이 밖에 있는 것이다."

傳｜ 時將泰면 則羣賢皆欲上進하니 三陽之志 欲進이 同也라 故取茅茹彙征之象이라 志在外는 上進也라

때가 장차 통태하게 되면 여러 현자가 모두 위로 나아가고자 하니, 세 양의 뜻이 나아가려 함이 똑같다. 그러므로 띠풀의 엉켜있는 뿌리처럼 동류들이 함께 나아가는 상을 취한 것이다. 뜻이 밖에 있음은 위로 나아가는 것이다.

九二는 **包荒**하며 **用馮河**하며 **不遐遺**하며 **朋亡**하면 **得尚于中行**하리라

구이(九二)는 거친 것을 포용해주며, 황하(黃河)를 맨몸으로 건너는 용맹을 쓰며, 멀리 있는 것을 버리지 않으며, 붕비(朋比;붕당(朋黨))를 없애면 중항(中行;중도)에 배합하리라.

本義｜ **包荒**하고 **用馮河**하며 **不遐遺**하고 **朋亡**하면

거친 것을 포용해주면서도 황하를 맨몸으로 건너는 용맹을 쓰며, 멀리 있는 것을 버리지 않으면서도 붕비(朋比)를 없애면

傳｜ 二以陽剛得中하여 上應於五하고 五以柔順得中하여 下應於二하여 君臣同德하니 是는 以剛中之才로 爲上所專任이라 故二雖居臣位나 主治泰者也니 所謂上下交而其志同也라 故治泰之道 主二而言이라 包荒, 用馮河, 不遐遺, 朋亡四者는 處泰之道也라 人情安肆하면 則政舒緩而法度廢弛하여 庶事无節하니 治之之道는 必有包含荒穢之量이면 則其施爲 寬裕詳密하여 弊革事理而人安之요 若无含弘之度하여 有忿疾之心이면 則无深遠之慮하고 有暴(폭)擾之患하니 深弊未去而近患已生矣라 故在包荒也라 用馮河는 泰寧之世엔 人情이 習於久安하고 安於守常하여 惰於因循하고 憚於更變하나니 非有馮河之勇이면 不能有爲於斯時也니

••• 馮 : 걸어서물건널 빙 遐 : 멀 하 穢 : 더러울 예 擾 : 어지러울 요

馮河는 謂其剛果足〔一作可〕以濟深越險也라 自古로 泰治之世는 必漸至於衰替하니 蓋由狃(뉴)習安逸하여 因循而然이니 自非剛斷之君、英烈之輔면 不能挺特奮發以革其弊也라 故曰用馮河라 或疑上云包荒은 則是包含寬容이요 此云用馮河는 則是奮發改革이니 似相反也라하니 不知以含容〔一作弘〕之量으로 施剛果之用이 乃聖賢之爲也니라

이(二)가 양강(陽剛)으로 중(中)을 얻어 위로 오(五)와 응하고, 오(五)는 유순함으로 중을 얻어 아래로 이(二)와 응하여 군주와 신하가 덕을 함께 하니, 이는 강중(剛中)의 재질로 윗사람에게 전적으로 신임을 받는 것이다. 그러므로 이(二)가 비록 신하의 자리에 거하였으나 태(泰)를 다스림을 주관하는 자이니, 이른바 '상 · 하가 사귀어 그 뜻이 같다.'는 것이다. 그러므로 태(泰)를 다스리는 방도는 이(二)를 주장하여 말한 것이다.

'포황(包荒), 용빙하(用馮河), 불하유(不遐遺), 붕망(朋亡)' 네 가지는 태(泰)에 대처하는 방도이다. 인정(人情)은 편안하고 방사하면 정사가 느슨해져서 법도가 폐지되고 해이하여 모든 일이 절도가 없게 되니, 이것을 다스리는 방법은 반드시 거칠고 더러움을 포용해 주는 도량이 있으면 그 시행함이 관유(寬裕)하고 상밀(詳密)하여 폐단이 고쳐지고 일이 다스려져서 사람들이 편안할 것이다. 만일 포용해주는 큰 도량이 없어서 분노하고 미워하는 마음이 있으면 심원(深遠)한 생각이 없고 갑자기 소요하는 근심이 있을 것이니, 깊은 폐단을 제거하기 전에 가까운 근심이 이미 생겨난다. 그러므로 거침을 포용하는데 달려있는 것이다.

'용빙하(用馮河)'는 태녕(泰寧;태평)의 세상에는 인정이 오랫동안 편안함에 익숙하고 떳떳함을 지킴에 편안해서 인순(因循;옛것을 그대로 따름)함에 타성이 젖어 변경(變更)함을 꺼리니, 황하를 맨몸으로 건너는 용맹이 있는 자가 아니면 이러한 때에 큰 일을 하지 못한다.

'빙하(馮河)'는 강함과 과단성이 충분히 깊은 물을 건너고 험한 곳을 뛰어넘을 수 있음을 이른다. 예로부터 편안히 다스려지는 세상은 반드시 점점 쇠하고 침체함에 이르니, 이는 안일에 익숙함으로 말미암아 인순(因循)하여 그러한 것이니, 만일 강단(剛斷)이 있는 군주와 영렬(英烈)한 보필(輔弼)이 아니면 뛰쳐나와 분발해서 그 병폐를 개혁하지 못한다. 그러므로 '용빙하'라 말한 것이다.

혹자는 의심하기를 "위에서 말한 포황(包荒)은 포함해 주고 관용해 주는 것이

··· 憚 : 꺼릴 탄 越 : 넘을 월 替 : 침체할 체 狃 : 익숙할 뉴

요, 여기에서 말한 '용빙하'는 분발하여 개혁하는 것이니, 상반되는 듯하다." 하니, 이는 "함용(含容)하는 도량으로 강과(剛果;강하고 과단성이 있음)의 씀을 베푸는 것이 바로 성현(聖賢)의 행위임을 알지 못한 것이다."

不遐遺는 泰寧之時에 人心狃於泰면 則苟安逸而已니 惡(오)能復深思遠慮하여 及於遐遠之事哉아 治夫泰者는 當周及庶事하여 雖遐遠이나 不可遺니 若事之微隱과 賢才之在僻〔一作側〕陋 皆遐遠者也니 時泰則固遺之矣라 朋亡은 夫時之旣泰면 則人習於安하여 其情이 肆而失節하나니 將約而正之인댄 非絕去其朋與之私면 則不能也라 故云朋亡이라 自古로 立法制事에 牽於人情하여 卒不能行者 多矣라 若夫禁奢侈則害於近戚하고 限田產則妨於貴家하니 如此之類를 旣不能〔一无旣不能字〕斷以大公而必行이면 則是〔一有不字〕牽於朋比也니 治泰에 不能朋亡이면 則爲之難矣라 治泰之道 有此四者면 則能合於九二之德이라 故曰得尙于中行이라하니 言能配合中行之義也라 尙은 配也라

'불하유(不遐遺)'는 태녕(泰寧)의 때에 인심이 편안함에 익숙하면 구차히 안일할 뿐이니, 어찌 다시 깊이 생각하고 멀리 생각하여 먼 일에까지 미치겠는가. 태(泰)를 다스리는 자는 마땅히 여러 일에 두루 미쳐 비록 먼 것이라도 버려서는 안 되니, 일이 은미한 것과 현재(賢才)가 벽루(僻陋;미천)한 곳에 있음은 모두 먼 것이니, 때가 편안하면 진실로 이것을 버리게 된다.

'붕망(朋亡)'은 때가 이미 편안하면 사람들이 편안함에 익숙하여 그 정(情)이 방사해져서 절도를 잃게 되니, 장차 이것을 묶어 바로잡으려 할진댄 붕여(朋與)의 사(私)를 끊어버리지 않으면 불가능하다. 그러므로 '붕망'이라고 말한 것이다. 예로부터 법을 세우고 일을 제정함에 있어서 인정에 끌려 끝내 행하지 못한 경우가 많았다. 예컨대 사치를 금하면 근척(近戚)에 해롭고 토지와 재산을 제한하면 귀한 집안에 해로우니, 이와 같은 것들을 이미 대공(大公)으로 결단하여 기필코 시행하지 못한다면 이는 붕비(朋比)에게 끌리는 것이니, 태(泰)를 다스림에 붕비를 없애지 못하면 다스리기 어렵다. 태(泰)를 다스리는 방도에 이 네 가지가 있으면 구이(九二)의 덕(德)에 합한다. 그러므로 '중항(中行;중도)에 배합한다.'고 하였으니, 중항의 의(義)에 배합할 수 있음을 말한 것이다. '상(尙)'은 배합함이다.

本義 | 九二以剛居柔하여 在下之中하고 上有六五之應하니 主乎泰而得中道者也라 占者能包容荒穢而果斷剛決하며 不遺遐遠而不昵(닐)朋比면 則合乎此爻中行之道矣리라

구이(九二)가 강효(剛爻 ; 양효)로 유위(柔位 ; 음위)에 거하여 하괘(下卦)의 가운데에 있고 위에 육오(六五)의 응(應)이 있으니, 태(泰)를 주관하면서 중도(中道)를 얻은 자이다. 점치는 자가 거침과 더러움을 포용해 주면서도 과단성이 있고 강하게 결단하며, 멀리 있는 자를 버리지 않으면서도 붕비(朋比)들과 사사로이 친하지 않는다면 이 효의 중항(中行)의 도(道)에 합할 것이다.

象曰 包荒得尙于中行은 以光大也라

〈상전〉에 말하였다. "'포황 득상우중항(包荒得尙于中行)'은 빛나고 큰 것이다."

傳 | 象은 擧包荒一句하여 而通解四者之義하니 言如此則能配合中行之德하여 而其道光明顯大也라

〈상전〉은 '포황(包荒)' 한 구(句)를 들어 네 가지의 뜻을 통틀어 해석하였으니, 이와 같이 하면 중항의 덕에 배합하여 그 도(道)가 광명(光明)하고 현대(顯大)함을 말한 것이다.

九三은 无平不陂며 无往不復이니 艱貞이면 无咎하여 勿恤이라도 其孚라 于食에 有福하리라

구삼(九三)은 평평하기만 하고 기울지 않음은 없으며 가기만 하고 돌아오지 않음은 없으니, 어렵게 여기고 정도(正道)를 지키면 허물이 없어 근심하지 않더라도 소기의 목적을 얻어 먹음에 복(福)이 있으리라.

本義 | 艱貞이면 无咎하고 勿恤其孚면

어렵게 여기고 정도를 지키면 허물이 없고, 부신(孚信 ; 음(陰)이 틀림없이 옴)을 근심하지 말면

傳 | 三은 居泰之中하고 在諸陽之上하니 泰之盛也라 物理如循環하여 在下者必

··· 昵 : 가까울 닐 陂 : 기울 피 復 : 돌아올 복 恤 : 근심할 휼 孚 : 믿을 부 環 : 돌 환

升하고 居上者必降하니 泰久而必否라 故於泰之盛과 與陽之將進에 而爲之戒曰 无常安平而不險陂者라하니 謂无常泰也요 无常往而不返者라하니 謂陰當復也라 平者陂하고 往者復이면 則爲否矣니 當知天理之必然하여 方泰之時하여 不敢安逸하여 常艱危其思慮하고 正固其施爲니 如是則可以无咎라 處泰之道는 旣能艱貞이면 則可常保其泰하여 不勞憂恤이라도 得其所求也라 不失所期 爲孚니 如是則於其祿食에 有福益也라 祿食은 謂福祉니 善處泰者는 其福可食也라 蓋德善日積이면 則福祿日臻이니 德踰於祿이면 則雖盛而非滿이라 自古로 隆盛에 未有不失道而喪敗者也니라

삼(三)은 태(泰)의 가운데에 거하고 여러 양의 위에 있으니, 태(泰)가 성한 것이다. 사물의 이치는 고리를 따라 도는 것과 같아서 아래에 있는 것은 반드시 위로 올라가고, 위에 있는 것은 반드시 아래로 내려오니, 태(泰)가 오래되면 반드시 비색(否塞)해진다. 그러므로 태(泰)가 성하고 양(陽)이 장차 나아가려 할 적에 경계하기를 "항상 평안하기만 하고 험하지 않음은 없다." 하였으니, 항상 편안함이 없음을 말한 것이요, "항상 가기만 하고 돌아오지 않음은 없다." 하였으니, 음이 마땅히 돌아옴을 말한 것이다. 평평한 것이 기울고 갔던 것이 돌아오면 비(否)가 되니, 마땅히 천리(天理)의 필연을 알아 태의 때를 당해서 감히 안일하지 아니하여, 항상 사려(思慮)를 어렵게 여기고 시위(施爲)를 정고(貞固)하게 하여야 하니, 이와 같이 하면 허물이 없을 것이다.

태(泰)에 대처하는 방도는 이미 어렵게 여기고 정도를 지키면 항상 그 편안함을 보존하여 수고롭게 걱정하지 않더라도 구하는 바를 얻을 것이다. 기대하는 바를 잃지 않음이 부(孚)이니, 이와 같으면 록식(祿食)에 있어 복(福)과 유익함이 있을 것이다. '록식'은 복지(福祉)를 이르니, 태에 잘 대처하는 자는 복을 누릴 수 있는 것이다. 덕과 선(善)이 날로 쌓이면 복록(福祿)이 날로 이르니, 덕이 록보다 더 많으면 비록 성하더라도 가득한 것이 아니다. 예로부터 융성할 때에 도를 잃지 않고서 상패(喪敗)한 자는 있지 않았다.

本義 | 將過于中하니 泰將極而否欲來之時也라 恤은 憂也요 孚는 所期之信也라 戒占者艱難守貞이면 則无咎而有福이라

장차 중(中)을 지나게(넘게) 되었으니, 태(泰)가 장차 극(極)에 이르러 비(否)가

··· 踰 : 넘을 유

오려고 하는 때이다. '휼(恤)'은 근심함이요 '부(孚)'는 기대함에 대한 믿음이다. 점치는 자에게 어렵게 여기고 정(貞)을 지키면 허물이 없어 복이 있을 것이라고 경계한 것이다.

象曰 无往不復은 天地際也라

〈상전〉에 말하였다. "가고서 돌아오지 않음이 없음은 하늘과 땅이 교제하는 것이다."

傳 | 无往不復은 言天地之交際也라 陽降于下하면 必復于上하고 陰升于上하면 必復于下하나니 屈伸、往來之常理也〔一作理之常也〕라 因天地交際之道하여 明否泰不常之理하여 以爲戒也라

'무왕불복(无往不復)'은 하늘과 땅이 교제(交際)함을 말한 것이다. 양이 아래로 내려오면 반드시 위로 돌아가고, 음이 위로 올라가면 반드시 아래로 돌아오니, 이는 굴신(屈伸)하고 왕래(往來)하는 떳떳한 이치이다. 하늘과 땅이 교제하는 도를 인하여 비(否)와 태(泰)가 일정하지 않은 이치를 밝혀서 경계로 삼은 것이다.

六四는 翩翩히 不富以其隣하여 不戒以孚로다

육사(六四)는 편편(翩翩)히 부유하지 않으면서도 그 이웃들과 함께 하여 경계하지 않아도 서로 믿도다.

傳 | 六四는 處泰之過中하고 以陰在上하여 志在下復이요 上二陰亦志在趨下라 翩翩은 疾飛之貌니 四翩翩就下하여 與其隣同也라 隣은 其類也니 謂五與上이라 夫人富而其類從者는 爲利也요 不富而從者〔一无者字〕는 其志同也라 三陰이 皆在下之物이어늘 居上은 乃失其實이니 其志皆欲下行이라 故不富而相從하여 不待戒告而誠意相合也라 夫陰陽之升降은 乃時運之否泰니 或交或散이 理之常也라 泰既過中이면 則將變矣라 聖人於三에 尙云艱貞則有福이라하시니 蓋三爲將中이니 知戒則可保요 四已過中矣니 理必變也라 故專言始終反復之道하고 五는 泰之主일새 則復言處泰之義하니라

육사(六四)는 태(泰)가 중(中)을 지남에 처하고 음효(陰爻)로 위에 있어서 뜻이

••• 翩 : 빨리날 편 疾 : 빠를 질

아래로 돌아감에 있으며, 위의 두 음 또한 뜻이 아래로 나아감에 있다. '편편(翩翩)'은 빨리 날아가는 모양이니, 사(四)가 편편히 아래로 나아가서 그 이웃[隣]과 함께 하는 것이다. '린(隣)'은 그 동류이니, 육오(六五)와 상육(上六)을 이른다. 사람이 부유한데 무리가 따르는 것은 이익 때문이고, 부유하지 않은데도 따르는 것은 뜻이 같기 때문이다. 세 음이 모두 아래에 있는 물건인데 위에 거함은 바로 그 실(實:실제)을 잃은 것이니, 그 뜻이 모두 아래로 가고자 한다. 그러므로 부유하지 않은데도 서로 따라서 굳이 경계하여 말하기를 기다리지 않고도 성의(誠意:진실한 뜻)가 서로 합하는 것이다.

음과 양이 오르고 내림은 바로 시운(時運)이 비색(否塞)해지고 통태(通泰)해지는 것이니, 혹 사귀고 혹 흩어짐이 떳떳한 이치이다. 태(泰)가 이미 중(中)을 지났으면 장차 변하게 된다. 성인(聖人)이 삼효(三爻)에서는 그래도 "어렵게 여기고 정도를 지키면 복이 있다."고 말씀하셨으니, 삼(三)은 장차 중이 되려 하니 경계할 줄을 알면 통태함을 보존할 수 있지만, 사(四)는 이미 중을 지났으니 이치상 반드시 변한다. 그러므로 오로지 시종 반복(反復)하는 도(道)를 말씀하였고, 오(五)는 태(泰)의 주체이기에 다시 태(泰)에 대처하는 이(理)를 말씀한 것이다.

本義｜ 已過乎中하니 泰已極矣라 故三陰이 翩然而下復하여 不待富而其類從之하니 不待戒令而信也라 其占이 爲有小人合交하여 以害正道하니 君子所當戒也라 陰虛陽實이라 故凡言不富者는 皆陰爻也라

이미 중(中)을 지났으니, 태(泰)가 이미 극에 이르렀다. 그러므로 세 음이 편편히 아래로 돌아와서 부유하기를 기다리지 않고도 그 동류들이 따르니, 굳이 경계하고 명령하지 않아도 믿는 것이다. 그 점(占)은 소인들이 모이고 사귀어 정도를 해침이 되니, 군자가 마땅히 경계해야 할 것이다. 음(--)은 허(虛)하고 양(—)은 실(實)하므로 무릇 '불부(不富)'라고 말한 것은 모두 음효(陰爻)이다.

象曰 翩翩不富는 皆失實也요 不戒以孚는 中心願也라

〈상전〉에 말하였다. "'편편불부(翩翩不富)'는 모두 실(實)을 잃었기 때문이요, 경계하지 않아도 믿음은 중심(中心)에 원하기 때문이다."

傳 | 翩翩은 下往之疾이라 不待富而隣從者는 以三陰在上하여 皆失其實故也라 陰本在下之物이어늘 今乃居上하니 是失實也라 不待告戒而誠意相與者는 蓋其中心所願故也니 理當然者는 天也요 衆所同者는 時也라

'편편'은 아래로 가기를 빨리하는 것이다. 부유하기를 기다리지 않고도 이웃들이 따르는 것은 세 음이 위에 있어서 모두 실(實)을 잃었기 때문이다. 음은 본래 아래에 있는 물건인데, 이제 도리어 위에 거했으니, 이는 실을 잃은 것이다. 고계(告戒)하기를 기다리지 않고도 성의(誠意)로 서로 친한 것은 중심에 서로 원하는 바이기 때문이니, 이치에 당연함은 천리(天理)이고, 여러 사람이 함께 함은 시운(時運)이다.

本義 | 陰本居下어늘 在上은 爲失實이라

음(陰)은 본래 아래에 있는 것인데, 위에 있음은 실(實)을 잃음이 된다.

六五는 帝乙歸妹니 以祉며 元吉이리라

육오(六五)는 제을(帝乙)이 여동생(어린 딸)을 시집보냄이니, 이로써 복을 받을 것이며 크게 선(善)하여 길하리라.

傳 | 史에 謂湯爲天乙하고 厥後에 有帝祖乙하니 亦賢王也요 後又有帝乙하니라 多士曰 自成湯至于帝乙히 罔不明德恤祀라하니 稱帝乙者는 未知誰是나 以爻義觀之하면 帝乙은 制王姬下嫁之禮法者也라 自古帝女雖皆下嫁나 至帝乙然後에 制爲〔一作其〕禮法하여 使降其尊貴하여 以順從其夫也라 六五以陰柔居君位하여 下應於九二剛明之賢하니 五能倚任其賢臣而順從之를 如帝乙之歸妹然하여 降其尊而順從於陽이면 則以之受祉요 且元吉也라 元吉은 大吉而盡善者也니 謂成治泰之功也라

사책(史策)에 탕왕(湯王)을 일러 천을(天乙)이라 하였고, 그 뒤에 제(帝) 조을(祖乙)이 있었으니 또한 어진 임금이었으며, 뒤에 또 제을(帝乙)이 있었다. 《서경》〈다사(多士)〉에 "성탕(成湯)으로부터 제을(帝乙)에 이르기까지 덕을 밝히고 제사를 공경히 받들지 않은 이가 없었다."라고 하였으니, 제을이라 칭한 이가 누구인지는 알 수 없으나 효(爻)의 뜻으로 살펴보면, 제을은 왕희(王姬; 공주(公主))를 하가(下嫁)

••• 祉 : 복 지 嫁 : 시집갈 가

시키는 예법을 제정한 자일 것이다. 예로부터 제왕의 딸을 비록 모두 하가시켰으나 제을에 이른 뒤에야 예법을 제정해서 그 존귀(尊貴)함을 낮추어 남편에게 순종하게 하였다. 육오(六五)가 음유(陰柔)로서 군위(君位)에 거하여 아래로 구이(九二)의 강명(剛明)한 현자(賢者)에게 응하니, 오(五)가 현신(賢臣)에게 의지하고 신임하여 순종하기를 제을이 여동생을 시집보내듯이 하여, 그 높음을 낮추어 양(陽)에게 순종하게 하면 복을 받고 또 크게 선(善)하고 길〔元吉〕할 것이다. '원길(元吉)'은 크게 길하고 지극히 선한 것이니, 태(泰)를 다스리는 공(功)을 이루었음을 이른다.

本義 | 以陰居尊하여 爲泰之主하고 柔中虛己하여 下應九二하니 吉之道也요 而帝乙歸妹之時에도 亦嘗占得此爻하니 占者如是면 則有祉而元吉矣리라 凡經에 以古人爲言 如高宗、箕子之類者[120]는 皆倣此하니라

음으로서 존위(尊位)에 거하여 태괘(泰卦)의 주체가 되고 유중(柔中)으로 자기 마음을 겸허(謙虛)하게 하여 아래로 구이(九二)에게 응하니 길한 방도이며, 제을(帝乙)이 여동생을 시집 보낼 때에도 일찍이 점을 쳐서 이 효(爻)를 얻었으니, 점치는 자가 이와 같이 하면 복이 있어서 원길(元吉:크게 길함)할 것이다. 무릇 경문(經文)에 고인(古人)이라고 말한 것으로 고종(高宗)과 기자(箕子)와 같은 따위는 모두 이와 같다.

象曰 以祉元吉은 中以行願也라

〈상전〉에 말하였다. "'이지원길(以祉元吉)'은 중도(中道)로써 원하는 것을 행하기 때문이다."

傳 | 所以能獲祉福且元吉者는 由其以中道合而行其志願也라 有中德일새 所以能任剛中之賢이니 所聽從者 皆其志願也라 非其所欲이면 能從之乎아

지복(祉福)을 얻고 또 원길(元吉)한 까닭은 중도로써 합하여 자기의 뜻에 원하

······

120 如高宗箕子之類者：고종(高宗)은 은왕(殷王) 무정(武丁)으로 기제괘(旣濟卦)의 구삼 효사(九三爻辭)에 '고종이 귀방을 정벌하여 3년만에 이겼다.〔高宗伐鬼方, 三年克之.〕'라고 보이며, 명이괘(明夷卦)의 육오 효사(六五爻辭)에 '箕子之明夷'라고 보이므로 말한 것이다.

··· 倣 : 같을 방 獲 : 얻을 획

는 것을 행하기 때문이다. 중덕(中德)이 있으므로 강중(剛中)한 현자(賢者)에게 맡길 수 있는 것이니, 들어 따르는 것이 모두 자기 뜻에 원하는 바이다. 하고자 하는 바가 아니면 능히 따르겠는가.

上六은 **城復于隍**이라 **勿用師**요 **自邑告命**이니 **貞**이라도 **吝**하니라

상육(上六)은 성(城;토성)이 무너져 흙이 황(隍;해자(垓子))으로 돌아감이니 군대를 쓰지 말 것이요, 읍(邑)으로부터 고명(告命)할 것이니, 정(貞)하더라도 부끄럽다.

본의 | 읍(邑)으로부터 고명(告命)할 것이니,

傳 | 掘隍土하여 積累以成城은 如治道積累以成泰라 及泰之終이면 將反於否하니 如城土頹圮(퇴비)하여 復反于隍也라 上은 泰之終이어늘 六以小人處之하니 行將否矣라 勿用師는 君之所以能用其衆者는 上下之情通而心從也어늘 今泰之將終에 失泰之道하여 上下之情不通矣라 民心離散하여 不從其上하니 豈可用也리오 用之則亂이라 衆旣不可用인댄 方自其親近而告命之니 雖使所告命者得其正이라도 亦可羞吝이라 邑은 所居로 謂親近이니 大率告命은 必自近始라 凡貞凶, 貞吝이 有二義하니 有貞固守此則凶吝者하고 有雖得正亦凶吝者라 此不云貞凶而云貞吝者〔一无者字〕는 將否而方告命이 爲可羞吝이니 否不由於告命也라

해자의 흙을 파서 쌓아 성(城)을 이룸은 치도(治道)를 많이 쌓아 태(泰)를 이룸과 같다. 태의 종(終)에 미치면 장차 비(否)로 돌아갈 것이니, 성의 흙이 무너져서 다시 해자로 돌아가는 것과 같다. 상(上)은 태(泰)의 종(終)인데, 육(六)이 소인으로 여기에 처했으니, 장차 비색해질 것이다. '물용사(勿用師)'는 군주가 무리(군대)를 쓸 수 있는 까닭은 상 · 하의 정(情)이 통하여 마음으로 따르기 때문인데, 이제 태(泰)가 장차 끝나려 함에 태의 도리를 잃어 상 · 하의 정이 통하지 못한다. 민심(民心)이 이산(離散)되어 윗사람을 따르지 않으니, 어찌 쓸 수 있겠는가? 쓰면 혼란해진다. 무리를 이미 쓸 수 없다면 막 친근한 곳으로부터 고명(告命;고하여 명함)해야 하니, 비록 고명하는 것이 올바름을 얻더라도 또한 부끄러운 일이다. 읍(邑)은 자기가 거주하는 곳으로 친근한 곳을 이르니, 대체로 고명함은 반드시 가까운 곳으로부터 시작하여야 한다.

··· 隍 : 해자 황 掘 : 팔 굴 圮 : 무너질 비 羞 : 부끄러울 수 吝 : 부끄러울 린

무릇 정흉(貞凶)과 정린(貞吝)은 두 가지 뜻이 있으니, 정고(貞固)하게 이것을 지키면 흉하거나 부끄러운 경우가 있고, 비록 정도를 얻더라도 또한 흉하거나 부끄러운 경우가 있다. 여기에서 정흉(貞凶)이라고 말하지 않고 정린(貞吝)이라고 말한 것은 장차 비색해질 때에야 비로소 고명을 내림이 부끄러울 만함이리니, 비색함이 고명으로 말미암은 것은 아니다.

本義 | 泰極而否는 城復于隍之象이라 戒占者不可力爭이요 但可自守니 雖得其貞이라도 亦不免於羞吝也라

태(泰)가 극에 이르러 비색해짐은 성이 무너져 해자로 돌아가는 상이다. 점치는 자에게 힘으로 다투지 말고 다만 스스로 지켜야 하니, 비록 올바름을 얻더라도 부끄러움을 면치 못할 것이라고 경계한 것이다.

象曰 城復于隍은 其命이 亂也[121]라

〈상전〉에 말하였다. "성이 무너져 해자로 돌아감은 명령을 요란스럽게 내리는 것이다."

傳 | 城復于隍矣니 雖其命之亂이나 不可止也라

성이 무너져 해자로 돌아가니, 비록 명령하기를 요란스럽게 하나 그칠 수 없는 것이다.

本義 | 命亂이라 故復否니 告命은 所以治之也라

명령이 혼란하기 때문에 비(否)로 돌아간 것이니, 고명은 이것을 다스리는 것이다.

••••••

121 城復于隍 其命亂也 : 사계는 《정전》과 《본의》가 똑같지 않음을 밝히고 "《정전》은 명령을 요란스럽게 내려 말하더라도 그칠 수 없음은 난(亂)이 많기 때문이라고 해석한 반면, 《본의》는 명령을 혼란하게 내리기 때문에 비(否)로 돌아간 것으로 해석하여, 고명(告命)의 명(命)과 같지 않다." 하였다. 《經書辨疑》

12 천지 天地 비(否) ䷋ 곤하건상 坤下乾上

傳 | 否는 序卦에 泰者는 通也니 物不可以終通이라 故受之以否라하니라 夫物理往來하니 通泰之極이면 則必否하니 否所以次泰也라 爲卦 天上地下하니 天地相交하여 陰陽和暢이면 則爲泰요 天處上하고 地處下면 是天地隔絶하여 不相交通이니 所以爲否也라

비괘(否卦)는 〈서괘전〉에 "태(泰)는 통함이니, 사물은 끝내 통할 수만은 없다. 그러므로 비괘로 받았다." 하였다. 사물의 이치는 가고 오니, 통태(通泰)가 극에 이르면 반드시 비색해지니, 비괘가 이 때문에 태괘(泰卦 ䷊)의 다음이 된 것이다. 괘됨이 하늘(☰)이 위에 있고 땅(☷)이 아래에 있으니, 하늘과 땅이 서로 사귀어 음·양이 화창하면 태(泰)가 되고, 하늘이 위에 처하고 땅이 아래에 처하면 이는 하늘과 땅이 가로막혀 서로 통하지 못하니, 이 때문에 비(否)가 된 것이다.

否之匪人이니

비(否)는 인도(人道)가 아니니,

傳 | 天地交而萬物生於中然後에 三才備하나니 人爲最靈이라 故爲萬物之首하니 凡生天地之中者 皆人道也라 天地不交하면 則不生萬物이니 是无人道라 故曰匪人이니 謂非人道也라 消長、闔闢이 相因而不息하나니 泰極則復하고 否終則傾[122]하여 无常而不變之理하니 人道豈能无也리오 旣否則泰矣니라

하늘과 땅이 사귀어 만물이 하늘과 땅 가운데에서 생겨난 뒤에야 삼재(三才)가

122 泰極則復 否終則傾 : 태극즉복(泰極則復)의 극(極)은 태괘의 상육(上六)을 이르고 복(復)은 성의 흙이 무너져 다시 해자로 돌아감을 이르는바, 태괘 상육 효사(上六爻辭)에 "상육은 성이 해자로 돌아간다.〔上六城復于隍〕"라고 보이며, 비종즉경(否終則傾)의 종(終)은 비괘(否卦)의 상구(上九)를 가리키고 경(傾)은 비색함을 경복(傾覆)시키는 것으로 비괘 상구 효사(上九爻辭)에 "상구는 비색함을 경복시킴이니, 먼저는 비색하고 뒤에는 기쁘다.〔上九傾否, 先否後喜.〕"라고 보인다.

··· 否 : 막힐 비 隔 : 막힐 격 匪 : 아닐 비 闔 : 닫을 합 闢 : 열 벽

갖추어지는데, 사람이 가장 영특하므로 만물의 우두머리가 되니, 무릇 하늘과 땅의 가운데에서 태어난 것은 모두 인도(人道)이다. 하늘과 땅이 사귀지 않으면 만물을 낳지 못하니, 이는 인도가 없는 것이다. 그러므로 '비인(匪人)'이라 하였으니, 인도가 아님을 이른다. 사라지고 자라남과 닫히고 열림이 서로 인하여 쉬지 않으니, 태(泰)가 극에 이르면 〈성의 흙이 해자(垓子)로〉 돌아가고 비(否)가 끝나면 기울어서, 항상하고 변하지 않는 이치가 없으니, 인도가 어찌 없겠는가. 이미 비색해지면 통태(通泰)하게 된다.

不利君子貞하니 大往小來니라

군자의 정(貞;정도(正道))에 이롭지 않으니, 대(大;양)가 가고 소(小;음)가 온다.

傳 | 夫上下交通하여 剛柔和會는 君子之道也어늘 否則反是라 故不利君子貞이니 君子正道 否塞不行也라 大往小來는 陽往而陰來也니 小人道長하고 君子道消之象이라 故爲否也라

상 · 하가 서로 통하여 강(剛)과 유(柔)가 화(和)하고 모임은 군자의 도인데, 비(否)는 이와 반대이다. 그러므로 군자의 정(貞)에 이롭지 않은 것이니, 군자의 정도가 비색하여 행해지지 못하는 것이다. '대왕소래(大往小來)'는 양이 가고 음이 오는 것이니, 소인의 도가 자라나고 군자의 도가 사라지는 상이므로 비(否)라 한 것이다.

本義 | 否는 閉塞也니 七月之卦也라 正與泰反이라 故曰匪人이니 謂非人道也라 其占이 不利於君子之正道하니 蓋乾往居外하고 坤來居內하며 又自漸卦而來하니 則九往居四하고 六來居三也라 或疑之匪人三字 衍文이니 由比六三而誤也[123]라 傳不特解하니 其義亦可見이라하니라

비(否)는 폐색(閉塞)함이니 7월의 괘이다. 태괘(泰卦)와 정반대이므로 '비인(匪

123 由比六三而誤也 : 비괘(比卦)의 육삼 효사(六三爻辭)에 '비지비인(比之匪人)'이란 내용이 있기 때문에 비괘(否卦) 역시 '지비인(之匪人)' 세 글자가 잘못 덧붙여졌다고 본 것이다.

··· 塞 : 막힐 색 漸 : 점점 점

人)'이라고 하였으니, 인도가 아님을 이른 것이다. 이 괘의 점은 군자의 정도에 이롭지 않으니, 건(乾 ☰)이 가서 밖에 거하고 곤(坤 ☷)이 와서 안에 거하며, 또 점괘(漸卦 ䷴)로부터 왔으니, 구(九)가 가서 사(四)에 거하고 육(六)이 와서 삼(三)에 거하였다. 혹자는 '지비인(之匪人) 세 글자는 연문(衍文)이니 비괘(比卦)의 육삼(六三) 효사로 말미암아 잘못되었다. 〈단전〉에서 특별히 이것을 해석하지 않았으니, 그 뜻을 또한 볼 수 있다.' 하였다.

彖曰 否之匪人 不利君子貞 大往小來는 **則是天地不交而萬物不通也**며 **上下不交而天下无邦也**라 **內陰而外陽**하며 **內柔而外剛**하며 **內小人而外君子**하니 **小人道長**하고 **君子道消也**라

〈단전〉에 말하였다. "'비는 인도가 아니니, 군자의 정도에 이롭지 않으니, 대가 가고 소가 온다〔否之匪人 不利君子貞 大往小來〕'는 것은 하늘과 땅이 사귀지 않아 만물이 통하지 못하며, 상·하가 사귀지 않아 천하에 나라가 없는 것이다. 음이 안에 있고 양이 밖에 있으며, 유(柔)가 안에 있고 강(剛)이 밖에 있으며, 소인이 안에 있고 군자가 밖에 있으니, 소인의 도가 자라나고 군자의 도가 사라지는 것이다."

傳 | 夫天地之氣不交면 則萬物无生成之理하고 上下之義不交면 則天下无邦國之道하니 建邦國은 所以爲治也라 上施政以治民하고 民戴君而從命하여 上下相交는 所以治安也어늘 今上下不交하니 是天下无邦國之道也라 陰柔在內하고 陽剛在外하며 君子往居於外하고 小人來處於內하니 小人道長하고 君子道消之時也라

하늘과 땅의 기운이 사귀지 않으면 만물이 생성할 이치가 없고, 상·하의 정의(情義)가 사귀지 않으면 천하에 나라의 도가 없으니, 나라를 세움은 다스리기 위해서이다. 윗사람은 정사를 베풀어 백성을 다스리고 백성은 군주를 떠받들어 명령을 따라서 상·하가 서로 사귀는 것은 나라가 다스려져서 편안할 수 있는 것인데, 이제 상·하가 서로 사귀지 못하니, 이는 천하에 나라의 도가 없는 것이다. 음유(陰柔)가 안에 있고 양강(陽剛)이 밖에 있으며, 군자가 가서 밖에 거하고 소인이 와서 안에 처하니, 소인의 도가 자라나고 군자의 도가 사라지는 때이다.

··· 邦 : 나라 방 戴 : 일 대

象曰 天地不交否니 **君子以**하여 **儉德辟(避)難**하여 **不可榮以祿**이니라

〈상전〉에 말하였다. "하늘과 땅이 사귀지 않음이 비(否)이니, 군자가 보고서 덕을 검약(儉約)하여 난(難)을 피해서 녹(祿)으로써 영화롭게 하지 말아야 한다."

本義 | **儉德辟難**이라

덕을 검약하여 난을 피한다. 녹으로써 영화롭게 하지 못한다.

傳 | 天地不相交通이라 故爲否하니 否塞之時엔 君子道消하나니 當觀否塞之象하여 而以儉損其德하여 避免禍難이요 不可榮居祿位也라 否者는 小人得志之時니 君子居顯榮之地면 禍患必及其身이라 故宜晦處窮約也라

하늘과 땅이 서로 통하지 않으므로 비색함이 되었다. 비색할 때에는 군자의 도가 사라지니, 마땅히 비색한 상을 보고서 그 덕을 검약하고 덜어내어 화난(禍難)을 피하여 면할 것이요, 영화로이 녹과 지위에 거해서는 안 된다. 비(否)는 소인이 뜻을 얻는 때이니, 군자가 드러나고 영화로운 지위에 거하면 화난(禍難)이 반드시 그 몸에 미친다. 그러므로 마땅히 숨어 궁약(窮約)함에 처해야 하는 것이다.

本義 | 收斂其德하여 不形於外하여 以避小人之難하여 人不得以祿位榮之라

그 덕을 거두어 밖에 드러내지 않아서 소인의 난을 피하여 사람들이 녹과 지위로써 영화롭게 하지 못하는 것이다.

初六은 **拔茅茹**라 **以其彙**로 **貞**이니 **吉**하여 **亨**하니라

초육(初六)은 띠풀의 뿌리를 뽑는 것과 같다. 동류들과 더불어 정고(貞固)히 지킴이니, 길하여 형통하다.

本義 | **以其彙**니 **貞**하면 **吉**하여 **亨**하리라

동류들과 함께 하니, 정(貞)하면 길하여 형통하리라.

傳 | 泰與否 皆取茅爲象者는 以羣陽羣陰同在下하여 有牽連之象也일새라 泰之

··· 儉 : 검소할 검 晦 : 어두울 회 茹 : 뿌리뒤얽힐 여 彙 : 무리 휘

時則以同征爲吉하고 否之時則以同貞爲亨이라 始以內小人、外君子로 爲否之義하고 復以初六否而在下로 爲君子之道하니 易은 隨時取義하여 變動无常이라 否之時엔 在下者君子也라 否之三陰이 上皆有應이나 在否隔之時하여 隔絶不相通이라 故无應義라 初六은 能與其類로 貞固其節하니 則處否之吉而其道之亨也라 當否而能進者는 小人也요 君子則伸道免禍而已니 君子進退에 未嘗不與其類同也라

태괘와 비괘가 모두 띠풀을 취하여 상(象)을 삼은 것은 여러 양과 여러 음이 함께 아래에 있어서 서로 견련(牽連)하는 상이 있기 때문이다. 태(泰)의 때에는 함께 감을 길함으로 삼고, 비(否)의 때에는 함께 정도를 지킴을 형통함으로 삼는다. 처음에는 소인이 안에 있고 군자가 밖에 있는 것으로 비(否)의 뜻을 삼았고, 다시 초육(初六)이 비색하여 아래에 있는 것으로 군자의 도를 삼았으니, 역(易)은 때에 따라 뜻을 취해 변동하여 일정함이 없다. 비(否)의 때에는 아래에 있는 자가 군자이다. 비(否)의 세 음이 위에 모두 응(應)이 있으나 비색하고 막히는 때에 있어서는 가로막혀 서로 통하지 못하므로 응하는 뜻이 없는 것이다. 초육(初六)은 동류들과 함께 절개를 굳게 지키니, 이는 비(否)에 대처하는 길함이어서 그 도가 형통하다. 비(否)의 때를 당하여 나아갈 수 있는 자는 소인이요, 군자는 도를 펴고 화를 면할 뿐이니, 군자가 진퇴함에 동류들과 함께 하지 않음이 없는 것이다.

本義｜ 三陰在下하여 當否之時하니 小人連類而進之象이나 而初之惡則未形也라 故戒其貞則吉而亨하니 蓋能如是면 則變而爲君子矣리라

세 음이 아래에 있으면서 비(否)의 때를 당했으니, 소인이 동류를 연해서 나오는 상이나, 초(初)의 악이 아직 드러나지 않았다. 그러므로 정도를 지키면 길하여 형통하다고 경계하였으니, 이와 같이 하면 변하여 군자가 될 것이다.

象曰 拔茅貞吉은 志在君也라

〈상전〉에 말하였다. "'발모정길(拔茅貞吉)'은 뜻이 군주에게 있는 것이다."

傳｜ 爻는 以六自守於下로 明君子處下〔一作否〕之道하고 象은 復推明하여 以象君子之心이라 君子固守其節以處下者는 非樂於不進獨善也요 以其道方否하여 不

可進이라 故安之耳니 心固未嘗不在天下也라 其志常在得君而進하여 以康濟天下라 故曰志在君也라하니라

효사(爻辭)는 육(六)이 아래에서 스스로 절개를 지키는 것으로 군자가 아래에 처하는 도리를 밝혔고, 〈상전〉은 다시 미루어 밝혀서 군자의 마음을 형상하였다. 군자가 절개를 굳게 지키면서 아래에 처하는 것은 나아가지 않고 홀로 선(善)하게 함을 좋아해서가 아니요, 도가 막 비색하여 나아갈 수 없으므로 편안히 여길 뿐이니, 그 마음이 진실로 일찍이 천하에 있지 않은 것이 아니다. 그 뜻이 항상 군주를 만나 나아가서 천하를 편안히 구제함에 있다. 그러므로 "뜻이 군주에게 있다."고 말한 것이다.

本義 | 小人而變爲君子면 則能以愛君爲念하여 而不計其私矣리라

소인이 변하여 군자가 되면 능히 군주를 사랑하는 것으로 생각을 삼아 그 사사로움을 따지지 않을 것이다.

六二는 包承이니 小人은 吉하고 大人은 否니 亨이라

육이(六二)는 〈마음속에〉 품고 있는 것이 윗사람을 순히 받드는 것이니, 소인은 길하고 대인은 비색하니, 형통하다.

本義 | 大人은 否라야 亨하리라

포용하여 순히 받듦이니, 소인은 길하고 대인은 비색하여야 길하리라

傳 | 六二其質則陰柔요 其居則中正이니 以陰柔小人而言이면 則方否於下하여 志所包畜者 在承順乎上하여 以求濟其否로 爲身之利하니 小人之吉也라 大人當否하면 則以道自處하니 豈肯枉己屈道하여 承順於上이리오 唯自守其否而已니 身之否는 乃其道之亨也라 或曰 上下不交하니 何所承乎아 曰 正則否矣니 小人順上之心이 未嘗无也니라

육이(六二)가 그 재질은 음유(陰柔)이고 그 거처는 중정(中正)이니, 음유의 소인으로 말하면 막 아래에서 비색하여 마음속에 쌓고(품고) 있는 것이 윗사람을 받들고 순종하여 비색함을 구제함으로써 자신의 이로움을 삼는데 있으니, 이는 소인

… 包 : 쌓을 포 畜 : 쌓을 축 肯 : 즐길 긍 屈 : 굽힐 굴

의 길함이다. 대인이 비(否)를 당하면 도로써 자처하니, 어찌 몸을 굽히고 도를 굽혀서 윗사람을 받들어 순종하려 하겠는가. 오직 스스로 비색함을 지킬 뿐이니, 몸이 비색함은 바로 도가 형통한 것이다.

혹자는 말하기를 "상 · 하가 사귀지 않는데 무엇을 받든단 말입니까?" 하기에, "정도가 비색한 것이니, 소인이 윗사람에게 순종하려는 마음이 일찍이 없는 것은 아니다." 하였다.

本義 | 陰柔而中正하니 小人而能包容承順乎君子之象이니 小人之吉道也라 故占者小人이면 如是則吉이요 大人則當安守其否而後道亨이니 蓋不可以彼包承於我而自失其守也니라

음유(陰柔)로서 중정(中正)하니, 소인으로서 군자를 포용하고 받들어 순종하는 상이니, 소인의 길한 방도이다. 그러므로 점치는 자가 소인일 경우에는 이와 같이 하면 길하고, 대인일 경우에는 마땅히 비색함을 편안히 지킨 뒤에야 도가 형통할 것이니, 저 소인이 나를 포용하고 받든다 하여 스스로 그 지킴을 잃어서는 안 된다.

象曰 大人否亨은 不亂羣也라

〈상전〉에 말하였다. "'대인비형(大人否亨)'은 소인의 무리에게 어지럽혀지지 않는 것이다."

傳 | 大人은 於否之時에 守其正節하여 不雜亂於小人之羣類하니 身雖否而道之亨也라 故曰否亨이라 不以道而身亨은 乃道之否也라 不云君子而云大人은 能如是면 則[一无則字]其道大也일새라

대인은 비(否)의 때에 바른 절개를 지켜서 소인의 무리에게 뒤섞이고 어지럽혀지지 않으니, 몸은 비록 비색하나 도는 형통한 것이다. 그러므로 '비형(否亨)'이라고 말한 것이다. 도로써 하지 않고서 몸이 형통함은 바로 도가 비색한 것이다. 군자라고 말하지 않고 대인이라고 말한 것은 이와 같이 하면 도가 크기 때문이다.

本義 | 言不亂於小人之羣이라

소인의 무리에게 어지럽혀지지 않음을 말한 것이다.

六三은 包羞로다

육삼(六三)은 마음 속에 품고 있는 것이 부끄럽도다.

本義 | 包羞라

부끄러움을 품고 있는 것이다.

傳 | 三以陰柔로 不中不正而居否하고 又切近於上하니 非能守道安命이라 窮斯濫矣니 極小人之情狀者也라 其所包畜謀慮邪濫하여 无所不至하니 可羞恥也라

삼(三)이 음유(陰柔)로 중정(中正)하지 못하면서 비(否)에 거하고 또 위와 매우 가까우니, 도를 지키고 명(命)을 편안히 여기는 자가 아니다. 궁하면 이에 넘칠 것이니, 소인의 정상을 지극히 한 자이다. 마음 속에 품고 있는 지모(智謀)와 생각이 사특하고 넘쳐서 이르지 않는 바가 없으니, 수치스러울 만하다.

本義 | 以陰居陽而不中正하니 小人志於傷善而未能也라 故爲包羞之象이라 然以其未發故로 无凶咎之戒하니라

음효(陰爻)로서 양위(陽位)에 거하여 중정하지 못하니, 소인이 선인(善人)을 해치려는데 뜻을 두고 있으나 능하지 못한 것이다. 그러므로 '포수(包羞)'의 상이 된 것이다. 그러나 아직 발하지 않았기 때문에 흉구(凶咎)의 경계가 없는 것이다.

象曰 包羞는 位不當也일새라

〈상전〉에 말하였다. "'포수(包羞)'는 자리가 합당하지 않기 때문이다."

傳 | 陰柔居否而不中不正하니 所爲可羞者는 處不當故也라 處不當位는 所爲不以道也라

음유(陰柔)로서 비(否)에 거하여 중정하지 못하니, 하는 바가 부끄러울 만한 것은 처함이 합당하지 않기 때문이다. 처함이 자리에 합당하지 않음은 하는 바가 도를 따르지 않는 것이다.

九四는 **有命**이면 **无咎**하여 **疇離祉**리라

구사(九四)는 군주의 명령에 맡기면 허물이 없어 무리가 모두 복에 걸리리라(복을 누리리라).

本義 | **有命**이요

천명(天命)이 있고

傳 | 四以陽剛健體로 居近君之位하니 是는 以濟否之才로 而得高位者也니 足以輔上濟否라 然當君道方否之時하여 處逼近之地하니 所惡(오)在居功取忌而已니 若能使動必出於君命하여 威柄이 一歸於上이면 則无咎而其志行矣라 能使事皆出於君命이면 則可以濟時之否하여 其疇類皆附離其福祉리니 離는 麗(리)也라 君子道行이면 則與其類同進하여 以濟天下之否하리니 疇離祉也라 小人之進에도 亦以其類同也라

사(四)가 양강 건체(陽剛健體)로 군주와 가까운 자리에 거했으니, 이는 비색함을 구제할 수 있는 재주로 높은 지위를 얻은 자이니, 충분히 윗사람을 보필하여 비색함을 구제할 수 있다. 그러나 군도(君道)가 막 비색한 때를 당하여 군주와 너무 가까운 자리에 처했으니, 꺼려야 할 것은 공(功)을 차지하여 군주의 시기를 취함에 있을 뿐이다. 만일 동(動)함이 반드시 군주의 명령에서 나오게 하여 위엄과 권세가 한결같이 상(上:군주)에게 돌아가게 한다면 허물이 없어 그 뜻이 행해질 것이다. 일이 모두 군주의 명령에서 나오게 한다면 때의 비색함을 구제하여 무리들이 모두 복지(福祉)에 붙을 것이니, '리(離)'는 걸림(붙음)이다. 군자의 도가 행해지면 동류들과 함께 나아가서 천하의 비색함을 구제할 것이니, 이는 무리들이 복에 붙는 것이다. 소인이 나아갈 때에도 또한 동류들과 함께 한다.

本義 | 否過中矣니 將濟之時也라 九四以陽居陰하여 不極其剛이라 故其占爲有命无咎요 而疇類三陽이 皆獲其福也라 命은 謂天命이라

비(否)가 중(中)을 지났으니, 장차 구제될 때이다. 구사(九四)가 양효(陽爻)로 음위(陰位)에 거하여 그 강(剛)함을 지극하게 하지 않는다. 이 때문에 점(占)이 천명(天命)이 있고 허물이 없어서 동류인 세 양이 모두 그 복을 얻음이 되는 것이다. '명(命)'은 천명을 이른다.

… 疇 : 무리 주 離 : 걸릴 리 逼 : 핍박할 핍 麗 : 걸릴 리, 붙을 리

象曰 有命无咎는 **志行也**라

〈상전〉에 말하였다. "'유명무구(有命无咎)'는 뜻이 행해지는 것이다."

傳ㅣ 有君命이면 則得无咎니 乃可以濟否하여 其志得行也라

군주의 명에 맡기면 허물이 없을 수 있으니, 비로소 비색함을 구제하여 그 뜻이 행해지는 것이다.

九五는 **休否**라 **大人**의 **吉**이니 **其亡其亡**이라아 **繫于苞桑**이리라

구오(九五)는 비색함을 그치게 하므로 대인(大人)의 길함이니, 망할까 망할까 하고 염려하여야 총생(叢生)하는 뽕나무에 매어놓듯이 편안하리라.

本義ㅣ **大人**이 **吉**하니

대인이 길하니,

傳ㅣ 五以陽剛中正之德으로 居尊〔一作君〕位라 故能休息天下之否하니 大人之吉也라 大人當位하여 能以其道로 休息天下之否하여 以循致於泰호되 猶未離於否也라 故有其亡之戒라 否旣休息하여 漸將反〔一作及〕泰엔 不可便爲安肆요 當深慮遠戒하여 常虞否之復來하여 曰其亡矣、其亡矣라야 其繫于苞桑하니 謂爲安固之道 如維繫于苞桑也라 桑之爲物이 其根深固요 苞는 謂叢生者니 其固尤甚하니 聖人之戒 深矣로다 漢王允과 唐李德裕[124]는 不知此戒하니 所以致禍敗也라 繫辭曰 危者는 安其位者也요 亡者는 保其存者也요 亂者는 有其治者也라 是故로 君子安而不忘危하고 存而不忘亡하고 治而不忘亂이라 是以로 身安而國家可保也라하니라

오(五)는 양강 중정(陽剛中正)의 덕으로 존위(尊位)에 거하였다. 그러므로 능히 천하의 비색함을 종식시킬 수 있으니, 대인의 길함이다. 대인이 지위를 담당하여 능히 도로써 천하의 비색함을 종식시켜 태(泰)를 순치(循致;점차 이르름)하게 하나

124 漢王允 唐李德裕 : 왕윤(王允)은 후한(後漢) 말기의 재상으로 발호하는 동탁(董卓)을 제거하였으나 그의 잔당을 완전히 소탕하지 않았다가 끝내 화를 당하였으며, 이덕유(李德裕)는 당(唐)나라 문종(文宗)과 무종(武宗) 때의 명재상이었으나 우승유(牛僧孺)·이종민(李宗閔) 일파와 알력이 심하였고 선종(宣宗)이 즉위한 뒤에는 소인(小人)들의 모함으로 좌천되어 죽었다.

… 繫 : 맬 계 苞 : 초목다북히날 포 桑 : 뽕나무 상 虞 : 염려할 우

아직 비색함을 떠나지 못했으므로 '망할까' 하는 경계가 있는 것이다. 비(否)가 이미 종식되어 점점 태(泰)로 돌아올 때에는 곧바로 편안히 여기고 마음을 놓아서는 안 되고, 마땅히 깊이 생각하고 멀리 경계하여 항상 비색함이 다시 올까 염려해서, '망할까 망할까' 하고 염려해야 총생하는 뽕나무에 매어놓듯이 편안할 수 있으니, 편안하고 튼튼하게 하는 방도가 총생하는 뽕나무에 매어놓음과 같음을 이른다. 뽕나무라는 식물은 뿌리가 깊고 견고하며 '포(苞)'는 총생함을 이르는데, 그 견고함이 더더욱 심하니, 성인의 경계가 깊다.

한(漢)나라의 왕윤(王允)과 당나라의 이덕유(李德裕)는 이 경계를 알지 못하였으니, 이 때문에 화패(禍敗)를 불러 들였던 것이다. 〈계사전 하〉에 "위태로울까 염려함은 그 지위를 편안하게 하는 것이요, 망할까 염려함은 그 보존됨을 보전하는 것이요, 어지러울까 염려함은 그 다스려짐을 간직하는 것이다. 그러므로 군자는 편안하여도 위태로워질 것을 잊지 않고, 보존하여도 망할 것을 잊지 않고, 다스려져도 어지러워질 것을 잊지 않는다. 이 때문에 몸이 편안하고 국가가 보존될 수 있는 것이다." 하였다.

本義 | 陽剛中正으로 以居尊位하여 能休時之否하니 大人之事也라 故此爻之占을 大人遇之則吉이라 然又當戒懼를 如繫辭傳所云也라

양강 중정(陽剛中正)으로 존위(尊位)에 거하여 능히 당시의 비색함을 종식시키니, 대인의 일이다. 그러므로 이 효(爻)의 점을 대인이 만나면 길한 것이다. 그러나 또 마땅히 경계하고 두려워하기를 〈계사전 하〉에서 말한 바와 같이 하여야 한다.

象曰 大人之吉은 位正當也일새라

〈상전〉에 말하였다. "대인이 길함은 지위(자리)가 바로 제왕의 자리에 당하였기 때문이다."

傳 | 有大人之德而得至尊之正位라 故能休〔一有息字〕天下之否하니 是以吉也라 无其位면 則雖有其道나 將何爲乎아 故聖人之位를 謂之大寶[125]라하니라

······

125 聖人之位 謂之大寶 : 성인지위(聖人之位)는 성인의 덕으로 제왕의 지위에 있음을 이르는바,

대인의 덕이 있으면서 지존(至尊)의 바른 지위를 얻었다. 그러므로 천하의 비색함을 그치게 할 수 있으니, 이 때문에 길한 것이다. 지위가 없다면 비록 도가 있으나 장차 어찌 하겠는가. 그러므로 성인(聖人)의 지위를 대보(大寶)라 이른 것이다.

上九는 傾否니 先否하고 後喜로다

상구(上九)는 비색함이 경복(傾覆;기울고 전복됨)됨이니, 먼저는 비색하고 뒤에는 기쁘다.

본의 | 비색함을 경복시킴이니,

傳 | 上九는 否之終也라 物理는 極而必反이라 故泰極則否하고 否極則泰하나니 上九否旣極矣라 故否道傾覆而變也라 先極은 否也요 後傾은 喜也니 否傾則泰矣니 後喜也라

상구(上九)는 비(否)의 종(終)이다. 사물의 이치는 극에 이르면 반드시 돌아온다. 그러므로 태(泰)가 극에 이르면 비색해지고, 비(否)가 극에 이르면 통태해지니, 상구는 비색함이 이미 극에 이르렀으므로 비(否)의 도(道)가 경복되어 변한 것이다. 먼저 지극함은 비색함이요 뒤에 기욺은 기쁜 것이다. 비색함이 기울면 통태해지니, 이는 뒤에 기쁜 것이다.

本義 | 以陽剛으로 居否極하여 能傾時之否者也니 其占이 爲先否後喜라

양강(陽剛)으로서 비(否)의 극에 거하여 능히 시대의 비색함을 기울게 할 수 있는 자이니, 그 점(占)이 먼저는 비색하나 뒤에는 기쁨이 된다.

象曰 否終則傾하나니 何可長也리오

〈상전〉에 말하였다. "비(否)가 끝나면 기울게 되니, 〈비색함이〉 어찌 장구하겠는가."

······

〈계사전 하〉에 "성인의 대보를 제왕의 지위라 한다.〔聖人之大寶曰位〕" 한 것을 변형하여 인용한 것이다.

··· 傾 : 기울 경 覆 : 뒤엎을 복

傳 | 否終則必傾이니 豈有長否之理리오 極而必反은 理之常也라 然反危爲安하고 易亂爲治는 必有剛陽之才而後에 能也라 故否之上九則能傾否로되 屯之上六則不能變屯也라

비(否)가 끝나면 반드시 기울게 되니, 어찌 장구히 비색할 리(理)가 있겠는가. 극에 이르면 반드시 돌아옴은 떳떳한 이치이다. 그러나 위태로움을 돌려 편안하게 하고 난(亂)을 바꾸어 다스려지게 함은 반드시 강양(剛陽)의 재주가 있은 뒤에야 가능하다. 그러므로 비괘(否卦)의 상구(上九)는 비색함을 기울게 할 수 있으나, 준괘(屯卦)의 상육(上六)은 어려움을 변하게 할 수 없는 것이다.

13 천화 天火 동인(同人) ䷌ 리하건상 離下乾上

傳 | 同人은 序卦에 物不可以終否라 故受之以同人이라하니라 夫天地不交則爲否요 上下相同則爲同人이니 與否義相反이라 故相次라 又世之方否엔 必與人同力〔一作欲〕이라야 乃能濟니 同人所以次否也라 爲卦 乾上離下하니 以二象言之하면 天은 在上者也니 火之性炎上하여 與天同也라 故爲同人이요 以二體言之하면 五居正位하여 爲乾之主하고 二爲離之主하여 二爻以中正相應하여 上下相同하니 同人之義也라 又卦唯一陰이라 衆陽所欲同하니 亦同人之義也라 他卦에 固有一陰者나 在同人之時하여 而二、五相應하고 天、火相同이라 故其義大라

동인괘(同人卦)는 〈서괘전〉에 "사물은 끝내 비색할 수만은 없으므로 동인괘로 받았다." 하였다. 하늘과 땅이 사귀지 못하면 비(否)가 되고 상 · 하가 서로 함께 하면 동인(同人)이 되니, 비괘(否卦 ䷋)의 뜻과 상반된다. 그러므로 서로 다음이 된 것이다. 또 세상이 비색할 때에는 반드시 남과 힘을 함께 하여야 구제할 수 있으니, 동인괘가 이 때문에 비괘의 다음이 된 것이다.

괘됨이 건(乾 ☰)이 위에 있고 리(離 ☲)가 아래에 있으니, 두 상(象)을 가지고 말하면 하늘은 위에 있는데 불의 성질이 타올라가서 하늘과 함께 하기 때문에 동인(同人)이라 하였고, 두 체(體)를 가지고 말하면 오(五)가 정위(正位)에 거하여 건(乾)의 주체가 되고 이(二)가 리(離)의 주체가 되어 두 효(爻;오효와 이효)가 중정(中正)으로 서로 응해서 상 · 하가 서로 함께 하니, 동인(同人)의 뜻이다. 또 괘에 오직 한 음이 있어서 여러 양이 함께 하고자 하는 바이니, 또한 동인의 뜻이다. 다른 괘에도 진실로 한 음인 것이 있으나, 동인의 때에 있어서는 이효와 오효가 서로 응하고 하늘과 불이 서로 함께 하므로 그 뜻이 큰 것이다.

同人于野면 亨하리니 利涉大川이며 利君子의 貞하니라

사람과 함께 하되 들에서 하면 형통하리니, 대천(大川)을 건넘이 이로우며 군자의 정(貞)으로 함이 이롭다.

··· 炎 : 불탈 염, 불타오를 염

本義 | **同人于野**니 **亨**하고 **利涉大川**하니 **利君子貞**하니라

사람과 함께 하되 들에서 함이니 형통하고, 대천을 건넘이 이로우니, 군자의 정(貞)함이 이롭다.

傳 | 野는 謂曠野니 取遠與外之義라 夫同人者 以天下大同之道면 則聖賢大公之心也요 常人之同者는 以其私意所合이니 乃暱(닐)比之情耳라 故必于野니 謂不以暱近情之所私하고 而于郊野曠遠之地라 旣不繫所私면 乃至公大同之道니 无遠不同也니 其亨을 可知라 能〔一作旣〕與天下大同이면 是는 天下皆同之也니 天下皆同이면 何險阻之不可濟며 何艱危之不可亨이리오 故利涉大川이라 利君子貞은 上言于野는 止謂不在暱比요 此는 復言宜以君子正道하니 君子之貞은 謂天下至公大同之道라 故雖居千里之遠하고 生千歲之後나 若合符節하며 推而行之하면 四海之廣과 兆民之衆이 莫不同〔一作合〕이라 小人則唯用其私意하여 所比者는 雖非라도 亦同하고 所惡(오)者는 雖是라도 亦異라 故其所同者則爲阿黨하나니 蓋其心不正也라 故同人之道 利在君子之貞正이니라

'야(野)'는 광야(曠野)를 이르니, 멂과 바깥의 뜻을 취한 것이다. 남과 함께 하는 자가 천하 대동(大同)의 방도로써 하면 성현(聖賢)의 크게 공정한 마음이요, 상인(常人)들이 함께 하는 것은 사사로운 뜻에 합하는 바로써 하니, 바로 친하고 가까이 하는 정(情)일 뿐이다. 그러므로 반드시 들에서 하는 것이니, 친하고 가까이 하는 사사로운 정으로 하지 않고, 교야(郊野)의 광원(曠遠)한 곳에서 하는 것이다. 이미 사사로운 바에 매이지 않으면 바로 지공 대동(至公大同)한 방도여서 먼 곳도 함께 하지 않음이 없으니, 그 형통함을 알 수 있다. 천하와 대동을 하면 이는 천하가 모두 함께 하는 것이니, 천하가 모두 함께 한다면 무슨 험조(險阻)인들 건너지 못하며 무슨 어려움과 위태로움인들 형통하지 못하겠는가. 그러므로 대천을 건넘이 이로운 것이다.

'이군자정(利君子貞)'은 위에서 '들에서 한다.'고 말한 것은 다만 닐비(暱比;친하고 가까이함)에 있지 않아야 함을 말하였고, 여기서는 다시 군자의 정도로써 하여야 함을 말하였으니, 군자의 정(貞)은 천하의 지공 대동한 도를 이른다. 그러므로 비록 천 리 먼 곳에 거하고 천 년 뒤에 태어났다 하더라도 부절(符節)을 합한 것과

••• 曠 : 넓을 광 暱 : 친할 닐 符 : 병부 부 兆 : 억조 조 羨 : 남을 연 阿 : 아첨할 아

같이 일치하며, 이것을 미루어 행하면 사해(四海)의 넓음과 조민(兆民)의 많음이 함께 하지 않음이 없는 것이다. 소인은 오직 사사로운 마음을 써서 자신과 친한 자는 비록 옳지 않더라도 찬동하고, 미워하는 자는 비록 옳더라도 또한 달리한다. 그러므로 함께 하는 자는 아당(阿黨)함이 되니, 그 마음이 바르지 못한 것이다. 그러므로 동인의 도는 이로움이 군자의 정정(貞正)에 있는 것이다.

本義 | 離亦三畫卦之名이니 一陰이 麗(리)於二陽之間이라 故其德이 爲麗, 爲文明이요 其象이 爲火, 爲日, 爲電이라 同人은 與人同也라 以離遇乾하여 火上同於天하고 六二得位得中而上應九五하며 又卦唯一陰而五陽同與之라 故爲同人이라 于野는 謂曠遠而无私也니 有亨道矣라 以健而行이라 故能涉川이요 爲卦 內文明而外剛健하며 六二中正而有應하니 則君子之道也라 占者能如是면 則亨而又可涉險이라 然必其所同이 合於君子之道라야 乃爲利也라

리(離 ☲) 또한 3획괘의 이름이니, 한 음이 두 양의 사이에 붙어 있다. 그러므로 그 덕(德)이 리(麗;붙어있음)가 되고 문명(文明)이 되며, 그 상(象)이 불이 되고 해가 되고 번개가 되는 것이다. 동인(同人)은 남과 함께 하는 것이다. 리(離)로서 건(乾 ☰)을 만나 불이 위로 올라가 하늘과 함께 하고, 육이(六二)가 바른 자리〔正位〕를 얻고 중(中)을 얻어 위로 구오(九五)와 응하며, 또 괘에 오직 한 음뿐이어서 다섯 양이 함께 더불므로(친하므로) 동인이라 한 것이다.

'들에서 한다'는 것은 광원(曠遠)하여 사(私)가 없음을 이르니, 형통할 방도가 있는 것이다. 굳건함으로 행하기 때문에 대천을 건널 수 있으며, 괘됨이 안은 문명(文明)하고 밖은 강건(剛健)하며 육이(六二)가 중정(中正)하면서 응(應)이 있으니, 군자의 도이다. 점치는 자가 이와 같이 한다면 형통할 것이요 또 험난함을 건널 수 있다. 그러나 반드시 함께 하는 바가 군자의 도(道)에 합하여야 이로움이 된다.

彖曰 同人은 **柔得位**하며 **得中而應乎乾**할새 **曰同人**이라

〈단전〉에 말하였다. "동인은 유(柔;육이(六二))가 정위(正位)를 얻었으며 중(中)을 얻어 건(乾;구오(九五))에 응하므로 동인이라 한 것이다.

傳 | 言成卦之義라 柔得位는 謂二以陰居陰하여 得其正位也요 五中正而二以中

正應之는 得中而應乎乾也라 五剛健中正이어늘 而二以柔順中正應之하여 各得其正하니 其德同也라 故爲同人이라 五는 乾之主라 故云應乎乾이라 象은 取天火之象하고 而彖은 專以二言하니라

성괘(成卦;괘를 이룸)의 뜻을 말하였다. 유(柔)가 위(位)를 얻었다는 것은 이(二)가 음효(陰爻)로서 음위(陰位)에 거하여 바른 자리〔正位〕를 얻었음을 말한다. 오(五)가 중정(中正)인데 이(二)가 중정으로 응함은, 중(中)을 얻어 건(乾)에 응하는 것이다. 오(五)가 강건(剛健)하고 중정한데 이(二)가 유순하고 중정함으로 응하여 각각 그 바름을 얻었으니, 그 덕이 같으므로 동인이라 한 것이다. 오(五)는 건(乾)의 주체이므로 건(乾)에 응한다고 말한 것이다. 〈상전〉은 하늘과 불의 상을 취하였고, 〈단전〉은 오로지 육이효(六二爻)만 가지고 말하였다.

本義 | 以卦體로 釋卦名義라 柔는 謂六二요 乾은 謂九五라

괘체(卦體)로써 괘명(卦名)의 뜻을 해석하였다. 유(柔)는 육이(六二)를 이르고 건(乾)은 구오(九五)를 이른다.

(同人曰)

傳 | 此三字는 羨(衍)文이라

이 세 글자는 연문(羨文)이다.

本義 | 衍文이라

연문(衍文)이다.

同人于野亨 利涉大川은 乾行也요

'사람(남)과 함께 하되 들에서 함이니 형통하고 대천을 건넘이 이로움〔同人于野亨 利涉大川〕'은 건(乾)의 행함이요,

傳 | 至誠无私하여 可以蹈險難者는 乾之行也라 无私는 天德也라

지극히 성실하고 사(私)가 없어서 험난함을 밟을 수 있는 것은 건(乾)의 행함이다. 사(私)가 없음은 하늘의 덕이다.

··· 羨 : 남을 연(衍同) 蹈 : 밟을 도

文明以健하고 **中正而應**이 **君子正也**니
문명하고 굳건하며 중정으로 응함이 군자의 정도이니,

傳 | 又以二體로 言其義라 有文明之德而剛健하고 以中正之道相應은 乃君子之正道也라

다시 상 · 하 두 체(體)로써 그 뜻을 말하였다. 문명한 덕이 있으면서 강건(剛健)하고 중정한 도로써 서로 응함은 바로 군자의 정도이다.

唯君子야 **爲能通天下之志**하나니라
오직 군자여야 천하의 마음을 통할 수 있다."

傳 | 天下之志萬殊나 理則一也라 君子明理라 故能通天下之志하나니 聖人이 視億兆之心을 猶一心者는 通於理而已라 文明則能燭理라 故能明大同之義요 剛健則能克己라 故能盡大同之道니 然後에 能中正하여 合乎乾行也라

천하의 마음이 만 가지로 다르나 이치는 똑같다. 군자는 이치를 밝게 앎으로 천하의 마음을 통할 수 있으니, 성인(聖人)이 억조 만백성의 마음 보기를 한 마음처럼 하는 것은 이치를 통달하기 때문일 뿐이다. 문명하면 이치를 밝게 앎으로 대동의 의(義;뜻)를 밝힐 수 있고, 강건하면 사욕을 이길 수 있으므로 대동의 도를 다할 수 있으니, 이렇게 한 뒤에야 중정하여 건(乾)의 행함에 합한다.

本義 | 以卦德卦體로 釋卦辭라 通天下之志라야 乃爲大同이요 不然則是私情之合而已니 何以致亨而利涉哉리오

괘덕(卦德)과 괘체(卦體)로써 괘사(卦辭)를 해석하였다. 천하의 마음을 통하여야 대동이 되고, 그렇지 않으면 이는 사사로운 정(情)으로 합한 것일 뿐이니, 어찌 형통함을 이루어 이롭게 건너겠는가.

象曰 天與火同人이니 **君子以**하여 **類族**으로 **辨物**하나니라
〈상전〉에 말하였다. "하늘과 불이 동인(同人)이니, 군자가 보고서 류족(類族)으로 사물을 분변한다."

··· 殊 : 다를 수 燭 : 밝힐 촉

本義 | **類族辨物**하나니라
족(族)을 분류하며 사물을 분변한다.

傳 | 不云火在天下, 天下有火하고 而云天與火者는 天在上이어늘 火性炎上하여 火與天同이라 故爲同人之義라 君子觀同人之象하여 而以類族으로 辨物하나니 各以其類族으로 辨物之同異也라 若君子、小人之黨과 善惡、是非之理와 物情之離合과 事理之異同이니 凡異同者를 君子能辨明之라 故處物에 不失其方也라

불이 하늘 아래에 있다거나 하늘 아래에 불이 있다고 말하지 않고 하늘과 불이라고 말한 것은, 하늘이 위에 있는데 불의 성질이 불타 올라가서 불이 하늘과 함께 하므로 동인의 뜻이 된 것이다. 군자는 동인괘의 상을 보고서 류족(類族)으로 사물을 분변하니, 각기 그 류족으로 물건의 동이(同異)를 분변하는 것이다. 예컨대 군자 · 소인의 당(黨)과 선악(善惡), 시비(是非)의 이치와 물정(物情;인정)의 이합(離合)과 사리(事理)의 이동(異同)과 같은 것이니, 무릇 이(異)와 동(同)을 군자가 밝게 분변하므로 사물을 대처함에 그 방법을 잃지 않는 것이다.

本義 | 天在上而火炎上하니 其性同也라 類族辨物은 所以審異而致同也라

하늘이 위에 있는데 불꽃이 타 올라가니, 그 성질이 같다. 족(族)으로 분류하고 사물을 분변함은 다른 것을 살펴서 똑같게 만드는 것이다.

初九는 **同人于門**이니 **无咎**리라
초구(初九)는 사람과 함께 하되 문을 나가서 하니, 허물이 없으리라.

傳 | 九居同人之初而无係應하니 是는 无偏私하여 同人之公者也라 故爲出門同人이라 出門은 謂在外니 在外則无私昵(닐)之偏하여 其同이 博而公이니 如此則无過咎也라

구(九)가 동인(同人)의 초(初)에 거하여 계응(係應)이 없으니, 이는 편사(偏私)가 없어 사람과 함께 하기를 공정하게 하는 자이다. 그러므로 문을 나가 남과 함께 함이 되는 것이다. 문을 나간다는 것은 밖에 있음을 이르니, 밖에 있으면 사닐(私昵;사사로이 친함)의 편벽됨이 없어서 함께 함이 넓고 공정한 바, 이와 같이 하면 허물이

••• 偏 : 치우칠 편 昵 : 친근할 닐

없을 것이다.

本義 | 同人之初라 未有私主하고 以剛在下하여 上无係應하니 可以无咎라 故其象占如此하니라

동인의 초기라서 사사로이 주장함이 없고 강(剛)으로 아래에 있어 위에 계응(係應)이 없으니, 허물이 없을 수 있다. 그러므로 그 상(象)과 점(占)이 이와 같은 것이다.

象曰 出門同人을 又誰咎也리오

〈상전〉에 말하였다. "문을 나가 남과 함께 함을 또 누가 허물하겠는가."

傳 | 出門同人于外하면 是其所同者廣하여 无所偏私라 人之同也에 有厚薄, 親疎之異면 過咎所由生也어늘 旣无所偏黨하니 誰其咎之리오

문을 나가 밖에서 남과 함께 하면 이는 그 함께 하는 바가 넓어서 편사(偏私)하는 바가 없는 것이다. 사람이 함께 할 적에 후박(厚薄)과 친소(親疎)의 차이가 있으면 허물이 이로 말미암아 생기는데, 이미 편당(偏黨)하는 바가 없으니, 그 누가 허물하겠는가.

六二는 同人于宗이니 吝하도다

육이(六二)는 남과 함께 하되 종당(宗黨;친족)과 하니, 부끄럽도다.

傳 | 二與五爲正應이라 故曰同人于宗이니 宗은 謂宗黨也라 同於所係應이면 是는 有所偏與니 在同人之道에 爲私狹矣라 故可吝이라 二若陽爻면 則爲剛中之德이니 乃以中道相同하여 不爲私也라

이(二)는 오(五)와 정응(正應)이 되므로 '동인우종(同人于宗)'이라고 하였으니, '종(宗)'은 종당(宗黨;같은 집안)을 이른다. 계응(係應)하는 바에 함께 하면 이는 편벽되이 친한 것이니, 동인의 도에 있어서 사사롭고 편협함이 된다. 그러므로 부끄러울 만한 것이다. 이(二)가 만약 양효(陽爻)라면 강중(剛中)의 덕(德)이 되니, 이는 중도로써 서로 함께 하여서 사사로움이 되지 않는다.

··· 狹 : 좁을 협

本義 | 宗은 黨也라 六二雖中且正이나 然有應於上하여 不能大同而係於私하니 吝之道也라 故其象占如此하니라

'종(宗)'은 당(黨)이다. 육이(六二)가 비록 중(中)하고 또 정(正)하나, 위에 응(應)이 있어서 대동(大同)하지 못하고 사(私)에 얽매이니, 부끄러운 방도이다. 그러므로 그 상(象)과 점(占)이 이와 같은 것이다.

象曰 同人于宗이 吝道也라

〈상전〉에 말하였다. "남과 함께 하되 종당(宗黨)과 하니, 부끄러운 방도이다."

傳 | 諸卦以中正相應爲善이나 而在同人則爲可吝이라 故五不取君義라 蓋私比는 非人君之道니 相同以私는 爲可吝也라

여러 괘는 중정(中正)으로 서로 응함을 좋은 것으로 여기나, 동인괘에 있어서는 부끄러울 만함이 된다. 그러므로 오(五)는 군주의 뜻을 취하지 않았다. 사사로이 친함은 군주의 도리가 아니니, 서로 사사로움으로 함께 함은 부끄러울 만함이 되는 것이다.

九三은 伏戎于莽하고 升其高陵하여 三歲不興이로다

구삼(九三)은 병사를 풀 속에 숨겨두고 높은 구릉에 올라가서 삼 년이 되어도 일어나지 못하도다.

傳 | 三이 以陽居剛而不得中하니 是는 剛暴之人也라 在同人之時하여 志在於同하니 卦唯一陰을 諸陽之志 皆欲同之하고 三又與之比라 然二以中正之道로 與五相應하니 三以剛强으로 居二、五之間하여 欲奪而同之나 然理不直, 義不勝이라 故不敢顯發하여 伏藏兵戎于林莽之中하며 懷惡而內負不直이라 故又畏懼하여 時升高陵以顧望하여 如此至於三歲之久하여 終不敢興이라 此爻는 深見(현)小人之情狀이라 然不曰凶者는 既不敢發이라 故未至凶也라

삼(三)이 양효로서 강위(剛位)에 거하여 중(中)을 얻지 못하였으니, 이는 강포(剛暴)한 사람이다. 동인의 때에 있어서는 마음이 함께 함에 있으니, 괘(卦)에 오직

··· 戎 : 군사 융 莽 : 풀우거질 망 陵 : 언덕 릉 懷 : 품을 회

한 음을 여러 양의 마음이 모두 함께 하고자 하며, 삼(三)은 또 이(二)와 매우 가깝다. 그러나 이(二)가 중정(中正)의 도로써 오(五)와 서로 응하니, 삼(三)이 강강(剛强)으로 이효(二爻)와 오효(五爻)의 사이에 처하여 이(二)를 빼앗아 함께 하고자 하나, 이치상 정직하지 못하고 의(義)가 이기지 못한다. 그러므로 감히 드러내어 발하지 못하고서 병사를 수풀 속에 숨겨둔 것이며, 악한 마음을 품고 안에 정직하지 못한 생각을 갖고 있다. 그러므로 또 두려워하여 때때로 높은 구릉에 올라가 관망하여, 이와 같이 하기를 3년의 오램에 이르러 끝내 감히 일어나지 못하는 것이다. 이 효(爻)는 소인의 정상(情狀)을 깊이 나타내었다. 그러나 흉하다고 말하지 않은 것은 이미 감히 나오지 못하였으므로 흉함에는 이르지 않은 것이다.

本義 | 剛而不中하고 上无正應하여 欲同於二而非其正이요 懼九五之見攻이라 故有此象하니라

강(剛)하면서 중(中)하지 못하고, 위에 정응이 없어 육이(六二)와 함께 하고자 하나 정응이 아니며, 구오(九五)에게 공격을 당할까 두려워하므로 이러한 상이 있는 것이다.

象曰 伏戎于莽은 **敵剛也**요 **三歲不興**이어니 **安行也**리오

〈상전〉에 말하였다. "병사를 숲 속에 숨겨둠은 적(상대)이 강하기 때문이요, 삼 년이 되어도 일어나지 못하니, 어떻게 행하겠는가."

傳 | 所敵者五라 旣剛且正하니 其可奪乎아 故畏憚伏藏也하여 至於三歲不興矣니 終安能行乎아

상대가 오(五)인지라 이미 강하고 또 바르니, 어찌 빼앗을 수 있겠는가. 이 때문에 두려워하여 엎드려 숨어서 3년이 되도록 일어나지 못하는 것이니, 끝내 어찌 행할 수 있겠는가.

本義 | 言不能行이라

능히 행하지 못함을 말한 것이다.

九四는 **乘其墉**하되 **弗克攻**이니 **吉**하니라

구사(九四)는 담장에 올라가도 공격하지 못하니, 길하다.

本義 | **乘其墉**하나 **弗克攻**이니 **吉**하리라

담장에 올라가나 공격하지 못함이니, 길하리라.

傳 | 四는 剛而不中正하여 其志欲同二하니 亦與五爲仇者也라 墉은 垣이니 所以限隔也니 四切近於五하여 如隔墉耳[126]라 乘其墉하여 欲攻之로되 知義不直而不克也하니 苟能自知義之不直而不攻이면 則爲吉也라 若肆其邪欲하여 不能反思義理하고 妄行攻奪이면 則其凶大矣라 三은 以剛居剛이라 故終其强而不能反이요 四는 以剛居柔라 故有困而能反之義하니 能反則吉矣라 畏義而能改하면 其吉宜矣라

사(四)는 강하고 중정(中正)하지 못하면서 그 마음이 육이(六二)와 함께 하고자 하니, 또한 오(五)와 적이 된 자이다. '용(墉)'은 담장이니, 제한하여 막는 것이다. 사(四)는 오(五)와 매우 가까워 마치 담장이 가로막혀 있는 것과 같다. 담장에 올라가 공격하고자 하나, 의(義)가 곧지 못함을 알아 능히 공격하지 못하니, 만일 의가 곧지 못함을 스스로 알고서 공격하지 않는다면 길함이 된다.

그러나 만약 간사한 욕심을 부려서 의리를 돌이켜 생각하지 못하고 함부로 공격하여 빼앗음을 행한다면 흉함이 클 것이다. 삼(三)은 양강(陽剛)이 강위(剛位)에 거하였으므로 그 강함을 끝까지 행하여 돌이키지 못하고, 사(四)는 양강이 유위(柔位)에 거하였으므로 곤궁하면 능히 돌이키는 뜻이 있으니, 능히 돌아오면 길하다. 의(義)를 두려워하여 잘못을 고친다면 길함이 마땅하다.

本義 | 剛不中正하고 又无應與하여 亦欲同於六二로되 而爲三所隔이라 故爲乘墉以攻之象이라 然以剛居柔라 故有自反而不克攻之象하니 占者如是면 則是能改過而得吉也라

강(剛)이 중정하지 못하고 또 응여(應與)가 없으면서 또한 육이(六二)와 함께 하고자 하나 삼(三)에게 가로막힘을 당하였다. 그러므로 담장에 올라가 공격하는 상

······

126 四切近於五 如隔墉耳 : 용(墉;담장)을 정이천은 구사(九四)로 본 반면, 주자는 구삼(九三)으로 보았다.

··· 墉 : 담 용 垣 : 담 원 妄 : 함부로할 망 奪 : 빼앗을 탈

이 된 것이다. 그러나 양강(陽剛)으로 유위(柔位)에 거하였다. 그러므로 스스로 돌이켜 능히 공격하지 않는 상이 있으니, 점치는 자가 이와 같이 하면 잘못을 고쳐서 길함을 얻을 것이다.

象曰 乘其墉은 **義弗克也**요 **其吉**은 **則困而反則也**일새라

〈상전〉에 말하였다. "담장에 올라감은 의리상 이기지 못하기 때문이요, 길함은 곤궁하여 원래의 법칙으로 돌아오기 때문이다."

傳 | 所以乘其墉而弗克攻之者는 以其義之弗克也라 以邪攻正은 義不勝也로되 其所以得吉者는 由其義不勝하여 困窮而反於法則也일새라 二者는 衆陽所同欲也로되 獨三、四有爭奪之義者는 二爻居二、五之間也일새라 初、終은 遠故로 取義別이니라

담장에 올라가나 공격하지 못하는 것은 의리상 이기지 못하기 때문이다. 사(邪)로서 정(正)을 공격함은 의리상 이기지 못하지만, 길함을 얻는 까닭은 의리상 이기지 못함으로 말미암아 곤궁해서 법칙으로 돌아오기 때문이다. 육이(六二)는 모든 양이 함께 하고자 하는 바이나 오직 삼(三)과 사(四)만이 쟁탈의 뜻이 있는 것은, 이 두 효(爻)가 이(二)와 오(五)의 사이에 있기 때문이다. 초(初)와 종(終)은 이(二)와 멂으로 뜻을 취함이 다른 것이다.

本義 | 乘其墉矣면 則非其力之不足也요 特以義之弗克而不攻耳라 能以義斷하여 困而反於法則이라 故吉也라

담장에 올라갔으면 힘이 부족한 것이 아니요, 다만 의리상 이기지 못하기 때문에 공격하지 않는 것이다. 의(義)로써 결단해서 곤궁하여 법칙으로 돌아오므로 길한 것이다.

九五는 **同人**이 **先號咷**(도)**而後笑**니 **大師克**이라야 **相遇**로다

구오(九五)는 남과 함께 하되 먼저는 울부짖다가 뒤에는 웃으니, 큰 병력으로 이겨야 서로 만나도다.

··· 號 : 울부짖을 호 咷 : 울 도

傳 | 九五同於二로되 而爲三、四二陽所隔하니 五自以義直理勝이라 故不勝憤抑하여 至於號咷라 然邪不勝正하여 雖爲所隔이나 終必得合이라 故後笑也라 大師克相遇는 五與二正應이어늘 而二陽이 非理隔奪하니 必用大師克勝之라야 乃得相遇也라 云大師, 云克者는 見(현)二陽之强也라 九五君位로되 而爻不取人君同人之義者는 蓋五專以私昵應於二하여 而失其中正之德일새라 人君은 當與天下大同이어늘 而獨私一人은 非君道也요 又先隔則號咷라가 後遇則笑는[一有正字]是私昵之情이요 非大同之體也라 二之在下에도 尙以同於宗爲吝이어든 況人君乎아 五旣於君道无取라 故更不言君道하고 而明二人同心하여 不可間隔之義하니라 繫辭云 君子之道 或出或處하며 或默或語하나니 二人同心하면 其利斷金이라하니 中誠所同엔 出處、語默이 无不同하여 天下莫能間也라 同者는 一也니 一不可分이니 分이면 乃二也라 一은 可以通金石, 冒水火하여 无所不能入이라 故云其利斷金이라하니라 其理至微故로 聖人贊之曰 同心之言이 其臭如蘭이라하시니 謂其言意味深長也라

구오(九五)가 육이(六二)와 함께 하나 삼(三) · 사(四) 두 양효에게 막히는 바가 되었으니, 오(五)는 스스로 의리가 곧고 이치가 우세하다고 여기기 때문에 분함과 억울함을 이기지 못해서 울부짖음에 이른 것이다. 그러나 사(邪)는 정(正)을 이기지 못하여 비록 막히는 바가 되었으나 끝내는 반드시 합함을 얻는다. 그러므로 뒤에는 웃는 것이다. 큰 병력으로 이겨야 서로 만난다는 것은 오(五)가 이(二)와 정응(正應)인데, 두 양(삼효와 사효)이 도리가 아닌 방법으로 막고 빼앗으려 하니, 반드시 큰 병력을 동원하여 이겨야 비로소 서로 만남을 얻는 것이다. '대사(大師)'라 말하고 '극(克)'이라 말한 것은 두 양이 강함을 나타낸 것이다.

구오(九五)는 군주의 자리인데 효(爻)에서 인군이 남과 함께 하는 뜻을 취하지 않은 것은, 오(五)가 오로지 사사로이 친함으로 이(二)에 응하여 중정의 덕을 잃었기 때문이다. 인군은 마땅히 천하와 대동(大同)을 하여야 하는데, 홀로 한 사람과 사사로이 함은 군주의 도리가 아니며, 또 먼저 막혔을 때에는 울부짖다가 뒤에 만나면 웃는 것은 사닐(私昵)의 정(情)이요 대동의 체가 아니다. 이(二)는 아래에 있는데도 오히려 종당(宗黨)과 함께 한다 하여 부끄러움이 되었는데, 하물며 인군에게 있어서랴. 오(五)는 이미 군주의 도리에 취할 것이 없으므로 다시 군주의 도리를 말하지 않고, 두 사람이 마음을 함께 하여 간격할 수 없는 뜻만을 밝혔다.

••• 憤 : 성낼 분 冒 : 무릅쓸 모 默 : 침묵할 묵 臭 : 냄새 취 蘭 : 난초 란

〈계사전 상〉에 "군자의 도가 혹 진출하고 혹 은둔하고 혹 침묵하고 혹 말하니, 두 사람이 마음을 함께 하면 그 예리함이 쇠도 자른다." 하였다. 이는 마음속의 정성이 함께 하는 바에는 출처(出處)와 어묵(語默)이 똑같지 않음이 없어서 천하가 간격하지 못하는 것이다. '동(同)'은 하나가 되는 것으로, 하나가 되면 나뉠 수가 없으니, 나뉘면 바로 둘인 것이다. 일(一;하나가 됨, 한결같음)은 금석(金石)을 뚫고 수화(水火)를 무릅써서 들어가지 못하는 곳이 없으므로 '그 예리함이 쇠도 자른다.' 고 말한 것이다. 이 이치가 지극히 은미하므로 성인(聖人)이 칭찬하시기를 "마음을 함께 하는 말은 그 향취(香臭)가 난초와 같다." 하셨으니, 이 말이 의미심장함을 이른 것이다.

本義 | 五剛中正이어늘 二以柔中正으로 相應於下하여 同心者也로되 而爲三、四所隔하여 不得其同이라 然義理所同에 物不得而間之라 故有此象이라 然六二柔弱하고 而三、四剛强이라 故必用大師以勝之然後에 得相遇也라

오(五)가 강중정(剛中正)인데, 이(二)가 유중정(柔中正)으로 서로 아래에서 응하여 마음을 함께 하는 자이나, 삼효(三爻)와 사효(四爻)에게 막힌 바가 되어서 그 함께 함을 얻지 못한다. 그러나 의리가 같은 바에 남이 이간할 수 없으므로 이러한 상이 있는 것이다. 그러나 육이(六二)가 유약하고 삼(三)과 사(四)가 강강(剛强)하므로 반드시 큰 병력을 사용하여 이긴 뒤에야 서로 만남을 얻는 것이다.

象曰 同人之先은 以中直也요 大師相遇는 言相克也라

〈상전〉에 말하였다. "동인이 먼저 울부짖음은 중심(中心)이 곧기 때문이요, 큰 병력으로 이겨야 서로 만남은 서로 싸워 이김을 말한 것이다."

傳 | 先所以號咷者는 以中誠理直故로 不勝其忿切而然也라 雖其敵剛强하여 至用大師나 然義直理勝하여 終能克之라 故言能相克也라 相克은 謂能勝이니 見(현)二陽之强也라

먼저 울부짖은 까닭은 마음이 성실(진실)하고 이치가 곧으므로 그 분함과 간절함을 이기지 못하여 그러한 것이다. 비록 상대가 강강(剛强)하여 큰 병력을 동원함에 이르나, 의리가 곧고 이치가 우세하여 끝내는 이길 수 있다. 그러므로 서로

이긴다고 말한 것이다. '상극(相克)'은 능히 이김을 이르니, 삼과 사 두 양의 강함을 나타낸 것이다.

本義 | 直은 謂理直이라
'직(直)'은 이치가 곧음을 이른다.

上九는 同人于郊니 无悔니라
상구(上九)는 남과 함께 하되 교(郊)에서 하니, 뉘우침이 없다.

本義 | 同人于郊나 无悔니라
남과 함께 하기를 교에서 하나 뉘우침이 없다.

傳 | 郊는 在外而遠之地라 求同者는 必相親相與어늘 上九居外而无應하여 終无與同者也라 始有同이면 則至終에 或有睽(규)悔어니와 處遠而无與라 故雖无同이나 亦无悔니 雖欲同之志不遂나 而其終에 无所悔也라

'교(郊)'는 밖에 있으면서 먼 지역이다. 함께 하기를 구하는 자는 반드시 서로 친하고 서로 더불어야 하는데, 상구(上九)는 밖에 거하고 응(應)이 없어서 끝내 더불어 함께 하는 자가 없다. 처음에 함께 하는 이가 있으면 종말에 혹 괴리되어 뉘우침이 있지만, 먼 곳에 처하고 더부는 자가 없으므로 비록 함께 하는 이가 없으나 또한 뉘우침이 없으니, 비록 함께 하고자 하는 뜻을 이루지 못하나 종말에 뉘우치는 바가 없는 것이다.

313 天火同人

本義 | 居外无應하여 物莫與同이나 然亦可以无悔라 故其象占如此하니라 郊는 在野之內하니 未至於曠遠이요 但荒僻하여 无與同耳라

밖에 거하고 응(應)이 없어서 남이 함께 하는 이가 없으나, 또한 뉘우침이 없을 수 있다. 그러므로 그 상과 점이 이와 같은 것이다. 교(郊)는 야(野)의 안에 있으니, 광원(曠遠)함에는 이르지 않고, 다만 황폐하고 궁벽하여 더불어 함께 하는 이가 없을 뿐이다.

··· 郊 : 성밖 교, 들 교 睽 : 어그러질 규 曠 : 멀 광 荒 : 멀 황 僻 : 궁벽할 벽

象曰 同人于郊는 志未得也라

〈상전〉에 말하였다. "남과 함께 하되 교에서 함은 뜻을 얻지 못한 것이다."

傳| 居遠莫同이라 故終无所悔라 然而在同人之道하여는 求同之志를 不得遂하니 雖无悔나 非善處也라

먼 곳에 거하여 함께 하는 이가 없으므로 끝내 뉘우치는 바가 없는 것이다. 그러나 동인의 도에 있어서는 함께 하려는 뜻을 이루지 못하였으니, 비록 뉘우침은 없으나 잘 대처하는 자가 아니다.

14 화천 火天 대유(大有) ䷍ 건하리상 乾下離上

傳 | 大有는 序卦에 與人同者는 物必歸焉이라 故受之以大有라하니라 夫與人同者는 物之所歸也니 大有所以次同人也라 爲卦 火在天上하니 火之處高면 其明及遠하여 萬物之衆이 无不照見(현)하니 爲大有之象이요 又一柔居尊하고 衆陽竝應하니 居尊執柔는 物之所歸也라 上下應之 爲大有之義하니 大有는 盛大豐有也라

대유괘(大有卦)는 〈서괘전〉에 "남과 함께 하는 자는 물건이 반드시 돌아온다. 그러므로 대유괘로 받았다." 하였다. 남과 함께 하는 자는 물건이 돌아오는 바이니, 대유괘가 이 때문에 동인괘(同人卦 ䷌)의 다음이 된 것이다. 괘됨이 불(☲)이 하늘(☰) 위에 있으니, 불이 높은 곳에 있으면 밝음이 먼 곳에까지 미쳐서 만물의 무리가 비춰 보이지 않음이 없으니 대유(大有)의 상(象)이 되고, 또 한 음유(陰柔)가 존위(尊位)에 거하고 여러 양이 함께 응하니, 존위에 거하여 유순함을 잡음(지킴)은 물건(사람)이 돌아오는 바이다. 상 · 하가 응함이 대유의 뜻이 되니, 대유는 성대하고 풍성하게 소유하는 것이다.

大有는 元亨[127]하니라

대유(大有)는 크게 선(善)하여 형통하다.

傳 | 卦之才可以元亨也라 凡卦德은 有卦名自有其義者하니 如比吉, 謙亨이 是也요 有因其卦義하여 便爲訓戒者하니 如師貞丈人吉, 同人于野亨이 是也요 有以其卦才而言者하니 大有元亨이 是也라 由剛健文明 應天時行이라 故能元亨也라

괘의 재질이 크게 선(善)하고 형통할 수 있는 것이다. 무릇 괘의 덕은 괘명(卦

······

127 大有元亨 : '원형(元亨)'을 《언해》에는 '원(元)코 형(亨)하니라'라고 풀이하였으나, 사계는 "건괘(乾卦)와 곤괘(坤卦)만이 사덕(四德)으로 해석하는데 이 대유괘(大有卦) 역시 '원하고 형하니라'라고 해석한 것은 잘못이다." 하였다. 그러므로 '크게 선(善)하고 형통하다'로 풀이하였음을 밝혀둔다.

名)에 본래 그 뜻이 들어있는 것이 있으니 '비(比)는 길하다'는 것과 '겸(謙)은 형통하다'는 것이 이것이요, 괘의 뜻을 따라서 곧 훈계를 삼은 것이 있으니 〈사괘(師卦)의〉 '사(師)는 올바르게 하여야 하니 장인(丈人)이어야 길하다'는 것과 〈동인괘의〉 '사람과 함께 하되 들에서 하면 길하다'는 것이 이것이요, 괘의 재질을 가지고 말한 것이 있으니 '대유괘는 크게 선(善)하여 형통하다'는 것이 이것이다. 강건(剛健)하고 문명(文明)하며 하늘에 응하고 때에 맞게 행한다. 이 때문에 크게 선(善)하고 형통한 것이다.

本義 | 大有는 所有之大也라 離居乾上하니 火在天上하여 无所不照하고 又六五一陰이 居尊得中하고 而五陽應之라 故爲大有라 乾健離明하고 居尊應天하니 有亨之道라 占者有其德이면 則大善而亨也라

'대유(大有)'는 소유함이 큰 것이다. 리(離 ☲)가 건(乾 ☰)의 위에 거하였으니, 불이 하늘의 위에 있어서 비추지 않는 것이 없고, 또 육오(六五) 한 음이 존위(尊位)에 거하고 중(中)을 얻고 다섯 양이 응한다. 그러므로 대유라 한 것이다. 건(乾)은 굳세고 리(離)는 밝으며 존위에 거하고 하늘에 응하니, 형통할 방도가 있는 것이다. 점치는 자가 이러한 덕이 있으면 크게 선(善)하여 형통할 것이다.

彖曰 大有는 柔得尊位하고 大中而上下應之할새 曰大有니

〈단전(彖傳)〉에 말하였다. "대유(大有)는 유(柔)가 존위를 얻고 크게 중(中)하며 상·하가 응하므로 대유라 하였다.

傳 | 言卦之所以爲大有也라 五以陰居君位는 柔得尊位也요 處中은 得大中之道也요 爲諸陽所宗은 上下應之也라 夫居尊執柔면 固衆之所歸也요 而又有虛中文明大中〔一无大中字〕之德이라 故上下同志應之하니 所以爲大有也라

괘가 대유(大有)가 된 이유를 말하였다. 오(五)가 음효로서 군위(君位)에 거함은 유(柔)가 존위(尊位)를 얻은 것이요, 중(中)에 처함은 대중(大中)의 도(道)를 얻은 것이요, 여러 양에게 높이는 바가 됨은 상·하가 응하는 것이다. 존위에 거하여 유(柔)를 잡으면(지키면) 진실로 사람들이 돌아오는 바이며, 또 중(中;마음)이 비어 문명(文明)하고 대중(大中)한 덕이 있으므로 상·하가 뜻을 함께 하여 응하니, 이 때

문에 대유라 한 것이다.

本義 | 以卦體로 釋卦名義라 柔는 謂六五요 上下는 謂五陽이라

괘체(卦體)로써 괘명(卦名)의 뜻을 해석하였다. 유(柔)는 육오(六五)를 이르고, 상·하는 다섯 양을 이른다.

其德이 剛健而文明하고 應乎天而時行이라 是以元亨하니라

그 덕(德)이 강건(剛健)하고 문명(文明)하며 하늘에 응하여 때에 맞게 행한다. 이 때문에 크게 선(善)하여 형통한 것이다."

傳 | 卦之德이 內剛健而外文明이라 六五之君이 應於乾之九二하니 五之〔一有體字〕性이 柔順而明하여 能順應乎二하니 二는 乾之主也니 是應乎乾也라 順應乾行은 順乎天時也라 故曰應乎天而時行이라하니 其德如此라 是以元亨也라 王弼云不大通이면 何由得大有乎아 大有則必元亨矣라하니 此는 不識卦義라 離、乾이 成大有之義하니 非大有之義에 便有元亨이요 由其才故로 得元亨이니 大有而不善者와 與不能亨者有矣니라 諸卦에 具元亨利貞이면 則彖에 皆釋爲大亨하니 恐疑與乾坤同也요 不兼利貞이면 則釋爲元亨하여 盡元義也하니 元有大善之義라 有元亨者四卦니 大有、蠱、升、鼎也라 唯升之彖은 誤隨他卦하여 作大亨하니라

괘의 덕이 안은 강건(剛健)하고 밖은 문명(文明)하다. 육오(六五)의 군주가 건(乾)의 구이(九二)에 응하니, 오(五)의 성질이 유순하고 밝아서 이(二)에 순응한다. 이(二)는 건(乾)의 주체이니, 이(二)가 건에 응하는 것이다. 건의 운행에 순응함은 천시(天時)에 순응하는 것이다. 그러므로 '하늘에 응하여 때에 맞게 행한다.' 하였으니, 그 덕이 이와 같기 때문에 크게 선(善)하여 형통한 것이다.

왕필(王弼)은 이르기를 "크게 형통하지 않으면 어찌 대유(大有)를 얻을 수 있겠는가. 크게 소유하면 반드시 크게 형통한다." 하였는데, 이는 괘의 뜻을 알지 못한 것이다. 리(離)와 건(乾)이 대유의 뜻을 이루었으니, 대유의 뜻에 곧 원형(元亨)이 있는 것이 아니요, 그 재질로 말미암아 원형을 얻은 것이니, 크게 소유하고도 선(善)하지 못한 자와 형통하지 못한 자가 있는 것이다.

여러 괘에 '원형이정(元亨利貞)'이 갖추어져 있으면 〈단전〉에 모두 〈원형(元亨)을〉

··· 弼 : 도울 필 蠱 : 어지러울 고, 좀먹을 고, 일 고 升 : 오를 승 鼎 : 솥 정

'대형(大亨:크게 형통함)'으로 해석하였으니, 건괘와 곤괘와 같다고 의심할까 염려해서이다. 이정(利貞)을 겸하지 않았으면 '원형(元亨:크게 선(善)하여 형통함)'으로 해석하여 원(元)의 뜻을 다하였으니, 원에는 '대선(大善)'의 뜻이 있다. 원형(元亨)이 있는 것이 네 괘이니, 대유(大有), 고(蠱), 승(升), 정(鼎)인데, 오직 승괘(升卦)의 〈단전〉은 잘못 다른 괘를 따라 크게 형통〔大亨〕한 것으로 되어 있다.

日 諸卦之元이 與乾不同은 何也오 日 元之在乾은 爲元始之義하고 爲首出庶物之義요 他卦則不能有此義하여 爲善爲大而已니라 日 元之爲大는 可矣어니와 爲善은 何也오 日 元者는 物之先也니 物之先에 豈有不善者乎아 事成而後有敗하니 敗非先成者也요 興而後有衰하니 衰固後於興也요 得而後有失하니 非得則何以有〔一作爲〕失也리오 至於善惡、治亂、是非하여도 天下之事 莫不皆然하여 必善爲先이라 故文言日 元者는 善之長也라하니라

"여러 괘의 원(元)이 건괘의 원(元)과 똑같지 않음은 어째서인가?" "원이 건괘에 있어서는 원시(元始)의 뜻이 되고 서물(庶物) 중에 으뜸으로 나오는 뜻이 되며, 다른 괘에서는 이 뜻을 갖지 못하여 선(善)이 되고 대(大)가 될 뿐이다."

"원(元)이 대(大)가 됨은 가(可)하지만 선이 됨은 어째서인가?" "원(元)은 사물의 먼저(처음)이니, 사물의 먼저에 어찌 불선(不善)이 있겠는가. 일이 이루어진 뒤에 패(敗)함이 있으니 패함이 이루어짐보다 먼저 있는 것이 아니요, 흥(興)한 뒤에 쇠(衰)함이 있으니 쇠함이 진실로 흥함보다 뒤에 있는 것이요, 득(得)이 있은 뒤에 실(失)이 있으니 득이 아니면 어찌 실이 있겠는가. 선과 악, 치(治)와 난(亂), 시(是)와 비(非)에 이르러서도 천하의 일이 모두 그렇지 않음이 없으니, 반드시 선이 먼저이다. 그러므로 〈문언전〉에 '원(元)은 선의 으뜸이다.'라고 한 것이다."

本義 | 以卦德卦體로 釋卦辭라 應天은 指六五也라

괘덕(卦德)과 괘체(卦體)로써 괘사(卦辭)를 해석하였다. 하늘에 응한다는 것은 육오(六五)를 가리킨 것이다.

象日 火在天上이 大有니 君子以하여 遏惡揚善하여 順天休命하나니라

··· 遏 : 막을 알 揚 : 드날릴 양 休 : 아름다울 휴

〈상전〉에 말하였다. "불이 하늘 위에 있는 것이 대유(大有)이니, 군자가 보고서 악을 막고 선을 드날려 하늘의 아름다운 명(命)을 순종한다."

傳 | 火高在天上하여 照見(현)萬物之衆多라 故爲大有니 大有는 繁庶之義라 君子觀大有之象하여 以遏絕衆惡하고 揚明善類하여 以奉順天休美之命하나니 萬物衆多면 則有善惡之殊라 君子享大有之盛인댄 當代天工하여 治養庶類니 治衆之道는 在遏惡揚善而已라 惡懲善勸은 所以順天命而安羣生也라

불이 높이 하늘 위에 있어서 수많은 만물들을 비춰 보인다. 그러므로 대유(大有)라 한 것이니, 대유는 많다는 뜻이다. 군자가 대유의 상을 보고서 여러 악을 막아 끊고 선한 류(類)를 드날려 밝혀서 하늘의 아름다운 명을 받들어 순종하니, 만물이 많으면 선 · 악의 다름이 있게 마련이다. 군자가 대유의 풍성함을 누릴진댄 마땅히 하늘의 일〔天工〕을 대신하여 여러 무리를 다스리고 길러야 하니, 무리를 다스리는 방법은 악을 막고 선을 드날림에 있을 뿐이다. 악이 징계되고 선이 권면(勸勉)됨은 하늘의 명(命)을 순종하여 군생(羣生;백성 또는 만물)을 편안히 하는 것이다.

本義 | 火在天上하여 所照者廣하니 爲大有之象이라 所有旣大에 无以治之면 則釁蘖(흔얼)이 萌於其間矣라 天命은 有善而无惡이라 故遏惡揚善이 所以順天이니 反之於身에도 亦若是而已矣니라

불이 하늘 위에 있어서 비추는 바가 넓으니, 대유(大有)의 상(象)이 된다. 소유한 것이 이미 큰데 다스림이 없으면 재앙이 그 사이에서 싹튼다. 천명(天命)은 선만 있고 악이 없다. 그러므로 악을 막고 선을 드날림이 하늘을 순종하는 것이니, 자기 몸에 돌이킴에도 또한 이와 같을 뿐이다.

初九는 无交害니 匪咎나 艱則无咎리라

초구(初九)는 해(害)로움에 간섭됨이 없으니, 허물이 있는 것이 아니나 간난(艱難;어렵게 여기고 조심함)하면 허물이 없으리라.

傳 | 九居大有之初하여 未至於盛하고 處卑无應與하여 未有驕盈之失이라 故无交

··· 繁 : 많을 번 庶 : 많을 서 釁 : 틈 흔 蘖 : 움 얼, 재앙 얼 萌 : 싹틀 맹 驕 : 교만할 교 盈 : 가득찰 영

害하니 未涉於害也라 大凡富有면 鮮不有害하나니 以子貢之賢으로도 未能盡免이온 況其下者乎아 匪咎 艱則无咎는 言富有本匪有咎也나 人因富有하여 自爲咎耳니 若能享富有而知難處면 則自无咎也라 處富有而不能思艱兢畏면 則驕侈之心生矣리니 所以有咎也라

구(九)가 대유(大有)의 초(初)에 거하여 아직 성함에 이르지 않았고, 낮은 자리에 처하고 응여(應與)가 없어서 교만하고 넘치는 잘못이 없다. 그러므로 해로움에 사귐이 없으니, 해로움에 간섭됨이 없는 것이다. 대체로 풍부하게 소유하면 해로움이 있지 않은 경우가 드무니, 자공(子貢)의 어짊으로도 다 면하지 못하였는데 하물며 그보다 아래인 자에 있어서랴. '비구 간즉무구(匪咎艱則无咎)'는 부유(富有)함이 본래 허물이 있는 것이 아니나, 사람이 부유함으로 인하여 제 스스로 잘못을 저지를 뿐이니, 만약 능히 부유함을 누리면서도 간난(艱難)하게 대처할 줄을 알면 스스로 허물이 없음을 말한 것이다. 부유함에 처하여 간난함을 생각해서 조심하고 두려워하지 못한다면 교만하고 사치한 마음이 생길 것이니, 이는 허물이 있는 것이다.

本義 | 雖當大有之時나 然以陽居下하고 上无係應하며 而在事初하여 未涉乎害者也니 何咎之有리오 然亦必艱以處之則无咎니 戒占者宜如是也라

비록 대유의 때를 당하였으나, 양효로서 아래에 거하고 위에 계응(係應)이 없으며 일의 초기에 있어서 아직 해로움에 간섭(관련)되지 않는 자이니, 무슨 허물이 있겠는가. 그러나 또한 반드시 간난하게 대처하면 허물이 없을 것이니, 점치는 자에게 마땅히 이와 같이 하라고 경계한 것이다.

象曰 大有初九는 无交害也라

〈상전〉에 말하였다. "대유의 초구는 해로움에 간섭됨이 없는 것이다."

傳 | 在大有之初하여 克念艱難이면 則驕溢之心이 无由生矣니 所以不交涉於害也라

대유의 초기에 있어서 능히 간난함을 생각하면 교만하고 넘치는 마음이 말미암아 생길 수가 없으니, 이 때문에 해로움에 간섭되지 않는 것이다.

••• 兢 : 조심할 긍 侈 : 사치할 치 溢 : 넘칠 일 鮮 : 적을 선

九二는 大車以載니 有攸往하여 无咎리라

구이(九二)는 큰 수레로써 실음이니, 갈 바를 두어 허물이 없으리라.

本義 | 有攸往이면

갈 바를 두면

傳 | 九以陽剛居二하여 爲六五之君所倚任하니 剛健則才勝이요 居柔則謙順이요 得中則无過니 其才如此라 所以能勝大有之任하니 如大車之材强壯하여 能勝載重物也니 可以任重行遠이라 故有攸往而无咎也라 大有豐盛之時에 有而未極이라 故로 以二之才로 可往而无咎니 至於盛極이면 則不可以往矣리라

구(九)가 양강(陽剛)으로서 이(二)에 거하여 육오(六五)의 군주에게 의지하고 신임받는 바가 되었으니, 강건(剛健)하면 재주가 감당해내고, 유위(柔位)에 거하면 겸손하고, 중(中)을 얻으면 허물이 없다. 그 재질이 이와 같으므로 능히 대유의 임무를 감당하는 것이니, 큰 수레의 재목이 강장(强壯)하여 무거운 물건을 감당하여 실을 수 있는 것과 같다. 무거운 짐을 싣고서 멀리 갈 수 있으므로 갈 바를 두어 허물이 없는 것이다. 대유 풍성의 때에 소유하되 아직 극(極)에 이르지 않았다. 그러므로 이(二)의 재질로 가서 허물이 없는 것이니, 성함이 극에 이르면 갈 수가 없을 것이다.

本義 | 剛中在下하여 得應乎上하여 爲大車以載之象이니 有所往而如是면 可以无咎矣라 占者必有此德이라야 乃應其占也라

강중(剛中)으로 아래에 있으면서 위에 응(應)을 얻어 큰 수레로 싣는 상이 되니, 갈 바를 두면서 이와 같으면 허물이 없을 것이다. 점치는 자가 반드시 이러한 덕(德)이 있어야 비로소 이 점괘에 응할 것이다.

象曰 大車以載는 積中不敗也라

〈상전〉에 말하였다. "큰 수레로 실음은 가운데에 많이 쌓아도 무너지지 않는 것이다."

傳 | 壯大之車는 重積載於其中而不損敗하니 猶九二材力之强하여 能勝大有之

··· 攸 : 바 유 謙 : 겸손할 겸 豐 : 풍부할 풍

任也라

튼튼하고 큰 수레는 가운데에 물건을 많이 적재(積載)하여도 파손되고 무너지지 않으니, 구이(九二)가 재력(材力)이 강하여 능히 대유의 임무를 감당함과 같은 것이다.

九三은 公用亨于天子니 小人은 弗克이니라

구삼(九三)은 공(公)이 〈대유로써〉 천자께 형통하게 함이니, 소인은 능하지 못하다.

本義 | **公用亨(享)于天子**니

공(公)이 천자께 물건을 올림이니,

傳 | 三居下體之上하니 在下而居人上은 諸侯人君之象也라 公侯는 上承天子하니 天子는 居天下之尊하여 率土之濱[128]이 莫非王臣이니 在下者何敢專其有리오 凡土地之富와 人民之衆이 皆王者之有也니 此理之正也라 故三當大有之時하여 居諸侯之位하여 有其富盛이면 必用亨通乎天子니 謂以其有로 爲天子之有也니 乃人臣之常義也라 若小人處之면 則專其富有以爲私하여 不知公己奉上之道라 故曰小人弗克也라하니라

삼(三)이 하체(下體)의 위에 거하였으니, 아래에 있으면서 사람의 위에 거함은 제후 인군의 상이다. 공후(公侯)는 위로 천자를 받드니, 천자는 천하의 높은 지위에 거하여 온 천하가 모두 왕의 신하이다. 아래에 있는 자가 어찌 감히 그 소유함을 독차지하겠는가. 무릇 토지의 풍부함과 인민(人民)의 많음이 모두 왕자(王者)의 소유이니, 이것이 올바른 이치이다. 그러므로 삼(三)이 대유의 때를 당하여 제후의 지위에 거해서 풍부하고 성함을 소유하였으면, 반드시 이로써 천자를 형통하게 하여야 하는 것이다. 이는 자기의 소유를 천자의 소유로 여김을 말한 것이니, 이것이 바로 신하의 떳떳한 의리이다. 만약 소인이 여기에 처하면 그 부유함을 독

······

128 率土之濱 : '땅을 두르고 있는 물가'란 뜻으로 온 해내(海內)를 이른다. 《시경》〈소아(小雅) 북산(北山)〉에 "온 하늘 아래가 왕의 땅 아닌 곳이 없으며, 땅을 두르고 있는 물가가 왕의 신하 아닌 이가 없다.[溥天之下, 莫非王土; 率土之濱, 莫非王臣.]"라고 보인다.

··· 亨 : 형통할 형, 제향할 향 率 : 따를 솔 濱 : 물가 빈

점하여 사유물(私有物)로 삼아서 자신을 공변되게 하고 위를 받드는 도리를 알지 못한다. 그러므로 '소인은 능하지 못하다.'라고 한 것이다.

本義 | 亨은 春秋傳에 作享하니 謂朝獻也라 古者에 亨通之亨과 享獻之享과 烹飪之烹을 皆作亨字하니라 九三이 居下之上하니 公侯之象이요 剛而得正하고 上有六五之君이 虛中下賢이라 故爲享于天子之象이라 占者有其德이면 則其占如是요 小人无剛正之德이면 則雖得此爻나 不能當也라

형(亨)은 《춘추좌씨전》 희공(僖公) 25년에 '향(享)'으로 되어 있으니, 제후가 조회하여 물건을 올림을 이른다. 옛날에 형통(亨通)의 형(亨) 자와 향헌(享獻)의 향(享) 자와 팽임(烹飪)의 팽(烹) 자를 모두 형(亨) 자로 썼다. 구삼(九三)이 하괘(下卦)의 위에 거하였으니 공후(公侯)의 상(象)이요, 강(剛)하고 정(正)을 얻었으며 위에 육오(六五)의 군주가 마음을 비우고 현자(賢者)에게 낮춤이 있다. 그러므로 천자에게 물건을 올리는 상이 된 것이다. 점치는 자가 이러한 덕(德)이 있으면 그 점(占)이 이와 같을 것이요, 소인이 강정(剛正)의 덕이 없으면 비록 이 효(爻)를 얻더라도 능히 감당하지 못할 것이다.

象曰 公用亨于天子는 小人은 害也리라

〈상전〉에 말하였다. "'공용형우천자(公用亨于天子)'는 소인은 해로우리라."

傳 | 公은 當用〔一无用字〕亨于天子니 若小人處之면 則爲害也라 自古로 諸侯能守臣節하여 忠順奉上者는 則蕃養其衆하여 以爲王之屛翰하고 豐殖其財하여 以待上之徵賦라 若小人處之면 則不知爲臣奉上之道하여 以其爲己之私하여 民衆財豐이면 則反擅其富强하여 益爲不順하니 是는 小人大有則爲害요 又大有爲小人之害也라

공(公:제후)은 마땅히 천자를 형통하게 하여야 하니, 만약 소인이 여기에 처하면 해로움이 되는 것이다. 예로부터 제후가 신하의 예절을 지켜서 충순(忠順)으로 위를 받드는 자는 그 무리를 많이 길러서 왕의 병한(屛翰:울타리)으로 삼고, 재물을 많이 증식하여 윗사람의 징부(徵賦)에 대비하였다. 만약 소인이 여기에 처하면 신하가 되어 윗사람을 받드는 도리를 알지 못하여, 이것을 자기의 사유물로 생각해

… 烹 : 삶을 팽 飪 : 익힐 임 蕃 : 많을 번 屛 : 병풍 병 翰 : 기둥 한 殖 : 불어날 식 徵 : 부를 징 擅 : 제멋대로할 천

서 백성이 많고 재물이 풍성하면 도리어 그 부강(富强)함을 독점하여 더욱 불순(不順)한 짓을 하니, 이는 소인이 크게 소유하면 해로움이 되고 또 대유가 소인의 해로움이 되는 것이다.

九四는 **匪其彭**(방)이면 **无咎**리라

구사(九四)는 지나치게 성하지 않으면 허물이 없으리라.

本義 | **匪其彭**이니,

지나치게 성하지 않음이니,

傳 | 九四居大有之時하여 已過中矣니 是는 大有之盛者也니 過盛則凶咎所由生也라 故處之之道 匪其彭則得无咎니 謂能謙損하여 不處其太盛이면 則得无咎也라 四는 近君之高位니 苟處太盛이면 則致凶咎라 彭은 盛多之貌라 詩載驅云 汶水湯湯(상상)이어늘 行人彭彭이라하니 行人盛多之狀이요 雅大明云 駟騵彭彭이라하니 言武王戎馬之盛也라

구사(九四)가 대유의 때에 거하여 이미 중(中)을 지났으니, 이는 대유가 성(盛)한 것이니, 지나치게 성(盛)하면 흉구(凶咎)가 이로 말미암아 생긴다. 그러므로 이에 대처하는 방도는 지나치게 성하지 않으면 허물이 없는 것이니, 능히 겸손(謙損)하여 너무 성함에 처하지 않으면 허물이 없을 수 있음을 말한 것이다. 사(四)는 인군과 가까운 높은 자리이니, 만일 너무 성함에 처하면 흉구(凶咎)를 불러온다. '방(彭)'은 성하고 많은 모양이다. 《시경》 〈제풍(齊風) 재구(載驅)〉에 "문수(汶水)가 넘실넘실 흐르는데 행인(行人)들이 방방(彭彭)하다." 하였으니 행인들이 많은 모양이요, 〈대아(大雅) 대명(大明)〉에 "사원(駟騵)이 방방하다." 하였으니 무왕(武王)의 융마(戎馬;군마)가 성함을 말한 것이다.

本義 | 彭字는 音義未詳이라 程傳曰 盛貌라하니 理或當然이라 六五는 柔中之君이니 九四以剛近之하여 有僭偪之嫌이나 然以其處柔也라 故有不極其盛之象하여 而得无咎하니 戒占者宜如是也라

방(彭) 자는 음과 뜻이 자세하지 않다. 《정전(程傳)》에 "성한 모양이다." 하였으니, 이치가 혹 마땅할 듯하다. 육오(六五)는 유중(柔中)의 군주이니, 구사(九四)가

••• 彭 : 성대할 방 汶 : 물이름 문 湯 : 물많은모양 상 駟 : 사마 사 騵 : 배흰말 원 僭 : 참람할 참 偪 : 핍박할 핍

강(剛)으로서 가까이 있어서 참람하고 핍박하는 혐의가 있으나, 유(柔)에 처했기 때문에 성함을 지극히 하지 않는 상이 있어서 허물이 없는 것이니, 점치는 자에게 마땅히 이와 같이 하라고 경계한 것이다.

象曰 匪其彭无咎는 明辨晳(제)也라

〈상전〉에 말하였다. "지나치게 성하지 않으면 허물이 없음은 명변(明辨)한 지혜이다."

본의 | 명변함이 분명하다.

傳 | 能不處其盛而得无咎者는 蓋有明辨之智也니 晳는 明智也라 賢智之人은 明辨物理하여 當其方盛이면 則知咎之將至라 故能損抑하여 不敢至於滿極也라

지나치게 성함에 처하지 않아 허물이 없을 수 있는 것은 이는 명변(明辨)의 지혜가 있기 때문이니, '제(晳)'는 밝은 지혜이다. 어질고 지혜로운 사람은 사물의 이치를 밝게 분변하여 막 성할 때를 당하면 허물이 장차 이를 줄을 안다. 그러므로 능히 덜고 억제하여 감히 가득하고 지극함에 이르지 않는 것이다.

本義 | 晳는 明貌라

'제(晳)'는 밝은 모양이다.

六五는 厥孚交如니 威如면 吉하리라

육오(六五)는 그 부신(孚信 ; 믿음과 정성)이 서로 사귀니, 위엄이 있으면 길하리라.

傳 | 六五當大有之時하여 居君位虛中하니 爲孚信之象이라 人君이 執柔守中하고 而以孚信接於下하면 則下亦盡其信誠하여 以事於上이니 上下孚信相交也라 以柔居尊位하니 當大有之時하여 人心安易하나니 若專尙柔順이면 則陵慢生矣라 故必威如則吉이니 威如는 有威嚴之謂也라 旣以柔和孚信으로 接於下하여 衆志說從하고 又有威嚴하여 使之有畏면 善處有者也니 吉可知矣라

육오(六五)가 대유의 때를 당해서 군위(君位)에 거하여 마음을 비우니, 부신(孚

••• 晳 : 밝을 제(절) 孚 : 믿을 부 陵 : 능멸할 릉

信)의 상이 된다. 인군이 유(柔)를 잡고 중(中)을 지키며 부신으로 아랫사람을 대하면 아랫사람 또한 부신과 정성을 다하여 윗사람을 섬길 것이니, 이는 상·하가 부신으로 서로 사귀는 것이다. 유(柔)로서 존위(尊位)에 거하였으니, 대유의 때를 당하여 사람들의 마음이 안이(安易)해지는데, 만약 오로지 유순함만을 숭상하면 〈아랫사람들의〉 능멸과 업신여김이 생긴다. 그러므로 반드시 위엄이 있으면 길한 것이니, '위여(威如)'는 위엄이 있음을 이른다. 이미 유화(柔和)와 부신으로 아랫사람을 대해서 사람들의 마음이 기뻐하여 따르고, 또 위엄이 있어서 두려워함이 있게 하면 대유에 잘 대처하는 자이니, 길함을 알 수 있다.

本義 | 大有之世에 柔順而中하여 以處尊位하고 虛己以應九二之賢하여 而上下歸之하니 是其孚信之交也라 然君道貴剛하여 太柔則廢니 當以威濟之則吉이라 故其象占如此하니 亦戒辭也라

대유의 세상에 유순하고 중(中)하면서 존위(尊位)에 처하고, 자기 마음을 비워 구이(九二)의 현자(賢者)에게 응하여 상·하가 자기에게 돌아오니, 이는 부신(孚信)으로 사귀는 것이다. 그러나 군주의 도는 강함을 귀하게 여겨 너무 유순하면 폐해되니, 마땅히 위엄으로써 구제하면 길하다. 그러므로 그 상(象)과 점(占)이 이와 같은 것이니, 또한 경계한 말이다.

象曰 厥孚交如는 信以發志也요

〈상전〉에 말하였다. "그 부신이 서로 사귐은 부신으로써 뜻을 계발(啓發)함이요,

본의 | 신(信)이 뜻을 계발함이요

本義 | 一人之信이 足以發上下之志也라

한 사람의 부신이 충분히 상·하의 뜻을 계발하는 것이다.

威如之吉은 易而无備也일새라

위엄이 있으면 길함은 쉽게 여겨 대비함이 없기 때문이다."

傳 | 下之志는 從乎上者也니 上以孚信接於下하면 則下亦以誠信事其上이라 故厥孚交如하니 由上有孚信하여 以發其下孚信之志하니 下之從上은 猶響之應聲也라 威如之所以吉者는 謂若无威嚴이면 則下易慢而无戒備也니 謂无恭畏備上之道라 備는 謂備上之求責也라

아랫사람의 뜻은 윗사람을 따르는 것이니, 윗사람이 부신(孚信)으로 아랫사람을 대하면 아랫사람 또한 성신(誠信)으로 윗사람을 섬긴다. 그러므로 그 부신이 서로 사귀는 것이다. 윗사람이 부신이 있음으로 말미암아 이로써 아랫사람의 부신의 뜻을 계발하니, 아랫사람이 윗사람을 따름은 메아리가 소리에 응함과 같다. 위엄이 있으면 길한 까닭은 만약 위엄이 없으면 아랫사람들이 쉽게 여기고 불경하여 경계하고 대비함이 없음을 이르니, 공손하고 두려워하여 위에 대비하는 방도가 없음을 말한 것이다. '비(備)'는 윗사람의 요구와 바람에 대비함을 이른다.

本義 | 太柔則人將易之하여 而无畏備之心이라

〈군주가〉 너무 유순하면 사람들이 장차 쉽게 여겨서 두려워하고 대비하는 마음이 없게 된다.

上九는 自天祐之라 吉无不利로다

상구(上九)는 하늘에서 도와주므로 길하여 이롭지 않음이 없다.

傳 | 上九在卦之終하여 居无位之地하니 是는 大有之極이로되 而不居其有者也라 處離之上은 明之極也니 唯至明일새 所以不居其有하여 不至於過極也라 有極而不處면 則无盈滿之災하니 能順乎理者也라 五之孚信而履其上은 爲蹈履誠信之義요 五有文明之德이어늘 上能降志以應之는 爲尙賢崇善之義라 其處如此면 吉道之至也니 自當享其福慶하여 自天祐之리라 行順乎天而獲天祐라 故所往皆吉하여 无所不利也라

상구(上九)가 괘의 종(終)에 있으면서 지위가 없는 자리에 처했으니, 이는 대유가 지극하면서도 그 소유함을 자처하지 않는 자이다. 리(離)의 위에 처함은 밝음이 지극한 것이니, 오직 지극히 밝기에 그 소유함을 자처하지 아니하여 지나치게 지극함에 이르지 않는 것이다. 소유함이 지극하더라도 자처하지 않으면 영만(盈

••• 響 : 메아리 향 祐 : 도울 우

滿)의 재앙이 없으니, 능히 이치에 순응하는 자이다. 오(五)가 부신(孚信)인데 그 위를 밟고 있음은 성신(誠信)을 이행하는 뜻이 되고, 오(五)가 문명한 덕이 있는데 상(上)이 뜻을 낮추어 그에게 응함은, 현자(賢者)를 높이고 선(善)을 숭상하는 뜻이 된다. 그 대처함이 이와 같으면 길한 도(道)가 지극한 것이니, 자연스레 마땅히 그 복경(福慶)을 누려 하늘로부터 도움을 받을 것이다. 행실이 천도(天道)에 순응하여 하늘의 도움을 얻었다. 그러므로 가는 곳마다 모두 길하여 이롭지 않은 바가 없는 것이다.

本義 | 大有之世에 以剛居上하여 而能下從六五하니 是能履信思順而尚賢也라 滿而不溢이라 故其占如此하니라

대유의 세상에 강(剛)으로서 위에 거하여 능히 아래로 육오(六五)를 따르니, 이는 성신(誠信)을 이행하고 순(順)함을 생각하며 현자(賢者)를 높이는 것이다. 가득하나 넘치지 않으므로 그 점괘가 이와 같은 것이다.

象曰 大有上吉은 自天祐也라

〈상전〉에 말하였다. "대유(大有)의 상(上)이 길(吉)한 것은 하늘에서 돕기 때문이다."

傳 | 大有之上은 有極當變이로되 由其所爲順天合道라 故天祐助之하여 所以吉也라 君子滿而不溢은 乃天祐也라 繫辭에 復申之云 天之所助者는 順也요 人之所助者는 信也니 履信思乎順하고 又以尚賢也라 是以로 自天祐之하여 吉无不利也라하니라 履信은 謂履五니 五虛中이 信也요 思順은 謂謙退不居요 尚賢은 謂志從於五라 大有之世엔 不可以盈이니 豐而復處盈焉은 非所宜也라 六爻之中은 皆樂據權位로되 唯初、上은 不處其位라 故初九는 无咎요 上九는 无不利라 上九在上하여 履信思順이라 故在上而得吉하니 蓋自天祐也라

대유(大有)의 상(上)은 소유가 지극하여 마땅히 변할 것이나, 그 행하는 바가 하늘에 순응하고 도에 합하기 때문에 하늘이 도와주어서 길한 것이다. 군자가 가득하나 넘치지 않음은 바로 하늘이 돕는 것이다.

〈계사전 상〉에 다시 이것을 펴서 말씀하기를 "하늘이 돕는 것은 순하기 때문이

요 사람이 돕는 것은 성신(誠信)하기 때문이니, 성신을 이행하고 순함을 생각하며 또 어진이를 높인다. 이 때문에 하늘에서 도와주어서 길하여 이롭지 않음이 없는 것이다." 하였다.

'이신(履信)'은 오(五)를 밟음을 이르니 오(五)가 중(속)을 비움이 신(信)이요, '사순(思順)'은 겸손하여 자처하지 않음을 이르고, '상현(尙賢)'은 뜻이 오(五)를 따름을 이른다.

대유의 세상엔 가득해서는 안 되니, 풍성한데 다시 가득함에 처함은 마땅한 바가 아니다. 여섯 효(爻) 중에 가운데 있는 네 효는 모두 권세와 지위를 점거하는 것을 좋아하나 오직 초(初)와 상(上)은 그 지위에 자처하지 않는다. 그러므로 초구(初九)는 허물이 없고 상구(上九)는 이롭지 않음이 없는 것이다. 상구(上九)가 위에 있어서 성신(誠信)을 이행하고 순함을 생각한다. 그러므로 위에 있으면서 길함을 얻는 것이니, 이는 하늘에서 돕는 것이다.

15 지산 地山 겸(謙) ䷎ 간하곤상 艮下坤上

傳 | 謙은 序卦에 有大者는 不可以盈이라 故受之以謙이라하니라 其有旣大면 不可至於盈滿이요 必在謙損이라 故大有之後에 受之以謙也라 爲卦 坤上艮下하니 地中有山也라 地體卑下하니 山은 高大之物이어늘 而居地之下는 謙之象也요 以崇高之德으로 而處卑之下는 謙之義也라

겸괘(謙卦)는 〈서괘전〉에 "큰 것을 소유한 자는 가득차서는 안 된다. 그러므로 겸괘로 받았다." 하였다. 그 소유함이 이미 성대하면 영만(盈滿)함에 이르러서는 안 되고, 반드시 겸손(謙損)함에 있어야 한다. 그러므로 대유괘(大有卦 ䷍)의 뒤에 겸괘로 받은 것이다. 괘됨이 곤(坤☷)이 위에 있고 간(艮☶)이 아래에 있으니, 땅 가운데 산(山)이 있는 것이다. 땅의 체(體)는 비하(卑下)하니, 산(山)은 고대(高大)한 물건인데 낮은 땅의 아래에 있음은 겸(謙)의 상(象)이요, 숭고한 덕으로 낮은 곳의 아래에 처함은 겸(謙)의 뜻이다.

謙은 亨하니 君子有終이니라

겸(謙)은 형통하니, 군자는 끝마침(끝까지 지킴)이 있다.

本義 | 君子有終이리라

군자는 끝마침(좋은 끝마침)이 있으리라.

傳 | 謙有亨之道也라 有其德而不居를 謂之謙이니 人以謙巽自處면 何往而不亨乎리오 君子有終은 君子志存乎謙巽하니 達理故로 樂天而不競하고 內充故로 退讓而不矜이라 安履乎謙하여 終身不易하여 自卑而人益尊之하고 自晦而德益光顯하니 此所謂君子有終也라 在小人하여는 則有欲必競하고 有德必伐하니 雖使勉慕於謙이라도 亦不能安行而固守하여 不能有終也라

겸(謙)은 형통할 방도가 있다. 그 덕을 소유하고 있으면서도 자처하지 않음을

··· 盈 : 가득할 영 巽 : 공손할 손 競 : 다툴 경 矜 : 자랑할 긍 伐 : 자랑할 벌

겸(謙)이라 이르니, 사람이 겸손(謙巽)함으로 자처하면 어디를 간들 형통하지 않겠는가. '군자유종(君子有終)'은 군자는 뜻이 겸손함에 있으니, 이치를 통달하였기 때문에 천명(天命)을 즐거워하여 다투지 않고, 내면이 충실하기 때문에 퇴양(退讓;겸양)하여 자랑하지 않는 것이다. 겸손함을 편안히 행해서 종신토록 바꾸지 아니하여, 스스로 낮추지만 사람들이 더욱 높여주고 스스로 숨지만 덕이 더욱 밝게 드러나니, 이것이 이른바 '군자는 끝마침이 있다.'는 것이다. 소인에 있어서는 욕망이 있으면 반드시 다투고 덕이 있으면 반드시 자랑하니, 비록 가령 겸손함을 힘쓰고 사모하더라도 또한 편안히 행하고 굳게 지키지 못하여 끝마침이 있지 못하다.

本義 | 謙者는 有而不居之義라 止乎內而順乎外는 謙之意也요 山至高而地至卑어늘 乃屈而止於其下는 謙之象也라 占者如是면 則亨通而有終矣니 有終은 謂先屈而後伸也라

겸(謙)은 소유하고도 자처하지 않는 뜻이다. 안에 그치고 밖에 순함은 겸의 뜻이요, 산은 지극히 높고 땅은 지극히 낮은데, 산이 마침내 굽혀서 그 아래에 그침은 겸의 상이다. 점치는 자가 이와 같이 하면 형통하여 좋은 끝마침이 있을 것이니, 유종(有終)은 먼저는 굽히나 뒤에는 폄을 이른다.

彖曰 謙亨은 天道下(濟)[際]而光明하고 地道卑而上行이라

〈단전(彖傳)〉에 말하였다. "'겸형(謙亨)'은 천도(天道)는 아래로 교제하여 광명(光明)하고, 지도(地道)는 낮아 위로 행한다.

傳 | 濟는 當爲際라 此는 明謙而能亨之義라 天之道는 以其氣下際라 故能化育萬物하여 其道光明하니 下際는 謂下交也라 地之道는 以其處卑일새 所以其氣上行하여 交於天하니 皆以卑降而亨也라

'제(濟)'는 마땅히 제(際)가 되어야 한다. 이는 겸손하여 형통한 뜻을 밝힌 것이다. 하늘의 도(道)는 기운이 아래로 사귀기 때문에 만물을 화육(化育)하여 그 도가 광명하니, 하제(下際)는 아래로 사귐을 이른다. 땅의 도는 낮은 곳에 처했기 때문에 그 기운이 위로 행하여 하늘과 사귀니, 모두 낮추어 형통한 것이다.

本義 | 言謙之必亨이라

겸손함이 반드시 형통함을 말하였다.

天道는 虧盈而益謙하고

하늘의 도는 가득찬 것을 이지러지게 하고 겸손한 것을 더해주며,

傳 | 以天行而言하면 盈者則虧하고 謙者則益하니 日月、陰陽이 是也라

하늘의 운행으로써 말하면 가득찬 것은 이지러지고 겸손한 것은 더해주니, 해와 달과 음과 양이 이것이다.

地道는 變盈而流謙하고

땅의 도는 가득찬 것을 변하고 겸손한 데로 흐르며,

傳 | 以地勢而言하면 盈滿者傾變而反陷하고 卑下者流注而益增也라

지세(地勢;지형)로써 말하면 영만(盈滿)한 곳은 기울고 변하여 도리어 패이고, 비하(卑下)한 곳은 토사(土沙)가 흘러 모여들어서 더욱 더하게 된다.

鬼神은 害盈而福謙하고

귀신은 가득찬 것을 해치고 겸손한 것에 복을 주고,

傳 | 鬼神은 謂造化之跡이라 盈滿者는 禍害之하고 謙損者는 福祐之하니 凡過而損, 不足而益者 皆是也라

귀신은 조화의 자취를 이른다. 영만(盈滿)한 것은 화(禍)를 주어 해치고 겸손(謙損)한 것은 복(福)을 주어 도우니, 무릇 과(過)하면 덜어내고 부족(不足)하면 더해주는 것이 다 이것이다.

人道는 惡(오)盈而好謙하나니

사람의 도는 가득찬 것을 싫어하고 겸손한 것을 좋아하니,

··· 虧 : 이지러질 휴 陷 : 빠질 함 注 : 물댈 주

傳 | 人情은 疾惡(오)於盈滿而好與於謙巽也라 謙者는 人之至德이라 故聖人詳言하시니 所以戒盈而勸謙也라

인정(人情)은 영만(盈滿)함을 미워하고 겸손함을 좋아하여 친애한다. 겸손은 사람의 지극한 덕이다. 그러므로 성인(聖人)이 자세히 말씀하셨으니, 이는 영만함을 경계하고 겸손함을 권한 것이다.

謙은 尊而光하고 卑而不可踰니 君子之終也라

겸(謙)은 높고 빛나며 낮으나 넘을 수가 없으니, 군자의 끝마침이다."

본의 | 높은 이는 빛나고 낮은 이도 넘을 수 없으니,

傳 | 謙爲卑巽也나 而其道尊大而光顯하고 自處雖卑屈이나 而其德實高하여 不可加尙하니 是不可踰也라 君子至誠於謙하여 恒而不變이면 有終也라 故尊光이라

겸(謙)은 낮추고 공손히 하는 것이나 그 도가 존대(尊大)하고 밝게 드러나며, 자처하기를 비록 낮추고 굽히나 그 덕이 실제로 높아서 더할 수가 없으니, 이는 넘을 수가 없는 것이다. 군자가 겸손함을 지성(至誠)으로 하여 항상하고 변치 않는다면 끝마침이 있는 것이다. 그러므로 높고 빛나는 것이다.

本義 | 變은 謂傾壞요 流는 謂聚而歸之라 人能謙이면 則其居尊者는 其德愈光하고 其居卑者는 人亦莫能過하니 此는 君子所以有終也라

'변(變)'은 기울고 무너짐을 이르고, '류(流)'는 모여서 돌아감을 이른다. 사람이 능히 겸손하면 높은 곳에 처한 자는 그 덕이 더욱 빛나고, 낮은 곳에 처한 자는 사람들이 또한 넘을 수 없으니, 이는 군자가 끝마침이 있는 것이다.

象曰 地中有山이 謙이니 君子以하여 裒(부)多益寡하여 稱物平施하나니라

〈상전〉에 말하였다. "땅 가운데 산이 있는 것이 겸(謙)이니, 군자가 보고서 많은 것에서 취하여 적은 것에 더해 주어서 물건을 저울질하여 베풂을 공평하게 한다."

··· 踰 : 넘을 유 壞 : 무너질 괴 愈 : 더욱 유 裒 : 줄일 부 稱 : 저울질할 칭

傳 | 地體卑下하니 山之高大而在地中은 外卑下而內蘊高大之象이라 故爲謙也라 不云山在地中而曰地中有山은 言卑下之中에 蘊其崇高也라 若言崇高蘊於卑下之中이라하면 則文理不順이라 諸象皆然하니 觀文可見이라 君子以 裒多益寡, 稱物平施는 君子觀謙之象에 山而在地下하니 是高者下之요 卑者上之라 見抑高擧下, 損過益不及之義하여 以施於事하면 則裒取多者하여 增益寡者하여 稱物之多寡하여 以均其施與하여 使得其平也라

땅의 체(體)가 비하(卑下)하니, 산이 고대(高大)하면서 땅 가운데에 있음은 밖은 비하하면서 안에 고대함을 쌓은 상이다. 그러므로 겸(謙)이라 한 것이다. 산이 땅 가운데에 있다고 말하지 않고, 땅 가운데에 산이 있다고 말한 것은 비하한 가운데에 숭고함을 쌓음을 말한 것이다. 만약 '숭고함이 비하한 가운데에 쌓여 있다.'고 말한다면 문리가 순하지 못하다. 모든 상(象)이 다 그러하니, 글을 보면 이것을 알 수 있다. '군자이 부다익과 칭물평시(君子以裒多益寡 稱物平施)'는 군자가 겸괘(謙卦)의 상을 봄에 산으로서 땅 아래에 있으니, 이는 높은 것이 아래로 내려오고 낮은 것이 위로 올라간 것이다. 높은 것을 억제하고 낮은 것을 들어 올려주며, 과(過)한 것을 덜어 불급(不及)한 것에 더해주는 뜻을 보고서 이로써 일에 시행하면 많은 것을 덜어서 적은 것에 더해주어 물건의 많고 적음을 저울질해서 그 베풂을 고르게 하여 공평함을 얻게 하는 것이다.

本義 | 以卑蘊高는 謙之象也라 裒多益寡는 所以稱物之宜而平其施니 損高增卑하여 以趨於平은 亦謙之意也라

낮음으로써 높음을 쌓음은 겸(謙)의 상이다. 많은 것에서 취하여 적은 것에 더해줌은 물건의 마땅함을 저울질하여 그 베풂을 공평하게 하는 것이니, 높은 것을 덜어내어 낮은 것에 더해주어 평평함에 나아가게 하는 것은, 이 또한 겸(謙)의 뜻이다.

初六은 謙謙君子니 用涉大川이라도 吉하니라

초육(初六)은 겸손하고 겸손한 군자이니, 대천(大川)을 건너더라도 길하다.

本義 | 用涉大川이 吉하리라

대천을 건넘이 길하리라.

… 蘊 : 쌓을 온 趨 : 향할 추

傳 | 初六이 以柔順處謙하고 又居一卦之下하여 爲自處卑下之至니 謙而又謙也라 故曰謙謙이니 能如是者는 君子也라 自處至謙이면 衆所共與也니 雖用涉險難이나 亦无患害어든 況居平易乎아 何所不吉也리오 初處謙而以柔居下하니 得無過於謙乎아 曰 柔居下는 乃其常也니 但見其謙之至라 故爲謙謙이요 未見其失也로라

초육(初六)이 유순함으로서 겸(謙)에 처하고 또 한 괘의 아래에 있어서 자처하기를 비하(卑下)하게 함이 지극함이 되니, 겸손하고 또 겸손하다. 그러므로 '겸겸'이라 하였으니, 이와 같이 하는 자는 군자이다. 자처하기를 지극히 겸손하게 하면 사람들이 함께 더부는(친하는) 바가 되니, 비록 험난함을 건너더라도 환해(患害)가 없는데 하물며 평이함에 거함에랴. 어느 곳인들 길하지 않겠는가.

"초(初)는 겸(謙)의 때에 처하였고 유(柔)로서 아래에 거하였으니, 겸손함이 과(過)하지 않겠는가?" "유(柔)가 아래에 거함은 바로 떳떳한 것이니, 단지 겸손함이 지극함을 볼 뿐이다. 그러므로 겸겸이 되고 그 잘못을 볼 수 없는 것이다."

本義 | 以柔處下는 謙之至也니 君子之行也라 以此涉難이면 何往不濟리오 故占者如是면 則利以涉川也라

유(柔)로서 아래에 처함은 겸손함이 지극한 것이니, 군자의 행함이다. 이로써 어려움을 건넌다면 어디를 간들 구제하지 못하겠는가. 그러므로 점치는 자가 이와 같이 하면 내를 건넘이 이로운 것이다.

象曰 謙謙君子는 卑以自牧也라

〈상전〉에 말하였다. "'겸겸군자(謙謙君子)'는 낮춤으로 자처하는 것이다."

傳 | 謙謙은 謙之至也니 謂君子以謙卑之道로 自牧也라 自牧은 自處也니 詩云自牧歸荑[129] 라하니라

겸겸(謙謙)은 겸손함이 지극한 것이니, 군자가 겸비(謙卑)의 도로 자목(自牧)함

••••••

129 詩云自牧歸荑 : 《시경》 〈패풍(邶風) 정녀(靜女)〉에 "自牧歸荑 洵美且異"라고 보이는 바, 주자는 "목(牧)은 야외(野外)이고 귀(歸)는 이(貽)와 같다." 하여 '교외로부터 부드러운 삘기를 선물하다.'로 해석하여 《정전》과 다르다. '자목'은 자처의 뜻이 있으나, 주자는 《시경집전(詩經集傳)》에서 이를 취하지 않았다.

••• 牧 : 자처할 목, 교외 목 荑 : 삘비 제

을 이른다. 자목은 자처함이니, 《시경》에 이르기를 "자처하기를 삘기처럼 부드럽게 한다.〔自牧歸荑〕" 하였다.

六二는 鳴謙이니 貞하고 吉하니라

육이(六二)는 겸손함을 울림이니, 정(貞)하고 길(吉)하다.

본의 | 겸손함으로 알려짐이니,

傳 | 二以柔順居中하니 是爲謙德積於中이라 謙德이 充積於中이라 故發於外하여 見(현)於聲音顏色이라 故曰鳴謙이요 居中得正하여 有中正之德也라 故云貞吉이라 凡貞吉은 有爲貞且吉者하고 有爲得貞則吉者하니 六二之貞吉은 所自有也[130]라

이(二)가 유순함으로 중(中)에 거하였으니, 이는 겸덕(謙德)이 가운데에 쌓인 것이다. 겸덕이 가운데 충적하였으므로 밖에 발로되어 성음(聲音)과 안색(顏色)에 나타나는 것이다. 이 때문에 '명겸(鳴謙)'이라 하였고, 중(中)에 거하고 정(正)을 얻어 중정(中正)의 덕이 있다. 이 때문에 '정길(貞吉)'이라 한 것이다. 무릇 '정길'은 정(貞)하고 또 길함이 되는 경우가 있고, 정(貞)을 얻으면 길함이 되는 경우가 있으니, 육이(六二)의 정길은 본래 가지고 있는 것이다.

本義 | 柔順中正하여 以謙有聞하니 正而且吉者也라 故其占如此하니라

유순하고 중정하여 겸손함으로써 알려짐이 있으니, 바르고 또 길한 자이다. 그러므로 그 점(占)이 이와 같은 것이다.

象曰 鳴謙貞吉은 中心得也라

〈상전〉에 말하였다. "'명겸정길(鳴謙貞吉)'은 중심에 얻은 것이다."

傳 | 二之謙德은 由至誠積於中하여 所以發於聲音이니 中心所自得也요 非勉〔一有强字〕爲之也라

······

130 凡貞吉……所自有也 : 정(貞)하고 또 길한 경우는 그 효 자체에 본래 정길(貞吉)을 가지고 있는 것이고, 정(貞)을 얻으면 길한 경우는 자신이 아직 정길을 가지고 있지 못한 것이다.

이(二)의 겸덕(謙德)은 지성(至誠)이 가운데에 쌓임으로 말미암아 성음(聲音)에 나타난 것이니, 중심에 본래 얻은 것이요 억지로 힘써 한 것이 아니다.

九三은 勞謙이니 君子有終이니 吉하니라

구삼(九三)은 공로가 있고(있으면서도) 겸손함이니, 군자가 끝마침을 둠이 길하다.

本義 | 君子有終하여 吉하리라

군자가 좋은 끝마침이 있어 길하리라.

傳 | 三以陽剛之德으로 而居下體하여 爲衆陰所宗하고 履得其〔一作正〕位하여 爲下之上하니 是上爲君所任하고 下爲衆所從하여 有功勞而持謙德者也라 故日勞謙이라 古之人이 有當之者하니 周公是也라 身當天下之大任하여 上奉幼弱之主하고 謙恭自牧하여 夔(기)夔如畏然하시니 可謂有勞而能謙矣라 旣能勞謙하고 又須君子行之有終이면 則吉이라 夫樂高喜勝은 人之常情이니 平時能謙도 固已鮮矣어든 況有功勞可尊乎아 雖使知謙之善하여 勉而爲之라도 若矜負之心不忘이면 則不能常久하니 欲其有終이나 不可得也라 唯君子는 安履謙順이 乃其常行이라 故久而不變하니 乃所謂有終이니 有終則吉也라 九三은 以剛居正하여 能終者也니 此爻之德이 最盛이라 故象辭特重하니라

삼(三)이 양강(陽剛)의 덕(德)으로 하체(下體)에 거하여 여러 음에게 높임을 받고 밟음이 제 자리를 얻어 하체의 상(上)이 되었으니, 이는 위로는 군주에게 신임을 받고 아래로는 여러 사람에게 추종을 받아 공로가 있으면서도 겸덕(謙德)을 갖고 있는 자이다. 그러므로 '노겸(勞謙)'이라 한 것이다. 옛사람 중에 이에 해당하는 분이 있으니, 주공(周公)이 이 분이다. 몸소 천하의 큰 임무를 담당하여 위로는 유약(幼弱)한 군주(성왕(成王)을 가리킴)를 받들고 겸손과 공손함으로 자처하여 조심하고 조심하여 두려운 듯이 하셨으니, 공로가 있으면서도 겸손하였다고 이를 만하다. 이미 공로가 있으면서도 겸손하고 또 모름지기 군자가 행함에 끝마침을 두면 길한 것이다.

높은 것을 좋아하고 이김을 좋아함은 사람의 상정(常情)이니, 평상시에 능히 겸손한 자도 진실로 이미 드문데 하물며 높일만한 공로가 있음에랴. 비록 겸손함

··· 夔 : 조심할 기

의 좋음을 알아 힘써서 억지로 하더라도 만약 자랑하고 자부하는 마음을 잊지 못하면 항상하고 오래하지 못하니, 끝마침을 두고자 하나 될 수 없을 것이다. 오직 군자는 겸손함과 순함을 편안히 행함이 바로 그 떳떳한 행실이다. 그러므로 오래도록 변치 않으니, 이것이 이른바 '끝마침을 둔다.'는 것이니, 끝마침을 두면 길하다. 구삼(九三)은 강(剛)으로서 정(正)에 거하여 끝마칠 수 있는 자이니, 이 효(爻)의 덕이 가장 성대하다. 그러므로 〈상전〉의 말이 특별히 중한 것이다.

本義 | 卦唯一陽이 居下之上하여 剛而得正하니 上下所歸요 有功勞而能謙하니 尤人所難이라 故有終而吉이라 占者如是면 則如其應矣리라

괘가 오직 한 양이 하괘(下卦)의 위에 거하여 강(剛)하면서 정(正)을 얻었으니 상·하가 돌아오는 바이며, 공로가 있으면서도 능히 겸손하니 더욱 사람이 하기 어려운 바이다. 그러므로 좋은 끝마침이 있어 길한 것이다. 점치는 자가 이와 같으면 그 효응(效應)과 같을 것이다.

象曰 勞謙君子는 萬民이 服也라

〈상전〉에 말하였다. "'노겸군자(勞謙君子)'는 만민(萬民)이 복종한다."

傳 | 能勞謙之君子는 萬民所尊服也라 繫辭云 勞而不伐하고 有功而不德하니 厚之至也니 語以其功下人者也라 德言盛이요 禮言恭이니 謙也者는 致恭以存其位者也라하니라 有勞而不自矜伐하고 有功而不自以爲德은 是其德弘厚之至也니 言以其功勞而自謙以下於人也라 德言盛, 禮言恭은 以其德言之則至盛이요 以其自處之禮言之則至恭이니 此所謂謙也라 夫謙也者는 謂致恭以存其位者也니 存은 守也니 致其恭巽하여 以守其位라 故高而不危하고 滿而不溢이라 是以로 能終吉也라 夫君子履謙은 乃其常行이요 非爲保其位而爲之也어늘 而言存其位者는 蓋能致恭이 所以能存其位니 言謙之道如此라 如言爲善有令名하니 君子豈爲令名而爲善也哉리오 亦言其令名者는 爲善之故〔一作效〕也라

공로가 있으면서도 겸손한 군자는 만민(萬民)이 높이고 복종하는 바이다.

〈계사전 상〉에 "공로가 있어도 자랑하지 않고 공이 있어도 덕으로 여기지 않아 후(厚)함이 지극하니, 공(功)을 가지고 남에게 낮추는 자를 말한 것이다. 덕(德)으

••• 矜 : 자랑할 긍 伐 : 자랑할 벌 令 : 좋을 령 溢 : 넘칠 일

로 말하면 성대(盛大)하고 예(禮)로 말하면 공손하니, 겸(謙)이란 공손함을 지극히 하여 그 지위를 보존하는 것이다." 하였다.

공로가 있어도 스스로 자랑하지 않고 공이 있어도 스스로 덕으로 여기지 않음은 이는 그 덕이 넓고 후함이 지극한 것이니, 공로가 있으면서도 스스로 겸손하여 남에게 낮춤을 말한다. '덕언성(德言盛), 예언공(禮言恭)'은 그 덕으로써 말하면 지극히 성대하고 그 자처하는 예로써 말하면 지극히 공손한 것이니, 이것이 이른바 겸(謙)이다.

겸이란 공손함을 지극히 하여 그 지위를 보존함을 이른다. '존(存)'은 지킴이니, 그 공손함을 지극히 하여 지위를 지키는 것이다. 그러므로 지위가 높아도 위태롭지 않고 가득차도 넘치지 않는다. 이 때문에 능히 끝내 길할 수 있는 것이다.

군자가 겸을 행함은 바로 떳떳한 행실이요 지위를 보존하기 위하여 하는 것이 아닌데, '그 지위를 보존한다.'고 말한 것은 이는 능히 공손함을 지극히 함이 능히 지위를 보존하는 것이니, 겸의 도가 이와 같음을 말한 것이다. 예컨대 '선(善)을 행하면 영명(令名;훌륭한 명성)이 있다.'고 말함과 같으니, 군자가 어찌 영명을 위하여 선을 하겠는가. 이 또한 영명은 선을 행했기 때문에 얻어짐을 말했을 뿐이다.

六四는 无不利撝(휘)謙이니라

육사(六四)는 겸손함을 베풂에 이롭지 않음이 없다.

本義 | 无不利나 撝謙이니라

이롭지 않음이 없으나 겸손함을 발휘하여야 한다.

傳 | 四居上體하여 切近君位하고 六五之君이 又以謙柔自處하며 九三이 又有大功德하여 爲上所任, 衆所宗이어늘 而己居其上하니 當恭畏以奉謙德之君하고 卑巽以讓勞謙之臣하여 動作施爲 无所不利於撝謙也라 撝는 施布之象이니 如人手之撝也라 動息進退에 必施其謙이니 蓋居多懼之地요 又在賢臣之上故也라

사(四)가 상체(上體)에 거하여 군주의 자리와 매우 가깝고 육오(六五)의 군주가 또 겸유(謙柔)로써 자처하며, 구삼(九三)이 또 큰 공덕이 있어 윗사람(임금)에게 신임을 받고 여러 사람들에게 높임을 받는데 자신이 그 위에 거하였으니, 마땅히 공손하고 두려워하여 겸덕(謙德)의 군주를 받들며, 낮추고 겸손하여 노겸(勞謙)의 신

··· 撝 : 휘두를 휘(揮通) 布 : 펼 포

하에게 사양하여서, 동작(動作)과 시위(施爲)가 겸손함을 베풂에 이롭지 않음이 없는 것이다. 휘(撝)는 펴는 상이니, 사람이 손으로 물건(씨앗)을 펴는 것과 같다. 동식(動息)하고 진퇴함에 반드시 겸손함을 펴야 하니, 두려움이 많은 자리에 처하였고 또 현신(賢臣)의 위에 있기 때문이다.

本義ㅣ 柔而得正하고 上而能下하니 其占이 无不利矣라 然居九三之上이라 故戒以更當發揮其謙하여 以示不敢自安之意也라

유(柔)로서 정(正)을 얻고 위에 있으면서 능히 낮추니, 그 점(占)이 이롭지 않음이 없다. 그러나 구삼(九三)의 위에 거하였으므로 다시 그 겸손함을 발휘하라고 경계하여, 감히 스스로 편안히 여겨서는 안 되는 뜻을 보인 것이다.

象曰 无不利撝謙은 不違則(칙)也라

〈상전〉에 말하였다. "'무불리휘겸(无不利撝謙)'은 법칙을 어기지 않는 것이다."

傳ㅣ 凡人之謙은 有所宜施하여 不可過其宜也니 如六五或用侵伐이 是也라 唯四는 以處近君之地하고 據勞臣之上이라 故凡所動作이 靡不利於施謙이니 如是然後에 中於法則이라 故曰不違則也라하니 謂得其宜也라

무릇 사람의 겸손함은 마땅히 베풀 곳이 있어서 그 마땅함을 지나쳐서는 안 되니, 예컨대 육오(六五)가 혹 '침벌(侵伐)을 사용함'과 같은 것이다. 오직 사효(四爻)는 군주와 가까운 자리에 처하고 공로가 있는 신하의 윗자리를 점거하였다. 그러므로 무릇 동작하는 바가 겸손함을 베풂에 이롭지 않음이 없는 것이니, 이와 같이 한 뒤에야 법칙에 맞는다. 그러므로 '법칙을 어기지 않는다.'고 말하였으니, 그 마땅함을 얻음을 이른다.

本義ㅣ 言不爲過라

과(過)함이 되지 않음을 말한 것이다.

六五는 **不富以其隣**이니 **利用侵伐**이니 **无不利**하리라

육오(六五)는 부유하지 않으면서도 이웃을 얻으니, 침벌(侵伐)함이 이로우니, 이롭지 않음이 없으리라.

本義 | **利用侵伐**이요

침벌함이 이롭고

傳 | 富者는 衆之所歸니 唯財爲能聚人이라 五以君位之尊으로 而執謙順하여 以接於下하니 衆所歸也라 故不富而能有其隣也라 隣은 近也니 不富而得人之親也라 爲人君而持謙順이면 天下所歸心也라 然君道는 不可專尙謙柔요 必須威武相濟然後에 能懷服天下라 故利用行侵伐也니 威德竝著然後에 盡君道之宜하여 而无所不利也라 蓋五之謙柔는 當防於過라 故發此義하니라

부(富)함은 여러 사람들이 귀의(歸依)하는 바이니, 오직 재물만이 사람을 모을 수 있다. 오(五)는 군위(君位)의 높음으로 겸순(謙順)함을 지켜서 아랫사람을 대하니, 여러 사람들이 귀의하는 바이다. 그러므로 부유하지 않으면서도 이웃을 소유한 것이다. 린(隣)은 가까움이니, 부유하지 않으면서 남의 친함을 얻는 것이다. 인군이 되어 겸순(謙順)함을 지키면 천하가 마음으로 귀의하는 바이다.

그러나 군주의 도는 오로지 겸유(謙柔)만을 숭상해서는 안 되고, 반드시 위엄과 굳셈으로 서로 구제한 뒤에야 천하를 회유하고 복종시킬 수 있다. 그러므로 침벌을 행함이 이로운 것이니, 위엄과 덕이 모두 드러난 뒤에야 군도(君道)의 마땅함을 다하여 이롭지 않음이 없는 것이다. 오(五)의 겸유(謙柔)는 마땅히 과(過)함을 막아야 하므로 이러한 뜻을 발한(말씀한) 것이다.

本義 | 以柔居尊하니 在上而能謙者也라 故爲不富而能以其隣之象이라 蓋從之者衆矣나 猶有未服者면 則利以征之요 而於他事에도 亦无不利하니 人有是德이면 則如其占也라

유(柔)로서 존위(尊位)에 거하였으니, 위에 있으면서 겸손한 자이다. 그러므로 부(富)하지 않으면서 이웃을 얻는 상이 된 것이다. 따르는 자가 많으나 아직도 복종하지 않는 자가 있으면 정벌(征伐)함이 이롭고, 다른 일에 있어서도 또한 이롭지 않음이 없으니, 사람이 이러한 덕을 가지고 있으면 이 점괘와 같을 것이다.

象曰 利用侵伐은 **征不服也**라

〈상전〉에 말하였다. "침벌함이 이로움은 복종하지 않는 자를 정벌하는 것이다."

傳 | 征其文德謙巽所不能服者也라 文德所不能服이어늘 而不用威武면 何以平治天下리오 非人君之中道니 謙之過也라

문덕(文德)과 겸손함으로 능히 복종시킬 수 없는 자를 정벌하는 것이다. 문덕으로 복종시킬 수 없는데도 위무(威武)를 쓰지 않는다면 어떻게 천하를 평치(平治)하겠는가. 이는 인군의 중도(中道)가 아니니, 겸손함이 과(過)한 것이다.

上六은 **鳴謙**이니 **利用行師**하여 **征邑國**이니라

상육(上六)은 겸손함을 울림이니, 군대를 출동하여 읍국(邑國;자기의 사읍(私邑))을 정벌함이 이롭다.

本義 | **利用行師**나 **征邑國**하나니라

겸손함이 알려짐이니, 군대를 출동함이 이로우나 읍국을 정벌하여야 한다.

傳 | 六以柔處柔하니 順之極이요 又處謙之極하니 極乎謙者也라 以極謙而反居高하여 未得遂其謙之志라 故至發於聲音이요 又柔處謙之極하여 亦必見(현)於聲色이라 故曰鳴謙이라 雖居无位之地하여 非任天下之事나 然人之行己에 必須剛柔相濟어늘 上은 謙之極也니 至於太甚이면 則反爲過矣라 故利在以剛武自治하니 邑國은 己之私有라 行師는 謂用剛武요 征邑國은 謂自治其私라

육(六)은 음유(陰柔)로서 유위(柔位)에 처하였으니 순함이 지극하고, 또 겸(謙)의 극에 처하였으니 겸손이 지극한 자이다. 지극한 겸손으로 도리어 높은 곳에 거하여 자신의 겸손한 뜻을 이루지 못하므로 성음(聲音)에 나오며, 또 유(柔)가 겸(謙)의 극에 처하여 또한 반드시 목소리와 얼굴빛에 나타나기 때문에 '명겸(鳴謙)'이라 한 것이다. 비록 지위가 없는 자리에 거하여 천하의 일을 맡은 것은 아니나, 사람이 자기 몸을 행함에 반드시 강(剛)과 유(柔)가 서로 구제하여야 하는데 상(上)은 겸손이 지극하니, 너무 심함에 이르면 도리어 과(過)함이 된다. 그러므로 이로움

이 강무(剛武)로써 스스로 다스림에 있는 것이니, '읍국(邑國)'은 자신이 사유(私有)한 고을이다. '행사(行師)'는 강무를 씀을 이르고, '정읍국(征邑國)'은 스스로 사사로움을 다스림을 이른다.

本義 | 謙極有聞하여 人之所與라 故可用行師라 然以其質柔而无位라 故可以征己之邑國而已라

겸손함이 지극하여 알려짐이 있어서 사람들이 친애하는 바이므로 군대를 출동할 수 있는 것이다. 그러나 질(質)이 유순(柔順)하고 지위가 없기 때문에 자기의 읍국(邑國)을 정벌할 뿐인 것이다.

象曰 鳴謙은 志未得也니 可用行師하여 征邑國也라

〈상전〉에 말하였다. "'명겸(鳴謙)'은 뜻을 얻지 못함이니, 군대를 출동하여 읍국(邑國)을 정벌하여야 한다."

本義 | 可用行師나

군대를 출동하나

傳 | 謙極而居上하여 欲謙之志를 未得이라 故不勝其切하여 至於鳴也라 雖不當位나 謙旣過極하니 宜以剛武自治其私라 故云利用行師, 征邑國也라하니라

겸손함이 지극하면서 상(上)에 거하여 겸손하고자 하는 뜻을 얻지 못하였다. 그러므로 간절함을 이기지 못하여 우는 데에 이른 것이다. 비록 자리에 합당하지 않으나 겸손함이 이미 지나치게 극진하니, 마땅히 강무(剛武)로써 스스로 그 사사로움을 다스려야 한다. 그러므로 '군대를 출동하여 읍국을 정벌함이 이롭다.'고 말한 것이다.

本義 | 陰柔无位하고 才力不足이라 故其志未得하여 而至於行師나 然亦適足以治其私邑而已라

음유(陰柔)로서 지위가 없고 재주와 힘이 부족하므로 뜻을 얻지 못하여 군대를 출동함에 이른 것이다. 그러나 또한 다만 사사로운 읍(邑)을 다스릴 뿐이다.

16 뢰지 雷地 예(豫) ䷏ 곤하진상 坤下震上

傳 | 豫는 序卦에 有大而能謙이면 必豫라 故受之以豫라하니 承二卦之義而爲次也라 有旣大而能謙이면 則有豫樂也니 豫者는 安和悅樂之義라 爲卦 震上坤下하여 順動之象이니 動而和順이라 是以豫也라 九四爲動之主하여 上下羣陰이 所共應也요 坤又承之以順하니 是以動而上下順應이라 故爲和豫之義라 以二象言之하면 雷出於地上이니 陽始潛閉於地中이라가 及其動而出地하여는 奮發其聲하여 通暢和豫라 故爲豫也라

예괘(豫卦)는 〈서괘전〉에 "큰 것을 소유하고도 겸손하면 반드시 즐겁다. 그러므로 예괘로 받았다." 하였으니, 대유(大有 ䷍)와 겸(謙 ䷎) 두 괘의 뜻을 이어 차례를 삼은 것이다. 소유한 것이 이미 큰데도 겸손하면 즐거움이 있으니, '예(豫)'는 안화(安和)와 열락(悅樂)의 뜻이다. 괘됨이 진(震 ☳)이 위에 있고 곤(坤 ☷)이 아래에 있어서 순하게 동하는 상이니, 동하면서 화순(和順)하기 때문에 즐거운 것이다.

구사(九四)는 동(動)의 주체가 되어 상 · 하의 여러 음(陰)이 함께 응하고 곤(坤)이 또 순함으로써 받드니, 이는 동함에 상 · 하가 순히 응하는 것이다. 그러므로 화예(和豫)의 뜻이 된 것이다. 두 상(象)으로 말하면 우레가 지상(地上)으로 나오니, 양이 처음에 지중(地中)에 잠기고 갇혀 있다가 동하여 땅을 나옴에 미쳐서는 그 소리를 분발(奮發)하여 통창하고 화예(和豫)하다. 그러므로 예(豫)라 한 것이다.

豫는 利建侯行師하니라

예(豫)는 후(侯;제후)를 세우고 군대를 출동함이 이롭다.

傳 | 豫는 順而動也니 豫之義는 所利在於建侯行師라 夫建侯樹屛은 所以共安天下니 諸侯和順이면 則萬〔一作兆〕民悅服이요 兵師之興에 衆心和悅이면 則順從而有功이라 故悅豫之道 利於建侯行師也라 又上動而下順은 諸侯從王, 師衆順令之象이니 君萬邦하고 聚大衆엔 非和悅이면 不能使之服從也라

··· 豫 : 즐거울 예 潛 : 잠길 잠 閉 : 닫힐 폐 奮 : 떨칠 분 屛 : 병풍 병

예(豫)는 순하고 동함이니, 예(豫)의 뜻은 이로움이 후(侯)를 세우고 군대를 출동함에 있다. 후를 세워 번병(藩屛:제후국)을 세움은 천하를 함께 편안히 하기 위한 것이니, 제후가 화순(和順)하면 만민(萬民)이 기뻐하여 복종하고, 군대를 출동할 적에 사람들의 마음이 화열(和悅)하면 순종하여 공(功)이 있다. 그러므로 열예(悅豫)의 도는 후(侯)를 세우고 군대를 출동함이 이로운 것이다. 또 위가 동함에 아래가 순함은 제후가 왕을 따르고 군사들이 명령을 순종하는 상이니, 만방(萬邦)에 군주노릇하고 대중을 모음엔 화열이 아니면 복종시킬 수 없다.

本義｜ 豫는 和樂也니 人心和樂以應其上也라 九四一陽을 上下應之하여 其志得行하고 又以坤遇震하니 爲順以動이라 故其卦爲豫요 而其占은 利以立君用師也라

'예(豫)'는 화락(和樂)함이니, 인심(人心)이 화락하여 그 윗사람에게 응하는 것이다. 구사(九四) 한 양효(陽爻)를 상·하의 음이 응하여 그 뜻이 행해지고, 또 곤(坤)으로 진(震)을 만나니 순하고 동함이 된다. 그러므로 이 괘를 예(豫)라 하였고, 점(占)은 군주를 세우고 군대를 출동함이 이로운 것이다.

彖曰 豫는 剛應而志行하고 順以動이 豫라

〈단전〉에 말하였다. "예(豫)는 강(剛)이 응하여 뜻이 행해지고, 순하고 동함이 예이다.

傳｜ 剛應은 謂四爲羣陰所應이니 剛得衆應也요 志行은 謂陽志上行하여 動而上下順從하니 其志得行也라 順以動豫는 震動而坤順하니 爲動而順理요 順理而動이며 又爲動而衆順이라 所以豫也라

'강응(剛應)'은 사(四)가 여러 음에게 응하는 바가 됨을 이르니 이는 강(剛)이 여러 응을 얻는 것이요, '지행(志行)'은 양의 뜻이 위로 행하여 동함에 상·하가 순종함을 이르니, 이는 그 뜻이 행해지는 것이다. '순이동 예(順以動豫)'는 진(震)은 동하고 곤(坤)은 순하니, 동함에 이치를 순종하고 이치를 순종하여 동함이 되며, 또 동함에 사람들이 순종함이 된다. 이 때문에 즐거운 것이다.

本義｜ 以卦體卦德으로 釋卦名義라

괘체(卦體)와 괘덕(卦德)으로써 괘명(卦名)의 뜻을 해석하였다.

豫順以動이라 **故**로 **天地**도 **如之**온 **而況建侯行師乎**아

예(豫)는 순하고 동한다. 그러므로 천지(天地)도 똑같이 하는데 하물며 후(侯)를 세우고 군대를 출동함에 있어서랴.

傳｜ 以豫順而動이면 則天地如之而弗違온 況建侯行師에 豈有不順乎아 天地之道와 萬物之理는 唯至順而已니 大人所以先天後天而不違[131] 者도 亦順乎理而已니라

예(豫)의 순하고 동함으로써 하면 천지도 똑같이 하여 어기지 않는데 하물며 후(侯)를 세우고 군대를 출동함에 어찌 순종하지 않는 자가 있겠는가. 천지의 도와 만물의 리(理)는 오직 지극히 순함일 뿐이니, 대인이 하늘보다 먼저 하고 하늘보다 뒤에 하여 하늘이 어기지 않는 이유 또한 이치를 순종하기 때문일 뿐이다.

本義｜ 以卦德으로 釋卦辭라

괘덕(卦德)으로써 괘사(卦辭)를 해석하였다.

天地以順動이라 **故**로 **日月不過而四時不忒**(특)하고 **聖人以順動**이라 **則刑罰淸而民服**하나니

천지가 순함으로 동하기 때문에 해와 달의 운행이 틀리지 않아 사시(四時)가 어긋나지 않고, 성인(聖人)이 순함으로 동하기 때문에 형벌이 깨끗해져서 백성(百姓)들이 복종하는 것이니,

傳｜ 復詳言順動之道라 天地之運이 以其順動일새 所以日月之度不過差하여 四時之行不愆忒하며 聖人以順動일새 故經正而民興於善하여 刑罰淸簡而萬民服也라

······

131 大人所以先天後天而不違 : 위 건괘(乾卦) 〈문언전(文言傳)〉에 “하늘보다 먼저 하여도 하늘이 어기지 않고 하늘보다 뒤에 하여 천시를 받는다.〔先天而天不違, 後天而奉天時.〕”라고 한 것을 축약한 것이다.

··· 差 : 어긋날 차 忒 : 어그러질 특 愆 : 허물 건

다시 순동(順動)의 도(道)를 자세히 말하였다. 천지의 운행이 순함으로 동하기 때문에 해와 달의 도수(度數)가 틀리지 않아 사시의 운행이 어긋나지 않으며, 성인이 순함으로 동하기 때문에 떳떳한 법이 바루어져 백성들이 선(善)에 흥기(興起)하여 형벌이 깨끗하고 간략해져서 만민(萬民)이 복종하는 것이다.

豫之時義大矣哉라

예(豫)의 때와 의(義)가 크다."

傳 | 旣言豫順之道矣나 然其旨味淵永하여 言盡而意有餘也라 故復贊之云 豫之時義大矣哉라하니 欲人硏味其理하여 優柔涵泳而識之也라 時義는 謂豫之時義라 諸卦之時與義用大者는 皆贊其大矣哉하니 豫以下十一卦是也라 豫、遯、姤、旅는 言時義하고 坎、睽、蹇은 言時用하고 頤、大過、解、革은 言時하니 各以其大者也라

이미 예순(豫順)의 도를 말하였으나 그 뜻과 맛이 깊고 길어서 말은 다해도 뜻이 유여(有餘)하다. 그러므로 다시 찬미하기를 "예(豫)의 때와 의(義)가 크다."고 하였으니, 사람들이 그 이치를 연구하고 음미해서 우유(優柔:오랫동안 계속함)하고 함영(涵泳:깊이 침잠함)하여 알게 하고자 한 것이다. '시의(時義)'는 예(豫)의 때와 의를 말한다. 여러 괘(卦)에 때와 의와 용(用)이 큰 것은 모두 '대의재(大矣哉)'라고 찬미하였으니, 예(豫) 이하 11괘(卦)가 이것이다. 예(豫), 돈(遯), 구(姤), 려(旅)는 때와 의를 말하였고, 감(坎), 규(睽), 건(蹇)은 때와 용(用)을 말하였고, 이(頤), 대과(大過), 해(解), 혁(革)은 때를 말하였으니, 각각 그 큰 것을 가지고 말한 것이다.

本義 | 極言之而贊其大也라

극언(極言)하여 그 큼을 찬미한 것이다.

象曰 雷出地奮이 豫니 先王이 以하여 作樂崇德하여 殷薦之上帝하여 以配祖考하니라

〈상전〉에 말하였다. "우레가 땅에서 나와 분발함이 예(豫)이니, 선왕이

··· 淵 : 깊을 연 涵 : 잠길 함 姤 : 만날 구 睽 : 어그러질 규 蹇 : 어려울 건 頤 : 기를 이, 턱 이 殷 : 성대할 은 薦 : 올릴 천

보고서 음악을 만들어 덕을 높여서 성대하게 상제(上帝)께 올려 조(祖)·고(考)로 배향(配享)하였다."

傳 | 雷者는 陽氣奮發이니 陰陽相薄而成聲也라 陽이 始潛閉地中이라가 及其動이면 則出地奮震也하나니 始閉鬱이라가 及奮發이면 則通暢和豫라 故爲豫也라 坤順震發하니 和順積中而發於聲은 樂之象也라 先王이 觀雷出地而奮에 和暢發於聲之象하여 作聲樂以褒崇功德하여 其殷盛이 至於薦之上帝하여 推配之以祖考라 殷은 盛也니 禮有殷奠하니 謂盛也라 薦上帝, 配祖考는 盛之至也라

우레는 양기(陽氣)가 분발함이니, 음과 양이 서로 부딪쳐 소리를 이룬 것이다. 양이 처음에는 땅 속에 잠기고 갇혀 있다가 그 동함에 미치면 땅을 나와 분발하고 진동하니, 처음 답답하게 갇혀 있다가 분발함에 이르면 통창하고 화예(和豫)하다. 그러므로 예(豫)라 한 것이다. 곤(坤)은 순하고 진(震)은 분발하니, 화순(和順)함이 가운데에 쌓여서 소리로 나타남은 음악의 상(象)이다. 선왕이 우레가 땅에서 나와 분발함에 화창함이 소리로 나타나는 상(象)을 보고서, 음악을 만들어 공덕(功德)을 기리고 높여서 그 성대함이 상제께 제수를 올리고 미루어 조(祖)·고(考)를 배향함에 이른 것이다. '은(殷)'은 성(盛)함이니, 예(禮)에 은전(殷奠:성대한 제수)이 있으니, 성대함을 이른다. 상제에게 올리고 조·고를 배향함은 성함이 지극한 것이다.

本義 | 雷出地奮은 和之至也라 先王作樂에 旣象其聲하고 又取其義라 殷은 盛也라

우레가 땅에서 나와 분발함은 화(和)가 지극한 것이다. 선왕이 음악을 만듦에 이미 그 소리를 형상하고 또 그 뜻을 취하였다. '은(殷)'은 성함이다.

初六은 鳴豫니 凶하니라

초육(初六)은 즐거움을 울림이니, 흉하다.

傳 | 初六이 以陰柔居下하고 四豫之主也而應之하니 是不中正之小人이 處豫而爲上所寵하여 其志意滿極하여 不勝其豫하여 至發於聲音이니 輕淺如是면 必至於凶也라 鳴은 發於聲也라

··· 薄 : 부딪힐 박 鬱 : 막힐 울 褒 : 기릴 포 肆 : 방자할 사

초육(初六)이 음유(陰柔)로서 아래에 거하였고 사(四)가 예(豫)의 주체인데 초육에 응하니, 이는 중정(中正)하지 못한 소인이 예(豫;즐거움)에 처하여 윗사람에게 총애를 받아서 지의(志意)가 가득차고 지극하여 그 즐거움을 이기지 못해서 성음(聲音)에까지 나타나는 것이니, 가볍고 얕음이 이와 같으면 반드시 흉함에 이른다. '명(鳴)'은 목소리에 나타남이다.

本義 | 陰柔小人이 上有强援하여 得時主事라 故不勝其豫而以自鳴하니 凶之道也라 故其占如此하니라 卦之得名은 本爲和樂이나 然卦辭는 爲衆樂之義요 爻辭는 除九四與卦同外엔 皆爲自樂이니 所以有吉凶之異니라

음유(陰柔)의 소인이 위에 강한 원조가 있어서 때를 얻어 일을 주관한다. 이 때문에 그 즐거움을 이기지 못하여 스스로 울리니, 흉한 방도이다. 그러므로 그 점(占)이 이와 같은 것이다. 괘가 예(豫)의 이름을 얻은 것은 본래 화락(和樂)함 때문이었으나, 괘사(卦辭)는 여럿이 즐거워하는 뜻이 되고 효사(爻辭)는 괘사와 같은 구사(九四)를 제외하고는 모두 스스로 즐거워함이 되니, 이 때문에 길·흉의 다름이 있는 것이다.

象曰 初六鳴豫는 志窮하여 凶也라

〈상전〉에 말하였다. "'초육명예(初六鳴豫)'는 뜻이 궁극하여 흉한 것이다."

傳 | 云初六은 謂其以陰柔〔一无柔字〕處下而志意窮極하여 不勝其豫하여 至於鳴也니 必驕肆而致〔一作至〕凶矣리라

초육(初六)이라고 〈되풀이하여〉 말한 것은 초육이 음유(陰柔)로서 아래에 처하여 지의(志意)가 가득차고 지극해서 그 즐거움을 이기지 못하여 울림에 이름을 말한 것이니, 반드시 교만하고 방자하여 흉함을 이룰 것이다.

本義 | 窮은 謂滿極[132]이라

132 窮謂滿極 : 운봉호씨(雲峰胡氏)가 말하였다. "뜻은 가득차서는 안되고 즐거움은 지극히 해서는 안되는데, 초육이 지위가 낮고 재질이 약하면서 예(豫)의 초를 당하여 뜻이 이미 가득차고 즐거

'궁(窮)'은 뜻이 가득차고 즐거움이 지극함을 이른다.

六二는 介于石이라 不終日이니 貞하고 吉하니라

육이(六二)는 절개가 돌과 같아 하루를 마치지 않고 떠나가니, 정(貞)하고 길(吉)하다.

本義 | 貞하여 吉하니라

정(貞)하여 길하다.

傳 | 逸豫之道는 放則失正이라 故豫之諸爻 多不得正하니 才與時合也일새라 唯六二一爻는 處中正하고 又无應하니 爲自守之象이라 當豫之時하여 獨能以中正自守하니 可謂特立之操니 是其節介如石之堅也라 介于石은 其介如石也라 人之於豫樂에 心悅之라 故遲遲하여 遂致於耽戀不能已也어늘 二以中正自守하여 其介如石하니 其去之速하여 不俟終日이라 故貞正而吉也라 處豫엔 不可安且久也니 久則溺矣니 如二는 可謂見幾而作者也라

일예(逸豫:편안하고 즐거움)의 도(道)는 방탕하면 정도(正道)를 잃는다. 그러므로 예괘(豫卦)의 여러 효(爻)가 바름을 얻지 못한 것이 많으니, 재질(才質)이 때와 합하기 때문이다. 오직 육이(六二) 한 효(爻)는 중정(中正)에 처하고 또 응여(應與)가 없어서 스스로 지키는 상이 된다. 예(豫)의 때를 당하여 홀로 중정으로 스스로 지키니, '특립(特立)하는 지조'라고 이를 만하니, 이는 그 절개가 돌과 같이 견고한 것이다. '개우석(介于石)'은 그 절개가 돌과 같이 견고한 것이다. 사람이 예락(豫樂)에 있어 마음에 좋아하기 때문에 머뭇거리고 머뭇거려 마침내 탐하고 연연하여 그치지 못함에 이르는데, 이(二)는 중정으로 스스로 지켜 그 절개가 돌과 같으니, 떠나가기를 속히 하여 하루를 마치기를 기다리지 않는다. 그러므로 정정(貞正)하고 길(吉)한 것이다. 즐거움에 처할 때엔 편안히 여기고 또 오래해서는 안 되니, 오래하면 빠진다. 이(二)와 같은 경우는 '기미를 보고 일어나는(떠나가는) 자'라고 이를 만하다.

••••••

움이 지극하니 흉함을 알 수 있다.〔志不可滿, 樂不可極. 初六位卑才弱, 當豫之初而志已滿極, 凶可知也〕"하였다.《大全本》

••• 介 : 절개 개 耽 : 즐길 탐 溺 : 빠질 닉 俟 : 기다릴 사

夫子因二之見幾하여 而極言知幾之道하사 曰 知幾其神乎인저 君子上交不諂하며 下交不瀆하나니 其知幾乎인저 幾者는 動之微니 吉之先見(현)者也라 君子見幾而作하여 不俟終日하나니 易曰 介于石이라 不終日이니 貞이요 吉이라하니라 介如石焉이어니 寧用終日이리오 斷可識矣로다 君子知微知彰、知柔知剛하나니 萬夫之望[133]이라하시니라 夫見事之幾微者는 其神妙矣乎인저 君子上交에 不至於諂하고 下交에 不至於瀆者는 蓋知幾也라 不知幾면 則至於過而不已하여 交於上에 以恭巽故로 過則爲諂하고 交於下에 以和易故로 過則爲瀆하나니 君子見於幾微故로 不至於過也라 所謂幾者는 始動之微也니 吉凶之端을 可先見而未著者也라 獨言吉者는 見之於先하니 豈復至有凶也리오 君子明哲하여 見事之幾微라 故能其介如石이라 其守既堅이면 則不惑而明하여 見幾而動하니 豈俟終日也리오 斷은 別也니 其判別을 可見矣라 微與彰, 柔與剛은 相對者也니 君子見微則知彰矣요 見柔則知剛矣라 知幾如是면 衆所仰也라 故贊之曰 萬夫之望이라하시니라

부자(夫子)는 이(二)가 기미를 본 것을 인하여 기미(幾微)를 아는 방도를 극언(極言)하시기를 "기미를 아는 것이 신묘(神妙)하다 할 것이다. 군자는 위로 사귐에 아첨하지 않고 아래로 사귐에 함부로 대하지 않으니, 이는 기미를 아는 것이다. 기(幾)는 동(動)의 은미함이니, 길함이 먼저 나타나는 것이다. 군자는 기미를 보고 일어나서 하루를 마치기를 기다리지 않는다. 역(易)에 이르기를 '절개가 돌과 같아 하루를 마치기를 기다리지 않으니, 정(貞)하고 길하다.' 하였다. 절개가 돌과 같으니, 어찌 하루를 마치기를 기다리겠는가. 결단(판별)함을 알 수 있다. 군자는 은미함을 알고 드러남을 알며 유(柔)하게 대처할 줄을 알고 강(剛)하게 대처할 줄을 아니, 만부(萬夫)의 바람이다." 하셨다.

일의 기미를 보는 자는 신묘하다 할 것이다. 군자가 위로 사귐에 아첨함에 이르지 않고, 아래로 사귐에 함부로 대함에 이르지 않는 것은 기미를 알기 때문이다. 기미를 알지 못하면 과(過)함에 이르러도 그치지 않아, 윗사람을 사귈 때에는 공손함으로써 하기 때문에 지나치면 아첨이 되고, 아랫사람을 사귈 때에는 화합

133 夫子因二之見幾……萬夫之望 : 이 내용은 〈계사전 하(繫辭傳下)〉에 보이는 바, 군자가 윗사람을 섬길 적에 너무 공손하면 결국 아첨함에 이르게 되고, 아랫사람과 사귈 적에 너무 친압하여 위엄이 없으면 결국 함부로 대하게 됨을 말한 것이다. 우리 속담에 할아버지가 손자를 너무 귀여워하면 손자가 할아버지의 수염을 다 뽑아 남기지 않는다는 비유라 하겠다.

諂 : 아첨할 첨 瀆 : 함부로할 독 彰 : 드러날 창

(和合)하고 평이(平易)함으로써 하기 때문에 지나치면 함부로 함이 되니, 군자는 기미를 보기 때문에 과함에 이르지 않는다. 이른바 '기(幾)'라는 것은 처음 동하는 기미이니, 길·흉의 단서를 미리 볼 수 있으나, 아직 드러나지 않은 것이다. 유독 길만을 말한 것은 미리 보았으니, 어찌 다시 흉함이 있음에 이르겠는가.

군자는 명철하여 일의 기미를 보기 때문에 그 절개가 돌과 같은 것이다. 지킴이 이미 견고하면 의혹하지 않고 밝아서 기미를 보고 행동하니, 어찌 하루를 마치기를 기다리겠는가. '단(斷)'은 판별하는 것이니, 판별함을 볼 수 있는 것이다. 미(微)와 창(彰), 유(柔)와 강(剛)은 상대이니, 군자는 기미를 보면 드러남을 알고, 유(柔)를 보면 강(剛)을 안다. 기미를 아는 것이 이와 같으면 사람들이 우러러본다. 이 때문에 찬미하기를 '만부(萬夫)의 바람'이라고 하신 것이다.

本義 | 豫雖主樂이나 然易以溺人이니 溺則反而憂矣라 卦獨此爻 中而得正하니 是上下皆溺於豫로되 而獨能以中正自守하여 其介如石也라 其德이 安靜而堅確이라 故其思慮明審하여 不俟終日하고 而見凡事之幾微也라 大學曰 安而后能慮하고 慮而后能得이라하니 意正如此라 占者如是면 則正而吉矣리라

예(豫)가 비록 즐거움을 주장하나 사람을 빠지게 하기 쉬우니, 빠지면 뒤집어져서 근심하게 된다. 예괘(豫卦)는 오직 이 육이효(六二爻)가 중(中)이면서 정(正)을 얻었으니, 이는 상·하가 다 즐거움에 빠졌으나 홀로 중정으로 스스로 지켜서 그 절개가 돌과 같은 것이다. 그 덕(德)이 안정(安靜)하고 견확(堅確)하기 때문에 사려(思慮)가 밝게 살펴서 하루를 마치기를 기다리지 않고 모든 일의 기미를 보는 것이다. 《대학》 첫머리에 "편안한 뒤에 생각하고 생각한 뒤에 얻는다." 하였으니, 뜻이 바로 이와 같다. 점치는 자가 이와 같으면 바루어 길할 것이다.

象曰 不終日貞吉은 以中正也라

〈상전〉에 말하였다. "'불종일정길(不終日貞吉)'은 중정하기 때문이다."

傳 | 能不終日而貞且吉者는 以有中正之德也라 中正故로 其守堅하여 而能辨之早, 去之速이라 爻言六二處豫之道하니 爲教之意深矣로다

하루를 마치지 아니하여 정(貞)하고 또 길한 것은 중정의 덕이 있기 때문이다.

중정하기 때문에 그 지킴이 견고하여 능히 분별하기를 일찍 하고 떠나가기를 속히 하는 것이다. 효(爻)에서 육이(六二)가 예(豫)에 대처하는 도를 말하였으니, 가르친 뜻이 깊다.

六三은 盱豫라 悔며 遲하여도 有悔리라

육삼(六三)은 올려다보고 기뻐하므로 뉘우치며(후회하며), 머뭇거려도 뉘우침이 있으리라.

本義 | 盱豫라 悔니 遲하면 有悔리라

올려 보고 기뻐하므로 뉘우치는 것이니, 뉘우치기를 더디하면 후회가 있으리라.

傳 | 六三이 陰而居陽하여 不中不正之人也니 以不中正而處豫면 動皆有悔라 盱는 上視也니 上瞻望於四면 則以不中正으로 不爲四所取라 故有悔也라 四는 豫之主어늘 與之切近하니 苟遲遲而不前이면 則見棄絕이니 亦有悔也라 蓋處身不正이면 進退皆有悔吝이니 當如之何오 在正身而已라 君子處己有道하니 以禮制心하여 雖處豫時라도 不失中正이라 故無悔也라

육삼(六三)이 음효로서 양위(陽位)에 거하여 중정하지 못한 사람이니, 중정하지 못하면서 즐거움에 처하면 동함에 모두 뉘우침이 있는 것이다. '우(盱)'는 위로 올려다봄이니, 위로 사(四)를 올려다보면 〈자신이〉 중정하지 못하므로 사(四)에게 취함을 받지 못한다. 그러므로 뉘우침이 있는 것이다. 사(四)는 예(豫)의 주체인데 삼(三)이 사(四)와 매우 가까우니, 만일 머뭇거리고 전진하지 않으면 사에게 버림과 끊음을 당할 것이니, 이 또한 뉘우침이 있는 것이다. 처신(處身)이 바르지 못하면 진퇴에 모두 뉘우침과 부끄러움이 있으니, 어찌 해야 하는가? 몸을 바르게 함에 있을 뿐이다. 군자는 처신함에 방도가 있으니, 예(禮)로써 마음을 제재하여 비록 즐거운 때에 처하더라도 중정을 잃지 않으므로 후회가 없는 것이다.

本義 | 盱는 上視也라 陰不中正而近於四하니 四爲卦主라 故六三이 上視於四而下溺於豫하니 宜有悔者也라 故其象如此요 而其占은 爲事當速悔니 若悔之遲면 則必有悔也라

••• 盱 : 쳐다볼 우 瞻 : 볼 첨

'우(盱)'는 위로 올려다봄이다. 음이 중정하지 못하면서 사(四)와 가까우니, 사(四)는 괘의 주체이므로 육삼(六三)이 위로는 사(四)를 올려다보고 아래로는 즐거움에 빠지니, 마땅히 뉘우침이 있는 자이다. 그러므로 그 상이 이와 같은 것이다. 그 점괘는 일을 함에 속히 뉘우쳐야 하니, 만약 뉘우치기를 더디하면 반드시 후회할 일이 있을 것이다.

象曰 盱豫有悔는 位不當也일새라

〈상전〉에 말하였다. "'우예유회(盱豫有悔)'는 자리가 합당하지 않기 때문이다."

傳| 自處不當하여 失中正也라 是以進退有悔라

자처함이 합당하지 못하여 중정함을 잃었다. 이 때문에 나아가고 물러감에 모두 후회가 있는 것이다.

九四는 由豫라 大有得이니 勿疑면 朋이 盍簪하리라

구사(九四)는 자기로 말미암아 즐거워하므로 크게 얻음이 있으니, 의심하지 않으면 벗들이 모여들리라.

傳| 豫之所以爲豫者는 由〔一无由字〕九四也라 爲動之主하여 動而衆陰悅順하니 爲豫之義요 四는 大臣之位니 六五之君이 順從之하여 以陽剛而任上之事하니 豫之所由也라 故云由豫라 大有得은 言得大行其志하여 以致天下之豫也라 勿疑朋盍簪은 四居大臣之位하여 承柔弱之君하고 而當天下之任하니 危疑之地也라 獨當上之倚任하고 而下无同德之助하니 所以疑也라 唯當盡其至誠하여 勿有疑慮면 則〔一有其字〕朋類自當盍聚리라 夫欲上下之信인댄 唯至誠而已니 苟盡其至誠이면 則何患乎其〔一无乎字 一无其字〕无助也리오 簪은 聚也니 簪之名簪은 取聚髮也라

예(豫)가 예(豫)가 된 까닭은 구사(九四) 때문이다. 동(動)의 주체가 되어 동함에 여러 음이 기뻐하고 순종하니 예의 뜻이 되며, 사(四)는 대신의 자리이니 육오(六五)의 군주가 순종하여 양강(陽剛)으로서 윗사람의 일을 맡으니, 즐거움이 자기로 말미암아 생긴다. 이 때문에 '유예(由豫)'라 하였다. '대유득(大有得)'은 그 뜻을

··· 盍 : 합할 합 簪 : 모을 잠, 빠를 잠 隕 : 떨어질 운

크게 행하여 천하의 즐거움을 이룸을 말한다.

'물의 붕합잠(勿疑朋盍簪)'은 사(四)가 대신의 지위에 거하여 유약한 군주를 받들고 천하의 임무를 담당하니, 위태롭고 의심스러운 자리이다. 홀로 윗사람의 의지함과 신임(信任)을 받고 아래에 덕(德)이 같은 이의 도움이 없으니, 이 때문에 의심하는 것이다. 오직 지성을 다하여 의심하는 생각을 두지 않으면 붕류(朋類)가 스스로 몰려들 것이다. 윗사람과 아랫사람의 신임을 원할진댄 오직 지성(至誠) 뿐이니, 만일 지성을 다한다면 어찌 돕는 이가 없음을 근심하겠는가. '잠(簪)'은 모임이니, 잠(簪)을 비녀라고 이름한 것은 머리털을 모음을 취한 것이다.

或曰 卦唯一陽이니 **安得同德之助**리오 **曰 居上位而至誠求助**면 **理必得之**리니 **姤之九五曰 有隕自天**이 **是也**라 **四以陽剛**으로 **迫**〔一作逼〕**近君位**하여 **而專主乎豫**하니 **聖人**이 **宜爲之戒**어늘 **而不然者**는 **豫**는 **和順之道也**니 **由和順之道**하여 **不失爲臣之正也**라 **如此而專主於豫**면 **乃是任天下之事**하여 **而致時於豫者也**라 **故唯戒以至誠勿疑**하니라

혹자는 "괘가 오직 한 양 뿐이니, 어찌 덕이 같은 이의 도움을 얻겠는가." 하기에, 나는 다음과 같이 대답하였다.

"구사(九四)가 상위(上位)에 거하여 지성으로 돕는 이를 구한다면 이치상 반드시 얻을 것이니, 구괘(姤卦 ䷫)의 구오효(九五爻)에 '하늘로부터 떨어진다(갑자기 내려온다).'는 것이 이것이다.

사(四)는 양강(陽剛)으로 군주의 자리와 매우 가까이 있으면서 오로지 즐거움을 주장하니, 성인(聖人)이 마땅히 경계를 할 터인데 그렇지 않은 것은 예(豫)는 화순(和順)의 도이니, 화순의 도를 따라 신하된 정도(正道)를 잃지 않기 때문이다. 이와 같이 하고서 오로지 즐거움을 주장한다면 이는 바로 천하의 일을 맡아 세상을 즐거움에 이르게 하는 자이다. 이 때문에 오직 지성으로 하고 의심하지 말라고 경계한 것이다."

本義 | **九四**는 **卦之所由以爲豫者也**라 **故其象如此**요 **而其占**은 **爲大有得**이나 **然又當至誠不疑**면 **則朋類合而從之矣**라 **故又因而戒之**라 **簪**은 **聚也**요 **又速也**라

구사(九四)는 괘가 말미암아 예(豫)가 되게 한 자이다. 그러므로 그 상이 이와

같고, 그 점괘는 크게 얻음이 있음이 되는 것이다. 그러나 또 마땅히 지성(至誠)으로 하고 의심하지 않으면 붕류(朋類)가 합하여 따를 것이다. 그러므로 또 인하여 경계한 것이다. '잠(簪)'은 모임이요 또 속함이다.

象曰 由豫大有得은 志大行也라

〈상전〉에 말하였다. "'유예대유득(由豫大有得)'은 뜻이 크게 행해지는 것이다."

傳 | 由己而致天下於樂豫라 故爲大有得이니 謂其志得大行也라

자기로 말미암아 천하를 즐거움에 이르게 하였다. 그러므로 크게 얻음이 있음이 되는 것이니, 그 뜻이 크게 행해짐을 말한 것이다.

六五는 貞호되 疾하나 恒不死로다

육오(六五)는 정(貞)하되 병이 있으나 항상 앓고 죽지 않도다.

本義 | 貞疾이나

정(貞)한(항상 앓는) 병이나

傳 | 六五以陰〔一无陰字〕柔居君位하니 當豫之時하여 沈溺於豫하여 不能自立者也라 權之所主와 衆之所歸 皆在於四하니 四之陽剛得衆은 非耽惑柔弱之君의 所能制也니 乃柔弱不能自立之君이 受制於專權之臣也라 居得君位는 貞也요 受制於下는 有疾苦也라 六居尊位하여 權雖失이나 而位未亡也라 故云貞疾恒不死라하니 言貞而有疾하나 常疾而不死하니 如漢魏末世之君也[134]라 人君致危亡之道非一이나 而以豫爲多라 在四에 不言失正하고 而於五에 乃見其强逼者는 四本無失이라

134 漢魏末世之君也 : 한(漢)나라 말세의 군주는 전한(前漢)의 평제(平帝)와 유자 영(孺子嬰) 등으로 이들은 권신인 왕망(王莽)에게 황권을 빼앗기고 결국 시해 당했거나 찬탈당했으며, 후한(後漢)의 헌제(獻帝)로 동탁(董卓)과 조조(曹操)에 권력을 빼앗기고 결국 조비(曹丕)에게 선양(禪讓)하였다. 위(魏)나라 말세의 군주는 조방(曹芳) 등으로 사마의(司馬懿)가 권력을 잡은 이후 그의 아들 사마사(司馬師)와 사마소(司馬昭) 형제가 권력을 전횡하여 조방(曹芳)과 조모(曹髦)가 차례로 폐위되고 조환(曹奐) 때에 사마소의 아들 사마염(司馬炎)에게 선양하였다. 선양은 양위(讓位)한다는 뜻인데, 요(堯)·순(舜)을 제외하고는 모두 찬탈과 다름이 없었다.

故於四엔 言大臣任天下之事之義하고 於五則言柔弱居尊하여 不能自立하여 威權去己之義하니 各據爻以取義라 故不同也라 若五不失君道하고 而四主於豫면 乃是任得其人하여 安享其功이니 如太甲、成王也[135]라

육오(六五)가 음유(陰柔)로서 군위(君位)에 거하였으니, 예(豫)의 때를 당하여 즐거움에 빠져서 자립(自立)하지 못하는 자이다. 권세를 주장함과 사람들의 귀의하는 바가 모두 사(四)에게 있으니, 양강(陽剛)인 사(四)가 무리를 얻음은 탐혹(耽惑)하고 유약한 군주가 제재할 수 있는 바가 아니니, 이는 바로 유약하여 자립하지 못하는 군주가 권력을 독단하는 신하에게 제재를 받는 것이다.

거함이 군위(君位)를 얻음은 정(貞)이며, 아래에게 제재를 받음은 질고(疾苦)가 있는 것이다. 육(六)이 존위(尊位)에 거하여 비록 권력을 잃었으나 지위는 아직 잃지 않았기 때문에 '정질항불사(貞疾恒不死)'라 하였으니, 정(貞)하나 병이 있고 항상 앓으면서도 죽지 않음을 말한 것이니, 한(漢)나라와 위(魏)나라 말세(末世)의 군주와 같다.

인군이 위망(危亡)을 이루는 길이 한 가지가 아니나 일예(逸豫)로 인해 이루는 경우가 많다. 사효(四爻)에 있어서는 정도를 잃음을 말하지 않고 오효(五爻)에서 사(四)가 강하여 핍박함을 나타낸 것은, 사(四)는 본래 잘못이 없기 때문에 사(四)에서는 대신이 천하의 일을 맡는 뜻만을 말하였고, 오(五)에서는 군주가 유약하면서 존위(尊位)에 거하여 자립하지 못해서 위엄과 권세가 자기 몸에서 떠난 뜻을 말하였으니, 각각 효(爻)에 의거하여 뜻을 취했으므로 똑같지 않은 것이다.

만약 오(五)가 군주의 도리를 잃지 않고 사(四)가 예(豫)를 주장한다면, 이는 맡긴 것이 훌륭한 사람을 얻어서 군주가 그 공(功)을 편안히 누리는 것이니, 예컨대 태갑(太甲)과 성왕(成王)의 경우이다.

蒙亦以〔一无以字〕陰居尊位하고 二以陽爲蒙之主나 然彼吉而此疾者는 時不同也니 童蒙而資之於人은 宜也어니와 耽豫而失之於人은 危亡之道也라 故로 蒙은 相

135 如太甲成王也 : 태갑(太甲)은 상(商)나라 탕왕의 손자로 처음 즉위하여 잘못을 저지르고 명재상인 이윤(伊尹)에게 쫓겨났으나 뒤에 개과천선하여 다시 왕위를 되찾았으며, 성왕(成王)은 주(周)나라 무왕(武王)의 아들로 어린 나이에 즉위하였으나 명재상이자 숙부인 주공(周公)의 보필로 어진 군주가 되었다.

應則倚任者也요 豫는 相逼則失權者也며 又上下之心이 專歸於四也일새라

몽괘(蒙卦 ䷃) 또한 음(陰)으로서 존위(尊位)에 거하고 이(二)가 양으로서 몽(蒙)의 주체가 되었으나, 저기에서는 길하고 여기에서는 질고(疾苦)가 있는 것은 때가 똑같지 않기 때문이니, 동몽(童蒙)으로서 남에게 의뢰함은 당연하지만, 즐거움을 탐하여 남에게 권세를 잃음은 위망(危亡)의 길이다. 그러므로 몽(蒙)은 이(二)와 오(五)가 서로 응하니 의지하고 맡기는 자이고, 예(豫)는 서로 핍박하니 권력을 잃은 자이며, 또 상 · 하의 마음이 오로지 사(四)에게 돌아가기 때문이다.

本義 | 當豫之時하여 以柔居尊하여 沈溺於豫하고 又乘九四之剛하여 衆不附而處勢危라 故爲貞疾之象이나 然以其得中이라 故又爲恒不死之象하니 卽象而觀하면 占在其中矣라

예(豫)의 때를 당하여 유(柔)로서 존위(尊位)에 거해서 즐거움에 빠지고, 또 구사(九四)의 강(剛)을 타고 있으면서 무리가 따르지 않아 처한 형세가 위태롭다. 그러므로 정질(貞疾)의 상이 되나, 중(中)을 얻었기 때문에 또 항상 앓고 죽지 않는 상이 되는 것이니, 상을 가지고 관찰하면 점(占)이 이 가운데 들어 있다.

象曰 六五貞疾은 乘剛也요 恒不死는 中未亡也라

〈상전〉에 말하였다. "'육오정질(六五貞疾)'은 강(剛)을 탔기 때문이고, 항상 앓고 죽지 않음은 중(中)을 잃지 않았기 때문이다."

傳 | 貞而疾은 由乘剛하여 爲剛所逼也요 恒不死는 中之尊位未亡也라

정(貞)하되 병이 있음은 강(剛)을 타서 강에게 핍박받기 때문이고, 항상 앓고 죽지 않음은 중(中)의 존위(尊位)를 아직 잃지 않았기 때문이다.

上六은 冥豫니 成하나 有渝(투)면 无咎리라

상육(上六)은 즐거움에 빠져 어두움이니, 이루어졌으나 변함이 있으면 허물이 없으리라.

本義 | 冥豫라 成하나 有渝니

즐거움에 빠져 어둡다. 그 일이 이루어졌으나 변함이 있을 것이니,

··· 冥 : 어두울 명 渝 : 변할 투

傳 | 上六이 陰柔로 非有中正之德하고 以陰居上하여 不正也어늘 而當豫極之時하니 以君子居斯時라도 亦當戒懼온 況陰柔乎아 乃耽肆於豫하여 昏迷不知反者也라 在豫之終이라 故爲昏冥已成也나 若能有渝變이면 則可以无咎矣리니 在豫之終하여 有變之義라 人之失은 苟能自變이면 皆可以无咎라 故冥豫雖已成이나 能變則善也라 聖人發此義하시니 所以勸遷善也라 故更不言冥之凶하고 專言渝之无咎하시니라

상육(上六)이 음유(陰柔)로 중정한 덕이 있지 않고, 음으로서 상(上)에 거하여 바르지 못한데다가 즐거움이 지극한 때를 당하였으니, 군자로서 이러한 때에 처하더라도 또한 마땅히 경계하고 두려워해야 하는데 하물며 음유(陰柔)임에라. 이는 바로 즐거움을 탐하고 방사해서 혼미하여 돌아올 줄을 모르는 자이다. 예(豫)의 마지막(끝)에 있기 때문에 혼명(昏冥)이 이미 이루어짐이 되었으나 만약 변함이 있으면 허물이 없을 것이니, 예(豫)의 끝에 있어서 변할 뜻이 있는 것이다.

사람의 잘못은 만약 스스로 변한다면 다 허물이 없을 수 있다. 그러므로 명예(冥豫)가 비록 이미 이루어졌으나 능히 변하면 선(善)한 것이다. 성인(聖人)이 이 뜻을 발명하셨으니, 천선(遷善)을 권면한 것이다. 그러므로 다시는 명예(冥豫)의 흉함을 말씀하지 않고, 오로지 변하면 허물이 없음을 말씀한 것이다.

本義 | 以陰柔로 居豫極하여 爲昏冥於豫之象이요 以其動體故로 又爲其事雖成而能有渝之象하니 戒占者如是면 則能補過而无咎하니 所以廣遷善之門也라

음유(陰柔)로서 예(豫)의 극에 거하여 즐거움에 빠져 어두운 상(象)이 되며, 동체(動體)이기 때문에 또 그 일이 비록 이루어졌으나 변동함이 있는 상이 된다. 점치는 자가 이와 같이 하면 잘못을 보충하여 허물이 없다고 경계한 것이니, 천선(遷善)의 문을 넓힌 것이다.

象曰 冥豫在上이어니 何可長也리오

〈상전〉에 말하였다. "즐거움에 빠져 어두우면서 위에 있으니, 어찌 장구하겠는가."

傳 | 昏冥於豫하여 至於終極하니 災咎行及矣라 其可長然乎아 當速渝也라

즐거움에 어두우면서 종극(終極)에 이르렀으니, 재앙과 허물이 장차 미칠 것이다. 어찌 장구히 그러하겠는가. 마땅히 속히 변해야 하는 것이다.

17 택뢰 澤雷 수(隨) ䷐ 진하태상 震下兌上

傳 | 隨는 序卦에 豫必有隨라 故受之以隨라하니라 夫悅豫之道는 物所隨也니 隨所以次豫也라 爲卦兌上震下하니 兌爲說하고 震爲動하니 說而動하고 動而說이 皆隨之義라 女는 隨人者也니 以少女從長男은 隨之義也요 又震爲雷하고 兌爲澤하니 雷震於澤中에 澤隨而動은 隨之象也라 又以卦變言之하면 乾之上이 來居坤之下하고 坤之初 往居乾之上하여 陽來下於陰也니 以陽下陰이면 陰必說隨니 爲隨之義라 凡成卦旣取二體之義하고 又有取爻義者하며 復有更取卦變之義者하니 如隨之取義는 尤爲詳備하니라

수괘(隨卦)는 〈서괘전〉에 "좋아하면 반드시 따름이 있다. 그러므로 수(隨)로써 받았다." 하였다. 열예(悅豫)의 도(道)는 물건(사람)이 따르는 바이니, 수괘가 이 때문에 예괘(豫卦 ䷏)의 다음이 된 것이다. 괘됨이 태(兌 ☱)가 위에 있고 진(震 ☳)이 아래에 있으니, 태(兌)는 기뻐함이 되고 진(震)은 동함이 되니, 기뻐하고 동하며 동하고 기뻐함이 모두 수(隨)의 뜻이다. 여자는 사람(남자)을 따르는 자이니, 소녀(少女;태(兌))로 장남(長男;진(震))을 따름은 수(隨)의 뜻이며, 또 진(震)은 우레가 되고 태(兌)는 못이 되니, 우레가 못 속에서 진동함에 못(물)이 따라 움직임은 수(隨)의 상이다. 또 괘변(卦變)으로 말하면 건(乾 ☰)의 상구(上九)가 와서 곤(坤 ☷)의 아래에 거하고 곤의 초효(初爻)가 가서 건의 위에 거하여 양이 와서 음에게 낮추니, 양으로서 음에게 낮추면 음이 반드시 좋아하여 따르니 수(隨)의 뜻이 된다. 무릇 괘를 이룸은 두 체(體)의 뜻을 취하고 또 효의 뜻을 취한 경우가 있으며, 다시 괘변(卦變)의 뜻을 취한 경우가 있으니, 수(隨)가 뜻을 취함 같은 것은 더더욱 자세히 구비된 것이다.

隨는 **元亨**하니 **利貞**이라 **无咎**리라

수(隨)는 크게 형통하니, 정(貞)함이 이롭다. 허물이 없으리라.

本義 | **元亨**하나
크게 형통하나

傳 | 隨之道可以致大亨也라 君子之道 爲衆所隨와 與己隨於人과 及臨事擇所隨 皆隨也니 隨得其道면 則可以致大亨也라 凡人君之從善과 臣下之奉命과 學者之徙義하여 臨事而從長이 皆隨也라 隨之道는 利在於貞正하니 隨得其正然後에 能大亨而无咎요 失其正則有咎矣니 豈能亨乎아

수(隨)의 도(道)는 크게 형통함을 이룰 수 있다. 군자의 도가 사람들에게 따르는 바가 됨과 자기가 남을 따름과 일을 당하여 따를 바를 선택함이 모두 따름이니, 따름이 그 도를 얻으면 크게 형통함을 이룰 수 있다. 무릇 인군이 선(善)을 따름과 신하가 명령을 받듦과 학자(學者)가 의(義)로 옮겨가서 일에 임하여 장점을 따르는 것이 모두 따름이다. 따르는 도는 이로움이 정정(貞正)함에 있으니, 따름이 그 바름을 얻은 뒤에야 크게 형통하여 허물이 없을 것이요, 바름을 잃으면 허물이 있으니, 어찌 형통하겠는가.

本義 | 隨는 從也라 以卦變言之하면 本自困卦九來居初하고 又自噬嗑九來居五요 而自未濟來者는 兼此二變하니 皆剛來隨柔之義요 以二體言之하면 爲此動而彼說이니 亦隨之義라 故爲隨라 己能隨物하고 物來隨己하여 彼此相從하면 其通이 易矣라 故其占爲元亨이나 然必利於貞이라야 乃得无咎니 若所隨不貞이면 則雖大亨이나 而不免於有咎矣리라 春秋傳에 穆姜曰 有是四德이라야 隨而无咎어늘 我皆无之하니 豈隨也哉리오하니 今按四德이 雖非本義[136]나 然其下云云은 深得占法之

136 春秋傳……雖非本義 : 목강(穆姜)은 노(魯)나라 선공(宣公)의 부인으로 뒤에 숙손교여(叔孫僑如)와 간통하고는 아들인 성공(成公)을 폐출하고 숙손교여를 세우기 위해 처음 동궁(東宮)으로 가면서 주역점을 치니, 간괘(艮卦)가 수괘(隨卦)로 변한 것을 만났다. 태사(太史)가 말하기를 "수(隨)는 나가는 뜻이니, 소군(小君)께서는 반드시 성공하여 빨리 나가게 될 것입니다." 하니, 목강이 말하기를 "나갈 수 없을 것이다. 《주역》에 '수(隨)는 원(元)·형(亨)·이(利)·정(貞)하니 화(禍)가 없을 것이다.'고 하였다. 원(元)은 체단(體段)의 머리이고, 형(亨)은 아름다운 모임이고, 이(利)는 의(義)에 화합함이고, 정(貞)은 만물의 근간이다. 이와 같기 때문에 사덕(四德)이 있는 자는 수괘를 만나면 재화(災禍)가 없지만, 지금 나는 부인으로 난(亂)에 참여하였으며, 소군(小君)의 지위를 버리고 간음(姦淫)하였다. 내 어찌 수괘의 괘사(卦辭)에 부합할 수 있겠는가. 반드시 여기서 죽고 나갈 수 없을 것이다." 하였는데, 과연 실패하여 끝내 이 동궁에서 죽었다. 사덕(四德)은 원(元)·형

… 徙 : 옮길 사 噬 : 깨물 서 嗑 : 다물 합 穆 : 화목할 목

意하니라

'수(隨)'는 따름이다. 괘변(卦變)으로써 말하면 본래 곤괘(困卦 ䷮)의 구(九)가 와서 초(初)에 거하였고, 또 서합괘(噬嗑卦 ䷔)의 구(九)가 와서 오(五)에 거하였으며, 미제괘(未濟卦 ䷿)로부터 온 것은 이 두 변(變)을 겸하였으니, 모두 강(剛)이 와서 유(柔)를 따르는 뜻이다. 두 체(體)로써 말하면 이것이 동함에 저것이 좋아함이 되니, 또한 수(隨)의 뜻이다. 그러므로 수(隨)라 한 것이다. 자기가 남을 따르고 남이 와서 자기를 따라 피차(彼此)가 서로 따르면 통하기가 쉽다. 그러므로 그 점(占)이 크게 형통함이 된다. 그러나 반드시 정(貞)함이 이로워야 비로소 허물이 없을 수 있으니, 만약 따르는 바가 바르지 못하면 비록 크게 형통하더라도 허물이 있음을 면치 못할 것이다.

《춘추좌씨전》 양공(襄公) 9년에 목강(穆姜)이 말하기를 "이 네 가지 덕(四德)이 있어야 따름에 허물이 없을 터인데 나는 모두 없으니, 어찌 수괘(隨卦)에 해당되겠는가?" 하였으니, 지금 살펴보건대 네 가지 덕은 비록 본래의 뜻이 아니나 그 아래에 운운한 것은 점치는 뜻을 깊이 알았다 하겠다.

彖曰 隨는 剛來而下柔하고 動而說이 隨니

〈단전〉에 말하였다. "수(隨)는 강(剛)이 와서 유(柔)에게 낮추며 동하고 기뻐함이 수이니,

本義 | **以卦變卦德**으로 **釋卦名義**라

괘변(卦變)과 괘덕(卦德)으로써 괘명(卦名)의 뜻을 해석하였다.

大亨하고 貞하여 无咎하여 而天下隨時하나니

크게 형통하고 정(貞)하여 허물이 없어서 천하가 때를 따르나니,

••••••

(亨)·이(利)·정(貞)으로 이것은 오직 건(乾)·곤(坤) 두 괘에만 해당하고, 수괘 등은 "크게 형통하고 정함이 이롭다." 등으로 해석하기 때문에 본래의 뜻이 아니라고 말한 것이다. 이 내용은 《대전본》과 《춘추좌씨전》 양공(襄公) 9년에 보이며, 곤괘 구오 효사(九五爻辭)의 《본의》에도 간략히 보인다.

本義 | 而天下隨(時)[之]하나니
천하가 따르나니,

傳 | 卦所以爲隨는 以剛來而下柔하고 動而說也일새니 謂乾之上九 來居坤之下하고 坤之初六이 往居乾之上하여 以陽剛으로 來下於陰柔하니 是는 以上下下요 以貴下賤이니 能如是면 物之所說隨也라 又下動而上說은 動而可悅也니 所以隨也라 如是則可〔一有以字〕大亨而得正이니 能大亨而得正이면 則爲无咎라 不能亨, 不得正이면 則非可隨之道니 豈能使天下隨之乎아 天下所隨者는 時也라 故云天下隨時라하니라

괘를 수(隨)라고 한 까닭은 강(剛)이 와서 유(柔)에게 낮추며 동하고 기뻐하기 때문이니, 건(乾)의 상구(上九)가 와서 곤(坤)의 아래에 거하고 곤(坤)의 초육(初六)이 가서 건의 위에 거하여 양강(陽剛)이 와서 음유(陰柔)에게 낮추니, 이는 윗사람으로서 아랫사람에게 낮추고 귀한 사람으로서 천한 사람에게 낮추는 것이니, 이와 같이 하면 물건(사람)이 기뻐하여 따르는 바이다. 또 아래가 동하고 위가 기뻐함은 동함에 기뻐할 만한 것이니, 이 때문에 따르는 것이다. 이와 같으면 크게 형통하여 정(正)을 얻을 수 있으니, 능히 크게 형통하고 정을 얻으면 허물이 없게 된다. 형통하지 못하고 정을 얻지 못하면 따를 만한 도가 아니니, 어찌 천하로 하여금 따르게 하겠는가. 천하가 따르는 것은 때이므로 '천하가 때를 따른다.'고 말한 것이다.

本義 | 王肅本에 時를 作之하니 今當從之라 釋卦辭하니 言能如是則天下之所從也라

왕숙 본(王肅本)에 시(時) 자를 지(之) 자로 썼으니, 이제 마땅히 이것을 따라야 한다. 괘사(卦辭)를 해석하였으니, 이와 같이 하면 천하가 따르는 바임을 말한 것이다.

隨時之義 大矣哉라
때를 따르는 의(義)가 크다."

本義 | 隨(時)[之時]義大矣哉라
수(隨)의 때와 의(義)가 크다.

傳｜ 君子之道 隨時而動하여 從宜適變하여 不可爲典要니 非造道之深하여 知幾能權者면 不能與於此也라 故贊之曰 隨時之義大矣哉라하니 凡贊之者는 欲人知其義之大하여 玩而識之也라 此贊隨時之義大는 與豫等諸卦不同하니 諸卦는 時與義니 是兩事라

군자의 도는 때를 따라 동하여 마땅함을 따르고 변화에 적응해서 전요(典要;일정한 법칙)를 삼을 수 없으니, 도(道)의 조예(造詣;경지)가 깊어서 기미를 알아 저울질할(권도를 행함) 수 있는 자가 아니면 여기에 참여할 수 없다. 그러므로 찬미하기를 '때를 따르는 뜻이 크다.' 하였으니, 무릇 찬미한 것은 사람들이(사람들로 하여금) 그 의(義)가 큼을 알아 완미하여 알게 하고자 한 것이다. 여기에서 때를 따르는 뜻이 큼을 찬미한 것은 예괘(豫卦 ䷏) 등의 여러 괘와 똑같지 않으니, 여러 괘는 때와 의(義)이니, 두 가지 일이다.

本義｜ 王肅本에 時字在之字下하니 今當從之라

왕숙 본(王肅本)에 시(時) 자가 지(之) 자 아래에 있으니, 이제 마땅히 이것을 따라야 한다.

象曰 澤中有雷 隨니 君子以하여 嚮晦入宴息하나니라

〈상전〉에 말하였다. "못 가운데에 우레가 있는 것이 수(隨)이니, 군자가 보고서 날이 어둠을 향하거든 방안에 들어가 편안히 쉰다."

傳｜ 雷震於澤中에 澤隨震而動이 爲隨之象이니 君子觀象하여 以隨時而動이라 隨時之宜는 萬事皆然이나 取其最明且近者言之라 君子以嚮晦入宴息은 君子晝則自强不息이라가 及嚮昏晦면 則入居於內하여 宴息以安其身하니 起居隨時하여 適其宜也라 禮에 君子晝不居內하고 夜不居外[137]하니 隨時之道也라

137 禮……夜不居外 : 예(禮)는 《예기(禮記)》로 보이며, 군자(君子)는 남자를 가리킨 것이다. 원문이 그대로 보이는 곳은 없고, 《예기》〈단궁 상(檀弓上)〉에 "군자가 큰 일이 있지 않으면 중문(中門) 밖에서 자지 않으며, 제사나 질병이 있지 않으면 밤낮으로 정침(正寢) 안에서 거처하지 않는다.〔君子非有大故, 不宿於外; 非致齋也, 非疾也, 不晝夜居於內.〕" 하였는바, 이것을 변형하여 인용한 것으로 보인다.

··· 適 : 맞을 적 權 : 저울질할 권 嚮 : 향할 향 晦 : 어두울 회 宴 : 편안할 연 晝 : 낮 주

우레가 못 가운데에서 진동함에 못(물)이 진동함을 따라 움직임이 수(隨)의 상(象)이니, 군자가 이 상을 보고서 때에 따라 동한다. 때에 따르는 마땅함은 만사(萬事)가 다 그러하나 가장 분명하고 또 가까운 것을 취하여 말하였다. '군자이향회입연식(君子以嚮晦入宴息)'은 군자가 낮에는 스스로 힘쓰고 쉬지 않다가 날이 어둠〔昏晦〕을 향하면 안에 들어가 거처하여 편안히 쉬어서 그 몸을 편안히 하니, 일어남과 앉음을 때에 따라 마땅함에 맞게 하는 것이다. 예(禮)에 "군자가 낮에는 안에 거처하지 않고 밤에는 밖에 거처하지 않는다." 하였으니, 때를 따르는 도(道)이다.

本義 | 雷藏澤中하여 隨時休息이라

우레가 못 가운데에 감춰 있어 때에 따라 휴식하는 것이다.

初九는 官有渝(투)니 貞이면 吉하니 出門交면 有功하리라

초구(初九)는 주장하여 지킴이 변함이 있으니, 정(貞)하면 길하니, 문을 나가 사귀면 공(功)이 있으리라.

본의 | 주장하여 변함이 있음이니,

傳 | 九居隨時而震體요 且動之主니 有所隨者也라 官은 主守也니 既有所隨면 是其所主守 有變易也라 故曰 官有渝라하니라 貞吉은 所隨得正則吉也니 有渝而不得正이면 乃過動也라 出門交有功은 人心所從이 多所親愛者也니 常人之情은 愛之則見其是하고 惡(오)之則見其非라 故妻孥之言은 雖失而多從하고 所憎之言은 雖善爲惡也라 苟以親愛而隨之면 則是私情所與니 豈合正理리오 故出門而交則有功也라 出門은 謂非私昵(닐)이니 交不以私라 故其隨當而有功이니라

구(九)는 수(隨)의 때에 거하였고 진(震)의 체(體)이며 또 동(動)의 주체이니, 따르는 바가 있는 자이다. '관(官)'은 주장하여 지킴이니, 이미 따르는 바가 있으면 이는 주장하여 지킴이 변역(變易)하는 것이다. 그러므로 '관유투(官有渝)'라 말하였다. '정길(貞吉)'은 따르는 바가 정(正)을 얻으면 길한 것이니, 변함이 있으나 바름을 얻지 못하면 이는 잘못된 동함이다. 문을 나가 사귀면 공이 있다는 것은 인심(人心)의 따름은 친애하는 자에게 하는 경우가 많으니, 상인(常人)의 정(情)은 사랑하면 그의 옳음을 보고 미워하면 그의 그름을 본다. 그러므로 처노(妻孥;처자식)

••• 孥 : 처자 노 憎 : 미워할 증

의 말은 비록 잘못된 것이라도 많이 따르고, 미워하는 사람의 말은 비록 선(善)하더라도 악(惡)하게 여긴다. 만일 친애한다 하여 따르면 이는 사사로운 정으로 더부는 것이니, 어찌 정리(正理)에 합하겠는가. 그러므로 문을 나가 사귀면 공(功)이 있는 것이다. 문을 나감은 사사로이 친함이 아님을 말한 것이니, 사귐을 사사로이 하지 않으므로 그 따름이 합당하여 공이 있는 것이다.

本義 | 卦는 以物隨爲義하고 爻는 以隨物爲義하니라 初九以陽居下하여 爲震之主하니 卦之所以爲隨者也라 旣有所隨면 則有所偏主而變其常矣니 惟得其正則吉이요 又當出門以交하여 不私其隨則有功也라 故其象占如此하니 亦因以戒之하니라

괘는 남이 따름을 뜻으로 삼았고, 효(爻)는 남을 따름을 뜻으로 삼았다. 초구(初九)는 양(陽)으로서 아래에 거하여 진(震)의 주체가 되었으니, 괘를 수(隨)라 한 이유이다. 이미 따르는 바가 있으면 편벽되이 주장하는 바가 있어서 떳떳함을 변하게 되니, 오직 그 바름을 얻으면 길하고, 또 마땅히 문을 나가 사귀어서 사사로이 따르지 않으면 공(功)이 있는 것이다. 그러므로 그 상과 점이 이와 같으니, 또한 인하여 경계한 것이다.

象曰 官有渝에 從正이면 吉也니

〈상전〉에 말하였다. "주장하여 지킴이 변함에 바름을 따르면 길하니,

傳 | 旣有隨而變하니 必所從得正則吉也요 所從不正則有悔吝이라

이미 따름이 있어 변하였으니, 반드시 따르는 바가 바름을 얻으면 길할 것이요, 따르는 바가 바르지 못하면 뉘우침과 부끄러움이 있을 것이다.

出門交有功은 不失也라

문을 나가 사귀면 공(功)이 있음은 잘못하지 않는 것이다."

傳 | 出門而交는 非牽於私하여 其交必正矣니 正則无失而有功이라

문을 나가 사귐은 사정(私情)에 끌리지 않아서 그 사귐이 반드시 바를 것이니, 바르면 잘못이 없어서 공이 있을 것이다.

六二는 係小子면 失丈夫하리라

육이(六二)는 소자(小子)에 매이면 장부(丈夫)를 잃으리라.

本義 | 係小子요 失丈夫로다

소자에 매이고 장부를 잃도다.

傳 | 二應五而比初하니 隨先於近이요 柔不能固守라 故爲之戒云 若係小子면 則失丈夫也라하니라 初陽在下하니 小子也요 五正應在〔一作居〕上하니 丈夫也라 二若志係於初면 則失九五之正應하니 是失丈夫也〔一无也字〕라 係小子而失丈夫는 捨正應而從不正이니 其咎大矣라 二有中正之德하니 非必至如是也로되 在隨之時엔 當爲之戒也니라

이(二)가 오(五)와 응하면서 초(初)와 가까우니, 따름은 가까움을 먼저 하고 유(柔)는 굳게 지키지 못한다. 그러므로 경계하기를 "만약 소자(小子)에 매이면 장부(丈夫)를 잃는다."고 한 것이다. 초양(初陽)은 아래에 있으니 소자이고, 오(五)는 정응(正應)으로 위에 있으니 장부이다. 이(二)가 만약 뜻이 초(初)에 매어 있으면 구오(九五)의 정응을 잃으니, 이는 장부를 잃는 것이다. 소자에 매여 장부를 잃음은 정응을 버리고 바르지 못한 이를 따르는 것이니, 그 허물이 크다. 이(二)는 중정(中正)의 덕(德)이 있으니, 반드시 이와 같음에는 이르지 않을 것이나, 수(隨)의 때에 있어서는 마땅히 경계해야 하는 것이다.

本義 | 初陽은 在下而近하고 五陽은 正應而遠하니 二陰柔로 不能自守以須正應이라 故其象如此하니 凶吝可知니 不假言矣라

초양(初陽)은 아래에 있어서 가깝고 오양(五陽)은 정응인데 머니, 이(二)는 음유(陰柔)여서 스스로 지켜 정응을 기다리지 못한다. 그러므로 그 상(象)이 이와 같으니, 흉함과 부끄러움〔凶吝〕을 알 수 있으니, 굳이 말할 것이 없다.

象曰 係小子면 弗兼與也리라

〈상전〉에 말하였다. "소자에 매이면 겸하여 친할 수가 없으리라."

本義 | 係小子는 弗兼與也라

소자에 매임은 장부와 겸하여 친하지 못하는 것이다.

傳 | 人之所隨 得正則遠邪하고 從非則失是하니 无兩從之理라 二苟係初면 則失五矣리니 弗能兼與也라 所以戒人從正에 當專一也라

사람의 따르는 바가 바름을 얻으면 사(邪)를 멀리하고, 그름을 따르면 옳음을 잃으니, 두 가지를 다 따르는 이치는 없다. 이(二)가 만약 초(初)에 매이면 오(五)를 잃을 것이니, 이는 겸하여 친하지 못하는 것이다. 사람이 바름을 따름에 마땅히 전일(專一)해야 함을 경계한 것이다.

六三은 係丈夫하고 失小子하니 隨에 有求를 得하나 利居貞하니라

육삼(六三)은 장부에 매이고 소자를 잃으니, 따름에 구함을 얻으나 정(貞)에 거함이 이롭다.

本義 | 隨하여

따라서 구함을 얻으나

傳 | 丈夫는 九四也요 小子는 初也니 陽之在上者는 丈夫也요 居下者는 小子也라 三雖與初同體나 而切近於四라 故係於四也라 大抵陰柔不能自立하여 常親係於所近者라 上係於四라 故下失於初하니 舍初從上은 得隨之宜也니 上隨則善也라 如昏之隨明과 事之從善은 上隨也요 背是從非와 舍明逐暗은 下隨也라 四亦无應하여 无隨之者也니 近得三之隨면 必與之親善이라 故三之隨四에 有求必得也라 人之隨於上而上與之면 是得所求也요 又凡所求者를 可得也라 雖然이나 固不可非理枉道以隨於上이요 苟取愛說以遂所求니 如此면 乃小人邪諂趨利之爲也라 故云利居貞이라 自處於正이면 則所謂有求而必〔一无必字〕得者乃正事니 君子之隨也라

장부는 구사(九四)이고 소자는 초구(初九)이니, 양효(陽爻)가 위에 있는 것은 장부이고 아래에 거한 것은 소자이다. 육삼(六三)은 비록 초구(初九)와 동체(同體)이나 사(四)와 매우 가깝기 때문에 사(四)에 매이는 것이다. 대저 음유(陰柔)는 자립하지 못하여 항상 가까운 바에 친하고 매인다. 위로 사(四)에 매이기 때문에 아래로 초(初)를 잃는 것이니, 초구(初九)를 버리고 위에 있는 구사(九四)를 따름은 따름의 마땅함을 얻은 것이므로, 위로 따르면 선(善)한 것이다. 예컨대 어두운 자가 밝음을 따름과 일에 있어 선(善)을 따름은 위로 따름이요, 옳음을 버리고 그름을

따름과 밝음을 버리고 어둠을 따름은 아래로 따르는 것이다. 사(四) 또한 응(應)이 없어서 따르는 자가 없으니, 가까이 삼(三)이 따름을 얻으면 반드시 더불어 친선(親善)한다. 그러므로 삼이 사를 따름에 구함을 반드시 얻는 것이다.

사람이 위를 따라서 위가 친히 상대하면 이는 구하는 바를 얻는 것이며, 또 모든 구하는 바를 얻을 수 있다. 그러나 진실로 이치가 아니거나 도를 굽혀 위를 따르고 구차히 사랑과 기쁨을 취하여 구하는 바를 이루어서는 안 되니, 이와 같이 함은 바로 소인들이 간사하게 아첨하여 이익을 따르는 행위이다. 그러므로 '정(貞)에 거함이 이롭다.'고 말한 것이다. 스스로 바름에 처하면 이른바 '구하는 것을 반드시 얻는다.'는 것이 곧 올바른 일이 될 것이니, 군자의 따름이다.

本義｜ 丈夫는 謂九四요 小子는 亦謂初也라 三近係四而失於初하니 其象이 與六二正相反이라 四陽當任而己隨之하니 有求必得이나 然非正應이라 故有不正而爲邪媚之嫌이라 故其占如此하고 而又戒以居貞也라

장부는 구사(九四)를 이르고, 소자는 또한 초구(初九)를 이른다. 삼(三)은 가까이 사(四)에 매여 초(初)를 잃으니, 그 상이 육이효(六二爻)와 정반대이다. 사양(四陽:구사의 양효)이 〈대신(大臣)의〉 임무를 담당하였는데 자신이 그를 따르니, 구함을 반드시 얻으나 정응이 아니기 때문에 바르지 못하여 간사하게 아첨하는 혐의가 있는 것이다. 그러므로 그 점이 이와 같고 또 정(貞)에 거하라고 경계한 것이다.

象曰 係丈夫는 志舍下也라

〈상전〉에 말하였다. "장부에 매임은 뜻이 아래를 버리는 것이다."

傳｜ 旣隨於上이면 則是其志舍下而不從也니 舍下而從上은 舍卑而從高也니 於隨爲善矣라

이미 위를 따르면 이는 그 뜻이 아래를 버리고 따르지 않는 것이니, 아래를 버리고 위를 따름은 낮은 것을 버리고 높은 것을 따르는 것이니, 따름에 있어 좋음이 된다.

··· 媚 : 아첨할 미 嫌 : 혐의할 혐

九四는 **隨**에 **有獲**이면 **貞**이라도 **凶**하니 **有孚**하고 **在道**하고 **以明**이면 **何咎**리오

구사(九四)는 따름에 얻음이 있으면 바르더라도 흉하니, 부성(孚誠;정성)이 있고 도(道)에 있고 밝음을 쓰면 무슨 허물이 있겠는가.

本義 | **隨有獲**이니

따라서 얻음이 있으니,

傳 | 九四以陽剛之才로 處臣位之極하니 若於隨有獲이면 則雖正亦凶이라 有獲은 謂得天下之心이 隨於己라 爲臣之道는 當使恩威一出於上하여 衆心皆隨於君이니 若人心從己면 危疑之道也라 故凶이라 居此地者는 奈何오 唯孚誠積於中하고 動爲合於道하고 以明哲處之면 則又何咎리오 古之人이 有行之者하니 伊尹、周公、孔明[138]이 是也라 皆德及於〔一无於字〕民而民隨之하니 其得民之隨는 所以成其君之功이요 致其國之安이라 其至誠存乎中은 是有孚也요 其所施爲 无不中道는 在道也며 唯其明哲이라 故能如是以明也니 復何過咎之有리오 是以로 下信而上不疑하여 位極而无逼上之嫌하고 勢重而无專强〔一作權〕之過하니 非聖人大賢이면 則不能也라 其次는 如唐之郭子儀[139] 威震主而主不疑하니 亦由中有誠孚而處无甚失也니 非明哲이면 能如是乎아

구사(九四)가 양강(陽剛)의 재주로 신하의 지위의 극(최고 높은 자리)에 처하였으니, 만약 따름에 얻음이 있으면 비록 바르더라도 또한 흉하다. 얻음이 있다는 것은 천하의 마음이 자신을 따름을 얻음을 이른다. 신하가 된 도리는 마땅히 은혜와

138 伊尹周公孔明 : 이윤(伊尹)은 상(商)나라의 명재상으로 이름은 지(摯)인데, 처음에는 신야(莘野)에 은둔하였으나 탕왕(湯王)의 초빙을 받고 세상에 나와 하(夏)나라의 포악한 군주인 걸(桀)을 추방하고 상나라를 천자국으로 만들었다. 주공(周公)은 문왕(文王)의 아들이고, 무왕(武王)의 아우이며 성왕(成王)의 숙부로, 이름은 단(旦)이다. 무왕을 도와 주(紂)를 치고, 무왕이 죽고 성왕이 어리자 섭정(攝政)하였다가, 성왕이 장성한 뒤에 정권을 돌려주고 신하의 지위로 돌아갔다. 공명(孔明)은 삼국시대 제갈량(諸葛亮)의 자로 호는 와룡(臥龍)인데, 남양(南陽)의 융중(隆中)에 은거하다가 유비(劉備)의 삼고초려(三顧草廬)의 예우를 받고 세상에 나와 삼분천하(三分天下)의 형세를 이룩하였다.

139 郭子儀 : 곽자의(郭子儀)는 당나라 숙종(肅宗) 때의 명장으로 성품이 너그럽고 충성스러워 안록산(安祿山)과 그의 잔당을 평정하여 큰 공을 세워 분양왕(汾陽王)에 봉해졌으나, 시종 겸손하여 부귀를 끝까지 누렸다.

위엄이 한결같이 상(上;군주)에게서 나와 사람들의 마음이 모두 군주를 따르게 해야 하니, 만약 인심(人心)이 자기를 따른다면 위태롭고 의심받는 방도이므로 흉한 것이다. 이러한 처지에 있는 자는 어찌 해야 하는가? 오직 부성(孚誠)이 중심에 쌓이고 동위(動爲;행동)가 도(道)에 합하며 명철(明哲)함으로써 대처하면 또 무슨 허물이 있겠는가.

옛사람 중에 이를 행한 분이 있으니, 이윤(伊尹), 주공(周公), 공명(孔明;제갈량(諸葛亮))이 이러한 분들이다. 모두 덕(德)이 백성들에게 미쳐 백성들이 따랐으니, 백성의 따름을 얻음은 군주의 공(功)을 이루고 나라의 편안함을 이루기 위해서였다. 지성(至誠)이 중심에 있음은 이는 부성(孚誠)이 있는 것이요, 시행한 바가 도(道)에 맞지 않음이 없음은 도(道)에 있는 것이요, 명철(明哲)하기 때문에 이와 같이 밝음을 쓰는 것이니, 다시 무슨 과구(過咎)가 있겠는가. 이 때문에 아랫사람들이 믿고 윗사람이 의심하지 않아, 지위가 지극하면서도 상(上)을 핍박하는 혐의가 없고 권세(權勢)가 무거우면서도 제멋대로 하고 강하게 하는 허물이 없었으니, 성인(聖人)과 대현(大賢)이 아니면 불가능하다.

그 다음으로는 당(唐)나라의 곽자의(郭子儀)와 같은 자는 위엄이 군주를 진동하였으나 군주가 의심하지 않았으니, 이 또한 중심에 부성(孚誠)이 있고 처함에 심한 잘못이 없었기 때문이다. 명철(明哲)한 자가 아니면 이와 같을 수 있겠는가.

本義 | **九四以剛居上之下**하여 **與五同德**이라 **故其占**이 **隨而有獲**이나 **然勢陵於五**라 **故雖正而凶**하니 **惟有孚在道而明**이면 **則上安而下從之**하여 **可以无咎也**라 **占者當時之任**이면 **宜審此戒**니라

구사(九四)가 강(剛)으로서 상괘(上卦)의 아래에 거하여 오(五)와 양강(陽剛)의 덕(德)이 같다. 그러므로 그 점(占)이 따라서 얻음이 있으나 형세가 오(五)를 능멸하기 때문에 비록 바르더라도 흉하니, 오직 정성이 있고 도(道)에 있고 명철하면 위가 편안하고 아래가 따라서 허물이 없을 수 있다. 점치는 자가 당시의 임무를 담당하였으면 마땅히 이 경계를 살펴야 할 것이다.

象曰 隨有獲은 **其義凶也**요 **有孚在道**는 **明功也**라

〈상전〉에 말하였다. "따름에 얻음이 있음은 의리상 흉한 것이요, 부성

이 있고 도(道)에 있음은 명철(明哲)한 공(功)이다."

傳 | 居近君之位而有獲이면 其義固凶이로되 能有孚而在道則无咎하니 蓋明哲之功也라

군주와 가까운 자리에 거하여 민심을 얻음이 있으면 의리상 진실로 흉할 것이나 부성이 있고 도에 있으면 허물이 없으니, 이는 명철한 공이다.

九五는 孚于嘉니 吉하니라

구오(九五)는 선(善)에 정성스러우니, 길하다.

傳 | 九五居尊得正而中實하니 是其中誠이 在於隨善이니 其吉可知라 嘉는 善也라 自人君至於庶人히 隨道之吉은 唯在隨善而已니 下應二之正中이 爲隨善之義라

구오(九五)가 존위(尊位)에 거하고 정(正)을 얻었으며 중(中)이 실(實)하니, 이는 그 중성(中誠;마음속의 정성과 진실)이 선(善)을 따름에 있는 것이니, 길함을 알 만하다. '가(嘉)'는 선(善)이다. 인군(人君)으로부터 서인에 이르기까지 따르는 도(道)의 길함은 오직 선을 따름에 있을 뿐이니, 아래로 이(二)의 정중(正中)에 응함이 선을 따르는 뜻이 된다.

本義 | 陽剛中正으로 下應中正하니 是信于善也라 占者如是면 其吉宜矣라

양강 중정(陽剛中正)으로 아래로 중정에 응하니, 이는 선(善)에 진실한 것이다. 점치는 자가 이와 같으면 그 길함이 마땅하다.

象曰 孚于嘉吉은 位正中也일새라

〈상전〉에 말하였다. "선(善)에 진실하여 길함은 자리가 정중(正中;바르고 중(中)함)하기 때문이다."

傳 | 處正中之位하고 由正中之道하여 孚誠所隨者正中也니 所謂嘉也니 其吉可知라 所孚之嘉는 謂六二也니 隨는 以得中爲善이라 隨之所防者는 過也니 蓋心所說隨면 則不知其過矣니라

정중의 자리에 처하고 정중의 도(道)를 행하여 부성(孚誠)으로 따르는 바가 정중이니, 이른바 가(嘉:선(善))라는 것이니, 그 길함을 알 만하다. 부성으로 믿는 바(진실)의 선은 육이(六二)를 이르니, 따름은 중(中)을 얻음을 선으로 여긴다. 따름에 있어서 막아야 할 것은 지나침이니, 마음에 기뻐하여 따르면 지나침을 알지 못하게 된다.

上六은 拘係之요 乃從維之니 王用亨于西山이로다

상육(上六)은 붙잡아 묶어놓고 따라서 동여맴이니, 왕이 이로써 서산(西山)에서 왕업(王業)을 형통하게 하였다.

本義 | 王用亨(享)于西山이로다

왕이 서산에 제향하도다.

傳 | 上六이 以柔順而居隨之極하니 極乎隨者也라 拘係之는 謂隨之極이 如拘持縻係之요 乃從維之는 又從而維繫之也니 謂隨之固結如此라 王用亨于西山은 隨之極如是라 昔者에 太王用此道하여 亨王業于西山하니라 太王이 避狄之難하여 去豳(빈)來岐한대 豳人老稚 扶携以隨之를 如歸市[140]하니 蓋其人心之隨 固結如此라 用此故로 能亨盛其王業於西山이라 西山은 岐山也니 周王之業이 蓋興於此라 上居隨極하여 固爲太過나 然在得民〔一有心字〕之隨와 與隨善之固엔 如此라야 乃爲善也요 施於他則過矣니라

상육(上六)이 유순함으로서 수(隨)의 극에 거하였으니, 따름에 지극한 자이다. '구계지(拘係之)'는 따름의 지극함이 붙잡아 묶어놓은 것과 같음이요, '내종유지(乃從維之)'는 또 따라서 동여매는 것이니, 따르기를 굳게 맺음이 이와 같음을 이른다. '왕용형우서산(王用亨于西山)'은 따름의 지극함이 이와 같은 것이다. 옛날에 태왕(太王:고공단보(古公亶父))이 이 방도를 써서 왕업(王業)을 서산에서 형통하게 하였다. 태왕이 적(狄)의 난을 피하여 빈(豳)을 버리고 기산(岐山)으로 오자, 빈(豳)땅의 늙은이와 어린이가 붙들고 손을 잡고서 따라오기를 시장에 돌아가듯 하였으니,

140 太王……如歸市:이 내용은《맹자》〈양혜왕 상(梁惠王上)〉에 보인다.

··· 縻:맬 미 維:동여맬 유 狄:북쪽오랑캐 적 豳:땅이름 빈 岐:산이름 기 稚:어릴 치 携:손잡을 휴

인심의 따름이 굳게 맺음이 이와 같았다. 이 때문에 그 왕업을 서산에서 형통하고 창성하게 한 것이다. 서산은 기산(岐山)이니, 주(周)나라의 왕업이 여기에서 일어났다.

상육(上六)은 수(隨)의 극에 거하여 진실로 너무 과(過)함이 되나, 백성의 따름을 얻음과 선(善)을 따르기를 굳게 함에 있어서는 이와 같이 하여야 선이 되며, 이것을 딴 곳에 시행하면 지나침이 된다.

本義 | 居隨之極하여 隨之固結而不可解者也니 誠意之極이 可通神明이라 故其占이 爲王用亨于西山하니 亨은 亦當作祭享之享[141]이라 自周而言하면 岐山在西라 凡筮祭山川者得之하고 其誠意如是하면 則吉也라

수(隨)의 극에 거하여 따르기를 굳게 맺어 풀 수 없는 자이니, 성의(誠意)의 지극함이 신명(神明)을 통할 수 있다. 그러므로 이 점괘는 왕이 서산에서 제향함이 되니, 형(亨)은 또한 마땅히 제향의 향(享) 자가 되어야 한다. 주나라의 입장에서 말하면 기산은 서쪽에 있다. 무릇 산천(山川)에 제사할 것을 점치는 자가 이 효(爻)를 얻고 그 성의가 이와 같으면 길하다.

象曰 拘係之는 上窮也라

〈상전〉에 말하였다. "붙잡아 묶어놓음은 올라가 궁극한 것이다."

傳 | 隨之固 如拘係〔一无係字〕維持〔一无持字〕하니 隨道之窮極也라

따름의 견고함이 붙잡아 묶어놓고 다시 동여맴과 같으니, 따름의 도(道)가 궁극한 것이다.

本義 | 窮은 極也라

'궁(窮)'은 궁극함이다.

••••••

141 亨亦當作祭享之享 : 亨을 《정전》은 형통함으로 해석하였으나 《본의》에는 향(享)과 통용되는 것으로 해석하였는바, 앞의 대유괘(大有卦) 구삼 효사(九三爻辭)의 '公用亨于天子'에 자세히 보인다.

18 산풍 山風 고(蠱) ䷑ 손하간상 巽下艮上

傳 | 蠱는 序卦에 以喜隨人者는 必有事라 故受之以蠱라하니 承二卦之義以爲次也라 夫喜悅以隨於人者는 必有事也니 无事則何喜何隨리오 蠱所以次隨也라 蠱는 事也니 蠱非訓事요 蠱乃有事也라 爲卦 山下有風하니 風在山下하여 遇山而回則物亂하니 是爲蠱象이니 蠱之義는 壞亂也라 在文에 爲蟲皿(명)하니 皿之有蟲은 蠱壞之義[142]라 左氏傳云 風落山하고 女惑男이라하니 以長女下於少男는 亂其情也라 風遇山而回면 物皆撓亂하니 是爲有事之象이라 故云蠱者事也요 旣蠱而治之면 亦事也라 以卦之象言之하면 所以成蠱也요 以卦之才言之하면 所以治蠱也라

고괘(蠱卦)는 〈서괘전〉에 "기쁨으로 남을 따르는 자는 반드시 일이 있으므로 고괘로 받았다." 하였으니, 예(豫 ䷏)와 수(隨 ䷐) 두 괘의 뜻을 이어 차례를 삼은 것이다. 희열(喜悅)하여 남을 따르는 자는 반드시 일이 있게 마련이니, 일이 없다면 무엇을 기뻐하고 무엇을 따르겠는가. 고괘가 이 때문에 수괘(隨卦) 다음이 된 것이다. 고(蠱)는 일이니, 고(蠱) 자에 일이란 뜻이 있는 것이 아니요, 고(蠱;혼란)하면 마침내 일이 있는 것이다. 괘됨이 산(山 ☶) 아래에 바람(☴)이 있으니, 바람이 산 아래에 있으면서 산을 만나 돌면 물건이 혼란해지니, 이것이 고(蠱)의 상(象)이니, 고(蠱)의 뜻은 파괴되고 혼란함이다. 글자에 있어서는 충(蟲)과 명(皿)이 되니, 그릇에 벌레가 있음은 좀먹고 파괴하는 뜻이다.

《춘추좌씨전》 소공(昭公) 원년(元年)에 "바람이 산에 있는 것을 떨어뜨리고 여자가 남자를 혹하게 한다." 하였으니, 장녀(長女;손(巽))로서 소남(少男;간(艮))에게 낮춤은 그 정(情)을 어지럽히는 것이다. 바람이 산을 만나 돌면 물건이 모두 흔들리고 혼란해지니, 이는 일이 있는 상(象)이 된다. 그러므로 고(蠱)는 일이라고 말

······

142 在文……蠱壞之義：벌레가 박가지와 같은 물건에 붙어 있으면 좀을 먹으므로 말한 것이며, 또 옛날 미워하는 사람을 저주(詛呪)할 적에 파충류(뱀)나 양서류(개구리 등의 곤충) 100마리를 잡아서 한 그릇에 넣어두면 서로 잡아먹다가 최후에 한 마리가 남는데, 이것을 고(蠱)라 하여 저주하는 물건으로 사용해서 남을 파괴시켰으므로 말한 것이다.

··· 蠱：어지러울 고, 좀먹을 고, 일 고 皿：그릇 명 撓：어지러울 뇨 第：집 제

하였고, 이미 혼란하고서 다스리면 이 또한 일이다. 괘의 상(象)으로 말하면 고(蠱)를 이룸이 되고, 괘의 재질로 말하면 고(蠱)를 다스림이 된다.

蠱는 元亨하니 利涉大川이니

고(蠱)는 크게 선(善)하여 형통하니 대천을 건넘이 이로우니,

본의 | 크게 형통하니,

傳 | 旣蠱則有復治之理라 自古治必因亂하고 亂則開治하니 理自然也라 如卦之才以治蠱면 則能致元亨也라 蠱之大者는 濟時之艱難險阻也라 故曰 利涉大川이라 하니라

이미 혼란하면 다시 다스려지는 이치가 있다. 예로부터 다스림은 반드시 혼란함으로 인하고 혼란하면 다스림을 열어놓았으니, 이는 이치의 자연함이다. 괘의 재질과 같이 고(蠱:혼란함)를 다스리면 크게 선(善)하여 형통함을 이룰 수 있다. 고(蠱:다스림)의 큰 것은 세상의 어려움과 험조(險阻)를 구제하는 것이므로 대천을 건넘이 이롭다고 한 것이다.

先甲三日하며 後甲三日[143] 이니라

갑(甲)으로 먼저 삼 일을 하며 갑으로 뒤에 삼 일을 하여야 한다.

本義 | 先甲三日하고

갑으로 먼저 삼 일을 하고, 갑으로 뒤에 삼 일을 하여야 한다.

傳 | 甲은 數之首요 事之始也니 如辰之甲乙과 甲第、甲令[144]이 皆謂首也니 事之端也라 治蠱之道는 當思慮其先後三日이니 蓋推原先後하여 爲救弊可久之道라 先甲은 謂先於此니 究其所以然也요 後甲은 謂後於此니 慮其將然也라 一日二日

143 先甲三日 後甲三日:《언해》를 따라 위와 같이 번역하였으나, 《정전》의 '先甲, 謂先於此; 後甲, 謂後於此.'와 《본의》에 의하면 "갑보다 3일을 먼저 하고 갑보다 3일을 뒤에 한다."로 해석하는 것이 옳을 듯하다.

144 甲第甲令: 갑제(甲第)는 과거(科擧)의 장원(壯元)이나 최고의 저택을 가리키며, 갑령(甲令)은 법률의 첫 번째 조항을 가리킨다.

로 至於三日은 言慮之深, 推之遠也라 究其所以然이면 則知救之之道요 慮其將然이면 則知備之之方이니 善救則前弊可革이요 善備則後利可久니 此古之聖王이 所以新天下而垂後世也라 後之治蠱者는 不明聖人先甲後甲之誡하여 慮淺而事近이라 故勞於救世而亂不革하고 功未及成而弊已生矣라 甲者는 事之首요 庚者는 變更之首[145]라 制作政敎之類則云甲하니 擧其首也요 發號施令之事則云庚하니 庚은 猶更也니 有所更變也라

갑(甲)은 수(數)의 첫 번째이고 일의 시작이니, 일진(日辰)의 갑(甲)·을(乙)과 갑제(甲第), 갑령(甲令)과 같은 것이 모두 첫 번째를 이르니, 일의 단서이다. 혼란함을 다스리는 방법은 마땅히 그 앞뒤 3일을 사려(思慮)하여야 하니, 앞뒤를 미루어 근원해서 병폐를 바로잡고 장구히 할 수 있는 방도를 마련하여야 한다. '선갑(先甲)'은 이보다 앞서 함을 이르니 그 소이연(所以然)을 연구하는 것이요, '후갑(後甲)'은 이보다 뒤에 함을 이르니 장차 그러할 것을 생각(염려)하는 것이다. 1일, 2일로부터 3일에 이름은 생각함이 깊고 추원(推原)함이 멂을 말한 것이다.

소이연을 연구하면 〈병폐를〉 바로잡을 방법을 알고 장차 그러할 것을 생각하면 대비할 방법을 알 것이니, 잘 바로잡으면 전일의 병폐를 개혁할 수 있고 잘 대비하면 후일의 이익을 장구히 할 수 있으니, 이는 옛날 성왕(聖王)이 천하를 새롭게 하고 법을 후세에 드리워준 것이다. 후세에 혼란을 다스리는 자들은 성인의 선갑(先甲)·후갑(後甲)의 경계를 알지 못하여 생각이 얕고 일이 천근(淺近)하기 때문에 세상을 구제함에 수고로우나 혼란함이 개혁되지 못하고, 공(功)이 이루어지기도 전에 병폐가 이미 생겼던 것이다. '갑'은 일의 첫 번째이고 '경(庚)'은 변경의 첫 번째이다. 제작(制作)과 정교(政敎) 따위는 '갑(甲)'이라고 말하니 첫 번째를 든 것이요, 호령(號令)을 발하는 일은 '경(庚)'이라고 말하니 경(庚)은 경(更)과 같아서 변경하는 바가 있는 것이다.

本義 | 蠱는 壞極而有事也라 其卦艮剛居上하고 巽柔居下하여 上下不交하고 下

145 甲者事之首 庚者變更之首 : 뒤 손괘(巽卦) 구오 효사(九五爻辭)에도 '선경삼일(先庚三日), 후경삼일(後庚三日)'이라 하여 여기의 '先甲三日, 後甲三日'과 비슷한 내용이 보이는데, 두 가지 모두 정이천과 주자의 해석이 각기 다르다.

卑巽而上苟止라 故其卦爲蠱라 或曰 剛上柔下는 謂卦變이 自賁來者는 初上二下하고 自井來者는 五上上下하고 自旣濟來者는 兼之라하니 亦剛上而柔下니 皆所以爲蠱也라 蠱壞之極엔 亂當復治라 故其占이 爲元亨而利涉大川이라 甲은 日之始요 事之端也라 先甲三日은 辛也요 後甲三日은 丁也니 前事過中而將壞면 則可自新以爲後事之端하여 而不使至於大壞라 後事方始而尙新이나 然更(갱)當致其丁寧之意하여 以監其前事之失하여 而不使至於速壞니 聖人之戒深也라

고(蠱)는 파괴됨이 지극하여 일이 있는 것이다. 이 괘는 간강(艮剛)이 위에 있고 손유(巽柔)가 아래에 있어서 상·하가 사귀지 못하며, 아래는 낮추고 공손한데 위는 구차히 멈춘다. 그러므로 이 괘를 고(蠱)라 한 것이다.

혹자는 말하기를 "강(剛)이 위에 있고 유(柔)가 아래에 있다는 것은 괘변(卦變)이 비괘(賁卦 ☶)로부터 온 것은 초(初)가 올라가고 이(二)가 내려왔고, 정괘(井卦 ☵)로부터 온 것은 오(五)가 올라가고 상(上)이 내려왔으며, 기제괘(旣濟卦 ☵)로부터 온 것은 이 둘을 겸했다." 하니, 또한 강(剛)이 올라가고 유(柔)가 아래로 내려왔으니, 모두 고(蠱)가 된 연유이다.

고괴(蠱壞)가 지극해지면 혼란함을 마땅히 다시 다스려야 한다. 그러므로 점(占)이 크게 형통하니, 대천을 건넘이 이로운 것이다.

'갑(甲)'은 일진(日辰)의 시작이요 일의 단서이다. 갑보다 앞서 3일은 '신(辛;新)'이요 갑보다 뒤에 3일은 '정(丁)'이니, 앞의 일이 중(中)을 지나 장차 파괴되려 하면 스스로 새롭게〔辛, 新〕하여 뒷일의 단서를 만들어서 크게 파괴됨에 이르지 않게 하여야 하고, 뒷일이 막 시작되어 새로우나 다시 정녕(丁寧;간곡)한 뜻을 지극히 하여 앞일의 잘못을 거울삼아 속히 파괴됨에 이르지 않게 하여야 하니, 성인의 경계하심이 깊다.

彖曰 蠱는 剛上而柔下하고 巽而止 蠱라

〈단전〉에 말하였다. "고(蠱)는 강(剛)이 올라가고 유(柔)가 내려오며, 공손하고 멈춤이 고이다.

傳| 以卦變及二體之義而言이라 剛上而柔下는 謂乾之初九 上而爲上九하고 坤之上六이 下而爲初六也라 陽剛은 尊而在上者也어늘 今往居於上하고 陰柔는 卑

··· 賁 : 꾸밀 비 井 : 우물 정

而在下者也어늘 今來居於下라 男雖少而居上하고 女雖長而在下하여 尊卑得正하고 上下順理하니 治蠱之道也라 由剛之上, 柔之下하여 變而爲艮、巽하니 艮은 止也요 巽은 順也라 下巽而上止는 止於巽順也니 以巽順之道로 治蠱라 是以元亨也라

괘변(卦變)과 두 체(體)의 뜻으로써 말하였다. '강상이유하(剛上而柔下)'는 건(乾)의 초구(初九)가 올라가 상구(上九)가 되고, 곤(坤)의 상육(上六)이 내려와 초육(初六)이 됨을 말한 것이다. 양강(陽剛)은 높아서 위에 있는 자인데 이제 가서 위에 거하고, 음유(陰柔)는 낮아서 아래에 있는 자인데 이제 와서 아래에 거하였다. 남(男)은 비록 어리나((少男)이나) 위에 거하고 여(女)는 비록 나이가 많으나((長女)이나) 아래에 있어서, 존비(尊卑)가 바름을 얻고 상하가 이치를 순히 하였으니, 고(蠱)를 다스리는 방도이다. 강(剛)이 올라가고 유(柔)가 내려옴으로 말미암아 변하여 간(艮 ☶)과 손(巽 ☴)이 되었으니, 간(艮)은 그침이요 손(巽)은 순함이다. 아래가 순하고 위가 멈춤은 손순(巽順)에 멈추는 것이니, 손순의 도(道)로 혼란함을 다스리기 때문에 크게 선(善)하여 형통한 것이다.

本義 | 以卦體卦變卦德으로 釋卦名義하니 蓋如此則積弊而至於蠱矣라

괘체(卦體)와 괘변(卦變)과 괘덕(卦德)으로써 괘명(卦名)의 뜻을 해석하였으니, 이와 같이 하면 병폐가 쌓여 혼란함에 이를 것이다.

蠱元亨하여 而天下治也요

고(蠱)는 크게 선(善)하여 형통해서 천하가 다스려지고,

본의 | 크게 형통하여

傳 | 治蠱之道 如卦之才면 則元亨而天下治矣라 夫治亂者 苟能使尊卑、上下之義正하여 在下者巽順하고 在上者能止齊安定之하여 事皆止於順이면 則何蠱之不治也리오 其道大善而亨也니 如此則天下治矣라

고(蠱)를 다스리는 방도가 괘의 재질과 같으면 크게 선(善)하여 형통해서 천하가 다스려질 것이다. 혼란함을 다스리는 자가 만일 존비(尊卑)와 상하의 의(義)를 바르게 하여, 아래에 있는 자가 손순(巽順)하고 위에 있는 자가 멈추어 가지런하고 안정하여 일이 모두 순함에 그치게 하면 무슨 혼란함인들 다스리지 못하겠는

가. 그 도(道)가 크게 선하여 형통하니, 이와 같이 하면 천하가 다스려질 것이다.

利涉大川은 往有事也요

대천을 건넘이 이로움은 가서 일삼는 바가 있는 것이요,

傳｜ 方天下壞亂之際하여 宜涉艱險以往而濟之하니 是往有所事也라

천하가 막 괴란(壞亂)하는 즈음을 당하여 마땅히 어려움과 험함을 건너고 가서 구제하여야 하니, 이는 가서 일삼는 바가 있는 것이다.

先甲三日、後甲三日은 終則有始 天行也라

'선갑삼일(先甲三日), 후갑삼일(後甲三日)'은 마치면 시작이 있는 것이 천행(天行;천도(天道))이다."

傳｜ 夫有始則必有終하고 旣終則必有始는 天之道也라 聖人知終始之道라 故能原始而究其所以然하고 要終而備其將然하여 先甲後甲而爲之慮하니 所以能治蠱而致元亨也라

시작이 있으면 반드시 끝마침이 있고, 끝마치면 반드시 시작이 있는 것은 하늘의 도(道)이다. 성인(聖人)은 종시(終始)의 도(道)를 알기 때문에 능히 시작을 근원하여 소이연(所以然)을 연구하고, 끝마침을 알아 장차 그러할 것에 대비하여 갑(甲)보다 먼저 하고 갑보다 뒤에 하여 생각하니, 이 때문에 혼란함을 다스려 크게 선하여 형통함을 이루는 것이다.

本義｜ 釋卦辭라 治蠱至於元亨이면 則亂而復治之象也라 亂之終은 治之始니 天運然也라

괘사(卦辭)를 해석하였다. 혼란함을 다스려 크게 형통함에 이르면 혼란하였다가 다시 다스려지는 상(象)이다. 혼란의 끝마침은 다스려짐의 시작이니, 천운(天運)이 그러하다."

象曰 山下有風이 **蠱**니 **君子以**하여 **振(賑)民**하며 **育德**하나니라

〈상전〉에 말하였다. "산(山) 아래에 바람이 있음이 고(蠱)이니, 군자가 보고서 백성들을 구제하며 덕을 기른다."

傳 | 山下有風하니 風遇山而回하면 則物皆散亂이라 故爲有事之象이라 君子觀有事之象하여 以振濟於民하며 養育其德也라 在己則養德이요 於天下則濟民이니 君子之所事 无大於此二者니라

산(山) 아래에 바람이 있으니, 바람이 산을 만나 돌면 물건이 다 흩어져 혼란해진다. 그러므로 일이 있는 상(象)이 된 것이다. 군자가 일이 있는 상을 보아 백성들을 구제하고 자신의 덕을 기른다. 자신에게 있어서는 덕을 기름이요 천하에 있어서는 백성들을 구제함이니, 군자의 일삼는 바가 이 두 가지보다 더 큰 것이 없다.

本義 | 山下有風하니 物壞而有事矣로되 而事莫大於二者하니 乃治己治人之道也라

산 아래에 바람이 있으니 물건이 파괴되어 일이 있는 것인데, 일은 이 두 가지보다 더 큰 것이 없으니, 이는 바로 자신을 다스리고 남을 다스리는 방도이다.

初六은 **幹父之蠱**니 **有子**면 **考无咎**하리니 **厲**하여야 **終吉**이리라

초육(初六)은 아버지의 일을 주간(主幹)함이니, 훌륭한 아들이 있으면 아버지가 허물이 없으리니, 위태롭게 여겨야 끝내 길하리라.

傳 | 初六이 雖居最下나 成卦由之하여 有主之義라 居內在下而爲主하니 子幹父蠱也라 子幹父蠱之道는 能堪其事면 則爲有子하여 而其考得无咎요 不然則爲父之累라 故必惕厲면 則得終吉也라 處卑而尸尊事면 自當兢畏라 以六之才로 雖能巽順이나 體乃陰柔요 在下无應而主幹하여 非有能濟之義하니 若以不克幹而〔一无而字〕言이면 則其義甚小라 故專言爲子幹蠱之道하니 必克濟則不累其父하고 能厲則可以終吉하니 乃備見(현)爲子幹蠱之大法也라

초육(初六)이 비록 가장 낮은 곳에 거하였으나 괘가 이 효로 말미암아 이루어져서 주간하는 뜻이 있다. 내괘(內卦)에 거하고 아래에 있으면서 주체가 되었으

··· 振 : 구휼할 진(賑通) 幹 : 주관할 간 厲 : 위태로울 려 堪 : 견딜 감 惕 : 두려울 척 尸 : 주장할 시
累 : 더럽힐 루

니, 이는 아들이 아버지의 일을 주간하는 것이다. 아들이 아버지의 일을 주간하는 방도는 그 일을 감당할 수 있으면 훌륭한 아들을 둠이 되어 아버지가 허물이 없을 것이요, 그렇지 않으면 아버지에게 누(累)가 된다. 그러므로 반드시 두려워하고 조심하면 끝내 길함을 얻는 것이다. 낮은 자리에 처하여 높은 분의 일을 주간하면 본래 마땅히 조심하고 두려워하여야 한다.

육(六)의 재질로 비록 능히 손순(巽順)하나 체(體)가 음유(陰柔)이고 아래에 있으며 응이 없어서 주간하여 능히 이룰 수 있는 뜻이 없으니, 만약 주장하지 못함을 가지고 말하면 그 뜻이 심히 작아진다. 그러므로 오로지 자식으로서 일을 주간하는 방도를 말하였으니, 반드시 능히 이루면 아버지에게 누를 끼치지 않고, 위태롭게 여기면 끝내 길할 것이니, 이는 바로 자식으로서 일을 주간하는 큰 방법을 골고루 나타낸 것이다.

本義 | 幹은 如木之幹이니 枝葉之所附而立者也라 蠱者는 前人已壞之緖라 故諸爻皆有父母之象하니 子能幹之면 則飭治而振起矣라 初六은 蠱未深而事易濟라 故其占이 爲有子則能治蠱而考得无咎나 然亦危矣라 戒占者宜如是요 又知危而能戒則終吉也라

'간(幹)'은 나무의 근간(根幹)과 같으니, 지엽(枝葉)이 붙어 서는 것이다. '고(蠱)'는 앞사람이 이미 파괴해 놓은 실마리이다. 이 때문에 여러 효가 모두 부모(앞사람)의 상(象)이 있으니, 자식이 능히 일을 주간하면 삼가 다스려서 진작될 것이다. 초육(初六)은 혼란함이 아직 깊지 않아서 일이 이루어지기 쉬우므로, 그 점(占)이 훌륭한 아들이 있으면 능히 일을 다스려서 아버지가 허물이 없을 수 있으나 또한 위태롭다. 점치는 자가 마땅히 이와 같이 할 것이요, 또 위태로움을 알아 경계하면 끝내 길하다고 경계한 것이다.

象曰 幹父之蠱는 意承考也라

〈상전〉에 말하였다. "아버지의 일을 주간함은 뜻이 아버지의 일을 이으려고 해서이다."

傳 | 子幹父蠱之道는 意在承當於父之事也라 故祗敬其事하여 以置父於无咎之

••• 緖 : 실마리 서 振 : 떨칠 진 飭 : 삼갈 칙 祗 : 공경할 지

地하여 常懷惕厲면 則終得其吉也라 盡誠於父事는 吉之道也라

아들이 아버지의 일을 주간하는 방도는 뜻이 아버지의 일을 받들어 담당함에 있는 것이다. 그러므로 그 일을 공경하여 아버지를 허물이 없는 자리에 두어서 항상 두려워하고 위태로운 생각을 품으면 끝내 길함을 얻는 것이다. 아버지의 일에 정성을 다함은 길한 방도이다.

九二는 幹母之蠱니 不可貞이니라

구이(九二)는 어머니의 일을 주간함이니, 정고(貞固)해서는 안 된다.

傳 | 九二陽剛으로 爲六五所應하니 是는 以陽剛之才로 在下而幹夫在上陰柔之事也라 故取子幹母蠱爲義하니 以剛陽之臣으로 輔柔弱之君도 義亦相近이라 二는 巽體而處柔하여 順義爲多하니 幹母之蠱之道也라 夫子之於母에 當以柔巽輔導之하여 使得於義니〔一有母字〕不順而致敗蠱면 則子之罪也라 從容將順에 豈无道乎아 以婦人言之하면 則陰柔可知니 若伸己剛陽之道하여 遽然矯拂則傷恩하여 所害大矣니 亦安能入乎아 在乎屈己下意하고 巽順將承하여 使之身正事治而已라 故曰不可貞이라하니 謂不可貞固하여 盡其剛直之道니 如是乃中道也라 又安能使之爲甚高之事乎아 若於柔弱之君에 盡誠竭忠하여 致之於中道則可矣니 又安能使之大有爲乎아 且以周公之聖으로 輔成王에 成王非甚柔弱也나 然能使之爲成王而已하여 守成不失道則可矣니 固不能使之爲羲、黃、堯、舜之事也라 二巽體而得中하니 是能巽順而得中道하여 合不可貞之義하니 得幹母蠱之道也라

구이(九二)가 양강(陽剛)으로 육오(六五)에게 응하는 바가 되니, 이는 구이가 양강의 재주로 아래에 있으면서 위에 있는 음유(陰柔)의 일을 주간하는 것이다. 그러므로 아들이 어머니의 일을 주간함을 취하여 뜻을 삼았으니, 강양(剛陽)의 신하로서 유약한 군주를 보필함에도 뜻이 또한 서로 비슷하다. 이(二)는 손체(巽體)로 유위(柔位)에 처하여 순한 뜻이 많으니, 어머니의 일을 주간하는 방도이다. 아들은 어머니에 대하여 마땅히 유손(柔巽)함으로 보도(輔導)하여 의(義)에 맞게 하여야 하니, 순하지 못하여 패고(敗蠱)함에 이르면 아들의 죄이다. 종용(從容;여유롭고 온화함)히 받들어 순종함에 어찌 방도가 없겠는가.

부인(婦人)이라고 말했으면 음유(陰柔)임을 알 수 있으니, 아들이 만약 자신의

··· 將 : 받들 장 遽 : 갑자기 거 矯 : 바로잡을 교 拂 : 어길 불

강양(剛陽)의 도(道)를 펴서 갑자기 바로잡으려 하여 어기면 모자간(母子間)의 은혜를 상하여 해로운 바가 클 것이니, 또한 어떻게 〈자식의 뜻이〉 들어갈 수 있겠는가. 지식이 몸을 굽히고 뜻을 낮추며 손순(巽順)히 뜻을 받들어 몸이 바르고 일이 다스려지게 함에 있을 뿐이다. 그러므로 '정고(貞固)히 해서는 안 된다.'고 한 것이니, 정고히 하여 자신의 강직한 도(道)를 다하지 않아야 함을 말한 것이니, 이와 같이 함이 바로 중도(中道)이다. 또 어찌 어머니로 하여금 심히 높은 일을 하게 하겠는가.

이는 마치 유약(柔弱)한 군주에게 정성을 다하고 충성을 다하여 중도에 이르게 하면 가(可)함과 같으니, 또 어찌 군주로 하여금 훌륭한 일을 하게 할 수 있겠는가. 우선 주공(周公)과 같은 성인(聖人)으로도 성왕(成王)을 보필함에 있어서 성왕이 심히 유약한 분이 아니었으나 하여금 성왕이 되게 할 뿐이어서 수성(守成)하여 도를 잃지 않게 하면 가(可)하였으니, 진실로 하여금 복희(伏羲)와 황제(黃帝), 요(堯)·순(舜)의 일을 하게 하지는 못하였다. 이(二)는 손체(巽體)로 중(中)을 얻었으니, 이는 손순(巽順)하여 중도를 얻어 정고(貞固)해서는 안 되는 뜻에 합하여, 어머니의 일을 주간하는 도(道)를 얻은 것이다.

本義 | 九二剛中으로 上應六五하니 子幹母蠱而得中之象이라 以剛承柔而治其壞라 故又戒以不可堅貞하니 言當巽以入之也라

구이(九二)는 강중(剛中)으로 위로 육오(六五)에 응하니, 아들이 어머니의 일을 주간하면서 중(中)을 얻은 상이다. 강(剛)으로서 유(柔)를 받들어 파괴됨을 다스리므로 또 견정(堅貞:견고하고 항상함)해서는 안 된다고 경계하였으니, 마땅히 공손함으로 들어가야 함을 말한 것이다.

象曰 幹母之蠱는 得中道也라

〈상전〉에 말하였다. "어머니의 일을 주간함은 중도를 얻은 것이다."

傳 | 二得中道而不過剛하니 幹母蠱之善者也라

이(二)가 중도를 얻어 지나치게 강(剛)하지 않으니, 어머니의 일을 주간하기를 잘하는 자이다.

九三은 幹父之蠱니 小有悔나 无大咎리라

구삼(九三)은 아버지의 일을 주간함이니, 다소 뉘우침이 있으나 큰 허물은 없으리라.

傳 | 三以剛陽之才로 居下之上하여 主幹者也니 子幹父之蠱也라 以陽處剛而不中하니 剛之過也라 然而在巽體하여 雖剛過나 而不爲无順이니 順은 事親之本也요 又居得正이라 故无大過라 以剛陽之才로 克幹其事하니 雖以剛過而有小小之悔나 終无大過咎也라 然有小悔하니 已非善事親也라

삼(三)은 강양(剛陽)의 재질로 하괘(下卦)의 위에 거하여 일을 주간하는 자이니, 아들로서 아버지의 일을 주간하는 것이다. 양효(陽爻)로 강위(剛位)에 처하고 중(中)하지 못하니, 강함이 지나치다. 그러나 손(巽)의 체에 있어서 비록 강함이 지나쳐도 순함이 없는 것이 아니니, 순함은 어버이를 섬기는 근본이며, 또 거함이 정(正)을 얻었기 때문에 큰 허물이 없는 것이다. 강양(剛陽)의 재질로 일을 주간하니, 비록 강함이 지나쳐 소소한 뉘우침이 있으나 끝내 큰 허물이 없다. 그러나 다소 뉘우침이 있으니, 이미 어버이를 잘 섬기는 것이 아니다.

本義 | 過剛不中이라 故小有悔요 巽體得正이라 故无大咎라

지나치게 강(剛)하고 중(中)하지 못하기 때문에 다소의 뉘우침이 있으며, 손체(巽體)로 정(正)을 얻었기 때문에 큰 허물이 없는 것이다.

象曰 幹父之蠱는 終无咎也니라

〈상전〉에 말하였다. "아버지의 일을 주간함은 끝내 허물이 없는 것이다."

傳 | 以三之才로 幹父之蠱하니 雖小有悔나 終无大咎也라 蓋剛斷能幹하고 不失正而有順하니 所以終无咎也라

삼(三)의 재질로 아버지의 일을 주간하니, 비록 다소의 뉘우침이 있으나 끝내 큰 허물이 없다. 강(剛)하고 과단성이 있어 일을 주간하며 정(正)을 잃지 않고 순함이 있으니, 이 때문에 끝내 허물이 없는 것이다.

六四는 裕父之蠱니 往하면 見吝하리라

육사(六四)는 아버지의 일을 너그럽게 처리함이니, 계속하여 가면 부끄러움을 당하리라.

傳｜ 四以陰居陰하니 柔順之才也요 所處得正이라 故爲寬裕以處其父事者也라 夫柔順之才而處正이면 僅能循常自守而已니 若往幹過常之事하면 則不勝而見吝也라 以陰柔而无應助하니 往安能濟리오

사(四)는 음효(陰爻)로 음위(陰位)에 거하였으니 유순한 재질이며, 처한 바가 정(正)을 얻었으니, 이 때문에 관유(寬裕)로써 아버지의 일을 처리하는 자가 된 것이다. 유순한 재질로 정(正)에 처하면 겨우 상도(常道)를 따라 스스로 지킬 수 있을 뿐이니, 만약 가서 상도를 넘는 일을 주관하면 이겨내지(감당하지) 못하여 부끄러움을 당할 것이다. 음유(陰柔)로 응(應)의 도움이 없으니, 가면 어찌 능히 이루겠는가.

本義｜ 以陰居陰하여 不能有爲하니 寬裕以治蠱之象也라 如是則蠱將日深이라 故往則見吝이니 戒占者不可如是也라

음효(陰爻)로 음위에 거하여 훌륭한 일을 하지 못하니, 관유(寬裕)로써 혼란함을 다스리는 상(象)이다. 이와 같으면 혼란함이 장차 날로 깊어지므로 가면 부끄러움을 당하는 것이니, 점치는 자에게 이와 같이 해서는 안 된다고 경계한 것이다.

象曰 裕父之蠱는 往엔 未得也리라

〈상전〉에 말하였다. "아버지의 일을 너그럽게 처리함은 감에 얻지 못할 것이다."

傳｜ 以四之才守常하니 居寬裕之時則可矣어니와 欲有所往則未得也요 加其所任則不勝矣리라

사(四)의 재질로 상도(常道)를 지키니, 관유(寬裕)의 때에 거하면 가(可)하나 가는 바가 있고자 하면 얻지 못하며, 여기에 소임(所任)을 더하면 이겨내지(감당해내지) 못할 것이다.

··· 裕 : 너그러울 유 僅 : 겨우 근

六五는 幹父之蠱니 用譽리라

육오(六五)는 아버지의 일을 주간함이니, 칭찬을 받으리라.

傳｜ 五居尊位하여 以陰柔之質로 當人君之幹하고 而下應於九二하니 是能任剛陽之臣也라 雖能下應剛陽之賢而倚任之나 然己實陰柔라 故〔一作固〕不能爲創始開基之事요 承其舊業則可矣라 故爲幹父之蠱라 夫創業垂統之事는 非剛明之才則不能이요 繼世之君은 雖柔弱之資라도 苟能〔一有信字〕任剛賢이면 則可以爲善繼而成令譽也니 太甲、成王은 皆以臣而用譽者也라

오(五)가 존위(尊位)에 거하여 음유(陰柔)의 자질로 인군의 일을 주간하고 아래로 구이(九二)에 응하니, 이는 강양(剛陽)의 신하에게 맡긴 것이다. 비록 아래로 강양의 현자(賢者)에게 응하여 의지하고 맡기나, 자신은 실로 음유이기 때문에 창시(創始)하고 기업(基業)을 여는 일은 하지 못하고 옛 기업을 계승하는 것은 가(可)하다. 그러므로 아버지의 일을 주간함이 되는 것이다. 기업을 창건(創建)하여 전통을 드리우는 일은 강명(剛明)한 재질이 아니면 능하지 못하며, 대를 잇는 군주는 비록 유약한 자질이라도 만일 강(剛)한 현자에게 맡기면 잘 계승하여 훌륭한 명예를 이룰 수 있으니, 태갑(太甲)과 성왕(成王)은 모두 훌륭한 신하 때문에 칭찬을 받는 자이다.

本義｜ 柔中居尊하고 而九二承之以德하니 以此幹蠱면 可致聞譽라 故其象占如此하니라

유중(柔中)으로 존위(尊位)에 거하고 구이(九二)가 〈강중(剛中)의〉 덕으로 받드니, 이로써 일을 주간하면 명성과 칭찬을 이룰 수 있다. 그러므로 그 상(象)과 점(占)이 이와 같은 것이다.

象曰 幹父用譽는 承以德也라

〈상전〉에 말하였다. "아버지의 일을 주간하여 칭찬을 받음은 덕으로써 받들기 때문이다."

傳 | 幹父之蠱而用有令譽者는 以其在下之賢이 承輔之以剛中之德也일새라

아버지의 일을 주간하여 훌륭한 칭찬을 받는 것은, 그 아래에 있는 현자가 받들어 보필(輔弼)하기를 강중(剛中)의 덕으로써 하기 때문이다.

上九는 不事王侯하고 高尚其事로다

상구(上九)는 왕후(王侯)를 섬기지 않고 그 일을 고상히 하도다.

傳 | 上九居蠱之終하여 无係應於下하고 處事之外하여 无所事之地也라 以剛明之才로 无應援而處无事之地하니 是는 賢人君子不偶於時而高潔自守하여 不累於世務者也라 故云 不事王侯 高尚其事라하니라 古之人이 有行之者하니 伊尹、太公望之始와 曾子、子思之徒是也라 不屈道以徇時하여 旣不得施設於天下면 則自善其身하고 尊高敦尚其事하여 守其志節而已라 士之自高尚도 亦〔一无亦字〕非一道[146]니 有懷抱道德하고 不偶於時而高潔自守者하며 有知止足之道하고 退而自保者하며 有量能度(탁)分하고 安於不求知〔一无知字〕者하며 有淸介自守하여 不屑天下之事하고 獨潔其身者하니 所處雖有得失、小大之殊나 皆自高尚其事者也라 象所謂志可則者니 進退合道者也라

상구(上九)가 고(蠱)의 맨 끝에 거하여 아래에 계응(係應)이 없고 일〔蠱〕의 밖에 처하여 일하는 바가 없는 자리이다. 강명(剛明)한 재질로 응원이 없고 일이 없는 자리에 처하였으니, 이는 현인(賢人)과 군자가 세상을 만나지 못하여 고결(高潔)함으로 스스로 지켜서 세상의 일에 얽매이지 않는 자이다. 그러므로 '왕후(王侯)를 섬기지 않고 그 일을 고상히 한다.'고 말한 것이다. 옛사람 중에 이것을 행한 분이 있으니, 이윤(伊尹)과 태공 망(太公望)의 초기와 증자(曾子)와 자사(子思)의 무리가 이러한 분들이다. 도(道)를 굽혀 세상을 따르지 아니하여 이미 천하에 베풀 수 없

146 士之自高尚 亦非一道 : 사계(沙溪)는 이에 대하여 "고결자수(高潔自守)는 이윤(伊尹)과 태공(太公)이고 퇴이자보(退而自保)는 장량(張良)과 소광(疏廣)이고 불구지독결(不求知獨潔)은 엄광(嚴光)과 주당(周黨)과 같은 자이다." 하였다. 그러나 이것은 원래 율곡(栗谷)의 《성학집요(聖學輯要)》에 있는 내용이다. 이윤과 태공은 처음에 은둔하여 스스로 지조를 지키다가 상(商)나라 탕왕(湯王)과 주(周)나라 문왕(文王)의 초빙을 받고 모두 세상에 나와 천하를 크게 다스렸으며, 장량과 소광은 모두 전한(前漢) 사람으로 세상에 나왔다가 물러가 몸을 보존하였으며, 엄광과 주당은 후한(後漢) 사람으로 모두 끝까지 은둔하였다.

屑 : 달갑게여길 설 偶 : 만날 우 累 : 얽맬 루 抱 : 안을 포

으면 스스로 자기 몸을 선(善)하게 하고, 그 일을 높이고 숭상하여 자신의 뜻과 절개를 지킬 뿐이다.

선비가 스스로 고상히 하는 것 또한 한 가지 방법이 아니니, 도덕(道德)을 품고서 때를 만나지 못하여 고결함으로 스스로 지키는 자가 있으며, 만족함에 그치는 도(道)를 알고 물러가 스스로 보존하는 자가 있으며, 자신의 능력을 헤아리고 분수를 헤아려 알아주기를 구하지 않음에 편안한 자가 있으며, 청렴하고 깨끗하여 스스로 지켜서 천하의 일을 좋게 여기지 않고 홀로 그 몸을 깨끗이 하는 자가 있으니, 처한 바는 비록 득실(得失)과 대소(大小)의 차이가 있으나 모두 스스로 그 일을 고상히 하는 자이다. 〈상전〉에 이른바 '뜻이 법칙이 될 만하다.'는 것이니, 진퇴가 도(道)에 합하는 자이다.

本義 | 剛陽居上하여 在事之外라 故爲此象이요 而占與戒皆在其中矣라

강양(剛陽)으로 상(上)에 거하여 일의 밖에 있으므로 이러한 상(象)이 되니, 점괘와 경계가 모두 이 안에 들어있다.

象曰 不事王侯는 志可則(칙)也라

〈상전〉에 말하였다. "왕후를 섬기지 않음은 뜻이 법칙이 될 만하다."

傳 | 如上九之處事外하여 不累於世務하고 不臣事於王侯하면 蓋進退以道하고 用捨隨時니 非賢者면 能之乎아 其所存之志 可爲法則也라

상구(上九)와 같이 일의 밖에 처하여 세상의 일에 얽매이지 않고 신하가 되어 왕후를 섬기지 않으면, 진(進)·퇴(退)를 도(道)로써 하고 용(用)·사(捨)를 때에 따라 하는 것이니, 현자가 아니면 이에 능하겠는가. 그러므로 간직하고 있는 뜻이 법칙이 될 만한 것이다.

19 지택 地澤 림(臨) ䷒ 태하곤상 兌下坤上

傳 | 臨은 序卦에 有事而後可大라 故受之以臨[147]이라하니라 臨者는 大也요 蠱者는 事也니 有事則可大矣라 故受之以臨也라 韓康伯[148]云 可大之業이 由事而生이라하니라 二陽方長而盛大라 故爲臨也라 爲卦 澤上有地하니 澤上之地는 岸也니 與水相際하여 臨近乎水라 故爲臨이라 天下之物이 密近〔一作邇〕相臨者 莫若地與水라 故地上有水則爲比요 澤上有地則爲臨也라 臨者는 臨民、臨事 凡所臨皆是로되 在卦엔 取自上臨下하니 臨民之義라

림괘(臨卦)는 〈서괘전〉에 "일이 있은 뒤에 클 수 있으므로 림괘로 받았다." 하였다. 림(臨)은 큼이요 고(蠱)는 일이니, 일이 있으면 클 수 있기 때문에 림괘로 받은 것이다. 한강백(韓康伯)이 이르기를 "큰 사업(事業)은 일로 말미암아 생긴다." 하였다. 두 양(陽)이 막 자라나 성대하기 때문에 림(臨)이라고 한 것이다. 괘됨이 못(☱) 위에 땅(☷)이 있으니, 못 위의 땅은 강안(江岸)이니, 물과 서로 접해서 물에 림(臨)하여 가까이 있기 때문에 림이라 한 것이다.

천하의 물건이 가까이 서로 림한 것은 땅과 물 만한 것이 없다. 그러므로 땅 위에 물이 있으면 비괘(比卦 ䷇)가 되고, 못 위에 땅이 있으면 림괘(臨卦 ䷒)가 된 것이다. 림(臨)은 백성에게 림(臨)하고 일에 림하는 등 모든 림하는 것이 모두 해당되는데, 괘에 있어서는 위에서 아래에 림함을 취하였으니, 백성에게 림하는 뜻이다.

臨은 元亨하고 利貞하니

림(臨)은 크게 형통하고 정(貞)함이 이로우니,

······

147 臨……故受之以臨 : 臨은 원래의 음이 '림'이므로 두음법칙을 따르지 않고 림괘 안에서는 臨을 모두 '림'으로 표기하였다. 그러나 다른 괘에서는 괘명(卦名)이 아닌 경우에는 '임'으로 표기하였다.

148 韓康伯 : 강백(康伯)은 한백(韓伯)의 자(字)로 동진(東晉)의 장사(長社) 사람인데, 역학(易學)에 밝았으며, 왕필이 주해하지 않은 〈계사전(繫辭傳)〉·〈설괘전(說卦傳)〉 등에 주를 달았는데, 이것이 〈십삼경주소(十三經注疏)〉에 채택되었다.

··· 臨 : 클 림, 임할 림

傳 | 以卦才言也라 臨之道如卦之才면 則大亨而正也라

괘재(卦才)로써 말하였다. 림(臨)하는 도가 괘의 재질과 같으면 크게 형통하고 바른 것이다.

至于八月하여는 有凶하리라

팔월(8개월)에 이르면 흉함이 있으리라.

傳 | 二陽이 方長於下하여 陽道嚮盛之時어늘 聖人이 豫爲之戒曰 陽雖方盛이나 至於八月이면 則其道消矣니 是有凶也라하시니라 大率聖人爲戒는 必於方盛之時하나니 方盛而慮衰면 則可以防其滿極而圖其永久요 若旣衰而後戒면 亦无及矣라 自古天下安治에 未有久而不亂者하니 蓋不能戒於盛也일새라 方其盛而不知戒라 故狃(뉴)安富則驕侈生하고 樂舒肆則綱紀壞하고 忘禍亂則釁孼(흔얼)萌하나니 是以浸淫하여 不知亂之至也니라

두 양(陽)이 막 아래에서 자라나 양(陽)의 도(道)가 성할 때인데, 성인이 미리 경계하시기를 "양이 비록 성하나 8개월에 이르면 그 도가 사라지니, 이는 흉함이 있는 것이다." 한 것이다. 대체로 성인이 경계함은 반드시 막 성할 때에 하니, 막 성할 때에 쇠할 것을 염려하면 가득함과 궁극함을 방비하여 영구함을 도모할 수 있고, 만약 이미 쇠한 뒤에 경계하면 또한 미칠 수 없다. 예로부터 천하가 편안히 다스려짐에 오래고서 혼란하지 않은 적이 없었으니, 이는 성할 때에 경계하지 않았기 때문이다.

성할 때를 당하여 경계할 줄을 알지 못하기 때문에 편안하고 부유함에 익숙하면 교만과 사치한 마음이 생기고, 풀어지고 방사함을 좋아하면 기강(紀綱)이 무너지고, 화란(禍亂)을 잊으면 재앙이 싹트니, 이 때문에 점점 빠져서 난(亂)이 이름을 알지 못하는 것이다.

本義 | 臨은 進而凌逼於物也라 二陽浸長하여 以逼於陰이라 故爲臨이니 十二月之卦也라 又其爲卦 下兌說, 上坤順이요 九二以剛居中하여 上應六五라 故占者大亨而利於正이라 然至于八月이면 當有凶也라 八月은 謂自復卦一陽之月로 至

··· 嚮 : 향할 향 狃 : 익숙할 뉴 釁 : 틈 흔 孼 : 움 얼, 재앙 얼 浸 : 점점 침 循 : 따를 순 環 : 고리 환

于遯卦二陰之月[149]이니 陰長陽遯之時也라 或曰 八月은 謂夏正八月이라하니 於卦爲觀이니 亦臨之反對也라 又因占而戒之하니라

림(臨)은 나아가 물건을 능멸하고 핍박하는 것이다. 두 양이 점점 자라나 음을 핍박하기 때문에 림(臨)이라 한 것이니, 12월의 괘이다. 또 괘됨이 아래는 태(兌☱)여서 기뻐하고 위는 곤(坤☷)이어서 순하며, 구이(九二)가 강(剛)으로 중(中)에 거하여 위로 육오(六五)와 응한다. 이 때문에 점치는 자가 크게 형통하고 정(貞)함이 이로운 것이다. 그러나 팔월(8개월)에 이르면 마땅히 흉함이 있을 것이다.

팔월(8개월)은 복괘(復卦 ䷗)인 일양(一陽)의 달로부터 돈괘(遯卦 ䷠)인 이음(二陰)의 달에 이르는 것이니, 음이 자라고 양이 은둔할 때이다. 혹자는 말하기를 "팔월은 하정(夏正) 8월이다."라고 하니, 괘에 있어서 관괘(觀卦 ䷓)가 되는데 또한 림괘(臨卦)의 반대이다. 이는 점괘(占卦)로 인하여 경계한 것이다.

彖曰 臨은 剛浸而長하며

〈단전〉에 말하였다. "림(臨)은 강(剛)이 점점 자라며,

本義 | 以卦體로 釋卦名이라

괘체(卦體)로써 괘명(卦名)을 해석하였다.

說而順하고 剛中而應하여

기뻐하고 순하며 강(剛)이 중(中)에 있고 응하여,

本義 | 又以卦德卦體로 言卦之善이라

또다시 괘덕(卦德)과 괘체(卦體)로써 괘의 좋음을 말하였다.

149 謂自復卦一陽之月 至于遯卦二陰之月 : 십이벽괘(十二辟卦)에 의하면 11월의 동지(冬至)에 일양(一陽)이 처음 생겨 복괘(復卦 ䷗)가 되고 4월에 이르러 순양(純陽)의 건괘(乾卦 ䷀)가 되며, 5월의 하지(夏至)에 일음(一陰)이 처음 생겨 구괘(姤卦 ䷫)가 되고 6월에 이르면 이음(二陰)인 돈괘(遯卦 ䷠)가 되는바, 모두 8개월이 걸리므로 말한 것이다.

大亨以正하니 天之道也라

크게 형통하고 바르니, 하늘의 도(道)이다.

傳 | 浸은 漸也니 二陽이 長於下而漸進也라 下兌上坤하니 和說而順也요 剛得中道而有應助라 是以能大亨而得正하여 合天之道하니 剛正而和順은 天之道也라 化育之功이 所以不息者는 剛正和順而已니 以此臨人、臨事、臨天下면 莫不大亨而得正也라 兌爲說이니 說乃和也라 夬彖云 決而和라하니라

'침(浸)'은 점점함이니, 두 양이 아래에서 자라나 점점 위로 나아가는 것이다. 아래는 태(兌)이고 위는 곤(坤)이니 화열(和說)하고 순하며, 강(剛)이 중도(中道)를 얻고 응(應)의 도움이 있다. 이 때문에 크게 형통하고 바름을 얻어 하늘의 도에 합하는 것이니, 강정(剛正)하고 화순(和順)함은 하늘의 도이다. 화육(化育)의 공(功)이 쉬지 않는 까닭은 강정하고 화순하기 때문일 뿐이니, 이로써 사람에게 림(臨)하고 일에 림하고 천하에 림하면 크게 형통하고 바름을 얻지 않음이 없을 것이다. 태(兌)는 기뻐함이 되니, 기뻐함은 바로 화(和)함이다. 쾌괘(夬卦 ䷪)의 〈단전〉에 "쾌(夬)는 결단하고 화하다." 하였다.

本義 | 當剛長之時하여 又有此善이라 故其占如此也라

강(剛)이 자라나는 때를 당하여 또 이러한 선(善)이 있으므로 그 점(占)이 이와 같은 것이다.

至于八月有凶은 消不久也라

팔월에 이르러 흉함이 있음은 〈양(陽)이〉 사라질 날이 멀지 않은 것이다."

傳 | 臨은 二陽生하니 陽方漸盛之時라 故聖人爲之戒云 陽雖方長이나 然至于八月이면 則消而凶矣라하시니라 八月은 謂陽生之八月이니 陽始生於復하여 自復至遯에 凡八月이니 自建子로 至建未也라 二陰長而陽消矣라 故云消不久也라하니라 在陰陽之氣言之하면 則消長如循環하여 不可易也어니와 以人事言之하면 則陽爲君子요 陰爲小人이니 方君子道長之時하여 聖人爲之誡하여 使知極則有凶之理하여 而虞備之하여 常不至於滿極이면 則无凶也라

··· 夬 : 결단할 쾌 循 : 따를 순 環 : 고리 환 虞 : 대비할 우

림(臨)은 두 양이 생겨나니, 양이 점점 성할 때이다. 그러므로 성인이 경계하시기를 "양이 비록 자라나고 있으나 팔월에 이르면 사라져 흉할 것이다."라고 한 것이다. 팔월은 양이 생겨난 지 8개월이 됨을 이르니, 양이 처음 복괘(復卦)에서 생겨나, 복괘로부터 돈괘(遯卦)에 이름에 모두 8개월이니, 건자월(建子月:11월)로부터 건미월(建未月:6월)에 이르기까지이다. 〈림괘는〉 두 음이 자라나 양이 사라지게 되므로 사라질 날이 멀지 않았다고 말한 것이다.

음·양의 기운의 입장에서 말하면 소장(消長)은 순환함과 같아서 바꿀 수 없으나, 인사(人事)로 말하면 양은 군자가 되고 음은 소인이 되니, 군자의 도가 자라날 때를 당하여 성인이 경계해서 지극하면 흉하게 되는 이치가 있음을 알아 미리 대비하여 항상 가득하고 지극함에 이르지 않게 한 것이니, 이렇게 하면 흉함이 없다.

本義 | 言雖天運之當然이나 然君子宜知所戒라

비록 천운(天運)의 당연함이나 군자가 마땅히 경계할 줄을 알아야 함을 말한 것이다.

象曰 澤上有地臨이니 君子以하여 教思无窮하며 容保民이 无疆하나니라

〈상전〉에 말하였다. "못 위에 땅이 있음이 림(臨)이니, 군자가 보고서 가르치려는 생각이 무궁하며(다함이 없음) 백성을 용납하여 보존함이 끝이 없다."

傳 | 澤之上有地하니 澤岸也는 水之際也라 物之相臨與含容이 无若水之在地라 故澤上有地爲臨也라 君子觀親臨之象하면 則教思无窮하니 親臨於民은 則有〔一无有字〕教導之意思也요 无窮은 至誠无斁(역)也라 觀含容之象하면 則有容保民之心하니 无疆은 廣大无疆限也라 含容은 有廣大之意라 故爲无窮、无疆之義라

못 위에 땅이 있으니, 못의 언덕은 물가이다. 물건이 서로 림(臨)함과 함용(含容)함이 물이 땅에 있는 것만 한 것이 없다. 그러므로 못 위에 땅이 있음을 림(臨)이라고 한 것이다. 군자가 친히 림하는 상을 보면 가르치려는 생각이 무궁하게 되니, 백성에게 친히 림함은 교도(教導)하려는 의사가 있는 것이요, 무궁(无窮)은 지

••• 岸 : 언덕 안 斁 : 싫어할 역

극히 정성스러워 싫어함이 없는 것이다. 함용(含容)하는 상을 보면 백성을 용납하여 보존하려는 마음이 있게 되니, '무강(无疆)'은 광대하여 한계가 없는 것이다. '함용'은 광대한 뜻이 있으므로 무궁(无窮)과 무강(无疆)의 뜻이 된 것이다.

本義 | 地臨於澤은 上臨下也니 二者[150]는 皆臨下之事라 敎之无窮者는 兌也요 容之无疆者는 坤也라

땅이 못 위에 림함은 윗사람이 아랫사람에게 림하는 것이니, 이 두 가지는 다 아래에 림하는 일이다. 가르치기를 무궁히 하는 것은 태(兌)이며, 용납하기를 끝없이 하는 것은 곤(坤)이다.

初九는 咸臨이니 貞하여 吉하니라

초구(初九)는 감동하여 림(臨)함이니, 정(貞)하여 길하다.

본의 | 초구는 다 림함이니,

傳 | 咸은 感也니 陽長之時에 感動於陰이라 四應於初하니 感之者也니 比他卦에 相應尤重이라 四는 近君之位어늘 初得正位하고 與四感應하니 是는 以正道爲當位所信任하여 得行其志하니 獲乎上而得行其正道라 是以吉也라 他卦는 初上爻에 不言得位失位[151]하니 蓋初終之義爲重也요 臨則以初得位居正爲重이라 凡言貞吉은 有旣正且吉者하고 有得正則吉者하고 有貞固守之則吉者하니 各隨其事〔一作時〕也라

'함(咸)'은 감동함이니, 양이 자라나는 때에 음에게 감동하는 것이다. 육사(六四)가 초구(初九)에 응하니 감동시키는 자이니, 다른 괘에 비함에 서로 응함이 더욱 중하다. 사(四)는 군주와 가까운 자리인데, 초(初)가 정위(正位)를 얻고 사(四)

150 二者 : 사계(沙溪)는 "두 가지란 교사(敎思)와 보민(保民)을 가리킨다." 하였다.《經書辨疑》

151 不言得位失位 : 득위(得位)는 양효(陽爻)가 양의 자리(초·3·5)에 있고 음효(陰爻)가 음의 자리(2·4·상)에 있음을 이르며, 실위(失位)는 이와 반대로 양효가 음의 자리에 있고 음효가 양의 자리에 있음을 이른다. 그러나 초(初)와 상(上)은 득위와 실위를 그리 따지지 않지만, 때로는 양효가 초에 있고 음효가 상에 있는 것도 자리에 맞는 것으로 보았는바, 림괘의 초구효도 득위로 본 것이다.

와 감응하니, 이는 정도로써 지위를 담당한 자에게 신임을 받아 그 뜻을 행하는 것이니, 윗사람의 신임을 얻어 정도를 행할 수 있기 때문에 길한 것이다.

다른 괘에서는 초효(初爻)와 상효(上爻)에 득위(得位)와 실위(失位)를 말하지 않았으니 이는 초(初)와 종(終)의 뜻이 중하기 때문이고, 림괘(臨卦)는 초효(初爻)가 자리를 얻고 정(正)에 거함을 중함으로 삼은 것이다. 무릇 '정길(貞吉)'이라고 말한 것은 이미 바르고 또 길한 경우가 있고, 바름을 얻으면 길한 경우가 있고, 정고(貞固)히 지키면 길한 경우가 있으니, 각각 그 일에 따른다.

本義 | 卦唯二陽이 徧臨四陰이라 故二爻皆有咸臨之象이라 初九剛而得正이라 故其占爲貞吉이라

괘에 오직 두 양이 네 음에 두루 림하므로 〈초구와 구이〉 두 효(爻)가 모두 다 림하는 상이 있는 것이다. 초구(初九)가 강(剛)으로 정위(正位)를 얻었기 때문에 그 점(占)이 정(貞)하여 길한 것이다.

象曰 咸臨貞吉은 志行正也라

〈상전〉에 말하였다. "'함림정길(咸臨貞吉)'은 뜻이 바름을 행하려는 것이다."

傳 | 所謂貞吉은 九之志在於行正也라 以九居陽하고 又應四之正하니 其志正也라

이른바 '정길(貞吉)'이란 것은 초구(初九)의 뜻이 바름을 행함에 있는 것이다. 구(九)로서 양의 자리에 거하고 또 사(四)의 정(正)과 응하니, 그 뜻이 바른 것이다.

九二는 咸臨이니 吉하여 无不利하리라

구이(九二)는 감동하여 림함이니, 길하여 이롭지 않음이 없으리라.

傳 | 二方陽長而漸盛하여 感〔一作咸〕動於六五中順之君하여 其交之親이라 故見信任하여 得行其志하니 所臨이 吉而无不利也라 吉者는 已然이니 如是故吉也요 无不利者는 將然이니 於所施爲에 无所不利也라

구이(九二)가 막 양이 자라나 점점 성하여 육오(六五)인 중순(中順)의 군주를 감동시켜 그 사귐이 친밀하므로 신임을 받아 그 뜻을 행하니, 림하는 바가 길하여

이롭지 않음이 없다. 길하다는 것은 이미 그러한 것이니 이와 같기 때문에 길한 것이요, 이롭지 않음이 없다는 것은 장차 그러할 것이니 시행함에(베풂에) 이롭지 않음이 없는 것이다.

本義 | 剛得中而勢上進이라 故其占吉而无不利也라

강(剛)이 중(中)을 얻고 세(勢)가 위로 나아가기 때문에 그 점(占)이 길하여 이롭지 않음이 없는 것이다.

象曰 咸臨吉无不利는 未順命也라

〈상전〉에 말하였다. "'함림길무불리(咸臨吉无不利)'는 명령을 순히 하려고 한 것이 아니다."

傳 | 未者는 非遽之辭라 孟子에 或問勸齊伐燕이라하니 有諸잇가 曰未也라하고 又云 仲子所食之粟은 伯夷之所樹歟아 抑亦盜跖之所樹歟아 是未可知也라하며 史記에 侯嬴曰 人固未易知라하니 古人用字之意 皆如此라 今人은 大率用對已字라 故意似異나 然實不殊也라 九二與五感應以臨下하니 蓋以剛德之長이요 而又得中하여 至誠相感이요 非由順上之命也라 是以吉而无不利라 五順體而二說體요 又陰陽相應이라 故象特明其非由說順也하니라

'미(未)'는 갑자기 그러한 것이 아니란 말이다. 《맹자》 〈공손추 하(公孫丑下)〉에 "혹자가 묻기를 '제(齊)나라를 권하여 연(燕)나라를 치게 했다고 하니, 그러한 일이 있습니까?' 하니, 대답하시기를 '아니다.〔未也〕'라고 하셨다." 하였고, 〈등문공 하(滕文公下)〉에 또 이르기를 "중자(仲子)가 먹는 곡식은 백이(伯夷)가 심은 것인가? 아니면 도척(盜跖)이 심은 것인가? 이를 알 수 없다.〔是未可知也〕" 하였으며, 《사기(史記)》 〈위공자열전(魏公子列傳)〉에 후영(侯嬴)이 말하기를 "사람은 진실로 알기가 쉽지 않다.〔人固未易知〕" 하였으니, 옛 사람이 글자를 쓴 뜻이 모두 이와 같다. 지금 사람들은 대체로 이(已) 자와 상대하여 〈아직 못한다는 뜻으로〉 쓰기 때문에 뜻이 다른 듯하나 실제는 다르지 않다.

구이(九二)는 육오(六五)와 감응(感應)하여 아래에 림하니, 강덕(剛德)이 자라나고 또 중(中)을 얻어서 지성으로 서로 감동하는 것이요, 윗사람의 명령을 순종하

••• 遽 : 갑자기 거 跖 : 도척 척 樹 : 심을 수 嬴 : 성 영

려는 것이 아니다. 그러므로 길하여 이롭지 않음이 없는 것이다. 오(五)는 순체(順體 ☷)이고 이(二)는 열체(說體 ☱)이며, 또 음과 양이 서로 응하기 때문에 〈상전〉에서는 다만 열순(說順)을 말미암음이 아님을 밝힌 것이다.

本義 | 未詳이라

미상이다.

六三은 甘臨이라 无攸利하니 旣憂之라 无咎리라

육삼(六三)은 닮으로(기쁨으로) 림(臨)하여 이로운 바가 없으나 이미 근심하므로 허물이 없으리라.

傳 | 三居下之上하니 臨人者也라 陰柔而說體요 又處不中正하니 以甘說臨人者也라 在上而〔一无而字〕以甘說臨下면 失德之甚이니 无所利也라 兌性旣說하고 又乘二陽之上하니 陽方長而上進이라 故不安而益甘이나 旣知危懼而憂之하니 若能持謙守正하고 至誠以自處면 則无咎也라 邪說由己어늘 能憂而改之면 復何咎乎아

삼(三)이 하괘(下卦)의 위에 거하였으니, 사람에게 림하는 자이다. 음유(陰柔)이면서 열체(說體)이고 또 처함이 중정(中正)하지 못하니, 달고 기쁨으로 남에게 림하는 자이다. 위에 있으면서 달고 기쁨으로 아랫사람에게 림하면 실덕(失德)함이 심하니, 이로운 바가 없다. 태(兌)의 성질은 이미 기뻐하고 또 두 양(초구와 구이)의 위를 타고 있는데, 양이 막 자라나 위로 나아가기 때문에 불안하여 더욱 달게 림하나 이미 위태로움과 두려움을 알고 근심하니, 만약 겸손함을 잡고 정도(正道)를 지키며 지성으로 자처하면 허물이 없을 것이다. 간사하게 기뻐함이 자신으로 말미암았는데, 능히 근심하여 이것을 고친다면 다시 무슨 허물이 있겠는가.

本義 | 陰柔不中正而居下之上하여 爲以甘說臨人之象이니 其占이 固无所利나 然能憂而改之則无咎也라 勉人遷善하니 爲敎深矣라

음유(陰柔)로 중정(中正)하지 못하면서 하괘(下卦)의 위에 거하여 감열(甘說)로 사람에게 림하는 상이 되니, 그 점(占)이 진실로 이로운 바가 없다. 그러나 능히 근심하여 이것을 고치면 허물이 없을 것이다. 사람에게 개과천선(改過遷善)하기를

권면하였으니, 가르침이 깊다.

象曰 甘臨은 **位不當也**요 **旣憂之**하니 **咎不長也**리라

〈상전〉에 말하였다. "기쁨으로 림함은 자리가 합당하지 않기 때문이요, 이미 근심하니 허물이 오래가지 않으리라."

傳｜ **陰柔之人**이 **處不中正而居下之上**하고 **復乘二陽**하니 **是處不當位也**라 **旣能知懼而憂之**면 **則必强勉自改**라 **故其過咎不長也**라

음유(陰柔)의 사람이 처함이 중정하지 못하면서 하괘의 위에 거하고 다시 두 양을 탔으니, 이는 처함이 자리에 합당하지(맞지) 않은 것이다. 이미 두려움을 알고 이것을 근심하면 반드시 힘써 스스로 고칠 것이다. 그러므로 그 허물이 오래가지 않는 것이다.

六四는 **至臨**이니 **无咎**하니라

육사(六四)는 지극한 림함이니, 허물이 없다.

傳｜ **四居上之下**하여 **與下體相比**하니 **是切臨於下**니 **臨之至也**라 **臨道尙近**이라 **故以比爲至**라 **四居正位**하여 **而下應於剛陽之初**하고 **處近君之位**하여 **守正而任賢**하여 **以親臨於下**라 **是以无咎**하니 **所處當也**라

사(四)가 상괘(上卦)의 아래에 거하여 하체(下體)와 서로 가까우니, 이는 아래에 간절히(가까이) 림하는 것이므로 림함이 지극한 것이다. 림하는 도는 가까이 함을 숭상하기 때문에 가까움을 지극하다고 한 것이다. 사(四)는 정위(正位)에 거하고 아래로 양강(陽剛)의 초(初)와 응하며, 군주와 가까운 자리에 처하여 정도(正道)를 지키고 현자(賢者)에게 맡겨서 아래에 친히 림한다. 이 때문에 허물이 없으니, 처한 바가 합당한 것이다.

本義｜ **處得其位**하고 **下應初九**하여 **相臨之至**하니 **宜无咎者也**라

처함이 제자리를 얻고 아래로 초구(初九)와 응하여 서로 림함이 지극하니, 마땅히 허물이 없을 자이다.

象曰 至臨无咎는 位當也일새라

〈상전〉에 말하였다. "'지림무구(至臨无咎)'는 자리가 합당하기 때문이다."

傳 | 居近君之位는 爲得其任이요 以陰處四는 爲得其正이요 與初相應은 爲下賢이니 所以无咎니 蓋由位之當也라

군주와 가까운 자리에 거함은 직임(職任)을 얻음이 되고, 음효로 사(四)에 처함은 정(正)을 얻음이 되고, 초(初)와 서로 응함은 현자(賢者)에게 낮춤이 된다. 이 때문에 허물이 없는 것이니, 이는 자리가 합당하기 때문이다.

六五는 知(智)臨이니 大君之宜니 吉하니라

육오(六五)는 지혜로 림함이니, 대군(大君)의 마땅함이니 길하다.

傳 | 五以柔中順體로 居尊位하여 而下應於二剛中之臣하니 是能倚任於二하여 不勞而治하여 以知臨下者也라 夫以一人之身으로 臨乎天下之廣하니 若區區自任이면 豈能周於萬事리오 故自任其知者는 適足爲不知요 唯能取天下之善하여 任天下之聰明이면 則无所不周니 是不自任其知면 則其知大矣라 五順應於九二剛中之賢하여 任之以臨下하니 乃己以明知로 臨天下라 大君之所宜也니 其吉可知니라

육오(六五)가 유중(柔中)과 순체(順體)로서 존위(尊位)에 거하고 아래로 강중(剛中)의 신하인 구이(九二)에게 응하니, 이는 능히 구이에게 의지하고 맡겨서 수고롭지 않고도 다스려 지혜로써 아래에 림하는 자이다. 한 사람의 몸으로 넓은 천하에 군림(君臨)하니, 만약 구구히 지혜로써 자임(自任)한다면 어찌 만사(萬事)에 두루하겠는가. 그러므로 스스로 자신의 지혜만을 믿는 자는 다만 지혜롭지 못함이 될 뿐이요, 오직 천하의 선(善)을 취하여 천하의 총명한 자에게 맡기면 두루하지 않음이 없으니, 이는 스스로 자신의 지혜를 자임하지 않으면 그 지혜가 큰 것이다. 육오(六五)는 강중(剛中)의 현자(賢者)인 구이(九二)에게 순응(順應)하여 맡겨서 아래에 림하니, 이는 자신이 밝은 지혜로 천하에 림하는 것이다. 이는 대군(大君)의 마땅함이니, 길함을 알 수 있다.

本義 | 以柔居中하고 下應九二하여 不自用而任人하니 乃知之事而大君之宜니 吉之道也라

유(柔)로서 중(中)에 거하고 아래로 구이(九二)에 응하여 스스로 지혜를 쓰지 않고 남에게 맡기니, 이는 지혜로운 일로 대군(大君)의 마땅함이니, 길한 방도이다.

象曰 大君之宜는 行中之謂也라

〈상전〉에 말하였다. "대군의 마땅함은 중덕(中德)을 행함을 이른다."

傳 | 君臣道合은 蓋以氣類相求라 五有中德이라 故能倚任剛中之賢하여 得大君之宜하여 成知臨之功하니 蓋由行其中德也라 人君之於賢才에 非道同德合이면 豈能用也리오

군주와 신하의 도가 합함은, 기(氣)·류(類)로써 서로 구하기 때문이다. 오(五)가 중덕(中德)이 있기 때문에 강중(剛中)한 현자(賢者)에게 의지하고 맡겨서 대군의 마땅함을 얻어 지혜로 림하는 공(功)을 이루는 것이니, 이는 중덕을 행하기 때문이다. 인군이 현재(賢才)에 있어 도(道)가 같고 덕이 합하지 않는다면 어찌 등용하겠는가.

上六은 敦臨이니 吉하여 无咎하니라

상육(上六)은 돈독히 림함이니, 길하여 허물이 없다.

傳 | 上六은 坤之極이니 順之至也어늘 而居臨之終하니 敦厚於臨也라 與初二로 雖非正應이나 然大率陰求於陽하고 又其至順이라 故志在從乎二陽하니 尊而應卑하고 高而從下하며 尊賢取善은 敦厚之至也라 故曰敦臨이니 所以吉而无咎라 陰柔在上하여 非能臨者니 宜有咎也로되 以其敦厚於順剛이라 是以吉而无咎라 六居臨之終이어늘 而不取極義는 臨无過極이라 故止爲厚義요 上은 无位之地니 止以在上言하니라

상육(上六)은 곤(坤)의 극(極)이니 순함이 지극한데 림의 맨 끝에 거하였으니, 림함에 돈후(敦厚)한 것이다. 초효(初爻)·이효(二爻)와 비록 정응(正應)이 아니나 대체로 음은 양을 구하고 또 지극히 순(順)하기 때문에 뜻이 두 양을 따름에 있으

니, 존귀하면서 비천한 자에게 응하고 높으면서 아래를 따르며, 현자(賢者)를 높이고 선(善)을 취함은 돈후함이 지극한 것이다. 그러므로 '돈림(敦臨)'이라 하였으니, 이 때문에 길하여 허물이 없는 것이다. 음유(陰柔)로서 위에 있어 능히 림할 수 있는 자가 아니니 마땅히 허물이 있을 것이나, 강(剛)을 순종함에 돈후하기 때문에 길하여 허물이 없는 것이다. 육(六)이 림의 종(終)에 거하였으나 궁극의 뜻을 취하지 않은 것은 림은 지나치게 궁극함이 없기 때문이다. 그러므로 다만 후(厚)한 뜻이 되고, 상(上)은 지위가 없는 자리이므로 다만 위에 있는 것으로 말했을 뿐이다.

本義 | 居卦之上하고 處臨之終하여 敦厚於臨하니 吉而无咎之道也라 故其象占如此하니라

괘의 위에 거하고 림의 마지막에 처하여 림함에 돈후(敦厚)하니, 길하여 허물이 없는 방도이다. 그러므로 그 상(象)과 점(占)이 이와 같은 것이다.

象曰 敦臨之吉은 志在內也라

〈상전〉에 말하였다. "돈림(敦臨)의 길함은 뜻이 안에 있기 때문이다."

傳 | 志在內는 應乎初與二也니 志順剛陽而敦篤이면 其吉可知也라

뜻이 안에 있다는 것은 초효(初爻)와 이효(二爻)에 응함이니, 뜻이 강양(剛陽)에게 순종하여 돈독하면 그 길함을 알 수 있다.

20 풍지 風地 관(觀) ䷓ 곤하손상 坤下巽上

傳 | 觀은 序卦에 臨者는 大也니 物大然後可觀이라 故受之以觀이라하니 觀所以次臨也라 凡觀은 視於物則爲觀이요 爲觀於下則爲觀[152]이니 如樓觀을 謂之觀者는 爲觀於下也라 人君이 上觀天道하고 下觀民俗則爲觀이요 修德行政하여 爲民瞻仰則爲觀이라 風行地上하여 徧觸萬類는 周觀之象也요 二陽在上하고 四陰在下하여 陽剛居尊하여 爲羣下所觀仰은 觀之義也라 在諸爻則唯取觀見하니 隨時爲義也라

관괘(觀卦)는 〈서괘전〉에 "림(臨)은 큼이니, 물건이 큰 뒤에 볼 만하므로 관괘로 받았다." 하였으니, 관괘가 이 때문에 림괘(臨卦 ䷒)의 다음이 된 것이다. 무릇 관(觀)은 물건을 보면 보는 것이 되고, 아래에 보여줌이 되면 보여줌이 되니, 누관(樓觀)을 관(觀)이라고 이르는 것은 아래에 보여줌이 되기 때문이다. 인군이 위로 천도(天道)를 보고 아래로 백성의 풍속을 보면 자기가 봄이 되고, 덕(德)을 닦고 정사를 행하여 백성들이 보고 우러러보는 바가 되면 보여줌이 된다. 바람(☴)이 지상(地上 ☷)에 행하여 만물을 두루 저촉함은 두루 보는 상(象)이요, 두 양이 위에 있고 네 음이 아래에 있어서 양강(陽剛)이 존위(尊位)에 거하여 여러 아랫사람들이 보고 우러르는 바가 됨은 우러러보는 뜻이다. 여러 효(爻)에 있어서는 오직 보는 뜻만을 취하였으니, 때에 따라 뜻을 삼은 것이다.

觀은 **盥**(관)**而不薦**이면 **有孚**하여 **顒**(옹)**若**하리라

관(觀)은 손만 씻고 제수(祭需)를 올리지 않았을 때처럼 하면 〈백성들이〉 정성을 다하여 우러러 존경하리라.

······

152 凡觀 視於物則爲觀 爲觀於下則爲觀 : 관(觀)은 '보다' 또는 '관찰하다(살펴봄)'로 읽을 경우에는 평성(平聲)이고, '보여주다' '볼만하다' '우러러보다' 또는 '누관(樓觀)'으로 읽을 경우에는 거성(去聲)이다.

··· 徧 : 두루미칠 변(편) 觸 : 저촉할 촉 盥 : 손씻을 관 薦 : 올릴 천 顒 : 우러볼 옹

본의 | 제수를 올리지 않았으면 정성이 있어서

傳 | 予聞之胡翼之先生하니 日 君子居上하여 爲天下之〔一无之字〕表儀하여 必極其莊敬이면 則下觀仰而化也라 故爲天下之觀이니 當如宗廟之祭始盥之時요 不可如旣薦之後니 則下民盡其至誠하여 顒然瞻仰之矣라하니라 盥은 謂祭祀之始에 盥手酌鬱鬯(울창)於地하여 求神之時也요 薦은 謂獻腥獻熟之時也라 盥者는 事之始니 人心方盡其精誠하여 嚴肅之至也요 至旣薦之後에 禮數繁縟(욕)이면 則人心散하여 而精一이 不若始盥之時矣라 居上者正其表儀하여 以爲下民之觀인댄 當〔一作常〕莊嚴을 如始盥之初하여 勿使誠意少散하여 如旣薦之後면 則天下之人이 莫不盡其孚誠하여 顒然瞻仰之矣리라 顒은 仰望也라

내가 호익지(胡翼之;호원(胡瑗)) 선생에게 들으니, 말씀하기를 "군자가 위에 거하여 천하의 의표(儀表)가 되어서 반드시 그 장경(莊敬)함을 지극히 하면 아랫사람들이 보고 우러러 교화된다. 그러므로 천하의 우러봄이 되는 것이니, 마땅히 〈장경함을 지극히 하기를〉 종묘(宗廟)의 제사에 처음 손을 씻을 때와 같이 할 것이요, 이미 제수(祭需)를 올린 뒤와 같이 해서는 안 되니, 이렇게 하면 하민(下民)들이 지성을 다하여 옹연(顒然)히 우러러 볼 것이다." 하였다.

'관(盥)'은 제사하는 초기에 손을 씻고 울창주(鬱鬯酒)를 땅에 부어 신(神)을 구하는 때(강신할 때)를 이르고, '천(薦)'은 날고기를 올리고 익은 고기를 올리는 때를 이른다. '관(盥)'은 일(제사)의 시작이니 인심(人心)이 막 정성을 다하여 엄숙함이 지극하고, 이미 제수를 올린 뒤에 예수(禮數)가 번다해지면 인심(人心)이 흩어져 정일(精一)한 마음이 처음 손을 씻을 때만 못하다. 위에 있는 자가 의표를 바루어 하민(下民)의 우러러봄이 되려고 할진댄 마땅히 장엄히 하기를 제사에 처음 손을 씻는 초기와 같이 하여, 성의(誠意)가 조금이라도 흩어져 이미 제수를 올린 뒤와 같이 하지 말아야 하니, 이렇게 하면 천하 사람들이 모두 부성(孚誠)을 다하여 옹연(顒然)히 우러러보지 않는 이가 없을 것이다. '옹(顒)'은 우러러 바라봄이다.

本義 | 觀者는 有以中正示人而爲人所仰也라 九五居上에 四陰仰之하고 又內順外巽하며 而九五以中正示天下하니 所以爲觀이라 盥은 將祭而潔手也요 薦은 奉酒食以祭也라 顒然은 尊敬之貌라 言致其潔淸하고 而不輕自用이면 則其孚信在

··· 酌 : 잔질할 작 鬯 : 울창주 창 腥 : 날고기 성 縟 : 번다할 욕

中하여 而顒然可仰이니 戒占者當如是也라 或曰 有孚顒若은 謂在下之人이 信而仰之也라하니라 此卦는 四陰長而二陽消하니 正爲八月之卦로되 而名卦、繫辭는 更取他義하니 亦扶陽抑陰之意[153]라

관(觀)은 중정(中正)함을 남에게 보여주어 남에게 우러르는 바가 되는 것이다. 구오(九五)가 위에 거함에 네 음이 우러르고, 또 안은 순하고 밖은 공손하며 구오(九五)가 중정함으로써 천하에 보여주니, 이 때문에 관(觀)이라 한 것이다. '관(盥)'은 장차 제사 지내려 하면서 손을 깨끗이 씻는 것이요, '천(薦)'은 술과 음식을 받들어 제사하는 것이다. '옹연(顒然)'은 존경하는 모양이다. 깨끗함을 지극히 하고 가볍게 스스로 행동하지(쓰지) 않으면 그 부신(孚信)이 마음속에 있어서 옹연히 우러를 만함을 말한 것이니, 점치는 자가 마땅히 이와 같이 해야 한다고 경계한 것이다.

혹자는 말하기를 "'유부옹약(有孚顒若)'은 아래에 있는 사람이 믿고 우러르는 것이다."라고 한다. 이 괘는 네 음이 자라나고 두 양이 사라지니 바로 8월의 괘인데, 괘를 이름한 것과 말(글)을 단 것은 다시 다른 뜻을 취하였으니, 이 또한 양을 붙들어주고 음을 억제하는 뜻이다.

彖曰 大觀으로 在上하여 順而巽하고 中正으로 以觀天下니

〈단전(彖傳)〉에 말하였다. "큰 볼 것으로(구경거리로) 위에 있어 순하고 공손하며 중정함으로 천하에 보여주니,

傳｜ 五居尊位하여 以剛陽中正之德으로 爲下所觀하여 其德甚大라 故曰大觀在上이라 下坤而上巽하니 是能順而巽也요 五居中正하니 以巽順中正之德으로 爲觀於天下也라

오(五)가 존위(尊位)에 거하여 강양 중정(剛陽中正)의 덕으로 아랫사람들이 우러러보는 바가 되어 그 덕(德)이 심히 크다. 그러므로 '큰 볼 것으로 위에 있다.'고 말

••••••

153 正爲八月之卦……亦扶陽抑陰之意 : 사계는 이에 대하여 "팔월(八月)의 괘는 음이 자라고 양이 사라지는데도 괘명(卦名)과 계사(繫辭)는 모두 음양(陰陽)의 소장(消長)으로 말하지 않고, 관앙(觀仰)의 뜻을 취하여 괘명을 삼고 또 괘사(卦辭)에 관앙을 취하여 말하였으니, 이는 부양억음(扶陽抑陰)의 뜻이다. 계사(繫辭)는 괘사(卦辭)를 가리킨다." 하였다.《經書辨疑》

한 것이다. 아래는 곤(坤)이고 위는 손(巽)이니 이는 순하고 공손함이며, 오(五)가 중정에 거하니 손순 중정(巽順中正)의 덕으로 천하에 보여줌이 되는 것이다.

本義｜ 以卦體卦德으로 釋卦名義라

괘체(卦體)와 괘덕(卦德)으로써 괘명(卦名)의 뜻을 해석하였다.

觀盥而不薦有孚顒若은 下觀而化也라

'관관이불천 유부옹약(觀盥而不薦有孚顒若)'은 아랫사람들이 보고 교화되는 것이다.

傳｜ 爲觀之道는 嚴敬을 如始盥之時면 則下民至誠瞻仰〔一作仰觀〕而從化也라 不薦은 謂不使誠意少散也라

보여줌이 되는 도(道)는 엄하고 공경하기를 제사에 처음 손을 씻을 때와 같이 하면 하민(下民)들이 지성으로 우러러보고 따라서 교화되는 것이다. 제수를 올리지 않았을 때처럼 한다는 것은 성의(誠意)가 조금도 흩어지지 않게 하는 것을 말한다.

本義｜ 釋卦辭라

괘사(卦辭)를 해석하였다.

觀天之神道而四時不忒(특)하니 聖人이 以神道設教而天下服矣니라

하늘의 신도(神道)를 봄에 사시(四時)가 어긋나지 않으니, 성인이 신도로 가르침을 베풂에 천하가 복종한다."

傳｜ 天道至神이라 故曰神道라 觀天之運行에 四時无有差忒이면 則見其神妙하니 聖人見天道之神하고 體神道以設教라 故天下莫不服也라 夫天道至神이라 故運行四時하고 化育萬物하여 无有差忒이라 至神之道는 莫可名言이요 唯聖人默契하여 體其妙用하여 設爲政教라 故天下之人이 涵泳其德而不知其功하고 鼓舞其

··· 忒 : 어그러질 특 涵 : 잠길 함 泳 : 헤어칠 영 舞 : 춤출 무

化而莫測其用하여 自然仰觀而戴服이라 故日以神道設敎而天下服矣라하니라

천도(天道)가 지극히 신묘(神妙)하기 때문에 '신도(神道)'라고 말한 것이다. 하늘의 운행을 살펴봄에 사시(四時)가 어긋남이 없으면 그 신묘함을 볼 수 있으니, 성인이 천도의 신묘함을 보고 신도를 체행하여 가르침을 베풀기 때문에 천하가 복종하지 않는 이가 없는 것이다. 천도가 지극히 신묘하므로 사시를 운행하고 만물을 화육(化育)하여 어긋남이 없는 것이다.

지극히 신묘한 도(道)는 명명(命名)하여 말할 수 없고, 오직 성인만이 묵묵히 합하여(알아) 그 묘용(妙用)을 체행해서 정교(政敎)를 베푼다. 그러므로 천하 사람들이 덕에 무젖어 있으면서도 그 공(功)을 알지 못하고, 교화에 고무(鼓舞)되면서도 그 쓰임을 측량하지 못하여 자연히 우러러보고 떠받들며 복종한다. 그러므로 '신도(神道)로 가르침을 베풂에 천하가 복종한다.'고 말한 것이다.

本義 | 極言觀之道也라 四時不忒은 天之所以爲觀也요 神道設敎는 聖人之所以爲觀也라

보여주는 도(道)를 극언하였다. 사시가 어긋나지 않음은 하늘이 보여주는 것이요, 신도(神道)로 가르침을 베풂은 성인이 보여주는 것이다.

象曰 風行地上이 **觀**이니 **先王**이 **以**하여 **省方觀民**하여 **設敎**하니라

〈상전〉에 말하였다. "바람이 지상(地上)에 행함이 관(觀)이니, 선왕(先王)이 보고서 지방을 살펴 백성을 관찰하여 가르침을 베푼다."

傳 | 風行地上하여 周及庶物하니 爲由歷周覽之象이라 故先王體之하여 爲省方之禮하여 以觀民俗而設政敎也라 天子巡省四方하여 觀視民俗하여 設爲政敎하니 如奢則約之以儉하고 儉則示之以禮 是也라 省方은 觀民也요 設敎는 爲民觀也라

바람이 지상(地上)에 행하여 여러 물건에 두루 미치니, 여러 지역을 경유하여 두루 관람하는 상(象)이 된다. 그러므로 선왕이 이를 체행하여 지방을 살펴보는 예(禮)를 만들어서 백성의 풍속을 관찰하여 정교(政敎)를 베푸는 것이다. 천자(天子)가 사방을 순행하여 백성의 풍속을 살펴서 정교를 베푸니, 사치하면 검소함으로 묶고 검소하면 예(禮:문식(文飾))를 보여주는 것이 이것이다. '성방(省方)'은 백성

을 관찰하는 것이요, '설교(設敎)'는 백성들의 우러봄이 되는 것이다.

本義 | 省方以觀民하고 設敎以爲觀이라

지방을 살펴 백성을 관찰하고 가르침을 베풀어 보여줌이 되는 것이다.

初六은 童觀이니 小人은 无咎요 君子는 吝이리라

초육(初六)은 동자(童子)의 봄이니, 소인은 허물이 없고 군자는 부끄러우리라.

傳 | 六以陰柔之質로 居遠於陽이라 是以〔一作其〕觀見者淺近하여 如童稚然이라 故曰童觀이라 陽剛中正在上은 聖賢之君也니 近之則見其道德之盛하여 所觀深遠이어늘 初乃遠之하여 所見不明하니 如童蒙之觀也라 小人은 下民也니 所見昏淺하여 不能識君子之道는 乃常分也니 不足謂之過咎어니와 若君子而如是면 則可鄙吝也라

초육(初六)은 음유(陰柔)의 자질로 거한 자리가 양(陽)과 멀다. 이 때문에 보는 것이 천근하여 어린아이와 같으므로 '동관(童觀)'이라 한 것이다. 양강 중정(陽剛中正)으로 위에 있음은 성현(聖賢)의 군주이니, 그와 가까이 있으면 도덕(道德)의 융성함을 보아서 보는 바가 깊고 원대할 터인데, 초육이 마침내 구오(九五)와 멀리 있어서 보는 바가 밝지 못하니, 동몽(童蒙)의 봄과 같은 것이다. 소인은 하민(下民)이니, 보는 바가 어둡고 천근하여 군자의 도(道)를 알지 못함은 바로 떳떳한 분수이므로 과구(過咎)라고 이를 수 없지만, 만약 군자이면서 이와 같다면 비루하고 부끄러울 만한 것이다.

本義 | 卦는 以觀示爲義하니 據九五爲主也요 爻는 以觀瞻爲義하니 皆觀乎九五也라 初六은 陰柔在下하여 不能遠見하여 童觀之象이니 小人之道요 君子之羞也라 故其占이 在小人則无咎요 君子得之則可羞矣라

괘는 관시(觀示:보여줌)로 뜻을 삼았으니 구오(九五)를 근거하여 주장을 삼은 것이요, 효(爻)는 관첨(觀瞻:봄)으로 뜻을 삼았으니 모두 구오(九五)를 보는 것이다. 초육(初六)은 음유(陰柔)로서 아래에 있어 멀리 보지 못하여 동관(童觀)의 상(象)이

니, 소인의 도이고 군자의 부끄러움이다. 그러므로 그 점이 소인에게 있어서는 허물이 없고, 군자가 얻으면 부끄러울 만한 것이다.

象曰 初六童觀은 小人道也라

〈상전〉에 말하였다. "'초육동관(初六童觀)'은 소인의 도이다."

傳| 所觀不明하여 如童稚하니 乃小人之分이라 故曰小人道也라

보는 바가 밝지 못하여 동치(童稚;어린 아이)와 같으니, 이는 바로 소인의 분수이므로 소인의 도라 한 것이다.

六二는 闚(규)觀이니 利女貞하니라

육이(六二)는 규관(闚觀;엿봄)이니, 여자의 정(貞)함이 이롭다.

傳| 二應於五하니 觀於五也라 五剛陽中正之道는 非二陰暗柔弱의 所能觀見也라 故但如闚覘之觀耳니 闚覘之觀은 雖少見이나 而不能甚〔一作盡〕明也라 二旣不能明見剛陽中正之道면 則利如女子之貞하니 雖見之不能甚明이나 而能順從者는 女子之道也니 在女子엔 爲貞也라 二旣不能明見九五之道인댄 能如女子之順從이면 則不失中正하니 乃爲利也라

이(二)는 오(五)와 응하니, 오(五)를 보는 것이다. 구오(九五)의 강양 중정(剛陽中正)한 도(道)는 음암 유약(陰暗柔弱)한 육이(六二)가 볼 수 있는 바가 아니다. 그러므로 단지 엿보는 것과 같을 뿐이니, 엿봄은 비록 다소 보나 심히 밝지는 못하다. 육이(六二)가 이미 구오(九五)의 강양 중정한 도를 밝게 보지 못한다면 여자의 정(貞)과 같이 함이 이로우니, 비록 봄이 심히 밝지 못하나 능히 순종하는 것은 여자의 도이니, 여자에게 있어서는 바름이 되는 것이다. 육이가 구오의 도를 밝게 보지 못할진댄 여자의 순종함과 같이 하면 중정함을 잃지 않을 것이니, 이것이 바로 이로운 것이다.

本義| 陰柔居內而觀乎外는 闚觀之象이니 女子之正也라 故其占如此요 丈夫得之면 則非所利矣라

··· 闚 : 엿볼 규 覘 : 엿볼 점

음유(陰柔)로 안에 있으면서 밖을 봄은 엿보는 상이니, 여자의 정도(正道)이다. 그러므로 그 점(占)이 이와 같고, 장부(丈夫:남자)가 얻으면 이로운 바가 아니다.

象曰闚觀女貞이 亦可醜也니라

〈상전〉에 말하였다. "'규관여정(闚觀女貞)'이 또한 추할만하다."

傳 | 君子不能觀見剛陽中正之大道하고 而僅〔一有能字〕闚覘其彷彿하니 雖能順從이나 乃同女子之貞이니 亦可羞醜也라

군자가 강양 중정(剛陽中正)한 대도(大道)를 보지 못하고 겨우 그 방불(彷彿)한 것을 엿보니, 비록 순종하나 이는 여자의 정(貞)과 같으니, 또한 부끄럽고 추할만한 것이다.

本義 | 在丈夫則爲醜也라

장부(丈夫)에게 있어서는 추함이 되는 것이다.

六三은 觀我生하여 進退로다

육삼(六三)은 내가 낸 것(행동)을 보고서 나아가고 물러가도다.

傳 | 三은 居非其位나 處順之極하니 能順時以進退者也라 若居當其位면 則无進退之義也리라 觀我生은 我之所生이니 謂動作施爲出於己者라 觀其所生하여 而隨宜進退하니 所以處雖非正이나 而未至失道也라 隨時進退하여 求不失道라 故无悔咎〔一作吝〕하니 以能順也일새라

삼(三)은 거함이 제자리가 아니나 순(順:곤(坤))의 극(極)에 처하니,능히 때에 순응하여 진·퇴하는 자이다. 만약 거함이 제자리에 합당하다면 진·퇴의 뜻이 없을 것이다. '관아생(觀我生)'은 내가 낸 것이니, 자기에게서 나오는 동작(動作)과 시위(施爲)를 이른다. 자기가 낸 바를 보아 마땅함에 따라 진·퇴하니, 이 때문에 처함이 비록 바른 자리가 아니나 도(道)를 잃음에 이르지 않는 것이다. 때에 따라 진·퇴하여 도를 잃지 않기를 구하므로 후회와 허물이 없으니, 순종하기 때문이다.

··· 醜:부끄러울 추 僅:겨우 근 彷:비슷할 방 佛:비슷할 불 羞:부끄러울 수

本義 | 我生은 我之所行也라 六三이 居下之上하여 可進可退라 故不觀九五하고 而獨觀己所行之通塞하여 以爲進退하니 占者宜自審也라

'아생(我生)'은 내가 행한 바이다. 육삼(六三)이 하괘(下卦)의 위에 거하여 나아갈 수도 있고 물러날 수도 있다. 그러므로 구오(九五)를 보지 않고 홀로 자기가 행하는 바의 통하고 막힘을 보아 진 · 퇴하는 것이니, 점치는 자가 마땅히 스스로 살펴야 할 것이다.

象曰 觀我生進退하니 未失道也라

〈상전〉에 말하였다. "내가 낸 것을 보아 진 · 퇴하니, 도를 잃지 않는다."

傳 | 觀己之生而進退하여 以順乎宜라 故未至於失道也라

자신이 낸 것을 보아 진 · 퇴하여 마땅함을 따른다. 이 때문에 도(道)를 잃음에 이르지 않는 것이다.

六四는 觀國之光이니 利用賓于王하니라

육사(六四)는 나라의 빛남을 봄이니, 왕에게 손님이 됨이 이롭다.

傳 | 觀莫明於近하니 五以剛陽中正으로 居尊位하니 聖賢之君也어늘 四切近之하여 觀見其道라 故云觀國之光이니 觀見國之盛德光輝也라 不指君之身而云國者는 在人君而言하면 豈止觀其行一身乎아 當觀天下之政化니 則人君之道德을 可見矣라 四雖陰柔나 而巽體居正하고 切近於五하니 觀見而能順從者也라 利用賓于王은 夫聖明在上이면 則懷抱才德之人이 皆願進於朝廷하여 輔戴之以康濟天下라 四既觀見人君之德과 國家之治 光華盛美하면 所宜賓于王朝하여 效其智力하여 上輔於君하여 以施澤天下라 故云利用賓于王也라 古者에 有賢德之人이면 則人君賓禮之라 故士之仕進於王朝를 則謂之賓이라하니라

봄은 가까이 보는 것보다 더 밝음이 없다. 구오(九五)가 강양 중정(剛陽中正)으로 존위(尊位)에 거하였으니 성현(聖賢)의 군주인데, 육사(六四)가 구오(九五)와 매우 가까이 있어 그 도(道)를 보기 때문에 '나라의 빛남을 본다.'고 말한 것이니, 나라의 성한 덕(德)이 빛남을 보는 것이다. 인군의 몸을 가리키지 않고 나라라고 말

한 것은 인군의 입장에서 말하면 어찌 다만 한 몸에 행함을 볼 뿐이겠는가. 마땅히 천하의 정치와 교화를 보아야 할 것이니, 이렇게 하면 인군의 도덕(道德)을 볼 수 있다. 육사(六四)가 비록 음유(陰柔)이나 손체(巽體)로 바른 자리에 거하고 구오(九五)와 매우 가까이 있으니, 보고서 순종하는 자이다.

'이용빈우왕(利用賓于王)'은 성명(聖明)한 군주가 위에 있으면 재주와 덕(德)을 품은(간직한) 자들이 모두 조정에 나아가 군주를 보필(輔弼)하고 떠받들어 천하를 편안히 구제하기를 원한다. 육사(六四)가 이미 인군의 덕과 국가의 정치가 빛나고 성대하고 아름다움을 보았으면, 마땅히 왕의 조정에 손님이(신하가) 되어 그 지혜와 힘을 바쳐서 위로 군주를 보필하여 천하에 은택을 베풀어야 한다. 그러므로 '왕의 조정에 손님이 되는 것이 이롭다.'고 말한 것이다. 옛날 현덕(賢德)의 사람이 있으면 인군이 손님으로 예우하였으므로 선비가 왕의 조정에서 벼슬함을 빈(賓)이라 이른 것이다.

本義 | 六四最近於五라 故有此象하니 其占이 爲利於朝覲仕進也라

육사(六四)가 오(五)와 가장 가까이 있기 때문에 이러한 상(象)이 있으니, 그 점(占)이 조근(朝覲)하고 사진(仕進)함에 이롭다.

象曰 觀國之光은 尙賓也라

〈상전〉에 말하였다. "나라의 빛남을 봄은 손님이 되려는 뜻을 숭상하는 것이다."

傳 | 君子懷負才業하여 志在乎兼善天下라 然有卷懷自守者하니 蓋時无明君하여 莫能用其道하여 不得已也니 豈君子之志哉아 故孟子曰 中天下而立하여 定四海之民을 君子樂之라하시니라 旣觀見國之盛德光華인댄 古人所謂非常之遇也〔一无也字〕니 所以志願登進王朝하여 以行其道라 故云觀國之光은 尙賓也라하니라 尙은 謂尙志니 其志意願慕賓于王朝也라

군자는 재주와 사업을 품고서 뜻이 천하를 겸하여 선(善)하게 함에 있다. 그러나 〈재주와 경륜(經綸)을〉 거두고 품어 스스로 지키는 자가 있으니, 이는 당시에 명군(明君)이 없어 그 도(道)를 쓰지 못하여 부득이해서 한 것이니, 어찌 군자의 뜻

••• 覲 : 뵐 근 卷 : 거둘 권

이겠는가. 그러므로 《맹자》〈진심 상(盡心上)〉에 "천하의 한 중앙에 서서 사해(四海)의 백성을 안정시킴을 군자가 즐거워한다."고 말씀한 것이다.

이미 나라의 성덕(盛德)이 빛남을 보았다면 옛사람의 이른바 '비상한 만남'이니, 이 때문에 뜻이 왕의 조정에 올라 나아가서 그 도(道)를 행함을 원하는 것이다. 그러므로 '나라의 빛남을 봄은 손님이 되려는 뜻을 숭상하는 것이다.'고 말한 것이다. '상(尙)'은 뜻을 숭상함을 이르니, 그 뜻이 왕의 조정에 손님이 되기를 원하고 사모하는 것이다.

九五는 **觀我生**호되 **君子**면 **无咎**리라
구오(九五)는 내가 낸(행한) 것을 보되 군자다우면 허물이 없으리라.

本義 | **觀我生**이니
내가 낸 것을 볼 것이니,

傳 | 九五居人君之位하니 時之治亂과 俗之美惡이 係乎己而已라 觀己之生하여 若天下之俗이 皆君子矣면 則是己之所爲政化善也니 乃无咎矣요 若天下之俗이 未合君子之道면 則是己之所爲政治未善이니 不〔一作未〕能免於咎也니라

구오(九五)는 인군의 지위에 거하였으니, 때(세상)의 다스려지고 혼란함과 풍속의 좋고 나쁨이 자기에게 달려 있을 뿐이다. 자기가 낸 것을 보되 만약 천하의 풍속이 모두 군자답다면 이는 자기가 행한 정치와 교화가 선(善)한 것이니 바로 허물이 없는 것이요, 만약 천하의 풍속이 군자의 도(道)에 부합하지 못하다면 이는 자기가 행한 정치가 선(善)하지 못한 것이니, 허물을 면치 못할 것이다.

本義 | 九五陽剛中正으로 以居尊位하여 其下四陰이 仰而觀之하니 君子之象也라 故戒居此位, 得此占者는 當觀己所行이니 必其陽剛中正이 亦如是焉이면 則得无咎也라

구오(九五)가 양강 중정(陽剛中正)으로 존위(尊位)에 거하여 그 아래에 있는 네 음(陰)이 우러러 보니, 군자의 상(象)이다. 그러므로 이 지위에 거하고 이 점괘를 얻은 자는 마땅히 자기가 행한 바를 보아야 하는 것이니, 반드시 양강 중정함이 또한 이와 같다면 허물이 없을 수 있다고 경계한 것이다.

象曰 觀我生은 觀民也라

〈상전〉에 말하였다. "내가 낸 것을 봄은 백성을 보는 것이다."

傳ㅣ 我生은 出於己者니 人君이 欲觀己之施爲善否인댄 當觀於民이니 民俗善則政化善也라 王弼云 觀民以察己之道 是也라

'아생(我生)'은 자기에게서 나온 것이니, 인군이 자기가 시행한 것이 선(善)한가 선하지 않은가를 보고자 할진댄 마땅히 백성을 살펴보아야 하니, 백성의 풍속이 선하면 정치와 교화가 선한 것이다. 왕필이 "백성을 보아 자기의 도(道)를 살핀다."고 말한 것이 이것이다.

本義ㅣ 此는 夫子以義言之하사 明人君觀己所行에 不但一身之得失이요 又當觀民德之善否하여 以自省察也시니라

이는 부자(夫子)가 의리(義理)로써 말씀하여 인군이 자기가 행한 바를 봄에 단지 일신(一身)의 득실(得失) 뿐만이 아니요, 또 마땅히 백성의 덕이 선(善)한가 선하지 않은가를 보아 스스로 성찰(省察)해야 함을 밝히신 것이다.

上九는 觀其生하되 君子면 无咎리라

상구(上九)는 그 낸 것을 보되 군자다우면 허물이 없으리라.

本義ㅣ 觀其生이니

그 낸 것을 볼 것이니,

傳ㅣ 上九以陽剛之德으로 處於上하여 爲下之所觀이나 而不當位하니 是賢人君子不在於位나 而道德爲天下所觀仰者也라 觀其生은 觀其所生也니 謂出於己者德業行義也라 旣爲天下所觀仰이라 故自觀其所生하여 若皆君子矣면 則无過咎也어니와 苟未君子면 則何以使人觀仰矜式이리오 是其咎也라

상구(上九)가 강양(剛陽)의 덕으로 위에 처하여 아랫사람들의 보는 바가 되었으나 지위를 담당하지 않았으니, 이는 현인(賢人)과 군자가 지위에 있지 않으나 도덕(道德)이 천하에 보고 우러름을 받는 자이다. '관기생(觀其生)'은 자기가 낸 바를 살펴봄이니, 자기에게서 나온 덕업(德業)과 행의(行義)를 이른다. 이미 천하에 보

고 우러르는 바가 되었으므로 스스로 낸 바를 살펴보아 만약 모두 군자답다면 과구(過咎)가 없을 것이나, 만일 군자답지 못하다면 어떻게 사람들로 하여금 보고 우러르며 공경하여 본받게 하겠는가. 이것은 그 허물인 것이다.

本義 | 上九陽剛으로 居尊位之上하여 雖不當事任이나 而亦爲下所觀이라 故其戒辭 略與五同호되 但以我爲其하여 小有主賓之異耳니라

상구(上九)가 양강(陽剛)으로 존위(尊位;구오(九五))의 위에 거하여 비록 일과 임무를 담당하지 않았으나 또한 아랫사람들의 우러러보는 바가 되었다. 그러므로 그 경계하는 말이 대략 구오(九五)와 같으나 다만 '나[我]'를 '그[其]'라고 하여 주인(구오(九五))과 손님(상구(上九))의 차이가 약간 있을 뿐이다.

象曰 觀其生은 志未平也라

〈상전〉에 말하였다. "'관기생(觀其生)'은 뜻이 편안하지 못한 것이다."

傳 | 雖不在位나 然以人觀其德하여 用爲儀法이라 故當自愼省하여 觀其所生하여 常不失於君子면 則人不失所望而化之矣리니 不可以不在於位故로 安然放意하여 无所事也라 是其志意 未得安也라 故云志未平也라하니 平은 謂安寧也라

비록 지위에 있지 않으나 사람들이 그 덕을 살펴보아 의표(儀表)와 법(法)으로 삼는다. 그러므로 마땅히 스스로 삼가고 살펴서 그 낸 바를 보아, 항상 군자다움을 잃지 않는다면 사람들이 소망(기대하는 마음)을 잃지 아니하여 교화될 것이니, 지위에 있지 않다는 이유로 안연(安然)히 방심(放心)하여 일하는 바가 없어서는 안 된다. 이는 그 뜻이 편안할 수 없는 것이므로 '뜻이 편안하지 못하다'고 말하였으니, 평(平)은 안녕(安寧)함을 이른다.

本義 | 志未平은 言雖不得位나 未可忘戒懼也라

'뜻이 편안하지 못하다.'는 것은 비록 지위를 얻지 못하였으나 계구(戒懼)를 잊어서는 안 됨을 말한 것이다.

21 화뢰 火雷 서합(噬嗑) ䷔ 진하리상 震下離上

傳 | 噬嗑은 序卦에 可觀而後에 有所合이라 故受之以噬嗑하니 嗑者는 合也라하니라 既有可觀然後에 有來合之者也니 噬嗑所以次觀也라 噬는 齧(설)也요 嗑은 合也니 口中에 有物間之면 齧而後合之也라 卦上下二剛爻而中柔하니 外剛中虛는 人頤口之象也요 中虛之中에 又一剛爻는 爲頤中有物之象이라 口中有物이면 則隔其上下하여 不得嗑하니 必齧之則得嗑이라 故爲噬嗑이라

서합괘(噬嗑卦)는 〈서괘전〉에 "볼 만한 뒤에 합하는 바가 있다. 그러므로 서합괘로 받았으니, 합(嗑)은 합(合)함이다." 하였다. 이미 볼 만한 것이 있은 뒤에 와서 합하는 자가 있는 것이니, 서합괘가 이 때문에 관괘(觀卦 ䷓)의 다음이 된 것이다. 서(噬)는 깨묾이요 합(嗑)은 합함이니, 입 속에 물건이 끼어 있으면 이것을 깨문 뒤에 합하게 된다. 괘의 위와 아래에 두 강효(剛爻)가 있고 가운데에는 유(柔)이니, 밖이 강(剛)하고 가운데가 빔은 사람의 턱과 입의 상(象)이요, 중허(中虛)의 가운데에 또 한 강효(剛爻)가 있는 것은 입 속에 물건이 있는 상이 된다. 입 속에 물건이 있으면 위아래를 가로막아 합할 수 없으니, 반드시 깨물면 합하게 된다. 그러므로 서합(噬嗑)이라 한 것이다.

聖人以卦之象으로 推之於天下之事에 在口則爲有物隔而不得合이요 在天下則爲有强梗或讒邪 間隔於其間이라 故天下之事不得合也〔一无也字〕니 當用刑法하여 小則懲戒하고 大則誅戮하여 以除去之然後에 天下之治得成矣라 凡天下至於一國、一家하고 至於萬事에 所以不和合者는 皆由有間也니 无間則合矣라 以至天地之生과 萬物之成에 皆合而後能遂하니 凡未合者는 皆有間也라 若君臣、父子、親戚、朋友之間에 有離貳怨隙者는 蓋讒邪間於其間也니 除去之則和合矣라 故間隔者는 天下之大害也라 聖人이 觀噬嗑〔一作齧合〕之象하여 推之於天下萬事하여 皆使去其間隔而合之하니 則无不和且治〔一作洽〕矣라 噬嗑者는 治天下之大用也니 去天下之間은 在任刑罰이라 故卦取用刑爲義요 在二體하면 明照而

··· 噬 : 깨물 서 嗑 : 다물 합 齧 : 깨물 설 頤 : 턱 이 梗 : 강할 경 讒 : 간사할 참, 참소할 참 戮 : 죽일 륙

威震하니 乃用刑之象也라

성인(聖人)이 괘의 상(象)을 가지고 천하의 일에 미루어 봄에 입에 있어서는 물건이 가로막혀 있어 합하지 못함이 되고, 천하에 있어서는 강경(强梗)한 자나 혹은 참사(讒邪)한 자가 그 사이에 가로막고 있음이 된다. 이 때문에 천하의 일이 합하지 못하는 것이니, 마땅히 형벌과 법을 써서 작으면 징계하고 크면 주륙(誅戮)하여 이것을 제거한 뒤에야 천하의 다스려짐이 이루어지는 것이다. 무릇 천하로부터 한 나라와 한 집안에 이르고 만사(萬事)에 이르기까지 화합하지 못하는 까닭은 모두 간격이 있기 때문이니, 간격이 없으면 합한다. 천지의 냄과 만물(萬物)의 이루어짐에 이르러도 모두 합한 뒤에 이루어지니, 무릇 합하지 못하는 것은 다 간격이 있기 때문이다.

예컨대 군신(君臣), 부자(父子), 친척(親戚), 붕우(朋友)의 사이에 이반(離叛)하고 원망하며 틈이 있는 것은 참사(讒邪)한 자가 그 사이에 끼어 있기 때문이니, 이를 제거하면 화합하게 된다. 그러므로 간격이란 천하의 큰 해로움인 것이다. 성인이 서합괘(噬嗑卦)의 상(象)을 보고서 천하 만사에 미루어서 모두 그 간격을 제거하여 합하게 하니, 이렇게 하면 화하고 또 다스려지지 않음이 없을 것이다. 서합(噬嗑)은 천하를 다스리는 큰 쓰임이니, 천하의 간격을 제거함은 형벌을 씀에 있다. 그러므로 괘에서는 형벌을 씀을 취하여 뜻을 삼았고, 두 체(體)에 있어서는 밝게 비추고 위엄으로 진동하니, 이는 형벌을 쓰는 상(象)이다.

噬嗑은 亨하니 利用獄하니라

서합(噬嗑)은 형통하니, 형옥(刑獄)을 씀이 이롭다.

傳| 噬嗑亨은 卦自有亨義也라 天下之事所以不得亨者는 以有間也니 噬而嗑之則亨通矣라 利用獄은 噬而嗑之之道는 宜用刑獄也라 天下之間은 非刑獄이면 何以〔一作不可以〕去之리오 不云利用刑而云利用〔一无利用字〕獄者는 卦有明照之象하여 利於察獄也일새라 獄者는 所以究治情僞니 得其情이면 則知爲間之道니 然後可以設防與致刑也라

'서합형(噬嗑亨)'은 괘에 본래 형통할 뜻이 있는 것이다. 천하의 일이 형통하지 못하는 까닭은 간격이 있기 때문이니, 깨물어서 합하면 형통하다. 옥(獄)을 씀

이 이롭다는 것은 깨물어 합하는 도(道)가 형옥(刑獄)을 씀이 마땅한 것이다. 천하의 간격을 형옥이 아니면 어떻게 제거하겠는가. '형(刑)을 씀이 이롭다.'고 말하지 않고 '옥(獄)을 씀이 이롭다.'고 말한 것은 괘에 밝게 비추는 상(象)이 있어서 옥사(獄事)를 살피는데 이롭기 때문이다. 옥사는 실정과 거짓을 규명하여 다스리는 것이니, 그 실정을 얻으면 간격이 되는 방도를 아니, 그런 뒤에 방비를 베풀고 형(刑)을 가(加)할 수 있는 것이다.

本義 | 噬는 齧也요 嗑은 合也니 物有間者를 齧而合之也라 爲卦 上下兩陽而中虛하니 頤口之象이요 九四一陽이 間於其中하니 必齧之而後合이라 故爲噬嗑이라 其占이 當得亨通者는 有間故로 不通이어늘 齧之而合이면 則亨通矣라 又三陰、三陽이 剛柔中半하고 下動上明하며 下雷上電하고 本自益卦六四之柔上行하여 以至於五而得其中하니 是知以陰居陽이 雖不當位나 而利用獄이라 蓋治獄之道는 惟威與明이요 而得其中之爲貴라 故筮得之者 有其德則應其占也라

서(噬)는 깨묾이요 합(嗑)은 합함이니, 물건이 끼어 있는 것을 깨물어 합하는 것이다. 괘됨이 위와 아래에 두 양(陽)이 있고 가운데가 비었으니 턱과 입의 상(象)이요, 구사(九四) 한 양이 그 사이에 끼어 있으니, 반드시 이것을 깨문 뒤에야 합한다. 그러므로 서합(噬嗑)이라 한 것이다. 그 점(占)이 마땅히 형통함을 얻는 까닭은 간격이 있기 때문에 통하지 못하였는데, 이것을 깨물어 합한다면 형통한 것이다.

또 세 음효(陰爻)와 세 양효(陽爻)가 강(剛)·유(柔)가 반반씩이고, 하괘(下卦)는 동하고 상괘(上卦)는 밝으며, 아래는 우레이고 위는 번개이며, 본래 익괘(益卦 ䷩)로부터 육사(六四)의 유(柔)가 위로 가서 오(五)에 이르러 중(中)을 얻었으니, 이는 음효(陰爻)로서 양위(陽位)에 거함이 비록 자리에 합당하지 않으나 옥(獄)을 씀이 이로움을 알 수 있다. 옥사를 다스리는 방도는 오직 위엄과 밝음뿐이요 그 중(中)을 얻음을 귀함으로 여긴다. 그러므로 점을 쳐서 이 괘를 얻은 자가 이러한 덕이 있으면 이 점에 응하는 것이다.

彖曰 頤中有物일새 曰噬嗑이니

〈단전〉에 말하였다. "입(턱) 안에 물건이 있으므로 서합(噬嗑)이라 한 것이니,

本義｜ 以卦體로 釋卦名義라

괘체(卦體)로써 괘명(卦名)의 뜻을 해석하였다.

噬嗑하여 而亨하니라

깨물어 합하여 형통한 것이다.

傳｜ 頤中有物이라 故爲噬嗑하니 有物間於頤中이면 則爲害어늘 噬而嗑之면 則其害亡하니 乃亨通也라 故云噬嗑而亨이라하니라

턱 안에 물건이 있기 때문에 서합(噬嗑)이라 하였으니, 물건이 턱 안에 끼어 있으면 해(害)가 되는데 이것을 깨물어 합하면 그 해가 없어지니, 이것이 바로 형통한 것이다. 그러므로 깨물어 합하여 형통하다고 말한 것이다.

剛柔分하고 動而明하고 雷電이 合而章하고

강(剛)과 유(柔)가 반반씩 나뉘며, 동하고 밝으며, 우레와 번개가 합하여 빛나고,

傳｜ 以卦才言也라 剛爻與柔爻相間하여 剛柔分而不相雜하니 爲明辨之象이니 明辨은 察獄之本也라 動而明은 下震上離하니 其動而明也라 雷電合而章은 雷震而電耀하여 相須竝見(현)하니 合而章也라 照與威竝行은 用獄之道也니 能照則无所隱情이요 有威則莫敢不畏라 上旣以二象으로 言其動而明이라 故復言威照竝用之意하니라

괘의 재질로 말하였다. 강효(剛爻)와 유효(柔爻)가 서로 사이하여 강(剛)·유(柔)가 나뉘어져 서로 뒤섞이지 않으니 밝게 분변하는 상(象)이 되니, 밝게 분변함은 옥사(獄事)를 살피는 근본이다. '동이명(動而明)'은 아래는 진(震☳)이고 위는 리(離

··· 耀 : 빛날 요 須 : 기다릴 수 竝 : 아우를 병

☳)이니, 이것이 동하고 밝은 것이다. '뇌전합이장(雷電合而章)'은 우레는 진동하고 번개는 빛나서 서로 기다려 함께 나타나니, 이것이 합하여 빛나는 것이다. 비춤과 위엄이 병행함은 옥사를 쓰는 방도이니, 비추면 실정을 숨기는 바가 없고 위엄이 있으면 감히 두려워하지 않는 이가 없다. 위에 이미 두 상(象)으로 동하고 밝음을 말하였다. 이 때문에 다시 위엄과 비춤을 아울러 쓰는 뜻을 말한 것이다.

柔得中而上行하니 雖不當位나 利用獄也니라

유(柔)가 중(中)을 얻어 위로 행하니, 비록 자리에 합당하지 않으나 옥(獄)을 씀이 이로운 것이다."

傳 | 六五以柔居中하니 爲用柔得中之義라 上行은 謂居尊位요 雖不當位는 謂以柔居五 爲不當이로되 而利於用獄者는 治獄之道 全剛則傷於嚴暴하고 過柔則失於寬縱하나니 五爲用獄之主하여 以柔處剛而得中하니 得用獄之宜也라 以柔居剛이 爲利用獄이면 以剛居柔爲利否아 曰 剛柔는 質也요 居는 用也니 用柔는 非治獄之宜也니라

육오(六五)가 유효(柔爻)로서 중(中)에 거하였으니, 이는 유(柔)를 쓰고 중(中)을 얻은 뜻이 된다. '상행(上行)'은 존위(尊位)에 거함을 이르고, '수불당위(雖不當位)'는 유(柔)로서 오(五)에 거함이 자리에 합당하지 않음이 되는데도 옥(獄)을 씀이 이로운 것은 옥사를 다스리는 방도는 온전히 강(剛)하기만 하면 엄함과 사나움에 손상되고, 지나치게 유약하면 너그러움과 풀어놓음에 잘못되는데, 오(五)가 옥사를 쓰는 주체가 되어 유효(柔爻)로서 강위(剛位)에 처하여 중(中)을 얻었으니, 옥사를 쓰는 마땅함을 얻은 것이다.

"유효로서 강위(剛位)에 거함이 옥사를 씀이 이롭다면 강효(剛爻)로서 유위(柔位)에 거함도 이로운가?" "강(剛)과 유(柔)는 자질이요 거(居)는 씀[用]이니, 〈강(剛)으로서〉 유(柔)를 씀은 옥사를 다스림의 마땅함이 아니다."

本義 | 以卦名卦體卦德二象卦變으로 釋卦辭라

괘명(卦名)과 괘체(卦體)와 괘덕(卦德)과 두 상(象)과 괘변(卦變)으로써 괘사(卦辭)를 해석하였다.

象曰 雷電이 噬嗑이니 先王이 以하여 明罰勑法하니라

本義 | (雷電)[電雷]

〈상전〉에 말하였다. "우레와 번개가 서합(噬嗑)이니, 선왕이 보고서 형벌을 밝히고 법령을 신칙하였다."

傳 | 象无倒置者하니 疑此文互也[154]라 雷電은 相須竝見(현)之物이요 亦有嗑象하니 電明而雷威라 先王觀雷電之象하여 法其明與威하여 以明其刑罰하고 飭其法令하니 法者는 明事理而爲之防者也라

상(象)은 도치(倒置)된 것이 없으니, 의심컨대 이 글은 서로 바꾸어 쓴 듯하다. 우레와 번개는 서로 기다려 함께 나타나는 물건이요 또한 합하는 상이 있으니, 번개는 밝고 우레는 위엄이 있다. 선왕이 우레와 번개의 상을 보고서 그 밝음과 위엄을 본받아 형벌을 밝히고 법령을 신칙하였으니, 법(法)은 사리를 밝혀서 미리 방비하는 것이다.

本義 | 雷電은 當作電雷라

뢰전(雷電)은 마땅히 전뢰(電雷)가 되어야 한다.

初九는 屨(구)校하여 滅趾니 无咎하니라

초구(初九)는 발에 차꼬를 채워 발꿈치를 상하게 하니, 허물이 없다.

傳 | 九居初하니 最下无位者也니 下民之象이요 爲受刑之人이니 當用刑之始하여 罪小而刑輕이라 校는 木械也니 其過小라 故屨之於足하여 以滅傷其趾라 人有小過에 校而滅其趾면 則當懲懼하여 不敢進於惡矣라 故得无咎라 繫辭云 小懲而大誡 此小人之福也라하니 言懲之於小與初라 故〔一有後字〕得无咎也라 初與上은 无

······

154 象无倒置者 疑此文互也 : 〈상전〉은 상체(上體)와 하체(下體)의 상(象)의 순서로 말하는바, 서합괘는 상체 리(離)의 상(象)은 전(電)이고 하체 진(震)의 상은 뢰(雷)이므로 당연히 전뢰(電雷)라 하여야 하는데, 뢰전(雷電)으로 되어 있기 때문에 말한 것이다. 이에 대해 정이천은 문장을 뒤바꾸어 쓴 호문(互文)으로 본 반면, 주자는 뢰전(雷電)의 오류로 보았다.

··· 勑 : 신칙할 칙 屨 : 신 구 校 : 차꼬 교 趾 : 발꿈치 지

位하니 爲受刑之人이요 餘四爻는 皆爲用刑之人이라 初居最下하니 无位者也요 上處尊位之上하여 過於尊位하니 亦无位者也라 王弼은 以爲无陰陽之位라하나 陰陽은 係於奇偶하니 豈容无也리오 然諸卦初上에 不言當位不當位者〔一作不言位當不當者〕는 蓋初終之義爲大요 臨之初九는 則以位爲正이라 若需上六云不當位와 乾上九云无位는 爵位之位요 非陰陽之位也라

구(九)가 초(初)에 거하였으니 가장 아래에 있어 지위가 없는 자이므로 하민(下民)의 상(象)이요 형벌을 받는 사람이니, 형벌을 쓰는 초기를 당하여 죄가 작고 형벌이 가볍다. 교(校)는 나무로 만든 차꼬(형틀)이니, 허물이 작기 때문에 발에 차꼬를 채워서 그 발꿈치를 멸하여 상하게 하는 것이다. 사람이 작은 허물이 있을 적에 차꼬를 채워서 그 발꿈치를 멸하면 마땅히 징계되고 두려워하여 감히 악(惡)에 나아가지 못한다. 그러므로 무구(无咎)가 되는 것이다.

〈계사전 하〉에 "작게 징계하여 크게 경계함은 소인의 복(福)이다." 하였으니, 죄가 작을 때와 초기에 징계하기 때문에 무구(无咎)가 됨을 말한 것이다.

초(初)와 상(上)은 지위가 없으니 형벌을 받는 사람이 되고, 나머지 네 효(爻)는 다 형벌을 쓰는 사람이 된다. 초(初)는 가장 낮은 자리에 거하니 지위가 없는 자이며, 상(上)은 존위(尊位;육오(六五))의 위에 처하여 존위를 넘었으니, 또한 지위가 없는 자이다. 왕필은 '음·양의 자리가 없는 것이다.' 하였으나, 음·양은 기(奇)·우(偶)에 달려 있으니, 어찌 〈음·양의 자리가〉 없을 수 있겠는가. 그러나 여러 괘의 초(初)와 상(上)에서 〈음·양의 자리로〉 당위(當位)와 불당위(不當位)를 말하지 않은 것은 초(初)와 종(終)의 뜻이 크기 때문이며, 임괘(臨卦)의 초구(初九)는 음·양의 자리로 바름을 삼았다. 수괘(需卦)의 상육(上六)에 불당위(不當位)라고 말한 것과 건괘(乾卦)의 상구(上九)에 무위(无位)라고 말한 것은 작위(爵位)의 위(位;지위)이고 음·양의 자리가 아니다.

本義｜ 初上은 无位하니 爲受刑之象이요 中四爻는 爲用刑之象이라 初在卦始하여 罪薄過小하고 又在卦下라 故爲屨校滅趾之象이요 止惡於初라 故得无咎하니 占者小傷而无咎也라

초(初)와 상(上)은 지위가 없으니 형벌을 받는 상(象)이 되고, 가운데의 네 효(爻)는 형벌을 쓰는 상이 된다. 초(初)는 괘의 초기에 있어서 죄가 박(薄)하고(적고)

허물이 작으며, 또 괘의 아래에 있기 때문에 발에 차꼬를 채워서 발꿈치를 상하게 하는 상이 되고, 악을 초기에 중지하기 때문에 무구(无咎)가 된 것이니, 점치는 자가 다소 상(傷)하나 허물은 없는 것이다.

象曰 屨校滅趾는 **不行也**라
〈상전〉에 말하였다. "'구교멸지(屨校滅趾)'는 가지(나아가지) 못하는 것이다."

傳 | 屨校而滅傷其趾면 **則知懲誡而不敢長其惡**이라 **故云不行也**라 **古人制刑**에 **有小罪則校其趾**하니 **蓋取禁止其行**하여 **使不進於惡也**라

발에 차꼬를 채워서 그 발꿈치를 멸하고 상하게 하면 징계할 줄을 알아 감히 악(惡)을 키우지 못한다. 그러므로 '가지 못한다.'고 말한 것이다. 옛사람이 형벌을 제정할 적에 작은 죄가 있으면 발에 차꼬를 채웠으니, 이는 그 진행됨을 금지하여 악에 나아가지 못하게 함을 취한 것이다.

本義 | 滅趾는 **又有不進於惡之象**이라
'멸지(滅趾)'는 또 악에 나아가지 않는 상(象)이 있다.

六二는 **噬膚**하되 **滅鼻**니 **无咎**하니라
육이(六二)는 살을 깨물되 코가 〈푹 들어가〉 없어짐이니, 허물이 없다.

本義 | 噬膚나 **滅鼻**니 **无咎**리라
살을 쉽게 깨물었으나 코가 없어졌으니, 허물이 없으리라.

傳 | 二應五之位하니 **用刑者也**요 **四爻皆取噬爲義**하니라 **二居中得正**하니 **是用刑**이 **得其中正也**라 **用刑**이 **得其中正**이면 **則罪惡者易服**이라 **故取噬膚爲象**하니 **噬齧人之肌膚**면 **爲易入也**라 **滅**은 **没也**니 **深入**하여 **至没其鼻也**라 **二以中正之道**로 **其刑易服**이나 **然乘初剛**하니 **是用刑於剛强之人**이니 **刑剛强之人**엔 **必須深痛**이라 **故至滅鼻而无咎也**라 **中正之道 易以服人**과 **與嚴刑以待剛强**은 **義不相妨**이니라

이(二)는 오(五)와 응하는 자리이니 형벌을 쓰는 자이고, 〈가운데의〉 네 효(爻)는 모두 깨무는 것을 취하여 뜻을 삼았다. 이(二)는 중(中)에 거하고 정(正)을 얻었

••• 誡 : 경계할 계 膚 : 살갗 부 鼻 : 코 비 肌 : 살갗 기 妨 : 해칠 방

으니, 이는 형벌을 씀이 중정(中正)함을 얻은 것이다. 형벌을 씀이 중정함을 얻으면 죄악(罪惡)을 저지른 자가 쉽게 복종한다. 그러므로 살을 깨무는 것을 취하여 상을 삼았으니, 사람의 살을 깨물면 쉽게 들어간다. 멸(滅)은 없어짐이니, 깊이 들어가서 그 코가 없어짐에(보이지 않음에) 이른 것이다.

이(二)가 중정한 도(道)로 하여 형벌함에 복종시키기 쉬우나 초(初)의 강(剛)을 타고 있으니, 이는 강강(剛强)한 사람에게 형벌을 쓰는 것이다. 강강한 사람에게 형벌을 쓸 때에는 반드시 모름지기 깊고 통렬히 하여야 한다. 그러므로 코가 없어짐에 이르러 허물이 없는 것이다. 중정한 도가 사람을 복종시키기 쉬움과 형벌을 준엄히 하여 강강한 사람을 상대함은 뜻이 서로 방해되지 않는다.

本義 | 祭有膚鼎하니 蓋肉之柔脆(취)로 噬而易嗑者라 六二中正이라 故其所治如噬膚之易나 然以柔乘剛이라 故雖甚易나 亦不免於傷滅其鼻하니 占者雖傷이나 而終无咎也라

제사에 '부(膚 ; 살코기)를 담아놓는 솥'이 있으니, 〈부(膚)는〉 고기 중에 부드럽고 연한 것으로 깨물어 합하기 쉬운 것이다. 육이(六二)는 중정하기 때문에 그 다스림이 살을 깨무는 것처럼 쉬우나, 유(柔)로서 강(剛)을 타고 있기 때문에 비록 심히 쉬워도 또한 그 코를 상하고 멸함을 면치 못하는 것이니, 점치는 자가 비록 상하나 끝내 허물이 없는 것이다.

象曰 噬膚滅鼻는 乘剛也일새라

〈상전〉에 말하였다. "'서부멸비(噬膚滅鼻)'는 강(剛)을 탔기 때문이다."

傳 | 深至滅鼻者는 乘剛故也라 乘剛은 乃用刑於剛强之人이니 不得不深嚴也라 深嚴則得宜니 乃所謂中也라

깊음이 코를 없앰에 이른 것은 강(剛)을 탔기 때문이다. 강을 탐은 바로 강강(剛强)한 사람에게 형벌을 쓰는 것이니, 깊고 엄하게 하지 않을 수 없다. 깊고 엄하게 형벌하면 마땅함을 얻으니, 이른바 '중도(中道)'라는 것이다.

··· 脆 : 연할 취

六三은 噬腊(석)肉하다가 遇毒이니 小吝이나 无咎리라

육삼(六三)은 포고기를 씹다가 독(나쁨)을 만났으니, 조금 부끄러우나 허물은 없으리라.

傳 | 三居下之上하니 用刑者也라 六居三하여 處不當位하니 自處不得其當而刑於人이면 則人不服而怨懟悖犯之하니 如噬齧乾腊堅韌(인)之物이라가 而遇毒惡之味하여 反傷於口也라 用刑而人不服하여 反致怨傷이면 是可鄙吝也라 然當噬嗑之時하여 大要噬間而嗑之하니 雖其身處位不當하여 而强梗難服하여 至於遇毒이나 然用刑이 非爲不當也라 故雖可吝而〔一无而字〕亦小하니 噬而嗑之면 非有咎也라

삼(三)이 하괘(下卦)의 위에 거하였으니, 형벌을 쓰는 자이다. 육(六)이 삼(三)에 거하여 처한 자리가 합당하지 않으니, 자처함이 합당함을 얻지 못하면서 사람을 형벌하면 사람들이 복종하지 않아 원망하고 대든다. 이는 말린 포처럼 단단하고 질긴 물건을 씹다가 독악(毒惡)의 맛을 만나서 도리어 입을 상함과 같은 것이다. 형벌을 쓰다가 사람이 복종하지 않아 도리어 원망과 상함을 이룬다면 이는 비린(鄙吝:비루하고 하찮게 여김)할 만한 것이다.

그러나 서합(噬嗑)의 때를 당하여 대요(大要:대체)는 끼어 있는 물건을 깨물어 합하여야 하니, 비록 자신이 처한 자리가 합당하지 않고 〈형벌을 받는 사람이〉 강경하여 복종시키기 어려워 해독(害毒)을 만남에 이르나 형벌을 씀이 합당하지 않은 것은 아니다. 그러므로 비록 부끄러우나 또한 작은 것이니, 깨물어 합하면 허물이 있는 것이 아니다.

本義 | 腊肉은 謂獸腊이니 全體骨而爲之者니 堅韌之物也라 陰柔不中正하여 治人而人不服하니 爲噬腊遇毒之象이라 占雖小吝이나 然時當噬嗑하니 於義에 爲无咎也라

석육(腊肉)은 짐승의 포를 이르니, 몸의 뼈를 온전히 하여 만든 것으로 단단하고 질긴 물건이다. 음유(陰柔)로 중정하지 못하여 사람을 다스림에 사람들이 복종하지 않으니, 포를 씹다가 독을 만나는 상(象)이 된다. 점괘는 비록 다소 부끄러우나 때가 서합(噬嗑)을 당하였으니, 의리상 허물이 없음이 된다.

••• 腊 : 포 석 乾 : 마를 간 韌 : 질길 인

象曰 遇毒은 位不當也일새라
〈상전〉에 말하였다. "독을 만남은 자리가 합당하지 않기 때문이다."

傳ㅣ 六三〔一无三字〕이 以陰居陽하여 處位不當하니 自處不當이라 故所刑者難服而反毒之也라

육삼(六三)은 음효(陰爻)로서 양위(陽位)에 거하여 처한 자리가 합당하지 않으니, 자처함이 합당하지 않으므로 형벌을 받는 자를 복종시키기 어려워 도리어 해독을 당한 것이다.

九四는 噬乾胏(간자)하여 得金矢나 利艱貞하니 吉하리라
구사(九四)는 뼈가 섞인 말린 포를 씹어 금(金)과 화살을 얻으나 어렵게 여기고 정고(貞固)함이 이로우니, 길하리라.

本義ㅣ 得金矢니
금(金)과 화살을 얻으니,

傳ㅣ 九四居近君之位하니 當噬嗑之任者也라 四已過中하니 是其間愈大하여 而用刑愈深也라 故云噬乾胏[155]라 胏는 肉之有聯〔一无聯字〕骨者니 乾肉而兼骨이면 至堅難噬者也라 噬至堅而得金矢하니 金은 取剛이요 矢는 取直이라 九四陽德剛直하여 爲得剛直之道하니 雖用剛直之道나 利在克艱其事而貞固其守면 則吉也라 九〔一无九字〕四는 剛而明體요 陽而居柔하니 剛明則傷於果라 故戒以知難이요 居柔則守不固라 故戒以堅貞이라 剛而不貞者有矣니 凡失剛者 皆不貞也니 在噬嗑엔 四最爲善이니라

구사(九四)가 군주와 가까운 자리에 거하였으니, 서합(噬嗑)의 임무를 담당한 자이다. 사(四)가 이미 중(中)을 지났으니, 이는 그 간격이 더욱 커서 형벌을 씀이 더욱 깊은 것이다. 그러므로 '간자(乾胏)를 깨물었다.'고 한 것이다. 자(胏)는 고기에 뼈가 연결된 것이니, 말린 고기에 뼈까지 겸했으면 지극히 단단하여 깨물기 어

155 乾胏 : 乾의 원음이 '간'이므로, '간자'로 음을 표기하였으나, 지금은 거의 모두 속음(俗音)을 따라 '건'으로 읽어 말린 감을 '건시(乾柿)', 말린 생강을 '건강(乾薑)'이라 한다.

••• 胏 : 뼈에붙어있는마른고기 자 愈 : 더욱 유 聯 : 이을 련

려운 것이다. 지극히 단단한 것을 깨물어 금(金)과 화살을 얻었으니, 금은 강한 뜻을 취하고 화살은 곧은 뜻을 취하였다.

구사(九四)가 양덕(陽德)으로 강직(剛直)하여 강직한 방도를 얻음이 되니, 비록 강직한 방도를 쓰나 이로움이 일을 어렵게 여기고 지킴을 정고(貞固)히 함에 있으니, 이렇게 하면 길하다. 구사(九四)는 강(剛)으로서 밝은 체(體)이고, 양효(陽爻)로서 유위(柔位)에 거하였으니, 강명(剛明)하면 과감함에 상하므로(잘못되므로) 어려워할 줄을 알라고 경계하였고, 유(柔)에 거하면 지킴이 견고하지 못하므로 견정(堅貞)하라고 경계한 것이다. 강하나 정고(貞固)하지 못한 자가 있는데, 무릇 강함을 잃음은 다 정고하지 못해서이니, 서합(噬嗑)에 있어서는 사(四)가 가장 좋음이 된다.

本義 | 胏는 肉之帶骨者니 與胾通이라 周禮에 獄訟에 入鈞金、束矢而後聽之라 九四以剛居柔하여 得用刑之道[156]라 故有此象하니 言所噬愈堅而得聽訟之宜也라 然必利於艱難正固則吉이니 戒占者宜如是也라

자(胏)는 고기에 뼈가 붙어 있는 것이니, 자(胾)와 통한다. 《주례(周禮)》〈대사구(大司寇)〉에 "옥송(獄訟)을 할 경우, 균금(鈞金:30근(斤)의 쇠)과 속시(束矢:10개의 화살)를 납입한 뒤에 송사를 다스린다." 하였다. 구사(九四)가 강효(剛爻)로서 유위(柔位)에 거하여 형벌을 쓰는 도를 얻었다. 그러므로 이러한 상(象)이 있으니, 깨무는 바가 더욱 견고한데 송사를 다스림의 마땅함을 얻음을 말한 것이다. 그러나 반드시 어렵게 여기고 정고(正固)함이 이로워 이렇게 하면 길하니, 점치는 자에게 마땅히 이와 같이 하라고 경계한 것이다.

象曰 利艱貞吉은 未光也라

〈상전〉에 말하였다. "'이간정길(利艱貞吉)'은 광대(光大)하지 못한 것이다."

••••••

156 得用刑之道 : 사계는 "〈단전〉의 《정전》에는 '강(剛)이 유(柔)에 거함은 옥(獄)을 다스리는 마땅함이 아니다.' 하였는데, 《본의》에는 '강이 유에 거함은 형(刑)을 쓰는 도(道)를 얻었다.' 하여 두 설(說)이 똑같지 않다." 하였다. 《經書辨疑》

••• 胾 : 고깃점 자 鈞 : 서른근 균

傳 | 凡言未光은 其道未光大也라 戒於〔一作以〕利艱貞은 蓋其所不足也니 不得中正故也라

무릇 '미광(未光)'이라고 말한 것은 그 도가 광대하지 못한 것이다. 어렵게 여기고 정고(貞固)함이 이롭다고 경계함은 이 효가 정고함이 부족해서이니, 중정(中正)을 얻지 못했기 때문이다.

六五는 噬乾肉하여 得黃金[157]이니 貞厲면 无咎리라

육오(六五)는 마른 고기를 깨물어 황금을 얻었으니, 정고(貞固)히 하고 위태롭게 여기면 허물이 없으리라.

本義 | 貞厲라야

정고하고 위태롭게 여겨야

傳 | 五在卦愈上이어늘 而爲噬乾肉하여 反易(이)於四之乾胏者는 五居尊位하여 乘在上之勢하여 以刑於下하여 其勢易也일새라 在卦에 將極矣니 其爲間이 甚大하여 非易嗑也라 故爲噬乾肉也라 得黃金은 黃은 中色이요 金은 剛物이니 五居中은 爲得中道요 處剛而四輔以剛은 得黃金也라 五无應이나 而四居大臣之位하여 得其助也라 貞厲无咎는 六五雖處中剛이나 然實柔體라 故戒以必正固而懷危厲면 則得无咎也라 以柔居尊而當噬嗑〔一作堅〕之時하니 豈可不貞固而懷危懼哉리오

오(五)가 괘에 있어 더욱 위로 올라갔는데 말린 고기를 깨무는 것이어서 도리어 사(四)의 간자(乾胏)를 씹는 것보다 쉬운 것은, 오(五)가 존위(尊位)에 거하여 위에 있는 권세를 타고 아랫사람을 형벌하여 그 형세가 쉽기 때문이다. 괘에 있어 장차 극에 이르게 되었으니, 그 간격이 매우 커서 쉽게 합할 수 있는 것이 아니다. 그러므로 말린 고기를 깨묾이 되는 것이다. 황금(黃金)을 얻었다는 것은 황(黃)은 중앙의 색이고 금은 강한 물건이니, 오(五)가 중(中)에 거함은 중도(中道)를 얻음이

157 得黃金 : 간이(簡易) 최립(崔岦)은 "구사(九四)의 금시(金矢)와 육오(六五)의 황금은 다만 모두 옥(獄)을 결단하는 뜻을 취할 뿐인 듯하다. 화살〔矢〕은 구(九)의 강직함을 취하였는데 구(九)가 음위(陰位)인 사효(四爻)에 있기 때문에 '이간정길 미광야(利艱貞吉 未光也)'라고 경계하였고, 황(黃)은 오(五)의 중도를 취하였는데 음효인 육(六)이 거하였기 때문에 '정려무구(貞厲无咎)'라고 경계한 것이다." 하였는바, 사계 역시 이 설(說)을 취하여 《경서변의》에 수록하였다.

되고, 강위(剛位)에 처하였는데 사(四)가 강효(剛爻)로서 보필함은 황금을 얻은 것이다. 오(五)가 응(應)이 없으나 사(四)가 대신(大臣)의 지위에 거하여 그 도움을 얻은 것이다.

'정려무구(貞厲无咎)'는 육오(六五)가 비록 중강(中剛)에 처하였으나 실제로는 유체(柔體)이므로 반드시 정고(正固)하고 위태로운 마음을 품으면 허물이 없을 것이라고 경계한 것이다. 유(柔)로서 존위에 거하여 서합(噬嗑)의 때를 당했으니, 어찌 정고히 하며 위태롭게 여기고 두려워하는 마음을 품지 않을 수 있겠는가.

本義 | 噬乾肉은 難於膚而易於腊、胏者也라 黃은 中色이요 金은 亦謂鈞金이라 六五柔順而中으로 以居尊位하니 用刑於人에 人无不服이라 故有此象이라 然必貞厲라야 乃得无咎하니 亦戒占者之辭也라

마른 고기를 씹음은 살을 씹는 것보다는 어렵고 석(腊)과 자(胏)를 씹는 것보다는 쉽다. 황(黃)은 중앙의 색이고 금은 또한 균금(鈞金)을 이른다. 육오(六五)는 유순하고 중(中)함으로 존위(尊位)에 거하였으니, 사람에게 형벌을 씀에 사람들이 복종하지 않는 자가 없다. 그러므로 이러한 상(象)이 있는 것이다. 그러나 반드시 정고하고 위태롭게 여겨야 허물이 없으리니, 또한 점치는 자를 경계한 말이다.

象曰 貞厲无咎는 得當也일새라

〈상전〉에 말하였다. "'정려무구(貞厲无咎)'는 〈행위가〉 합당함을 얻었기 때문이다."

傳 | 所以能无咎者는 以所爲得其當也니 所謂當은 居中用剛하고 而能守正慮危也라

무구(无咎)가 된 까닭은 하는 바가 그 합당함을 얻었기 때문이니, 이른바 합당하다는 것은 중(中)에 거하고 강(剛)을 쓰며 정도(正道)를 지키고 위태로움을 염려하기 때문이다.

上九는 何(荷)校하여 滅耳니 凶토다

상구(上九)는 목에 차꼬를 채워서 귀가 〈파묻혀〉 없어졌으니, 흉하도다.

··· 荷 : 멜 하

傳 | 上過乎尊位하니 无位者也라 故爲受刑者라 居卦之終하니 是其間大하여 噬之極也라 繫辭所謂惡積而不可掩이요 罪大而不可解者也라 故何校而滅其耳니 凶可知矣라 何는 負也니 謂在頸也라

상(上)은 존위(尊位)를 지났으니 지위가 없는 자이다. 그러므로 형벌을 받는 자가 된 것이다. 괘의 끝에 거하였으니, 이는 그 간격이 커서 〈쉽게 합할 수 없으므로〉 깨물기를 지극히 하는 것이다. 〈계사전 하〉에 이른바 '악이 쌓여 가릴 수 없고 죄가 커서 풀 수 없다.'는 것이다. 그러므로 목에 차꼬를 채워서 그 귀가 없어진 것이니, 흉함을 알 수 있다. 하(何)는 짊어짐〔멤〕이니, 차꼬가 목에 있음을 이른다.

本義 | 何는 負也라 過極之陽으로 在卦之上하니 惡極罪大하여 凶之道也라 故其象占如此하니라

하(何)는 짊어짐이다. 과극(過極)한 양으로 괘의 위에 있으니, 악(惡)이 지극하고 죄가 커서 흉한 방도이다. 그러므로 그 상(象)과 점(占)이 이와 같은 것이다.

象曰 何校滅耳는 聰不明也일새라

〈상전〉에 말하였다. "'하교멸이(何校滅耳)'는 귀가 밝지 못하기 때문이다."

傳 | 人之聾暗不悟하여 積其罪惡하여 以至於極이라 古人制法에 罪之大者는 何之以校하니 爲其无所聞知하여 積成其惡이라 故以校而滅傷〔一无傷字〕其耳니 誡聰之不明也라

사람이 귀먹고 어두워 깨닫지 못해서 죄악(罪惡)을 쌓아 극에 이른 것이다. 옛사람이 법을 제정할 적에 죄가 큰 자에게는 목에 차꼬를 채우게 하였으니, 이는 듣고 아는 바가 없어서 악을 쌓아 이루었기 때문이다. 그러므로 차꼬로써 그 귀를 멸상(滅傷)하게 한 것이니, 귀가 밝지 못함을 징계한 것이다.

本義 | 滅耳는 蓋罪其聽之不聰也니 若能審聽而早圖之면 則无此凶矣리라

'멸이(滅耳)'는 그 들음이 밝지 못함을 죄준 것이니, 만약 능히 자세히 듣고 일찍 도모한다면 이러한 흉함이 없을 것이다.

··· 頸 : 목 경 聾 : 귀먹을 롱 聰 : 귀밝을 총 悟 : 깨달을 오

22 산화 山火 비(賁) ䷕ 리하간상 離下艮上

傳 | **賁**는 **序卦**에 **嗑者**는 **合也**니 **物不可以苟合而已**라 **故受之以賁**하니 **賁者**는 **飾也**라하니라 **物之合則必有文**하니 **文**은 **乃飾也**라 **如人之合聚**면 **則有威儀上下**하고 **物之合聚**면 **則有次序行列**하여 **合則必有文也**하니 **賁所以次噬嗑也**라 **爲卦 山下有火**하니 **山者**는 **草木百物之所聚也**요 **下有火**하면 **則照見**(현)**其上**하여 **草木品彙皆被其光彩**하니 **有賁飾之象**이라 **故爲賁也**라

비괘(賁卦)는 〈서괘전〉에 "합(嗑)은 합함이니, 물건은 구차히 합할 뿐이어서는 안 된다. 그러므로 비괘로 받았으니, 비(賁)는 꾸밈이다." 하였다. 물건이 합하면 반드시 문(文:문채)이 있으니, 문(文)은 바로 꾸밈이다. 예컨대 사람이 모이면 위의(威儀)와 상하의 구분이 있고 물건이 모이면 차서(次序)와 항렬(行列)이 있어서 합하면 반드시 문(文)이 있으니, 비괘가 이 때문에 서합괘(䷔)의 다음이 된 것이다. 괘됨이 산(☶) 아래에 불(☲)이 있으니, 산은 초목(草木)과 온갖 물건이 모이는 곳이요, 아래에 불이 있으면 그 위를 비춰 보여서 초목과 물건들이 모두 그 광채를 입으니, 꾸미는 상(象)이 있다. 이 때문에 비(賁)라 한 것이다.

賁는 **亨**하니 **小利有攸往**하니라

비(賁)는 형통하니, 가는 바를 둠이 조금 이롭다.

本義 | **賁**는 **亨**하고

비(賁)는 형통하고

傳 | **物有飾而後能亨**이라 **故曰 无本不立**이요 **无文不行**[158]이라하니 **有實而加飾**이

••••••

158 无本不立 无文不行 : 본(本)은 충신(忠信)을 이르고 문(文)은 의리(義理)를 이른다. 《예기》 〈예기(禮器)〉에 "선왕이 예를 세울 적에 본이 있고 문이 있으니, 충신은 예의 본이고 의리는 예의 문이다. 본이 없으면 서지 못하고 문이 없으면 행해지지 못한다.〔先王之立禮也, 有本有文, 忠信禮之本也, 義理禮之文也, 無本不立, 無文不行.〕"이라고 보이는데, 충신은 예를 행하는 자의 성실성

••• 賁 : 꾸밀 비 彙 : 무리 휘 彩 : 광채 채

면 則可以亨矣라 文飾之道는 可增其光彩라 故能小利於進也라

물건은 꾸밈이 있은 뒤에 형통한다. 그러므로 이르기를 "근본이 없으면 서지 못하고 문(文)이 없으면 행하지 못한다." 하였으니, 실(實)이 있고 꾸밈을 더하면 형통할 수 있다. 문식(文飾)하는 도(道)는 광채를 더할 수 있으므로 나아감에 조금 이로운 것이다.

本義 | 賁는 飾也라 卦自損來者는 柔自三來而文二하고 剛自二上而文三하며 自既濟而來者는 柔自上來而文五하고 剛自五上而文上하며 又內離而外艮이니 有文明而各得其分之象이라 故爲賁라 占者以其柔來文剛하여 陽得陰助而離明於內라 故爲亨이요 以其剛上文柔而艮止於外라 故小利有攸往이니라

비(賁)는 꾸밈이다. 괘가 손괘(損卦 ䷨)로부터 온 것은 유(柔)가 삼(三)에서 와 이(二)를 문식하고 강(剛)이 이(二)에서 올라가 삼(三)을 문식하며, 기제괘(既濟卦 ䷾)로부터 온 것은 유(柔)가 상(上)에서 와서 오(五)를 문식하고 강(剛)이 오(五)에서 올라가 상을 문식하며, 또 안은 리(離 ☲)이고 밖은 간(艮 ☶)이니, 문명(文明)하면서 각각 그 분수를 얻은 상(象)이 있다. 그러므로 비(賁)라 한 것이다. 점치는 자는 유(柔)가 와서 강(剛)을 문식하여 양이 음의 도움을 얻고 리(離)가 안에서 밝으므로 형통한 것이요, 강(剛)이 올라가 유(柔)를 문식하고 간(艮)이 밖에 멈춰 있으므로 가는 바를 둠이 조금 이로운 것이다.

彖曰 賁亨은

〈단전〉에 말하였다. "비(賁)가 형통함은

本義 | 亨字는 疑衍이라

형(亨) 자는 연문(衍文)인 듯하다.

柔來而文剛이라 故로 亨하고 分剛하여 上而文柔라 故로 小利有攸

••••••

(誠實性)을 이르고 의리는 사물상(事物上)에 마땅한 도리를 이른다.

往하니 **天文也**요

유(柔)가 와서 강(剛)을 문식하기 때문에 형통하고, 강(剛)을 나누어 올라가 유(柔)를 문식하기 때문에 가는 바를 둠이 조금 이로운 것이니, 이는 천문(天文)이요,

本義 | 以卦變으로 釋卦辭라 剛柔之交는 自然之象이라 故曰天文이라 先儒說天文上에 當有剛柔交錯四字라하니 理或然也라

괘변(卦變)으로 괘사(卦辭)를 해석하였다. 강(剛)·유(柔)가 사귐은 자연의 상(象)이므로 '천문(天文)'이라 한 것이다. 선유(先儒)가 말하기를 "천문(天文)의 위에 마땅히 '강유교착(剛柔交錯)' 네 글자가 있어야 한다." 하였으니, 이치상 혹 옳을 듯하다.

文明以止하니 **人文也**니

문명(文明)에 그치니 인문(人文)이니,

본의 | 문명하고

傳 | 卦爲賁飾之象은 以上下二體 剛柔交하여 相〔一作相交〕爲文飾也라 下體本乾이어늘 柔來文其中而爲離하고 上體本坤이어늘 剛往文其上而爲艮하니 乃爲山下有火하여 止於文明而成賁也라 天下之事 无飾不行이라 故賁則能亨也라 柔來而文剛故亨은 柔來文於剛而成文明之象하니 文明이 所以爲賁也며 賁之道能致亨은 實由飾而能亨也라 分剛上而文柔 故小利有攸往은 分乾之中爻하여 往文於艮之上也라 事由飾而加盛하고 由飾而能行이라 故小利有攸往이라 夫往而能利者는 以有本也일새니 賁飾之道는 非能增其實也요 但加之文彩耳니 事由文而顯盛이라 故爲小利有攸往이라

이 괘가 비식(賁飾)의 상(象)이 된 것은, 상·하 두 체(體)의 강(剛)·유(柔)가 사귀어 서로 문식하기 때문이다. 하체(下體)는 본래 건(乾 ☰)인데 유(柔)가 와서 그 가운데를 문식하여 리(離)가 되었고, 상체(上體)는 본래 곤(坤 ☷)인데 강(剛)이 가서 그 위를 문식하여 간(艮 ☶)이 되었으니, 이는 바로 산 아래에 불이 있음이 되어 문명(文明)에 그쳐 비(賁)를 이룬 것이다. 천하의 일은 문식이 없으면 행해지지

··· 錯 : 사귈 착 增 : 더할 증

못하므로 꾸미면 형통한 것이다.

'유래이문강고형(柔來而文剛故亨)'은 유(柔)가 와서 강(剛)을 문식하여 문명의 상을 이루었으니, 문명이 비(賁)가 되는 것이며, 비(賁)의 도(道)가 능히 형통함을 이루는 것은 실로 문식함으로 말미암아 형통하기 때문이다. '분강상이문유 고소리유유왕(分剛上而文柔 故小利有攸往)'은 건(乾 ☰)의 중효(中爻)를 나누어 가서 간(艮 ☶)의 위를 문식하였으니, 일은 꾸밈으로 말미암아 더욱 성하고 꾸밈으로 말미암아 행해진다. 그러므로 가는 바를 둠이 조금 이로운 것이다. 가서 이로운 것은 근본이 있기 때문이니, 비식(賁飾)하는 도(道)는 능히 그 실제를 더하는 것이 아니요, 다만 문채를 가(加)할 뿐이니, 일은 문채로 말미암아 드러나고 성해진다. 그러므로 가는 바를 둠이 조금 이로운 것이다.

亨者는 亨通也요 往者는 加進也라 二卦之變이 共成賁義어늘 而彖分言〔一无言字〕上下하여 各主一事者는 蓋離明은 足以致亨이요 文柔는 又能小進也일새라 天文也 文明以止 人文也는 此承上文하여 言陰陽剛柔相文者는 天之文也요 止於文明者는 人之文也니 止는 謂處於文明也라 質必有文은 自然之理요 理必有對待는 生生之本也라 有上則有下하고 有此則〔一作必字〕有彼하고 有質則有文하여 一不獨立이요 二則爲文이니 非知道者면 孰能識之리오 天文은 天之理也요 人文은 人之道也라

형(亨)은 형통함이요, 왕(往)은 더 나아감이다. 〈건 ☰ · 곤 ☷〉 두 괘의 변(變)이 함께 비식(賁飾)의 뜻을 이루었는데, 〈단전〉에서는 상 · 하로 나누어 말하여 각각 한 가지 일을 주장한 것은, 리명(離明)은 형통함을 이룰 수 있고 유(柔)를 문식함은 또 다소 나아갈 수 있기 때문이다.

'천문야 문명이지 인문야(天文也 文明以止 人文也)'는 이는 상문(上文)을 이어서 음 · 양과 강 · 유가 서로 문식함은 하늘의 문(文)이요, 문명에 그침은 사람의 문(文)임을 말한 것이니, 지(止)는 문명(文明)에 머묾을 이른다. 질(質)에 반드시 문이 있음은 자연의 이치이고, 이치에 반드시 대대(對待:상대)가 있음은 생생(生生)의 근본이다. 위가 있으면 아래가 있고 이것이 있으면 저것이 있고 질(質)이 있으면 문(文)이 있어서 하나는 홀로 서지 못하고 둘이면 문이 되니, 도(道)를 아는 자가 아니면 누가 능히 이것을 알겠는가. 천문(天文)은 하늘의 이치이고, 인문(人文)은 사람의 도(道)이다.

本義 | 又以卦德言之라 止는 謂各得其分이라

또 괘덕(卦德)으로써 말하였다. 지(止)는 각각 그 분수를 얻음을 이른다.

觀乎天文하여 以察時變하며

천문을 관찰하여 사시(四時)의 변화를 살피며,

傳 | 天文은 謂日、月、星辰之錯列과 寒暑、陰陽之代變이니 觀其運行하여 以察四時之遷改也라

천문(天文)은 일(日)·월(月)·성신(星辰)이 뒤섞여 나열됨과 한(寒)·서(暑)와 음·양이 교대로 변함을 이르니, 그 운행(運行)을 관찰하여 사시(四時)의 변천을 살피는 것이다.

觀乎人文하여 以化成天下하나니라

인문(人文)을 관찰하여 천하를 화성(化成;교화하여 이룸)한다."

傳 | 人文은 人理之倫序니 觀人文하여 以教化天下하여 天〔一无天字〕下〔一无下字〕成其禮俗은 乃聖人用賁之道也라 賁之象은 取山下有火하고 又取卦變의 柔來文剛, 剛上文柔라 凡卦有以二體之義及二象而〔一无而字〕成者하니 如屯取動乎險中與雲雷와 訟取上剛下險與天水違行이 是也요 有取一爻者成卦之由也하니 柔得位而上下應之曰小畜과 柔得尊位大中而上下應之曰大有 是也라 有取二體하고 又取消長之義者하니 雷在地中復과 山附於地剝이 是也요 有取二象하고 兼取二爻交變爲義者하니 風雷益은 兼取損上益下하고 山下有澤損은 兼取損下益上이 是也요 有旣以二象成卦하고 復取爻之義者하니 夬之剛決柔와 姤之柔遇剛이 是也요 有以用成卦者하니 巽乎水而上水井과 木上有火鼎이 是也니 鼎은 又以卦形爲象이라 有以形爲象者하니 山下有雷頤와 頤中有物曰噬嗑이 是也니 此成卦之義也라

인문(人文)은 인리(人理:인도(人道))의 차례이니, 인문을 관찰하여 천하를 교화해서 천하가 예(禮)스러운 풍속을 이룸은 바로 성인(聖人)이 비(賁)를 쓰는 방도이다. 비(賁)의 상(象)은 산 아래에 불이 있음을 취하였고, 또 괘변(卦變)에 유(柔)가 와서

··· 夬 : 결단할 괘 姤 : 만날 구 鼎 : 솥 정 頤 : 턱 이

강(剛)을 문식하고 강(剛)이 올라가 유(柔)를 문식함을 취하였다.

무릇 괘는 두 체(體)의 뜻과 두 상(象)으로 이루어진 것이 있으니, 예컨대 준괘(屯卦 ䷂)는 험한 가운데에서 동함과 운뢰(雲雷)를 취하였고, 송괘(訟卦 ䷅)는 위는 강(剛)하고 아래는 험함과 하늘〔天〕과 물〔水〕이 따로따로 감을 취한 것이 이것이다. 한 효가 괘를 이룬 이유가 된 것을 취한 것이 있으니, 유(柔)가 지위를 얻고 상·하가 응함을 소축(小畜 ䷈)이라 하며, 유(柔)가 존위(尊位)를 얻고 크게 중(中)하며 상·하가 응함을 대유(大有 ䷍)라 한 것이 이것이다.

두 체(體)를 취하고 또 소장(消長)의 뜻을 취한 것이 있으니, 우레〔雷〕가 땅〔地〕속에 있는 것이 복(復 ䷗)이 되고, 산이 땅〔地〕에 붙어 있는 것이 박(剝 ䷖)이 됨이 이것이다. 두 상(象)을 취하고 겸하여 두 효가 서로 변하여 뜻이 된 것을 취한 것이 있으니, 풍뢰(風雷)인 익(益 ䷩)은 위를 덜어 아래에 보탬을 겸하여 취하였고, 산하유택(山下有澤:산 아래에 못이 있음)인 손(損 ䷨)은 아래를 덜어 위에 보탬을 겸하여 취한 것이 이것이다.

이미 두 상(象)으로 괘를 이루고 다시 효의 뜻을 취한 것이 있으니, 쾌괘(夬卦 ䷪)의 강(剛)이 유(柔)를 터놓음(결단함)과 구괘(姤卦 ䷫)의 유(柔)가 강(剛)을 만남이 이것이다. 쓰임으로 괘를 이룬 것이 있으니, 물〔水〕에 들어가 물을 퍼올림이 정(井 ䷯)이란 것과 나무〔木〕 위에 불〔火〕이 있음이 정(鼎 ䷱)이란 것이 이것이니, 정괘(鼎卦)는 또 괘의 형체(形體:모양)로 상(象)을 삼았다. 형체로 상을 삼은 것이 있으니, 산 아래에 우레〔雷〕가 있음이 이(頤 ䷚)란 것과 입 안에 물건이 있음이 서합(噬嗑 ䷔)이란 것이 이것이니, 이는 괘를 이룬 뜻이다.

如剛上柔下, 損上益下는 謂剛居上, 柔在下하고 損於上, 益於下니 據成卦而言이요 非謂就卦中升降也라 如訟, 无妄에 云剛來[159]가 豈自上體而來也리오 凡以柔居五者는 皆云柔進而上行하니 柔는 居下者也어늘 乃居尊位면 是進而上也니 非謂自下體而上也라 卦之變은 皆自乾、坤이어늘 先儒不達이라 故謂賁本是泰卦라

••••••

159 如訟无妄云剛來 : 송괘(訟卦) 〈단전〉의 '강래이득중야(剛來而得中也)'와 무망괘(无妄卦) 〈단전〉의 '강자외래이위주어내(剛自外來而爲主於內)'를 가리켜 말한 것이다. 괘변(卦變)은 정이천과 주자가 각기 다른바, 주자의 설은 뒤에 덧붙인 〈총목(總目)〉의 괘변도(卦變圖) 아래에 자세히 보인다.

하니 豈有乾、坤重而爲泰하고 又由泰而變之理리오 下離는 本乾中爻 變而成離요 上艮은 本坤上爻 變而成艮이니 離在內라 故云柔來요 艮在上이라 故云剛上이니 非自下體而上也라 乾、坤變而爲六子하고 八卦重而爲六十四하니 皆由乾、坤之變也라

예컨대 강상유하(剛上柔下)와 손상익하(損上益下)는 강(剛)이 위에 거하고 유(柔)가 아래에 있으며, 위를 덜어 아래에 보태주는 것이니, 이는 성괘(成卦)를 근거하여 말한 것이요 괘 가운데에 나아가 오르내림을 말한 것이 아니다. 송괘(訟卦 ䷅)와 무망괘(无妄卦 ䷘)에서 강(剛)이 온다고 말한 것이 어찌 상체(上體)로부터 온 것이겠는가. 무릇 유(柔)로서 오(五)에 거한 것은 모두 유(柔)가 나아가 위로 행한다고 말하였으니, 유(柔)는 아래에 있는 것인데 마침내 존위(尊位)에 거하였다면 이는 나아가 올라간 것이니, 하체(下體)로부터 올라감을 말한 것이 아니다.

괘가 변함은 모두 건(乾 ☰) · 곤(坤 ☷)으로부터 왔는데, 선유(先儒)들은 이것을 알지 못하였으므로 "비괘(賁卦)는 본래 태괘(泰卦 ䷊)였다."고 말하니, 어찌 건과 곤이 겹쳐서 태괘가 되었는데, 또다시 태괘로 말미암아 변할 수가 있겠는가. 〈비괘(賁卦)에〉 하체(下體)의 리(離 ☲)는 본래 건의 중효(中爻)가 변하여 리(離)를 이룬 것이고, 상체(上體)의 간(艮 ☶)은 본래 곤의 상효(上爻)가 변하여 간(艮)을 이룬 것이니, 리(離)가 안에 있기 때문에 유(柔)가 왔다고 말한 것이요, 간이 위에 있기 때문에 강(剛)이 올라갔다고 말한 것이니, 하체로부터 올라간 것이 아니다. 건 · 곤이 변하여 육자(六子)가 되었고 팔괘가 겹쳐서 64괘가 되었으니, 이는 모두 건 · 곤의 변함으로 말미암은 것이다.

本義 | 極言賁道之大也라

비도(賁道)의 큼을 극언하였다.

象曰 山下有火賁니 **君子以**하여 **明庶政**하되 **无敢折獄**하나니라

〈상전〉에 말하였다. "산 아래에 불이 있는 것이 비(賁)이니, 군자가 보고서 여러 정사를 밝히되 절옥(折獄 : 옥사(獄事)를 결단함)에 과감히 하지 않는다."

本義 | **明庶政**하고

본의 | 여러 정사를 밝히고, 과감히 옥사를 결단하지 않는다.

··· 折 : 결단할 절 獄 : 감옥 옥

傳｜ 山者는 草木百物之〔一无之字〕所聚生也니 火在其〔一无其字〕下而上照庶類하여 皆被其光明하니 爲賁飾之象也라 君子觀山下有火明照之象하여 以修明其庶政하여 成文明之治호되 而无果敢於折獄也라 折獄者는 人君之所致愼也니 豈可恃其〔一无其字〕明而輕自用乎아 乃聖人之用心也니 爲戒深矣로다 象之所取는 唯以山下有火하여 明照庶物하여 以用明爲戒요 而賁亦自有无敢折獄之義라 折獄者는 專用情實이니 有文飾이면 則沒其情矣라 故无敢用文以折獄也니라

산은 초목(草木)과 온갖 물건이 모여서 자라는 곳이니, 불이 그 아래에 있으면서 위로 여러 종류를 비추어 모두 광명(光明)함을 입으니, 이는 비식(賁飾)하는 상(象)이 된다. 군자가 산 아래에 불이 있어 밝게 비추는 상을 보고서, 여러 정사를 수명(修明)하여 문명한 정치를 이루되 옥사를 결단함에 과감하게 하지 않는다. 옥사를 결단하는 것은 인군이 지극히 신중히 하는 바이니, 어찌 밝음을 믿고서 가볍게 스스로 쓰겠는가. 이는 바로 성인(聖人)의 마음씀이니, 경계함이 깊도다.

상(象)에서 취한 것은, 오직 산 아래에 불이 있어 여러 물건을 밝게 비춘다 하여 밝음을 쓰는 것을 경계하였고, 비(賁)에 또한 본래 옥사를 과감히 결단하지 않는 뜻이 있다. 옥사를 결단하는 자는 오로지 실정(實情)을 써야 하니, 문식이 있으면 그 실정을 없애게 된다. 그러므로 감히 문식을 써서 옥사를 결단하지 않는 것이다.

本義｜ 山下有火에 明不及遠하니 明庶政은 事之小者요 折獄은 事之大者라 內離明而外艮止라 故取象如此하니라

산 아래에 불이 있어 밝음이 먼 곳에 미치지 못하니, 여러 정사를 밝힘은 작은 일이요, 옥사를 결단함은 큰 일이다. 안은 리(離)라서 밝고 밖은 간(艮)이라서 그치므로 상(象)을 취함이 이와 같은 것이다.

初九는 賁其趾니 舍車而徒로다

초구(初九)는 발을 꾸밈이니, 수레를 버리고 도보로 걷도다.

傳｜ 初九以剛陽居明體而處下하니 君子有剛明之德而在下者也라 君子在无位之地하면 無所施於天下요 唯自賁飾其所行而已니 趾는 取在下而所以行也라 君

子修飾之道는 正其所行하고 守節處義하여 其行不苟하니 義或不當이면 則舍車輿而寧徒行하나니 衆人之所羞나 而君子以爲賁也라 舍車而徒之義는 兼於比應取之라 初比二而應四하니 應四는 正也요 與二는 非正也라 九之剛明守義하여 不近與於二하고 而遠應於四하여 舍易而從難하니 如舍車而徒行也라 守節義는 君子之賁也라 是故로 君子所賁는 世俗所羞요 世俗所貴〔一作賁〕는 君子所賤이라 以車徒爲言者는 因趾與行爲義也라

초구(初九)가 강양(剛陽)으로 명체(明體:리(離))에 거하고 아래에 처하였으니, 군자로서 강명(剛明)한 덕이 있으면서 아래에 있는 자이다. 군자가 지위가 없는 자리에 있으면 천하에 베풀 수가 없고 오직 스스로 그 행하는 바를 꾸밀 뿐이니, 지(趾:발)는 아래에 있으면서 걸어가는 것을 취하였다.

군자가 수식(修飾)하는 도(道)는 행하는 바를 바르게 하고 절개를 지키며 의(義)에 처하여 그 행실이 구차하지 않은 것이다. 의(義)에 혹 합당하지 않으면 수레를 버리고 차라리 도보로 걸어가니, 이는 중인(衆人)들은 부끄럽게 여기나 군자는 꾸밈으로 여기는 것이다.

수레를 버리고 도보로 걸어가는 뜻은 비(比)와 응(應)을 겸하여 취한 것이다. 초(初)는 이(二)와 가까이〔比〕 있으면서 사(四)와 응하니, 사(四)에 응함은 정(正)이고 이(二)와 더불음은 정이 아니다. 구(九)가 강명(剛明)하여 의(義)를 지켜서 가까이 이(二)와 더불지 않고 멀리 사(四)와 응하여, 쉬운 것을 버리고 어려운 것을 따르니, 수레를 버리고 도보로 걷는 것과 같다. 절의(節義)를 지킴은 군자의 꾸밈이다. 그러므로 군자가 꾸미는 것은 세속 사람들이 부끄럽게 여기고, 세속 사람들이 귀하게 여기는 것은 군자가 천하게 여기는 것이다. 수레와 도보를 가지고 말한 것은 발과 걸어가는 것을 인해서 뜻을 삼은 것이다.

本義 | 剛德明體로 自賁於下하니 爲舍非道之車而安於徒步之象이니 占者自處를 當如是也라

강(剛)한 덕과 밝은 체(體)로 스스로 아래에서 꾸미니, 도리(道理)가 아닌 수레를 버리고 도보를 편안히 여기는 상(象)이 된다. 점치는 자가 자처하기를 마땅히 이와 같이 하여야 한다.

••• 寧 : 차라리 녕 徒 : 도보 도 舍 : 버릴 사

象曰 舍車而徒는 義弗乘也라

〈상전〉에 말하였다. "수레를 버리고 도보로 가는 것은 의리상 수레를 탈 수 없기 때문이다."

傳 | 舍車而徒行者는 於義에 不可以乘也일새라 初應四는 正也요 從二는 非正也니 近舍二之易而從四之難이 舍車而徒行也라 君子之賁는 守其義而已니라

수레를 버리고 도보로 가는 것은 의(義)에 수레를 탈 수 없기 때문이다. 초(初)가 사(四)에 응함은 정(正)이고 이(二)를 따름은 정이 아니니, 가까이 이(二)의 쉬움을 버리고 사(四)의 어려움을 따름이 수레를 버리고 도보로 가는 것이다. 군자의 꾸밈은 그 의(義)를 지킬 뿐이다.

本義 | 君子之取舍는 決於義而已라

군자의 취하고 버림은 의(義)에 결단할 뿐이다.

六二는 賁其須(鬚)로다

육이(六二)는 수염을 꾸미도다.

傳 | 卦之爲賁 雖由兩爻之變이나 而文明之義爲重하니 二實賁之主也라 故主言賁之道하니라 飾於物者는 不能大變其質也요 因其質而加飾耳라 故取須義하니 須는 隨頤而動者也라 動止惟係於〔一无於字〕所附하니 猶善惡不由於賁也라 二之文明은 唯爲賁飾이요 善惡則係其質也니라

괘가 비(賁)가 된 까닭이 비록 〈이(二)와 삼(三)〉 두 효의 변함으로 말미암았으나 문명(文明)의 뜻이 중하니, 이(二)는 실로 비(賁)의 주체이다. 그러므로 꾸미는 도(道)를 주장하여 말하였다. 물건을 꾸미는 것은 그 바탕을 크게 변화시키지는 못하고, 그 바탕을 따라 꾸밈을 더할 뿐이다. 그러므로 수염의 뜻을 취하였으니, 수염은 턱을 따라 움직이는 물건이다. 움직이고 멈춤이 오직 붙어있는 바(턱)에 매어 있으니, 선 · 악이 꾸밈에 말미암지 않는 것과 같다. 이(二)의 문명은 다만 비식(賁飾)이 될 뿐이고, 선 · 악은 그 바탕에 매어(달려) 있다.

··· 乘 : 탈 승 鬚 : 수염 수(鬚通)

本義 | 二以陰柔로 居中正하고 三以陽剛而得正하여 皆无應與라 故二附三而動하니 有賁須之象이라 占者宜從上之陽剛而動也니라

이(二)는 음유(陰柔)로 중정(中正)에 거하고 삼(三)은 양강(陽剛)으로 정(正)을 얻어 모두 응여(應與)가 없다. 그러므로 이(二)가 삼(三)에게 붙어 움직이는 것이니, 수염을 꾸미는 상(象)이 있다. 점치는 자는 마땅히 위의 양강(陽剛)을 따라 움직여야 한다.

象曰 賁其須는 與上興也라

〈상전〉에 말하였다. "수염을 꾸밈은 위와 더불어 움직이는 것이다."

傳 | 以須爲象者는 謂其與上同興也라 隨上而動하여 動止를 唯係所附也하니 猶加飾於物에 因其質而賁之하여 善惡在其質也라

수염으로 상(象)을 삼은 것은 위(구삼(九三))와 함께 일어남을 말한 것이다. 위를 따라 움직여서 움직이고 멈춤이 오직 붙어있는 바에 매어 있으니, 마치 물건에 꾸밈을 가(加)할 적에 그 바탕을 따라 꾸며서 선 · 악이 그 바탕에 달려 있는 것과 같다.

九三은 賁如濡如하니 永貞하면 吉하리라

구삼(九三)은 꾸밈이 윤택하니, 영구히 하고 정정(貞正)하면 길하리라.

傳 | 三이 處文明之極하여 與二、四二陰으로 間處相賁하니 賁之盛者也라 故云賁如라하니 如는 辭助也라 賁飾之盛하여 光彩潤澤이라 故云濡如라 光彩之盛이면 則有潤澤이니 詩云麀鹿濯濯[160]이라하니라 永貞吉은 三與二、四非正應이어늘 相比而成相賁라 故戒以常永貞正이라 賁者는 飾也니 賁〔一作修〕飾之事는 難乎常也라 故永貞則吉이라 三與四相賁하고 又下比於二하니 二柔文一剛하여 上下交賁하니 爲賁之盛也라

••••••

160 詩云麀鹿濯濯 : 《시경》 〈대아(大雅) 영대(靈臺)〉에 보이는 바, 우(麀)는 암사슴이고 탁탁(濯濯)은 살찌고 윤택한 모양이다. 그러나 사계(沙溪)는 "여기에 인용한 것은 적절하지 않다." 하였다.

••• 濡 : 젖을 유 潤 : 젖을 윤 麀 : 암사슴 우 濯 : 살찐모양 탁

삼(三)이 문명의 극(極)에 처해서 이(二)와 사(四) 두 음효(陰爻)와 사이에 처하여 서로 꾸미니, 꾸밈이 성한 자이다. 그러므로 '비여(賁如)'라 말했으니, 여(如)는 조사(助辭)이다. 꾸밈이 성하여 광채가 윤택하므로 '유여(濡如)'라 말하였다. 광채가 성하면 윤택함이 있으니, 《시경》에 "암사슴과 숫사슴이 탁탁(濯濯;윤택함)하다." 하였다.

'영정길(永貞吉)'은 삼(三)이 이(二)와 사(四)와는 정응(正應)이 아닌데 서로 가까이 있어서 서로 꾸밈을 이루므로 상영(常永)하고 정정(貞正)하라고 경계한 것이다. 비(賁)는 꾸밈이니, 꾸미는 일은 항상하기 어려우므로 영정(永貞)하면 길한 것이다. 삼(三)이 사(四)와 서로 꾸미고 또 아래로 이(二)와 가까이 있으니, 이(二)와 사(四) 두 유(柔)가 한 강(剛)을 문식하여 상·하가 서로 꾸미니, 꾸밈이 성한 것이다.

本義 | 一陽이 居二陰之間하여 得其賁〔而〕潤澤者也라 然不可溺於所安이라 故有永貞之戒하니라

한 양(陽;구삼)이 두 음(陰;육이와 육사)의 사이에 거하여 그 꾸밈을 얻어 윤택한 자이다. 그러나 편안한 바에 빠져서는 안 되므로 영정(永貞)하라는 경계가 있는 것이다.

象曰 永貞之吉은 終莫之陵也니라

〈상전〉에 말하였다. "영정(永貞)의 길함은 끝내 능멸하는 이가 없는 것이다."

傳 | 飾而不常하고 且非正이면〔一有則字〕人所陵侮也라 故戒能永正則吉也라 其賁旣常而正이면 誰能陵之乎아

꾸미되 항상하지 못하고 또 정(正)이 아니면 사람들이 능멸하고 업신여기는 바이다. 그러므로 영정(永正)하면 길하다고 경계한 것이다. 그 꾸밈이 이미 항상하고 올바르면 누가 능멸하겠는가.

六四는 賁如皤(파)如하며 白馬翰如하니 匪寇면 婚媾리라

육사(六四)는 꾸밈이 희며 백마(白馬)가 나는듯이 달려가니, 도둑이 아

··· 溺 : 빠질 닉 侮 : 업신여길 모 皤 : 흴 파 翰 : 날 한 媾 : 혼인 구

니면 혼구(婚媾)리라.

本義 | 匪寇라 婚媾니라

본의 | 도둑이 아니라 혼구(婚媾)이다.

傳 | 四與初爲正應하여 相賁者也니 本當賁如로되 而爲三所隔이라 故不獲相賁而皤如라 皤는 白也니 未獲賁也라 馬는 在下而動者也니 未獲相賁라 故云白馬요 其從正應之志如飛라 故云翰如라 匪爲九三之寇讐所隔이면 則婚媾遂其相親矣리라 己之所乘과 與動於下者는 馬之象也라 初、四는 正應이니 終必獲親이로되 第始爲其間隔耳니라

사(四)는 초(初)와 정응(正應)이 되어 서로 꾸미는 자이니, 본래 마땅히 꾸며야 할 것이나, 삼(三)에게 막혔으므로 서로 꾸밈을 얻지 못하여 흰 것이다. 파(皤)는 흼이니, 꾸밈을 얻지 못한 것이다. 말〔馬〕은 아래에 있으면서 움직이는 물건(동물)이니, 서로 꾸밈을 얻지 못하였으므로 '백마(白馬)'라 하였고, 정응을 따르려는 뜻이 나는 듯하므로 '한여(翰如)'라 하였다. 구삼(九三)의 구수(寇讐)에게 막힌 바가 되지 않으면 혼구(婚媾)가 서로 친함을 이룰 것이다. 자기가 타고 있는 것과 아래에서 움직이는 것은 말의 상(象)이다. 초(初)와 사(四)는 정응이니, 끝내 반드시 친함을 얻을 것이나 다만 처음에 〈구삼(九三)에게〉 막혔을 뿐이다.

本義 | 皤는 白也요 馬는 人所乘이니 人白則馬亦白矣라 四與初相賁者로되 乃爲九三所隔而不得遂라 故皤如요 而其往求之心이 如飛翰之疾也라 然九三剛正하여 非爲寇者也요 乃求婚媾耳라 故其象如此하니라

파(皤)는 흼이요 말은 사람이 타는 것이니, 사람이 희면 말 또한 희다. 사(四)는 초(初)와 서로 꾸며주는 자이나 구삼(九三)에게 막힌 바가 되어 꾸밈을 이루지 못하였으므로 희며, 가서 정응을 구하려는 마음이 나는 듯이 빠르다. 그러나 구삼(九三)은 강정(剛正)이어서 적이 되는 자가 아니요, 바로 혼구(婚媾:혼인)를 구할 뿐이다. 그러므로 그 상(象)이 이와 같은 것이다.

象曰 六四는 當位疑也니 匪寇婚媾는 終无尤也라

〈상전〉에 말하였다. "육사(六四)는 당한 자리가 의심할만하기 때문이니,

··· 第 : 다만 제 遂 : 이룰 수 尤 : 허물 우

'비구혼구(匪寇婚媾)'는 끝내 원망이 없는 것이다."

본의 | 끝내 화환(禍患)이 없는 것이다.

傳 | 四與初相遠하고 而三介於其間하니 是所當之位 爲〔一无爲字〕可疑也라 雖爲三寇讐所隔하여 未得親於婚媾나 然其正應으로 理直義勝하여 終必得合이라 故云終无尤也라 尤는 怨也니 終得相賁라 故无怨尤也라

사(四)는 초(初)와 서로 멀리 떨어져 있고 삼(三)이 그 사이에 끼어 있으니, 이는 당한 바의 자리가 의심스러울 만한 것이다. 비록 구수(寇讐)인 구삼(九三)에게 막힌 바가 되어 혼구를 가까이 할 수 없으나, 초(初)가 정응(正應)으로 이치가 곧고 의리가 우세하여 끝내 반드시 합하게 된다. 그러므로 "끝내 원망이 없다."고 말한 것이다. 우(尤)는 원망이니, 끝내 서로 꾸밈을 얻기 때문에 원망이 없는 것이다.

本義 | 當位疑는 謂所當之位可疑也요 終无尤는 謂若守正而不與면 亦无他患也라

'당위의(當位疑)'는 당한 바의 자리가 의심스러울 만함을 말한 것이요, '종무우(終无尤)'는 만약 정도(正道)를 지키고 더불지 않으면 또한 다른 화환(禍患)이 없음을 이른 것이다.

六五는 賁于丘園이니 束帛이 戔(전)戔이면 吝하나 終吉이리라

육오(六五)는 구원(丘園)에서 꾸밈이니, 묶어놓은 비단이 재단되어 있듯이 하면 부끄러우나 끝내 길하리라.

本義 | 賁于丘園이나 束帛戔戔이니

구원(丘園)을 꾸미나 묶어놓은 비단이 적으니,

傳 | 六五以陰柔之質로 密比於上九剛陽之賢하니 陰比於陽하고 復无所係應하여 從之者也니 受賁於上九也라 自古設險守國이라 故城壘多依丘坂하니 丘는 謂在外而近且高者라 園圃之地는 最近城邑하니 亦在外而近者라 丘園은 謂在外而近者니 指上九也라 六五雖居君位나 而陰柔之才라 不足自守하고 與上之剛陽으로 相比而志從焉하여 獲賁於外比之賢하니 賁于丘園也라 若能受賁於上九하여 受〔一作隨〕其裁制하여 如束帛而〔一无而字〕戔戔이면 則雖其柔弱하여 不能自爲하여

… 戔 : 적을 전 壘 : 보루 루 坂 : 비탈 판 圃 : 채마밭 포

爲可吝少나 然能從於人하여 成賁之功하여 終獲其吉也라 戔戔은 翦裁分裂之狀이라 帛은 未用則束之라 故謂之束帛이요 及其制爲衣服하여는 必翦裁分裂을 戔戔然이라 束帛은 喩六五本質이요 戔戔은 謂受人翦製而成用也라 其資於人은 與蒙同이로되 而蒙不言吝者는 蓋童蒙而賴於人은 乃其宜也어니와 非童幼而資賁於人은 爲可吝耳라 然享其功하니 終爲吉也라

육오(六五)가 음유(陰柔)의 자질로 강양(剛陽)의 현자(賢者)인 상구(上九)와 매우 가까이 있으니, 음이 양과 가까이 있고 또 계응(係應)하는 바가 없어 상구를 따르는 자이므로 상구에게 꾸밈을 받는 것이다. 예로부터 험고(險固)한 곳을 만들어 나라를 지켰다. 이 때문에 성루(城壘)는 구판(丘坂;비탈진 언덕)을 많이 의지하였으니, 구(丘)는 밖에 있으면서 가깝고도 높은 곳을 이른다. 원포(園圃;과수원이나 채전)의 땅은 성읍(城邑)과 가장 가까우니, 또한 밖에 있으면서 가깝다. 구원(丘園)은 밖에 있으면서 가까운 곳을 이르니, 상구(上九)를 가리킨다.

육오(六五)가 비록 군위(君位)에 거하였으나 음유(陰柔)의 자질이라서 스스로 지키지 못하고, 위의 강양(剛陽)과 서로 가까이 있어 뜻이 그를 따라서 밖에 가까이 있는 현자(賢者)에게 꾸밈을 얻으니, 이는 구원(丘園)에서 꾸미는 것이다. 만약 상구에게 꾸밈을 받아 그의 제재(裁制;재단)를 받아 묶어놓은 비단이 전전(戔戔)하듯이 하면 비록 유약(幼弱)하여 능히 제 스스로 일을 하지 못해서 부끄러울 만하나 남을 따라서 꾸미는 공(功)을 이룰 수 있어, 끝내는 그 길함을 얻는 것이다.

전전(戔戔)은 비단을 재단하여 분열(分裂)해 놓은 모양이다. 비단은 사용하지 않으면 묶어놓기 때문에 '속백(束帛)'이라 하였고, 재단하여 의복을 만들게 되면 반드시 재단하여 분열하기를 전전하게 한다. 속백은 육오(六五)의 본질을 비유한 것이요, 전전은 남의 재단을 받아 쓰임을 이룸을 말한 것이다.

남에게 의뢰함은 몽괘(蒙卦 ䷃)와 같으나 몽괘에서는 부끄러움을 말하지 않은 것은 동몽(童蒙)이 남에게 의뢰함은 당연하지만 동유(童幼)가 아니면서 남에게 꾸밈을 의뢰함은 부끄러울 만함이 되기 때문이다. 그러나 그 공(功)을 누리니, 끝내 길함이 된다.

本義 | 六五柔中으로 爲賁之主하여 敦本尙實하니 得賁之道라 故有丘園之象이라 然陰性吝嗇이라 故有束帛戔戔之象이라 束帛은 薄物이요 戔戔은 淺小之意니 人

••• 翦 : 자를 전 裁 : 자를 재 裂 : 찢을 열 喩 : 비유할 유

而如此면 雖可羞吝이나 然禮奢寧儉[161]이라 故得終吉이니라

육오(六五)가 유중(柔中)으로 비(賁)의 주체가 되어 근본을 돈독히 하고 실질(實質)을 숭상하니, 꾸미는 도를 얻었다. 그러므로 '구원(丘園)'의 상(象)이 있는 것이다. 그러나 음(陰)의 성질은 인색하기 때문에 '속백전전(束帛戔戔)'의 상이 있는 것이다. 속백(束帛)은 박한 물건이요 전전(戔戔)은 작다는 뜻이니, 사람으로서 이와 같으면 비록 부끄러울 만하나 예(禮)는 사치하기보다는 차라리 검소해야 하므로 끝내 길함을 얻는 것이다.

象曰 六五之吉은 有喜也라

〈상전〉에 말하였다. "육오(六五)의 길함은 기쁨이 있는 것이다."

傳 | 能從人以成賁之功하여 享其吉美하니 是有喜也라

능히 남을 따라서 꾸미는 공(功)을 이루어 그 길함과 아름다움을 누리니, 이는 기쁨이 있는 것이다.

上九는 白賁면 无咎리라

상구(上九)는 꾸밈을 희게 하면 허물이 없으리라.

本義 | 白賁니

꾸밈이 희니,

傳 | 上九는 賁之極也니 賁飾之極이면 則失於華僞하니 唯能質白其賁면 則无過失之咎라 白은 素也니 尙質素하면 則不失其本眞이라 所謂尙質素者는 非无飾也요 不使華沒實耳니라

상구(上九)는 비(賁)의 극(極)이니, 비식(賁飾)이 지극하면 화려하고 거짓됨에 잘못된다. 오직 그 꾸밈을 질백(質白)하게 하면 과실(過失)의 허물이 없다. 백(白)은 흼이니, 질소(質素)를 숭상하면 본질(本質)을 잃지 않는다. 이른바 '질소를 숭상한

161 禮奢寧儉 : 《논어》 〈팔일(八佾)〉에 "예는 사치하기보다는 차라리 검소하여야 한다.〔禮與其奢也, 寧儉.〕"라고 한 공자의 말씀을 축약한 것이다

다.'는 것은 꾸밈이 없는 것이 아니요, 화려함이 실질을 없애지 않게 할 뿐이다.

本義 | 賁極反本하여 復於无色하니 善補過矣라 故其象占如此하니라

비(賁)가 극에 이르러 근본으로 돌아와 무색(无色;백색)에 돌아오니, 잘못을 잘 보충하였다. 그러므로 그 상(象)과 점(占)이 이와 같은 것이다.

象曰 白賁无咎는 上得志也라

〈상전〉에 말하였다. "'백비무구(白賁无咎)'는 위에 있으면서 뜻을 얻은 것이다."

傳 | 白賁无咎는 以其在上而得志也라 上九爲得志者는 在上而文柔하여 成賁之功하고 六五之君이 又受其賁라 故雖居无位之地나 而實尸賁之功하여 爲得志也니 與他卦居極者異矣라 旣在上而得志하고 處賁之極하니 將有華僞失實之咎라 故戒以質素則无咎하니 飾不可過也라

'백비무구(白賁无咎)'는 위에 있으면서 뜻을 얻었기 때문이다. 상구(上九)가 뜻을 얻음이 되는 까닭은 위에 있으면서 유(柔)를 문식하여 꾸밈의 공(功)을 이루고, 육오(六五)의 군주가 또 그 꾸밈을 받아들이기 때문이다. 그러므로 비록 지위가 없는 자리에 처하였으나 실로 꾸미는 공을 주관하여 뜻을 얻음이 되는 것이니, 다른 괘의 극(極;종(終))에 있는 것과는 다르다. 이미 위에 있으면서 뜻을 얻고 비(賁)의 극에 처하였으니, 장차 화려하고 거짓되어 실질을 잃는 허물이 있을 것이므로 '질소(質素)하면 허물이 없다'고 경계한 것이니, 꾸밈은 지나치게 해서는 안 된다.

23 산지 山地 박(剝) ䷖ 곤하간상 坤下艮上

傳 | 剝은 序卦에 賁者는 飾也니 致飾然後亨則盡矣라 故受之以剝이라하니라 夫物至於文飾이면 亨之極也니 極則必反이라 故賁終則剝也라 卦五陰而一陽이요 陰始自下生하여 漸長至於盛極하여 羣陰이 消剝於陽이라 故爲剝也라 以二體言之하면 山附於地하니 山高起地上이어늘 而反附著(착)於地는 頹剝之象也라

박괘(剝卦)는 〈서괘전〉에 "비(賁 ䷕)는 꾸밈이니, 꾸밈을 지극히 한 뒤에 형통하면 다한다. 그러므로 박괘(剝卦)로 받았다." 하였다. 물건이 문식에 이르면 형통함이 지극한 것이니, 지극하면 반드시 뒤집어지므로(되돌아가므로) 비(賁)가 끝나면 박(剝)이 되는 것이다. 괘가 다섯 음에 한 양이 있고, 음이 처음 아래로부터 생겨서 점점 자라 성극(盛極)함에 이르러서 여러 음이 양을 소박(消剝:사라져 다함)하게 한다. 그러므로 박(剝)이라 한 것이다. 두 체(體)로 말하면 산(☶)이 땅〔地 ☷〕에 붙어 있으니, 산은 땅 위에 높이 솟아 있는 것인데 도리어 땅에 붙어 있음은 퇴박(頹剝:무너짐)하는 상(象)이다.

剝은 不利有攸往하니라

박(剝)은 가는 바를 둠이 이롭지 않다.

傳 | 剝者는 羣陰長盛하여 消剝於〔一无於字〕陽之時니 衆小人이 剝喪於〔一无於字〕君子라 故君子不利有所往이요 唯當巽言晦迹하여 隨時消息하여 以免小人之害也니라

박(剝)은 여러 음(陰)이 장성(長盛:자라나고 성함)하여 양(陽)을 사라지게 하는 때이니, 여러 소인이 군자를 박상(剝喪:박해)한다. 그러므로 군자가 가는 바를 둠이 이롭지 않으며, 오직 말을 공손히 하고 자취를 숨겨서 때에 따라 소식(消息:진퇴(進退))하여 소인의 해(害)를 면하여야 한다.

··· 剝 : 깎을 박, 떨어질 박 頹 : 무너질 퇴 晦 : 어두울 회 迹 : 자취 적(跡通)

本義｜ 剝은 落也라 五陰在下而方生하고 一陽在上而將盡하여 陰盛長而陽消落하니 九月之卦也라 陰盛陽衰하니 小人壯而君子病이요 又內坤而外艮하니 有順時而止之象이라 故占得之者는 不可有所往也라

박(剝)은 떨어짐이다. 다섯 음(陰)이 아래에 있으면서 막 자라나고 한 양(陽)이 위에 있으면서 장차 다하려고 하여, 음은 성하여 자라나고 양은 사라져 떨어지니, 구월의 괘이다. 음이 성하고 양이 쇠하니 소인이 건장하고 군자가 병든 것이며, 또 안은 곤(坤☷)이고 밖은 간(艮☶)이니 때에 순히 하여 그치는 상이 있다. 그러므로 점쳐서 이 괘를 얻은 자는 가는 바를 두어서는 안 되는 것이다.

彖曰 剝은 剝也니 柔變剛也니

〈단전〉에 말하였다. "박(剝)은 박락(剝落;파먹어 떨어짐)이니, 유(柔)가 강(剛)을 변화시킨 것이니,

本義｜ 以卦體로 釋卦名義라 言柔進于陽하여 變剛爲柔也라

괘체(卦體)로써 괘명(卦名)의 뜻을 해석하였다. 유(柔)가 양(陽)에게 나아가 강(剛)을 변화시켜 유(柔)로 만듦을 말한 것이다.

不利有攸往은 小人이 長也일새라

가는 바를 둠이 이롭지 않음은 소인이 자라나기 때문이다.

傳｜ 剝剝也는 謂剝落也요 柔變剛也는 柔長而剛變也라 夏至에 一陰生而漸長하니 一陰長則一陽消하여 至於〔一无於字〕建戌이면 則極而成剝[162]하니 是陰柔變剛陽也라 陰은 小人之道어늘 方長盛而剝消於〔一作剛〕陽이라 故君子不利有所往也니라

'박박야(剝剝也)'는 박락(剝落;떨어뜨림)을 이르고, '유변강야(柔變剛也)'는 유(柔)

······

162 夏至一陰生而漸長……則極而成剝 : 십이벽괘(十二辟卦)로 말한 것이다. 건술(建戌)은 북두성(北斗星)의 자루가 초저녁에 술방(戌方)을 가리키는 달로 음력 9월에 해당한다. 5월인 하지(夏至)에 음(陰) 하나가 생겨 구괘(姤卦 ䷫)가 되고 6월은 이음(二陰)의 돈괘(遯卦 ䷠), 7월은 삼음(三陰)의 비괘(否卦 ䷋), 8월은 사음(四陰)의 관괘(觀卦 ䷓), 9월은 오음(五陰)의 박괘(剝卦 ䷖)가 되므로 말한 것이다.

가 자라나 강(剛)이 변한 것이다. 하지(夏至)에 한 음이 생겨나서 점점 자라니, 한 음이 자라면 한 양이 소멸(消滅)되어 건술월(建戌月;9월)에 이르면 지극하여 박괘(剝卦)를 이루니, 이는 음유(陰柔)가 강양(剛陽)을 변하게 한 것이다. 음은 소인의 도인데, 막 자라고 장성하여 양을 소박(消剝)하므로 군자가 가는 바를 둠이 이롭지 않은 것이다.

順而止之는 觀象也니 君子尙消息盈虛 天行也라

순히 하여 멈춤은 상(象)을 살펴보고서 하는 것이니, 군자가 소식(消息)과 영허(盈虛)를 숭상함이(높임이) 천행(天行;천도(天道))이다."

傳 | 君子當剝之時하여 知不可有所往하고 順時而止는 乃能觀剝之象也라 卦有順止之象하니 乃處剝之道니 君子當觀而體之라 君子尙消息盈虛天行也는 君子存心消息、盈虛之理而能順之라야 乃合乎天行也라 理는 有消衰, 有息長하고 有盈滿, 有虛損하니 順之則吉하고 逆之則凶하나니 君子隨時敦尙은 所以事天也라

군자가 박(剝)의 때를 당하여 가는 바를 두어서는 안 됨을 알고 때를 순히 하여 멈춤은 박(剝)의 상(象)을 살펴보는 것이다. 괘가 순히 멈추는 상이 있으니, 이는 박(剝)에 대처하는 도이므로 군자가 마땅히 이를 살펴보고 체행(體行)하여야 하는 것이다. '군자상소식영허 천행야(君子尙消息盈虛天行也)'는 군자가 소식(消息)과 영허(盈虛)의 이치에 마음을 두어 순히 하여야 비로소 천행(천도)에 합하는 것이다. 리(理)는 소쇠(消衰)와 식장(息長)이 있고 영만(盈滿)과 허손(虛損)이 있는데, 이를 순히 하면 길하고 이를 거스르면 흉하니, 군자가 때에 따라 도타이 숭상함은 하늘을 섬기는 것이다.

本義 | 以卦體卦德으로 釋卦辭라

괘체(卦體)와 괘덕(卦德)으로써 괘사(卦辭)를 해석하였다.

象曰 山附於地剝이니 上이 以하여 厚下하여 安宅하나니라

〈상전〉에 말하였다. "산이 땅에 붙어 있는 것이 박(剝)이니, 윗사람이 이것을 보고서 아래를 후(厚)하게 하여 집을 편안히 한다."

傳 | 艮重於坤은 山附於地也니 山高起於地而反附著(착)於地는 圮(비)剝之象也라 上은 謂人君與居人上者니 觀剝之象而厚固其下하여 以安其居也라 下者는 上之本이니 未有基本固而能剝者也라 故上〔一作山〕之剝은 必自下하나니 下剝則上危矣라 爲人上者 知理之如是면 則安養人民하여 以厚其本하니 乃所以安其居也라 書曰 民惟邦本이니 本固邦寧이라하니라

간(艮)이 곤(坤)에 겹쳐 있음은 산이 땅에 붙어 있는 것이니, 산은 땅에서 높이 솟아 있는데 도리어 땅에 붙어 있음은 무너지는 상(象)이다. 상(上)은 인군이나 또는 백성의 위에 있는 자를 이르니, 박괘(剝卦)의 상(象)을 살펴보고서 아래를 후하게 하고 견고히 하여 그 거처를 편안히 하는 것이다. 아래는 위의 근본이니, 기본(基本)이 튼튼하고서 무너지는 경우는 있지 않다. 그러므로 위가 무너짐은 반드시 아래로부터 시작되니, 아래가 무너지면 위가 위태롭다. 백성의 위에 있는 자가, 이치가 이와 같음을 알면 인민(人民)을 편안히 길러서 그 근본을 후하게 할 것이니, 이것이 바로 거처를 편안히 하는 것이다. 《서경》 〈하서(夏書) 오자지가(五子之歌)〉에 "백성은 나라의 근본이니, 근본이 튼튼하여야 나라가 편안하다." 하였다.

初六은 剝牀以足이니 蔑貞이라 凶하도다(토다)

초육(初六)은 상(牀)을 깎되 상의 발을 깎음이니, 정도(貞道)를 멸하여 흉하도다.

本義 | 蔑貞이면 凶하리라

정도(貞道)를 멸하면 흉하리라.

傳 | 陰之剝陽이 自下而上이라 以牀爲象者는 取身之所處也니 自下而剝하여 漸至於身也라 剝牀以足은 剝牀之足也니 剝始自下라 故爲剝足이라 陰自下進하여 漸消蔑於〔一无於字〕貞正은 凶之道也라 蔑은 无也니 謂消亡於正道也〔一作消亡正道也 一作消亡於正也〕라 陰剝陽, 柔變剛은 是邪侵正, 小人消君子니 其凶可知니라

음이 양을 사라지게 함은 아래로부터 올라간다. 상(牀)을 상(象)으로 삼은 것은 몸이 처한 곳을 취한 것이니, 아래로부터 깎아서 점점 몸에까지 이른다. '박상이족(剝牀以足)'은 상의 발(다리)을 깎음이니, 깎음이 아래로부터 시작되기 때문에 상의 발을 깎음이 되는 것이다. 음이 아래로부터 나아가서 점점 정정(貞正)을 소멸

••• 牀 : 평상 상 蔑 : 없앨 멸, 무시할 멸 漸 : 점점 점

(消蔑)함은 흉한 방도이다. '멸(蔑)'은 없앰이니, 정도(正道)를 없앰을 이른다. 음이 양을 소멸시키고 유(柔)가 강(剛)을 변화시킴은 사(邪)가 정도(正道)를 침해하고 소인이 군자를 사라지게 하는 것이니, 그 흉함을 알 수 있다.

本義 | **剝自下起**하여 **滅正則凶**이라 **故其占如此**하니라 **蔑**은 **滅也**라

깎임이 아래로부터 일어나서(시작되어서) 정도(正道)를 멸하면 흉하다. 그러므로 그 점이 이와 같은 것이다. '멸(蔑)'은 멸함이다.

象曰 剝牀以足은 以滅下也라

〈상전〉에 말하였다. "'박상이족(剝牀以足)'은 아래에서 〈양(陽)을〉 멸하는 것이다."

傳 | **取牀足爲象者**는 **以陰侵沒陽於下也**라 **滅**은 **沒也**니 **侵滅正道**하여 **自下而上也**라

상(牀)의 발을 취하여 상(象)을 삼은 것은 음이 아래에서 양을 침몰(侵沒)시키기 때문이다. '멸(滅)'은 없앰이니, 정도(正道)를 침멸하여 아래로부터 올라가는 것이다.

六二는 剝牀以辨이니 蔑貞이라 凶하도다

육이(六二)는 상(牀)을 깎되 변(辨;상에 가로댄 나무)에 이름이니, 정도를 멸(蔑)하여 흉하도다.

本義 | **蔑貞**이면

정도를 멸하면

傳 | **辨**은 **分隔上下者**니 **牀之幹也**라 **陰漸進而上**하여 **剝至於辨**이면 **愈蔑於正也**니 **凶益甚矣**라

'변(辨)'은 위아래를 나누어 막는 나무이니, 상의 근간(根幹;받침나무)이다. 음이 점점 나아가 올라가서 깎음이 변(辨)에 이르면 더욱 정도를 멸(蔑)하니, 흉함이 더욱 심하다.

本義 | 辨은 牀幹也니 進而上矣라

'변(辨)'은 상의 근간(根幹)이니, 나아가 위로 올라간 것이다.

象曰 剝牀以辨은 未有與也일새라

〈상전〉에 말하였다. "박상이변(剝牀以辨)'은 응여(應與)가 없기 때문이다."

傳 | 陰之侵剝於〔一作剛〕陽하여 得以益盛하여 至於剝辨者는 以陽未有應與故也라 小人侵剝君子에 若君子有與면 則可以勝小人하여 不能爲害矣어늘 唯其无與일새 所以被蔑而凶이라 當消剝之時하여 而无徒與면 豈能自存也리오 言未有與는 剝之未盛엔 有與면 猶可勝也니 示人之意深矣로다

음이 양을 침박(侵剝)하여 더욱 성해져서 변(辨)을 깎음에 이른 것은 양이 응여(應與)가 없기 때문이다. 소인이 군자를 침해함에 만약 군자가 응여가 있다면 소인을 이겨서 해가 되지 않을 수 있는데, 오직 응여가 없기 때문에 멸함을 당하여 흉한 것이다. 소박(消剝)의 때를 당하여 도와주는 무리가 없다면 어찌 능히 스스로 보존하겠는가. '미유여(未有與)'라고 말한 것은 박(剝)이 성하지 않을 때에는 응여가 있으면 오히려 이겨낼 수 있음을 말한 것이니, 사람에게 보여준 뜻이 깊도다.

本義 | 言未大盛이라

음이 아직 크게 성하지 않음을 말한 것이다.

六三은 剝之无咎니라

육삼(六三)은 박(剝)의 때에 허물이 없다.

傳 | 衆陰剝陽之時에 而三獨居剛應剛하니 與上下之陰異矣라 志從於正하니 在剝之時하여 爲无咎者也라 三之爲는 可謂善矣어늘 不言吉은 何也오 曰 方羣陰剝陽하고 衆小人害君子하여 三雖從正이나 其勢孤弱하고 所應이 在无位之地하니 於斯時也에 難乎免矣라 安得吉也리오 其義爲无咎耳니 言其无咎는 所以勸也니라

여러 음이 양을 침박(侵剝)할 때에 삼(三)이 홀로 강위(剛位)에 거하고 강(剛;상

구)과 응하니, 상·하의 음과는 다르다. 뜻이 정도(正道)를 따르니, 박(剝)의 때에 있어서 무구(无咎)가 된다.

"삼(三)의 행위는 선(善)하다고 이를 만한데 길하다고 말하지 않음은 어째서인가?" "여러 음이 양을 소멸(消蔑)하고 여러 소인이 군자를 해칠 때를 당하여 삼(三)이 비록 정도를 따르나 형세가 고약(孤弱)하고 응하는 바(상구)가 지위가 없는 처지에 있으니, 이때에 화를 면하기 어렵다. 어찌 길하겠는가. 그 의(義)가 무구(无咎)가 될 뿐이니, 무구라고 말함은 선(善)을 권면(勸勉)한 것이다."

本義 | **衆陰方剝陽**이어늘 **而己獨應之**하여 **去其黨而從正**하니 **无咎之道也**라 **占者如是**면 **則得无咎**리라

여러 음이 양을 소멸하고 있는데 자기만이 홀로 양과 응하여 그 무리를 버리고 정도를 따르니, 무구(无咎)의 방도이다. 점치는 자가 이와 같이 하면 무구를 얻을 것이다.

象曰 剝之无咎는 失上下也일새라

〈상전〉에 말하였다. "'박지무구(剝之无咎)'는 상·하의 여러 음(陰)과 잃기(헤어지기) 때문이다."

傳 | **三居剝而无咎者**는 **其所處與上下諸陰不同**하니 **是**는 **與其同類相失**이니 **於處剝之道**에 **爲无咎**라 **如東漢之呂强**[163]이 **是也**니라

삼(三)이 박(剝)의 때에 거하면서도 무구(无咎)인 것은 처한 바가 상·하의 여러 음과 똑같지 않기 때문이다. 이는 그 동류(同類)와 서로 잃는 것이니, 박(剝)을 대처하는 방도에 있어 무구가 된다. 동한(東漢)의 여강(呂强)과 같은 경우가 이것이다.

••••••

163 如東漢之呂强 : 여강(呂强)은 자(字)가 한성(漢城)이고 성고(成皐) 사람이다. 환관(宦官)으로 소황문(小黃門)이 되고 영제(靈帝) 때에 준례에 따라 후(侯)에 봉해지게 되었으나 이를 굳이 사양하였으며, 황건적(黃巾賊)이 일어나자 군주의 측근에 있는 탐관오리들을 제거하고 금고(禁錮)에 처한 당인(黨人)들을 모두 사면할 것을 청하였다. 뒤에 동료 환관의 모함을 받고 잡혀가게 되자, 자살하였다.

本義 | 上下는 謂四陰이라

상 · 하는 〈위 · 아래의〉 네 음(陰)을 이른다.

六四는 剝牀以膚니 凶하니라

육사(六四)는 상을 깎아 살갗에 이름이니, 흉하다.

傳 | 始剝於牀足하여 漸至於膚하니 膚는 身之外也라 將滅其身矣니 其凶可知라 陰長已盛하고 陽剝已甚하여 貞道已消라 故更不言蔑貞하고 直言凶也하니라

처음에 상의 발을 깎아 점점 살갗에까지 이르니, 살갗은 몸의 밖(피부)이다. 장차 그 몸을 멸할 것이니, 그 흉함을 알 수 있다. 음의 자람이 이미 성하고 양의 깎임이 이미 심하여 정도(貞道)가 이미 소멸(消蔑)하였으므로 다시 '멸정(蔑貞)'이라 말하지 않고 곧바로 흉하다고 말한 것이다.

本義 | 陰禍切身이라 故不復言蔑貞하고 而直言凶也하니라

음의 화(禍)가 몸에 절실하므로 다시 '멸정(蔑貞)'이라 말하지 않고 곧바로 흉하다고 말한 것이다.

象曰 剝牀以膚는 切近災也라

〈상전〉에 말하였다. "박상이부(剝牀以膚)'는 재앙에 매우 가까운 것이다."

傳 | 五爲君位어늘 剝已及四하니 在人則剝其膚矣라 剝及其膚하여 身垂於亡矣니 切近於災禍也라

오(五)는 군주의 자리인데 박(剝)이 이미 사(四)에 미쳤으니, 사람에게 있어서는 살갗을 깎는 것이다. 깎음이 살갗에 미쳐 몸이 거의 사망함에 이르렀으니, 이는 재화(災禍)에 매우 가까운 것이다.

六五는 貫魚[164]하여 以宮人寵이면 无不利리라

······

164 貫魚 : 사계는 "관어(貫魚)의 관(貫)은 여러 첩(妾)들을 꿴다는 뜻이다. 꿰는 것은 후비(后妃)

··· 膚 : 살갗 부 垂 : 드리울 수 貫 : 꿸 관 寵 : 총애 총

육오(六五)는 물고기를 꿰듯이 하여 궁인(宮人)이 총애를 받듯이 하면 이롭지 않음이 없으리라.

本義 | **以宮人寵**이니

궁인(宮人)의 총애로써 함이니,

傳 | **剝及君位**면 **剝之極也**니 **其凶可知**라 **故更不言剝**하고 **而別設義**하여 **以開小人遷善之門**이라 **五**는 **羣陰之主也**요 **魚**는 **陰物**이라 **故以爲象**이라 **五能使羣陰順序**를 **如貫魚然**하여 **反獲寵愛於在上之陽**을 **如宮人**이면 **則无所不利也**라 **宮人**은 **宮中之人**이니 **妻妾侍使也**라 **以陰言**하고 **且取獲寵**〔一作親〕**愛之義**하니 **以一陽在上**하여 **衆陰有順從之道**라 **故發此義**하니라

깎임이 군주의 자리에 미치면 박(剝)이 지극한 것이니, 그 흉함을 알 수 있다. 그러므로 다시는 깎임을 말하지 않고, 별도로 뜻을 만들어(베풀어) 소인에게 천선(遷善)하는 문을 열어준 것이다. 오(五)는 여러 음의 주체이며 물고기는 음(陰)의 물건이므로 상을 삼은 것이다. 오(五)가 여러 음으로 하여금 순서를 따르기를 물고기를 꿰듯이 하여, 도리어 위에 있는 양(陽)에게 총애를 얻기를 궁인(宮人)처럼 하게 한다면 이롭지 않음이 없는 것이다. 궁인은 궁중의 사람이니, 처첩(妻妾)과 모시고 심부름하는 자이다. 음으로 말하였고 또 총애를 얻는 뜻을 취하였으니, 한 양이 위에 있어 여러 음이 순종하는 도(道)가 있으므로 이 뜻을 말한 것이다.

本義 | **魚**는 **陰物**이요 **宮人**은 **陰之美而受制於陽者也**라 **五爲衆陰之長**하니 **當率其類**하여 **受制於陽**이라 **故有此象**하니 **而占者如是**면 **則无不利也**라

물고기는 음의 물건이며, 궁인(宮人)은 음의 아름다운 것으로 양에게 제재를 받는 자이다. 오(五)가 여러 음의 우두머리가 되었으니, 마땅히 그 동류들을 거느리고 양에게 제재를 받아야 한다. 그러므로 이러한 상이 있으니, 점치는 자가 이렇게 하면 이롭지 않음이 없을 것이다.

······

가 하는 것이요 물고기는 바로 여러 첩들이다." 하였다.《經書辨疑》

象曰 以宮人寵이면 終无尤也리라

〈상전〉에 말하였다. "궁인이 총애를 받듯이 하면 끝내 허물이 없으리라."

傳| 羣陰이 消〔一无消字〕剝於〔一无於字〕陽하여 以至於極하니 六五若能長率羣陰하고 騈(변)首順序하여 反獲寵愛於陽이면 則終无過尤也라 於剝之將終에 復發此義하니 聖人勸遷善之意 深切之至也라

여러 음이 양을 소박(消剝)하여 극(極)에 이르렀으니, 육오(六五)가 만약 우두머리가 되어 여러 음을 거느리고 머리를 나란히 하여 순서를 따라서 도리어 양에게 총애를 받는다면 끝내 허물이 없을 것이다. 박(剝)이 장차 끝나려 할 때에 다시 이 뜻을 발하였으니, 성인(聖人)이 천선(遷善)을 권면한 뜻이 지극히 깊고 간절하다.

上九는 碩果不食이니 君子는 得輿하고 小人은 剝廬[165]리라

상구(上九)는 큰 과일이 먹히지 않음이니, 군자는 수레를 얻고 소인은 집을 허물리라.

傳| 諸陽이 消剝已盡하고 獨有上九一爻尙存하니 如碩大之果不見食하여 將見復生之理하니 上九亦〔一作一 一作已〕變이면 則純陰矣라 然陽无可盡之理하니 變於上則生於下하여 无間可容息也라 聖人發明此理하여 以見(현)陽與君子之道不可亡也하시니라 或曰 剝盡則爲純坤이니 豈復(부)有陽乎아 曰 以卦配月이면 則坤當十月하니 以氣消息言이면 則陽剝〔一有盡字〕爲坤이요 陽〔一有復字〕來爲復(복)이나〔一有然字〕陽未嘗盡也라 剝盡於上이면 則復(부)生於下矣라 故十月을 謂之陽月이니 恐疑其无陽也라 陰亦然호되 聖人不言耳라 陰道盛極之時엔 其亂可知니 亂極則自當思治라 故衆心願載於君子하니 君子得輿也니 詩匪風、下泉이 所以居變風之終也[166]라 理旣如是하고 在卦에 亦衆陰宗陽하니 爲共載之象이라

••••••

165 君子得輿 小人剝廬 : 려(輿)는 수레의 깔판이고 려(廬)는 집을 허물면서 오직 기둥 위에 서까래와 대들보만 남아 있는 것이어서 박괘의 상구효(—)를 형상한 것이다.

166 詩匪風下泉 所以居變風之終也 : 〈비풍(匪風)〉은 《시경》 회풍(檜風)의 마지막 편이고 〈하천(下泉)〉은 조풍(曹風)의 마지막 편이며, 변풍(變風)은 십삼열국풍(十三列國風)을 이른다. 《시경》은 내용상 풍(風)·아(雅)·송(頌)의 셋으로 나누며, 아는 소아(小雅)와 대아(大雅)로, 풍·아는 또 정

••• 尤 : 허물 우 騈 : 나란할 변 碩 : 클 석 廬 : 집 려

여러 양(陽)이 소박(消剝)하여 이미 다하고 홀로 상구(上九) 한 효(爻)만이 아직 남아 있으니, 석대(碩大)한 과일이 먹힘을 당하지 않아서 다시 생겨날 이치를 보는 것과 같다. 상구(上九)도 변하면 순음(純陰)이 되나 양은 다할 리(理)가 없으니, 위에서 변하면 아래에서 생겨나서 쉼을 용납할 틈이 없다. 성인(聖人)이 이 이치를 발명하여 양과 군자의 도가 없어질 수 없음을 나타내었다.

혹자는 말하기를 "박(剝)이 다하면 순곤(純坤 ☷)이 되니, 어찌 다시 양이 있겠는가?" 하기에 다음과 같이 대답하였다. "괘를 달〔月〕에 배합하면 곤(坤)은 시월에 해당하니, 기운의 소식(消息)으로 말하면 양이 깎이면 곤괘(坤卦)가 되고 양이 오면 복괘(復卦 ☷)가 되나 양이 일찍이 다하지 않는다. 〈양이〉 위에서 사라져 다하면 다시 아래에서 생기므로 10월(☷)을 '양월(陽月)'이라 한 것이니, 이는 양이 없다고 의심할까 두려워해서이다. 음(陰) 또한 그러하나 성인이 말씀하지 않았을 뿐이다."

음도(陰道)가 지극히 성할 때에는 그 혼란함을 알 수 있으니, 혼란함이 지극하면 스스로 마땅히 다스릴 것을 생각한다. 그러므로 여러 사람들의 마음이 군자를 실어주기를(추대하기를) 원하니, 군자가 수레를 얻는 것이다. 《시경》의 〈비풍(匪風)〉과 〈하천(下泉)〉이 이 때문에 변풍(變風)의 마지막(끝)에 있는 것이다. 이치가 이미 이와 같고 괘에 있어서도 여러 음이 양을 높이니, 함께 실어주는 상(象)이 된다.

小人剝廬는 若小人則當剝之極하여 剝其廬矣니 无所容其身也라 更不論爻之陰陽하고 但言小人處剝極則及其廬矣니 廬는 取在上之象이라 或曰 陰陽之消〔一作交〕 必待盡而後復(부)生於下어늘 此在上에 便有復生之義는 何也오 夬之上六을 何以言終有凶[167]고 曰 上九居剝之極하여 止有一陽하니 陽无可盡之理라 故明其

(正)·변(變)으로 나누어 정풍(正風)과 변풍, 정소아(正小雅)와 변소아(變小雅), 정대아(正大雅)와 변대아(變大雅)로 구분한다. 그리하여 정풍은 주남(周南)·소남(召南)을 이르고 변풍은 패풍(邶風) 이하 십삼열국풍을 이르는데, 〈비풍(匪風)〉과 〈하천(下泉)〉은 모두 주(周)나라 왕실이 쇠약하여 약소국이 폐해를 입음을 서글퍼한 내용이므로 '변풍의 끝에 있다.'고 말한 것이다. 물론 〈조풍(曹風)〉의 뒤에도 〈빈풍(豳風)〉이 더 있지만 〈빈풍〉은 주공(周公)이 선조인 후직(后稷)과 공류(公劉)의 교화(敎化)를 서술하여 성왕(成王)을 경계한 것이어서 다른 열국풍(列國風)과는 성질상 다르기 때문에 〈회풍〉과 〈조풍〉을 변풍의 끝이라 한 것이다.

167 夬之上六 何以言終有凶 : 쾌괘(夬卦 ☱)는 박괘의 반대인바, 쾌괘의 상육 효사(上六爻辭)에

有復生之義하여 見君子之道不可亡也요 夬者는 陽消陰이니 陰은 小人之道也라 故但言其消亡耳니 何用更言却有復生之理乎아

'소인박려(小人剝廬)'는 만약 소인이면 박(剝)의 극(極)을 당하여 그 집을 허물게 되니, 몸을 용납할 곳이 없다. 이는 다시 효(爻)의 음 · 양을 논하지 않고, 다만 소인이 박(剝)의 극(極)에 처하면 깎임이 그 집에 미치게 됨을 말한 것이니, 려(廬:지붕과 들보)는 위에 있는 상(象)을 취한 것이다.

혹자는 말하기를 "음 · 양의 사라짐은 반드시 다하기를 기다린 뒤에 다시 아래에서 생기는데, 여기에서는 양이 위에 있는데도 곧 다시 생기는 의(義)가 있음은 어째서인가? 쾌괘(夬卦)의 상육(上六)은 어찌하여 마침내 흉함이 있다고 말하였는가?" 하기에 다음과 같이 대답하였다.

"상구(上九)가 박(剝)의 극에 거하여 다만 한 양(陽)이 있는데, 양은 다 없어지는 이치가 없으므로 다시 생기는 의(義)가 있음을 밝혀 군자의 도가 없을 수 없음을 나타낸 것이다. 쾌괘는 양이 음을 사라지게 한 것이니, 음은 소인의 도(道)이므로 다만 그 소망(消亡)함을 말했을 뿐이다. 어찌 다시 음이 생기는 이치가 있음을 말하겠는가."

本義 | 一陽在上하여 剝未盡而能復生하니 君子在上이면 則爲衆陰所載요 小人居之면 則剝極於上하여 自失所覆(부)하여 而无復碩果得輿之象矣라 取象旣明하고 而君子、小人이 其占不同하니 聖人之情을 益可見矣니라

한 양(陽)이 위에 있어 박(剝)이 아직 다하지 않았는데 능히 다시 생겨나니, 군자가 위에 있으면 여러 음(陰)에게 실려지는 바가 되고, 소인이 거하면 깎임이 위에 지극하여 스스로 덮어주는 바를 잃어서 다시는 '석과득려(碩果得輿)'의 상(象)이 없게 된다. 상을 취함이 이미 분명하고 군자와 소인의 점(占)이 똑같지 않으니, 성인(聖人)의 심정을 더욱 볼 수 있다.

••••••

"上六无號終有凶"이라 하였으므로 말한 것이다.

象曰 君子得輿는 民所載也요 小人剝廬는 終不可用也라

〈상전〉에 말하였다. "군자가 수레를 얻음은 백성에게 실려지는 바이고, 소인이 집을 허무는 것은 끝내 쓸 수 없는 것이다."

傳 | 正道消剝旣極이면 則人復思治라 故陽剛君子爲民所承載也요 若小人處剝之極이면 則小人之窮耳니 終不可用也라 非謂九爲小人이요 但言剝極之時엔 小人如是也라

정도(正道)의 소박(消剝)이 이미 극에 달하면 사람들이 다시 다스려짐을 생각한다. 그러므로 양강(陽剛)의 군자가 백성들에게 떠받들리고 실려지는 바가 되는 것이다. 만약 소인이 박(剝)의 극(極)에 처하면 소인의 궁극함이니, 끝내 쓸 수 없는 것이다. 상구(上九)가 소인이라고 말한 것이 아니요, 다만 박(剝)이 지극할 때엔 소인이 이와 같음을 말한 것이다.

24 | 지뢰 地雷 복(復) ䷗ 진하곤상 震下坤上

傳 | 復은 序卦에 物不可以終盡이니 剝이 窮上反下라 故受之以復이라하니라 物无剝盡之理라 故剝極則復來〔一无來字〕하고 陰極則陽生하나니 陽剝極於上而復(부)生於下는 窮上而反下也니 復所以次剝也라 爲卦 一陽이 生於五陰之下하니 陰極而陽復也라 歲十月에 陰盛旣極이라가 冬至則一陽復(부)[168]生於地中이라 故爲復也라 陽은 君子之道니 陽消極而復(부)反은 君子之道消極而復(부)長也라 故爲反善之義니라

복괘(復卦)는 〈서괘전〉에 "사물은 끝내 다할 수만은 없으니, 박(剝)이 위에서 궁극하면 아래로 돌아오므로 복괘로 받았다." 하였다. 사물은 박진(剝盡)할 리(理)가 없다. 그러므로 박(剝)이 지극하면 복(復)이 오고 음(陰)이 지극하면 양(陽)이 생기니, 양의 소멸(消蔑)이 위에서 지극하면 다시 아래에서 생겨남은 위에서 지극함에 아래로 돌아옴이니, 복괘가 이 때문에 박괘(剝卦 ䷖)의 다음이 된 것이다. 괘됨이 한 양이 다섯 음의 아래에서 생기니, 음이 지극함에 양이 회복한 것이다. 시월에 음의 성함이 이미 지극하였다가 동지(冬至)가 되면 한 양이 다시 땅 속에서 생기므로 복(復)이라고 한 것이다. 양은 군자의 도이니, 양의 사라짐이 지극하다가 다시 돌아옴은 군자의 도가 사라짐이 지극하다가 다시 자라나는 것이다. 그러므로 선(善)으로 돌아오는 뜻이 된 것이다.

復은 亨하여 出入에 无疾하여 朋來라야 无咎리라

복(復)은 형통하여 나가고 들어옴에 병이 없어서 벗이 와야 허물이 없으리라.

••••••

168 復(부) : 복(復)은 양이 처음 돌아온다는 뜻으로 회복, 돌아옴, 반복으로 읽을 경우에는 음을 입성(入聲)으로 읽는 반면, 부(復:다시)인 경우에는 음을 거성(去聲)으로 읽는데, 이 복괘에서는 복과 부가 반복되므로 부로 읽을 경우에는 모두 '부'라고 음을 달았다.

本義 | **復**은 **亨**하니 **出入**에 **无疾**하며 **朋來**에 **无咎**니라

복(復)은 형통하니, 나가고 들어옴에 병이 없으며 벗이 옴에 허물이 없다.

傳 | 復亨은 既復則亨也라 陽氣復(부)生於下하면 漸亨盛而生育萬物하며 君子之道既復이면 則漸以亨通하여 澤於天下라 故復則有亨盛之理也라 出入无疾은 出入은 謂生長이니 復(부)生於內는 入也요 長進於外는 出也니 先云出은 語順耳라 陽生은 非自外也로되 來於內라 故謂之入이라 物之始生에 其氣至微라 故多屯艱하고 陽之始生에 其氣至微라 故多摧折하니 春陽之發에 爲陰寒所折하니 觀草木於朝暮하면 則可見矣라 出入无疾은 謂微陽生長에 无害之者也니 既无害之요 而其類漸進而來면 則將亨盛이라 故无咎也라 所謂咎는 在氣則爲差忒이요 在君子〔一有之道字〕則爲抑塞하여 不得盡其理라

'복형(復亨)'은 양이 이미 회복하면 형통한 것이다. 양기(陽氣)가 아래에서 다시 생겨나면 점점 형통하고 성하여 만물(萬物)을 생육(生育)하며, 군자의 도가 이미 회복하면 점점 형통하여 천하에 은택을 내린다. 그러므로 복(復)에 형성(亨盛)하는 이치가 있는 것이다. '출입무질(出入无疾)'의 출입은 생장(生長)을 이르니, 양(陽)이 다시 안에서 생김은 들어옴이요 자라나서 밖으로 나아감은 나감이니, 〈입출(入出)이라고 해야 하는데〉 먼저 출(出)을 말한 것은 말이 〈출입의〉 어순(語順)을 따랐을 뿐이다. 양이 생김은 밖으로부터 오는 것이 아니나 안으로 오기 때문에 입(入)이라고 말한 것이다.

물건이 처음 생겨날 적에는 그 기운이 지극히 미미하므로 어려움이 많고, 양이 처음 생겨날 적에는 그 기운이 지극히 미미하므로 꺾임이 많으니, 봄의 양기(陽氣)가 나올 적에 음(陰)의 한기(寒氣)에게 꺾임을 당하니, 초목(草木)을 아침저녁에 살펴보면 이것을 볼 수 있다. '출입무질(出入无疾)'은 미미한 양이 생장함에 그를 해치는 자가 없음을 이르니, 이미 해치는 자가 없고 그 붕류(朋類)가 점진(漸進)하여 오면 장차 형성(亨盛)해지므로 허물이 없는 것이다. 이른바 허물이란 것은 기운(기후)에 있어서는 어긋남이 되고, 군자에 있어서는 꺾이고 막힘이 되어 그 이치를 다하지 못하는 것이다.

••• 摧 : 꺾을 최 忒 : 어그러질 특

陽之當復에 雖使有疾之나 固不能止其復也요 但爲阻礙耳며 而卦之才有无疾之義하니 乃復道之善也라 一陽이 始生至微하니 固未能勝羣陰而發生萬物이요 必待諸陽之來然後에 能成生物之功而无差忒하니 以朋來而无咎也라 三陽子、丑、寅之氣[169] 生成萬物은 衆陽之功也니 若君子之道 旣消而復에 豈能便勝於小人이리오 必待其朋類漸盛이면 則能協力以勝之也라

양이 회복할 때에 비록 가령 병들게 함이 있더라도 진실로 그 회복함을 저지하지는 못하고 다만 막음이 될 뿐이며, 괘의 재질에 병이 없는 뜻이 있으니, 바로 회복하는 도에 선(善)한 것이다.

한 양이 처음 생겨 지극히 미미하니, 진실로 여러 음을 이겨 만물을 발생시키지 못하고, 반드시 여러 양이 오기를 기다린 뒤에야 물건을 낳는 공을 이루어 어긋남이 없으니, 이는 벗이 와야 허물이 없는 것이다. 세 양인 자월(子月)·축월(丑月)·인월(寅月)의 기운이 만물을 생성(生成)함은 여러 양의 공(功)이니, 군자의 도가 이미 소멸되었다가 회복함에 어찌 곧바로 소인을 이기겠는가. 반드시 붕류(朋類)가 점점 성해지기를 기다리면 능히 협력하여 음(陰)을 이길 수 있는 것이다.

反復其道하여 七日에 來復하니 利有攸往이니라

그 도(道)를 반복하여 칠 일에 와서 회복하니, 가는 바를 둠이 이롭다.

本義 | 七日來復이요

칠 일에 와서 회복하고

傳 | 謂消長之道 反復迭至니 陽之消 至七日而來復이라 姤는 陽之始消也니 七變而成復[170]이라 故云七日이니 謂七更也라 臨云八月有凶은 謂陽長至於陰長에

······

169 三陽子丑寅之氣 : 자(子)는 자월(子月)인 동짓달로 양효(陽爻) 하나가 생기는 복괘(復卦)이며, 축(丑)은 축월(丑月)인 섣달로 양효 두 개가 생기는 림괘(臨卦)이며, 인(寅)은 인월(寅月)인 정월로 양효 세 개가 생기는 태괘(泰卦)이다. 자월은 북두칠성의 자루가 초저녁에 정북방인 자방(子方)을 가리키기 때문에 붙여진 이름인바, 한 달이 지나면 축방(丑方)을, 또 한 달이 지나면 인방(寅方)을 가리킨다.

170 姤陽之始消也 七變而成復 : 음력 4월에는 순양(純陽)인 건괘(乾卦 ☰)가 되었다가 5월인 하지(夏至)에 음(陰) 하나가 처음 생겨 양을 사라지게 하는 구괘(姤卦 ☰)가 되며 6월은 이음(二陰)의 돈괘(遯卦 ☰), 7월은 삼음(三陰)의 비괘(否卦 ☰), 8월은 사음(四陰)의 관괘(觀卦 ☰), 9월은

··· 礙 : 막힐 애 迭 : 번갈아 질

歷八月也라 陽進則陰退하고 君子道長則小人道消라 故利有攸往也라

소장(消長)의 도(道)가 반복하여 번갈아 이름을 말하였으니, 양(陽)의 사라짐이 7일에 이르러 와서 회복하는 것이다. 구괘(姤卦)는 양이 처음 사라지는 것이니, 일곱 번 변하여 복괘(復卦)를 이루므로 7일이라 말하였으니, 일곱 번 바뀜을 이른다. 림괘(臨卦)에 "팔월에 흉함이 있다."고 말한 것은 양이 자라남으로부터 음이 자라남에 이르기까지 8개월이 걸림을 이른다. 양이 나아가면 음이 물러가고, 군자의 도가 자라나면 소인의 도가 사라지므로 가는 바를 둠이 이로운 것이다.

本義 | 復은 陽復(부)生於下也라 剝盡則爲純坤十月之卦에 而陽氣已生於下矣니 積之踰月然後에 一陽之體 始成而來復이라 故十有一月이 其卦爲復이라 以其陽旣往而復(부)反이라 故有亨道요 又內震外坤하여 有陽動於下而以順上行之象이라 故其占이 又爲己之出入에 旣得无疾하고 朋類之來에 亦得无咎라 又自五月姤卦一陰始生으로 至此七爻而一陽來復하니 乃天運之自然이라 故其占이 又爲反復其道하여 至於七日이면 當得來復이요 又以剛德方長이라 故其占이 又爲利有攸往也라 反復其道는 往而復(부)來, 來而復(부)往之意라 七日者는 所占來復之期也라

복(復)은 양(陽)이 다시 아래에서 생기는 것이다. 양이 깎여 다하면 순곤(純坤 ☷)인 10월의 괘가 되는데, 양기(陽氣)가 이미 아래에서 생기니, 쌓여서 한 달이 지난 뒤에야 한 양의 체(體)가 비로소 이루어져 와서 회복한다. 그러므로 11월은 그 괘가 복(復)이 된 것이다. 그 양이 이미 갔다가 다시 돌아왔으므로 형통할 방도가 있고, 또 안은 진(震 ☳)이고 밖은 곤(坤 ☷)이어서 양이 아래에서 동하여 순히 위로 행하는 상(象)이 있다. 그러므로 그 점(占)이 또 자신이 출입(出入)함에 이미 병이 없고, 붕류(朋類)들이 옴에 또 무구(无咎)가 되는 것이다.

또 5월의 구괘(姤卦)에 한 음이 처음 생김으로부터 이 일곱 효(爻)에 이르면 한 양이 와서 회복하니, 이는 바로 천운(天運)의 자연이다. 그러므로 그 점(占)이 또 도를 반복하여 7일에 이르면 마땅히 와서 회복함을 얻으며, 또 강(剛)의 덕(德)이

······
오음(五陰)의 박괘(剝卦 ䷖), 10월은 순음(純陰)의 곤괘(坤卦 ䷁)가 되었다가 11월의 동지(冬至)가 되면 다시 양(陽) 하나가 생겨 복괘(復卦 ䷗)가 되므로 말한 것이다.

··· 踰 : 넘을 유 姤 : 만날 구

막 자라나기 때문에 그 점(占)이 또 가는 바를 둠이 이로운 것이다. '반복기도(反復其道)'는 갔다가 다시 오고 왔다가 다시 가는 뜻이다. '7일'은 와서 회복할 시기를 점치는 것이다.

彖曰 復亨은 剛反이니

〈단전〉에 말하였다. "복(復)이 형통함은 강(剛)이 돌아오기 때문이니,

本義 | 剛反則亨이라

강(剛)이 돌아오면 형통한다.

動而以順行이라 是以出入无疾 朋來无咎니라

동하여 순함으로 행하기 때문에 '출입함에 병이 없으며 벗이 옴에 허물이 없음〔出入无疾 朋來无咎〕'이 된 것이다.

傳 | 復亨은 謂剛反而亨也라 陽剛消極而來反하니 旣來反이면 則漸長盛而亨通矣라 動而以順行 是以出入无疾 朋來无咎는 以卦才로 言其所以然也니 下動而上順은 是動而以順行也라 陽剛反하고 以順動이라 是以得出入无疾하며 朋來而无咎也요 朋之來도 亦順動也라

'복형(復亨)'은 강(剛)이 돌아와 형통함을 이른다. 양강(陽剛)이 소진(消盡)함이 지극하였다가 와서 회복하니, 이미 와서 회복하면 점점 장성(長盛)하여 형통한다. '동이이순행 시이출입무질 붕래무구(動而以順行 是以出入无疾 朋來无咎)'는 괘의 재질로 그 소이연(所以然)을 말한 것이니, '아래가 동하고 위가 순함'은 동하여 순함으로 행하는 것이다. 양강(陽剛)이 돌아오고 순히 동하기 때문에 출입함에 병이 없으며 붕류(朋類)들이 와 허물이 없는 것이며, 붕류들이 오는 것 또한 순히 동하는 것이다.

本義 | 以卦德而言이라

괘덕(卦德)으로써 말하였다.

反復其道 七日來復은 **天行也**요

그 도를 반복하여 칠 일에 와서 회복함은 하늘의 운행이요,

本義 | 陰陽消息은 天運然也라

음 · 양의 사라지고 자라남은 하늘의 운행이 그러한 것이다.

利有攸往은 **剛長也**일새니

가는 바를 둠이 이로움은 강(剛)이 자라나기 때문이니,

本義 | 以卦體而言이니 旣生則漸長矣라

괘체(卦體)로써 말하였으니, 이미 생기면 점점 자라난다.

復에 **其見天地之心乎**인저

복(復)에서 천지(天地)의 마음을 볼 수 있을 것이다."

傳 | 其道反復往來하여 迭消迭息〔一有也字〕이라 七日而來復者는 天地之運行如是也니 消長相因은 天之理也라 陽剛君子之道長이라 故利有攸往이라 一陽復於下는 乃天地生物之心也라 先儒[171]皆以靜爲見天地之心이라하니 蓋不知動之端乃天地之心也라 非知道者면 孰能識之리오

도(道)는 반복하여 왕래해서 번갈아 사라지고 번갈아 자라난다. 양이 7일 만에 와서 회복한다는 것은 천지(天地)의 운행이 이와 같은 것이니, 소장(消長)이 서로 인함은 하늘의 이치이다. 양강 군자(陽剛君子)의 도(道)가 자라나기 때문에 가는 바를 둠이 이로운 것이다. 한 양(陽)이 아래에서 회복함은 바로 천지가 만물을 낳는 마음이다. 선유(先儒)는 모두 이르기를 "정(靜)에서 천지의 마음을 볼 수 있다." 하였으니, 동(動)의 단서가 바로 천지의 마음임을 알지 못한 것이다. 도를 아는 자가 아니면 누가 이것을 알겠는가.

171 先儒 : 사계는 "선유(先儒)는 바로 왕필(王弼)을 가리킨다." 하였다.

本義 | 積陰之下에 一陽復(부)生하니 天地生物之心이 幾於滅息이라가 而至此乃復을 可見이요 在人則爲靜極而動, 惡極而善하여 本心幾息而復見(부현)之端也라 程子論之詳矣요 而邵子之詩에 亦日 冬至子之半에 天心无改移[172]라 一陽初動處요 萬物未生時라 玄酒味方淡이요 大音聲正希[173]라 此言如不信이어든 更請問包羲라하니 至哉라 言也여 學者宜盡心焉이니라

쌓인 음(陰)의 아래에 한 양(陽)이 다시 생기니, 천지가 만물을 낳는 마음이 거의 멸식(滅息)되었다가 이에 이르러 다시 회복됨을 볼 수 있고, 사람에게 있어서는 정(靜)이 지극함에 동(動)하고 악(惡)이 지극함에 선(善)해져서, 본심(本心)이 거의 종식(終熄)되었다가 다시 나타나는 단서가 된다. 정자(程子)가 논하신 것이 상세하며, 소자(邵子; 소옹)의 시(詩)에 또 이르기를

"동지(冬至)의 자시(子時) 반(半;00시)에	冬至子之半
천심(天心)은 고치거나 옮김이 없구나.	天心无改移
한 양이 처음 동하는 곳이요	一陽初動處
만물이 아직 생기지 않은 때로다.	萬物未生時
현주(玄酒)는 맛이 담담하고	玄酒味方淡
대음(大音)은 소리가 들리지 않는 법,	大音聲正希
이 말을 만일 믿지 않거든	此言如不信
다시 포희(包羲;복희(伏羲))에게 물어 보라."	更請問包羲

하였으니, 지극하다, 이 말씀이여! 배우는 자는 마땅히 마음을 다해야 할 것이다.

172 冬至子之半 天心无改移 : 자지반(子之半)은 자시(子時) 반(半)으로 자정(子正)인 0시를 가리킨다. 옛날 책력을 만든 자들은 책력의 기원을 갑자년(甲子年) 갑자월(甲子月) 갑자일(甲子日) 야반(夜半)인 자정(子正)에 동지가 든 날을 기준으로 삼았다. 갑자년·갑자월이란 갑자년의 전 해인 계해년(癸亥年)의 동짓달을 가리킨다. 계해년 11월부터 1양(陽)이 처음 생기므로 이때를 기원으로 삼는데, 여기에서 변함없는 천심(天心)을 볼 수 있다는 뜻이다.

173 玄酒味方淡 大音聲正希 : 현주(玄酒)는 새벽에 첫 번째로 길어온 정화수(井華水)로 맛이 싱거우며, 대음(大音)은 귀로 얻어들을 수 없는 소리를 이른다. 《노자(老子)》 41절에 "대음은 소리가 없다.〔大音無聲〕"라고 보이는데, 주에 "들어도 들리지 않는 것을 희(希)라 하니, 얻어 들을 수 없는 소리이다." 하였다. 동지에 해당하는 복괘는 땅〔地〕을 상징하는 곤(坤)과 우레〔雷〕를 상징하는 진(震)이 만났는바, 땅속에 우레가 울려 사람들은 그 맛(의미)과 소리를 감지할 수 없으므로 맛이 없는 현주와 귀로 들을 수 없는 대음으로 비유한 것이다.

象曰 雷在地中이 **復**이니 **先王**이 **以**하여 **至日**에 **閉關**하여 **商旅不行**하며 **后不省方**하니라

〈상전〉에 말하였다. "우레가 땅 가운데 있음이 복(復)이니, 선왕(先王)이 보고서 동짓날에 관문(關門)을 닫아 장사꾼과 여행자가 다니지 못하게 하며 임금은 사방을 순행하여 시찰하지 않는다."

傳｜ 雷者는 陰陽相薄而成聲이나 當陽之微하여 未能發也라 雷在地中은 陽始復之時也라 陽始生於下而甚微하니 安靜〔一作順〕而後能長이라 先王이 順天道하여 當至日陽之始生하면 安靜以養之라 故閉關하여 使商旅不得行하고 人君不省視四方하나니 觀復之象而順天道也라 在一人之身에도 亦然하니 當安靜以養其陽也라

우레는 음 · 양이 서로 부딪쳐 소리를 이루는 것이나, 양이 미미할 때를 당하여 아직 소리를 내지 못한다. 우레가 땅 속에 있음은 양이 처음 회복하는 때이다. 양이 처음 아래에서 생겨 심히 미미하니, 안정한 뒤에야 자랄 수 있다. 선왕(先王)은 천도(天道)에 순응하여 동짓날 양이 처음 생길 때를 당하면 몸을 안정(安靜)하여 양을 기른다. 그러므로 관문(關門)을 닫아 장사꾼과 여행자가 다니지 못하게 하고 인군은 사방을 순행하여 시찰하지 않으니, 이는 복괘(復卦)의 상(象)을 보고 천도에 순응하는 것이다. 한 사람의 몸에 있어서도 또한 그러하니, 마땅히 안정하여 양을 길러야 한다.

本義｜ 安靜以養微陽也라 月令에 是月齋戒掩身하여 以待陰陽之所定이라하니라

안정하여 미미한 양을 기르는 것이다. 《예기》〈월령(月令)〉에 "이 달에 재계(齋戒)하고 몸을 엄폐하여 음 · 양이 정해지기를 기다린다." 하였다.

初九는 **不遠復**이라 **无祗**(지)**悔**니 **元吉**하니라

초구(初九)는 멀리 가지 않고 돌아오는지라 뉘우침에 이름이 없으니, 크게 선(善)하여 길하다.

傳｜ 復者는 陽反來復也니 陽은 君子之道라 故復爲反善之義라 初는 剛陽來復하여 處卦之初하니 復之最先者也니 是不遠而復也라 失而後有復이니 不失則何復

… 閉 : 닫을 폐 后 : 임금 후 掩 : 가릴 엄 祗 : 이를 지(저)

之有리오 唯失之不遠而復이면 則不至於悔니 大善而吉也라 祇는 宜音柢니 抵也라 玉篇云適也라하니 義亦同하니 无祇悔는 不至於悔也라 坎卦曰 祇既平无咎라하니 謂至既平也라 顏子无形顯之過일새 夫子謂其庶幾라하시니 乃无祇悔也라 過既未形而改면 何悔之有리오 既未能不勉而中하고 所欲不踰矩면 是有過也나 然其明而剛이라 故一有不善이면 未嘗不知요 既知면 未嘗不遽改라 故不至於悔하니 乃不遠復也라 祇는 陸德明音支라하고 玉篇、五經文字、羣經音辨에 竝見(현)衣部[174]하니라

복(復)은 양(陽)이 돌아와서 회복함이니, 양은 군자의 도이므로 복(復)은 선(善)으로 돌아오는 뜻이 되는 것이다. 초(初)는 양강(陽剛)이 와서 회복하여 괘(卦)의 초(初)에 처하였으니, 돌아오기를 가장 먼저한 자이니, 이는 멀리 가지 않고 돌아온 것이다. 잃은 뒤에 돌아옴이(회복함이) 있는 것이니, 잃지 않았다면 무슨 돌아옴이 있겠는가. 오직 잃기를 멀리 하지 않고 돌아오면 뉘우침에 이르지 않으니, 이는 크게 선(善)하고 길한 것이다.

'지(祇)'는 마땅히 음(音)이 지(柢;저)여야 하니, 이름[至]이다. 《옥편(玉篇)》에는 '적(適;감)'이라 하였는데 뜻이 또한 같으니, '무지회(无祇悔)'는 뉘우침에 이르지 않는 것이다. 감괘(坎卦;구오 효사(九五爻辭))에 이르기를 "이미 평함에 이르러 허물이 없다.[祇既平, 无咎.]"라 하였으니, 이미 평함에 이름을 말한 것이다. 안자(顏子)는 드러난 잘못이 없으므로 부자(夫子)가 "도(道)에 가깝다."고 이르셨으니, 바로 뉘우침에 이름이 없는 것이다. 허물이 이미 드러나기 전에 고치면 무슨 뉘우침이 있겠는가.

••••••

174 陸德明……竝見衣部 : 육덕명(陸德明)은 당(唐)나라 오현(吳縣) 사람으로 이름이 원랑(元朗)인데 자(字)로 행세하였는바, 명리(名理)에 밝아 고조(高祖) 때에 국자박사(國子博士)가 되어 경전(經典)의 음독(音讀)을 주해(註解)하였으며, 《경전석문(經典釋文)》 30권을 저술하였다. '祇' 자에 대하여 사계(沙溪)는 "지(祇)는 음(音)이 지(秖)이니, 하문(下文)에 의부(衣部)라는 말과 다르며, 지(祇)자는 또 습감괘(習坎卦)에 보이니, 마땅히 상고해야 한다." 하였으며, 습감괘 구오 효사의 '지기평(祇既平)'에서도 이것을 거론하고 "지(祇)는 평성(平聲)이다." 하였다. 그러나 고대(古代)의 필사본(筆寫本)은 지(祇)·지(祗)·지(秖) 등을 혼용하여 써서 부수(部首)가 정확하지 않고 지(氏)·저(氐) 또한 제대로 구분되지 않으며, 뜻 또한 공경함·큼·마침·다만으로 풀이하고 지(底)와도 통용되는데, 이 경우 '底를 지'로 읽는다. 그리고 의부(衣部)의 기(衹)는 승려들의 법복(法服)으로, 음이 '기'이나 또한 '다만 지'로도 통용됨을 밝혀둔다. 육덕명이 지(祇)로 읽은 것이 가장 옳은 것으로 보인다.

••• 柢 : 뿌리 저 抵 : 이를 저(지) 形 : 나타날 형 踰 : 넘을 유 矩 : 법 구

이미 힘쓰지 않고 도에 맞지 못하며, 하고자 하는 바가 법도를 넘지 않지 못한다면 이는 허물이 있는 것이나, 밝고 강(剛)하기 때문에 한 번이라도 불선(不善)이 있으면 일찍이 알지 못함이 없고, 이미 알면 일찍이 급히 고치지 않음이 없었다. 그러므로 뉘우침에 이르지 않은 것이니, 바로 멀리 가지 않고 돌아온 것이다. '지(祇)'는 육덕명(陸德明)은 음(音)이 지(支)라 하였고, 《옥편》과 《오경문자(五經文字)》와 《군경음변(羣經音辨)》에는 모두 의부(衣部)에 보인다.

本義 | 一陽이 復(부)生於下하니 復之主也라 祇는 抵也라 又居事初하여 失之未遠에 能復於善하여 不抵於悔하니 大善而吉之道也라 故其象占如此하니라

한 양(陽)이 다시 아래에서 생기니, 〈초구(初九)는〉 복(復)의 주체이다. '지(祇)'는 이름〔抵〕이다. 초구는 또 일의 초기에 있어 잃기를 멀리하기 전에 선(善)으로 돌아와서 뉘우침에 이르지 않으니, 크게 선(善)하고 길한 방도이다. 그러므로 그 상(象)과 점(占)이 이와 같은 것이다.

象曰 不遠之復은 以修身也라

〈상전〉에 말하였다. "멀리 가지 않고 돌아옴은 이로써 몸을 닦는 것이다."

傳 | 不遠而復者는 君子所以修其身之道也라 學問〔一无問字〕之道는 无他也라 唯其知不善이면 則速改以從善而已니라

멀리 가지 않고 돌아옴은 군자가 몸을 닦는 방도이다. 학문하는 방도는 다른 것이 없다. 오직 불선임을 알면 빨리 고쳐 선을 따를 뿐이다.

六二는 休復이니 吉하니라

육이(六二)는 아름다운 돌아옴이니, 길하다.

傳 | 二雖陰爻나 處中正而切比於初하여 志從於陽하니 能下仁也니 復之休美者也라 復者는 復於禮也니 復禮則爲仁이라 初陽復은 復於仁也어늘 二比而下之하니 所以美而吉也니라

이(二)가 비록 음효(陰爻)이나 중정에 처하였고 초(初)와 매우 가까이 있어 뜻이

양을 따르니, 인자(仁者)에게 몸을 낮춤이니, 돌아옴에 아름다운 자이다. 복(復)은 예(禮)로 돌아옴이니, 예로 돌아오면 인(仁)이 된다. 초양(初陽)이 돌아옴은 인(仁)으로 돌아옴인데, 이(二)가 초(初)와 가까이 있어 몸을 낮추니, 이 때문에 아름다워 길한 것이다.

本義 | 柔順中正하고 近於初九而能下之하니 復之休美니 吉之道也라

유순 중정(柔順中正)하고 초구(初九)에 가까이 있으면서 낮추니, 돌아옴의 아름다움이니, 길한 방도이다.

象曰 休復之吉은 以下仁也라

〈상전〉에 말하였다. "휴복(休復)의 길함은 인자(仁者)에게 낮추기 때문이다."

傳 | 爲復之休美而吉者는 以其能下仁也니 仁者는 天下之公이요 善之本也라 初復於仁이어늘 二能親而下之라 是以吉也라

돌아옴이 아름다워 길함이 되는 것은 능히 인자(仁者)에게 낮추기 때문이니, 인(仁)은 천하의 공(公)이요 선(善)의 근본이다. 초(初)가 인(仁)으로 돌아왔는데, 이(二)가 가까이 하여 낮추기 때문에 길한 것이다.

六三은 頻復[175]이니 厲하나 无咎리라

육삼(六三)은 돌아오기를 자주함이니(자주 돌아옴이니), 위태로우나 허물이 없으리라.

傳 | 三以陰躁로 處動之極하니 復之頻數(삭)而不能固者也라 復貴安固하니 頻復頻失이면 不安於復也라 復善而屢失은 危之道也니 聖人이 開遷善之道하여 與其復而危其屢失이라 故云厲无咎라하시니 不可以頻失而戒其復也라 頻失則爲危어

175 頻復 : 퇴계는 '빈(頻)한 복(復)이니'와 '복(復)에 빈(頻)함이니'의 두 가지로 해석함을 밝히고, 아래의 '돈복(敦復)'과 '미복(迷復)' 역시 두 가지로 해석할 수 있음을 말씀하였다.《經書辨疑》

··· 頻 : 자주 빈 躁 : 성급할 조 屢 : 자주 루 遷 : 옮길 천

니와 屢復이 何咎리오 過在失而不在復也니라

삼(三)은 음의 조급함으로서 동(動)의 극에 처하였으니, 돌아오기를 자주하여 견고하게 하지 못하는 자이다. 돌아옴은 편안하고 견고함을 귀히 여기니, 자주 돌아왔다가 자주 잃으면 돌아옴을 편안히 여기지 못하는 것이다. 선(善)으로 돌아왔다가 자주 잃음은 위태로운 방도이니, 성인(聖人)이 천선(遷善)의 길을 열어놓아 돌아옴을 허여(許與)하고 자주 잃음을 위태롭게 여기셨다. 그러므로 "위태로우나 허물이 없다."고 말씀한 것이니, 자주 잃는다 하여 그 돌아옴을 경계할 수는 없는 것이다. 자주 잃음은 위태로움이 되지만 자주 돌아옴이 무슨 허물이 되겠는가. 허물은 잃음에 있고 돌아옴에 있지 않다.

本義 | 以陰居陽하여 不中不正하고 又處動極하여 復而不固하니 屢失屢復之象이라 屢失故危요 復則无咎라 故其占이 又如此하니라

음효(陰爻)로서 양위(陽位)에 거하여 중정하지 못하고 또 동(動)의 극에 처하여 돌아오나 견고하지 못하니, 자주 잃고 자주 돌아오는 상(象)이다. 자주 잃으므로 위태롭고, 돌아오면 허물이 없으므로 그 점(占)이 또 이와 같은 것이다.

象曰 頻復之厲는 義无咎也니라

〈상전〉에 말하였다. "빈복(頻復)의 위태로움은 의(義)에는 허물이 없는 것이다."

傳 | 頻復頻失이 雖爲危厲나 然復善之義는 則无咎也라

자주 돌아오고 자주 잃음은 비록 위태로움이 되나 선(善)으로 돌아오는 의(義)에는 허물이 없다.

六四는 中行하되 獨復이로다

육사(六四)는 음 가운데를 행하나 홀로 돌아오도다.

傳 | 此爻之義를 最宜詳玩이라 四行羣陰之中而獨能復하여 自處於正하고 下應於陽剛하니 其志可謂善矣라 不言吉凶者는 蓋四以柔居羣陰之間하고 初方甚微

하여 不足以相援하니 无可濟之理라 故聖人이 但稱其能獨復이요 而不欲言其獨從道而必凶也시니라 曰 然則不言无咎는 何也오 曰 以陰居陰하여 柔弱之甚하여 雖有從陽之志나 終不克濟하니 非无咎也일새니라

이 효(爻)의 뜻을 가장 자세히 살펴보아야 한다. 사(四)가 군음(羣陰)의 가운데를 행하나 홀로 돌아와서 스스로 바름에 처하고 아래로 양강(陽剛;초구(初九))에 응하니, 그 뜻이 선(善)하다고 이를 만하다.

그런데 길·흉을 말하지 않은 것은 사(四)가 유(柔)로서 군음(羣陰)의 사이에 처하고 정응(正應)인 초(初)가 심히 미약하여 서로 구원하지 못하니, 이룰 수 있는 이치가 없다. 그러므로 성인이 다만 그 홀로 돌아옴을 칭찬하시고, 홀로 도(道)를 따르다가 반드시 흉하게 됨을 말씀하고자 하지 않으신 것이다.

"그렇다면 무구(无咎)라고 말하지 않음은 어째서인가?" "음효로서 음위(陰位)에 거해서 유약함이 심하여 비록 양을 따르는 뜻이 있으나 끝내 이루지 못하니, 무구가 아니기 때문이다."

本義 | 四處羣陰之中하여 而獨與初應하니 爲與衆俱行而獨能從善之象이라 當此之時하여 陽氣甚微하여 未足以有爲라 故不言吉이라 然理所當然이니 吉凶은 非所論也라 董子曰 仁人者는 正其義하고 不謀其利하며 明其道하고 不計其功이라하니 於剝之六三[176] 及此爻에 見之니라

사(四)가 군음(羣陰)의 가운데에 처하여 홀로 초(初)와 응하니, 무리와 함께 가나 홀로 능히 선(善)을 따르는 상(象)이 된다. 이러한 때를 당하여 양기(陽氣)가 매우 미약하여 무슨 일을 할 수가 없으므로 길함을 말하지 않은 것이다. 그러나 도리에 당연한 것이니, 길·흉은 논할 바가 아니다. 동자(董子;동중서(董仲舒))가 말하기를 "인인(仁人)은 의(義)를 바루고 이익을 도모하지 않으며, 도(道)를 밝히고 공(功)을 따지지 않는다." 하였으니, 박괘(剝卦 ䷖)의 육삼효(六三爻) 및 이 육사효(六四爻)에서 이것을 볼 수 있다.

176 剝之六三: 박괘(剝卦)는 여러 음이 양을 깎아먹는 상(象)인데, 육삼효(六三爻)는 홀로 여러 음을 버리고 정도(正道)를 따르다가 화를 당하기 때문에 말한 것이다.

••• 援: 구원할 원 董: 성 동

象曰 中行獨復은 以從道也라

〈상전〉에 말하였다. "'중행독복(中行獨復)'은 도(道)를 따르기 때문이다."

傳 | 稱其獨復者는 以其從陽剛君子之善道也라

홀로 돌아옴을 칭찬한 것은 양강 군자(陽剛君子)의 선(善)한 도(道)를 따르기 때문이다.

六五는 敦復이니 无悔하니라

육오(六五)는 돌아옴에 도타움이니(돈독히 돌아옴이니), 뉘우침이 없다.

傳 | 六五以中順之德으로 處君位하여 能敦篤於復善者也라 故无悔라 雖本善이나 戒亦在其中矣라 陽復方微之時에 以柔居尊하고 下復(부)无助하여 未能致亨吉也요 能无悔而已니라

육오(六五)는 중순(中順)의 덕으로 군위(君位)에 처하여 선(善)으로 돌아오기를 돈독히 하는 자이다. 그러므로 뉘우침이 없는 것이다. 비록 본래 선(善)하나 경계가 또한 이 가운데 들어 있다. 양이 회복함이 미약할 때에 유(柔)로 존위(尊位)에 거하고 아래에 다시 도와주는 이가 없어서 형통하여 길함을 이룰 수 없고 능히 뉘우침이 없을 뿐이다.

本義 | 以中順居尊하고 而當復之時하여 敦復之象이니 无悔之道也라

중순(中順)으로서 존위(尊位)에 거하고 복(復)의 때를 당하여 돌아오기를 도타히 하는 상이니, 뉘우침이 없는 방도이다.

象曰 敦復无悔는 中以自考也라

〈상전〉에 말하였다. "'돈복무회(敦復无悔)'는 중도(中道)로써 스스로 이룸이다."

傳 | 以中道自成也라 五以陰居尊하여 處中而體順하니 能敦篤其志하여 以中道

自成이면 則可以无悔也라 自成은 謂成其中順之德이라

오(五)가 중도로써 스스로 이루는 것이다. 오(五)가 음효로서 존위에 거하여 중(中)에 처하고 체(體)가 순(順)하니, 그 뜻을 돈독히 해서 중도로써 스스로 이루면 뉘우침이 없을 수 있다. '스스로 이룬다'는 것은 중순(中順)한 덕을 이룸을 이른다.

本義 | 考는 成也라

'고(考)'는 이룸이다.

上六은 迷復이라 凶하니 有災眚하여 用行師면 終有大敗하고 以其國이면 君이 凶하여 至于十年히 不克征하리라

상육(上六)은 돌아옴에 혼미하므로 흉하니, 재생(災眚)이 있어서 군(軍)을 출동함에 쓰면 끝내 대패(大敗)하고, 나라를 다스림에 쓰면 군주가 흉하여 십 년에 이르도록 능히 가지 못하리라.

本義 | **終有大敗**하여 **以其國君凶**하여

끝내 대패(大敗)가 있어 국군(國君)과 더불어 흉하여

傳 | 以陰柔居復之終하여 終迷不復者也니 迷而不復이면 其凶可知라 有災眚은 災는 天災니 自外來요 眚은 己過니 由自作이라 旣迷不復善하니 在己則動皆過失이요 災禍亦自外而至니 蓋所招也라 迷道不復은 无施而可니 用以行師면 則終有大敗요 以之爲國이면 則君之凶也라 十年者는 數之終이니 至於十年不克征은 謂終不能行이라 旣迷於道하니 何時而可行也리오

음유(陰柔)로서 복괘(復卦)의 종(終)에 거하여 끝내 혼미(昏迷)해서 돌아오지 못하는 자이니, 혼미해서 돌아오지 못하면 그 흉함을 알 수 있다. 재생(災眚)이 있다는 것은 '재(災)'는 천재(天災)이니 밖으로부터 온 것이요, '생(眚)'은 자기의 허물이니 자기로부터 일어난 것이다. 이미 혼미하여 선(善)으로 돌아오지 못하니, 자신에게 있어서는 동함이 모두 과실(過失)이요, 재화(災禍) 또한 밖으로부터 이르니, 이 또한 자기가 부른 것이다.

도(道)에 혼미하여 돌아오지 못함은 어느 곳에 시행해도 가(可)함이 없으니, 이로써 군(軍)을 출동하면 끝내 대패(大敗)가 있고, 이로써 나라를 다스리면 군주가

··· 迷 : 어두울 미 災 : 재앙 재 眚 : 허물 생 克 : 능할 극

흉하다. 10년은 수(數)의 마지막(끝)이니, 10년에 이르도록 능히 가지 못한다는 것은 끝내 행하지 못함을 이른다. 이미 도(道)에 혼미하니, 어느 때에 행할 수 있겠는가.

本義 | 以陰柔居復終하여 終迷不復之象이니 凶之道也라 故其占如此하니라 以는 猶及也라

음유(陰柔)로서 복(復)의 마지막에 거해서 끝내 혼미하여 돌아오지 못하는 상(象)이니, 흉한 방도이다. 그러므로 그 점(占)이 이와 같은 것이다. '이(以)'는 급(及:더붊)과 같다.

象曰 迷復之凶은 反君道也일새라

〈상전〉에 말하였다. "미복(迷復)의 흉함은 군주의 도에 위반되기 때문이다."

傳 | 復則合道어늘 旣迷於復이면 與道相反也니 其凶可知라 以其國君凶은 謂其反君道也라 人君이 居上而治衆에 當從天下之善이어늘 乃迷於復하니 反君之道也라 非止人君이요 凡人迷於復者는 皆反道而凶也니라

돌아오면 도(道)에 합하는데 이미 돌아옴에 혼미하면 도와 상반(相反)되니, 그 흉함을 알 수 있다. '이기국군흉(以其國君凶)'은 군주의 도에 위반됨을 이른다. 인군이 윗자리에 거하여 무리를 다스림에 마땅히 천하의 선(善)을 따라야 하는데, 돌아옴에 혼미하니 군주의 도에 위반되는 것이다. 이는 다만 인군만이 그러한 것이 아니요, 돌아옴에 혼미한 자는 모두 도에 위반되어 흉한 것이다.

성백효成百曉

충남忠南 예산禮山 출생
가정에서 부친 월산공月山公으로부터 한문 수학
월곡月谷 황경연黃璟淵, 서암瑞巖 김희진金熙鎭 선생 사사
민족문화추진회 부설 국역연수원 연수부 수료
고려대학교 교육대학원 한문교육과 수료
한국고전번역원 교수 역임
전통문화연구회 부회장 역임
사단법인 해동경사연구소 소장(현)

번역서

사서집주四書集註, 『시경집전詩經集傳』
『서경집전書經集傳』, 『주역전의周易傳義』
『고문진보古文眞寶』, 『근사록집해近思錄集解』
『심경부주心經附註』, 『통감절요』
『당송팔대가문초唐宋八大家文鈔 소식蘇軾』
『고봉집高峰集』, 『독곡집獨谷集』, 『우계집牛溪集』
『다산시문집茶山詩文集』, 『송자대전宋子大全』
『약천집藥泉集』, 『양천세고陽川世稿』
『여헌집旅軒集』, 『율곡전서栗谷全書』
『잠암선생일고潛庵先生逸稿』
『존재집存齋集』, 『퇴계전서退溪全書』
『부안설 논어집주附按說論語集註』
『부안설 맹자집주附按說孟子集註』
『부안설 대학·중용집주附按說大學中庸集註』
『최신판 논어집주最新版論語集註』
『최신판 맹자집주最新版孟子集註』
『최신판 대학·중용집주最新版大學中庸集註』
『논어집주상설論語集註詳說』
『맹자집주상설孟子集註詳說』
『대학·중용집주상설大學中庸集註詳說』
『조선후기 한문비평1, 2』

海東經史研究所 임원

顧問	林東喆
	權五春
所長	成百曉
理事長	金成珍
副理事長	朴喜在
理事	金南德
	盧丸均
	申範植
	李光圭
	李在遠
	李哲洙
	張日碩
監事	吳相潤
	李根寬

해동경사연구소 www.haedong.org

신역 주역전의 (상) – 新譯 周易傳義 (上)

1판 1쇄 발행 | 2023년 1월 27일
1판 1쇄 인쇄 | 2023년 1월 10일

역주 | 성백효

발행처 | 한국인문고전연구소 발행인 | 조옥임
출판등록번호 | 2012년 2월 1일(제 406-251002012000027호)
주소 | 경기 파주시 가람로 70 (402-402) 전화 | 02-323-3635 팩스 | 02-6442-3634
이메일 | books@huclassic.com

디자인 | 씨오디
지류 | 상산페이퍼
인쇄 | 다다프린팅

ISBN | 978-89-97970-75-9 94140
978-89-97970-74-2 (set)